DIMENSIONEN 5
Mathematik

Mag.[a] Gabriele Bleier
Mag.[a] Judith Lindenberg
Mag. Andreas Lindner
Mag.[a] Dr.[in] Evelyn Süss-Stepancik

E. DORNER

Lehrplan und standardisierte schriftliche Reifeprüfung

Mit dem Lehrplan 2017 werden die **Semestrierung/Modularisierung** und **Kompetenzorientierung** des Mathematikunterrichts für die Oberstufe umgesetzt.
Aus den verschiedenen Kompetenzbereichen und Lehrplanmodulen des Lehrplans ergeben sich **Kompetenzen**, die

GK für die standardisierte schriftliche Reifeprüfung erforderlich sind,

O im Rahmen des Lehrplans zusätzlich zu den Reifeprüfungskompetenzen wesentlich sind.

Diese Kompetenzen werden zusammengefasst zu den **vier Inhaltsbereichen**:
- Algebra und Geometrie (AG)
- Funktionale Abhängigkeiten (FA)
- Analysis (AN)
- Wahrscheinlichkeit und Statistik (WS)

Am Beginn jedes Kapitels werden **Kompetenzen aufgelistet**. Dahinter geben in Klammer angeführte Abkürzungen und Nummerierungen an, in welchem Inhaltsbereich diese Kompetenz verankert ist und um welche Kompetenz es sich dabei handelt.

- Kürzel wie z. B. AG-R zeigen an, dass eine Kompetenz aus dem Inhaltsbereich Algebra und Geometrie der schriftlichen standardisierten Reifeprüfung angesprochen ist.
- Kürzel wie z. B. AG-L zeigen an, dass eine zusätzliche Kompetenz des Lehrplans aus dem Inhaltsbereich Algebra und Geometrie angesprochen ist.

Der Erwerb mancher Kompetenzen erfolgt über mehrere Schuljahre hinweg, sodass in unterschiedlichen Schulstufen Teilaspekte einer Kompetenz angesprochen werden. Wenn das der Fall ist, wird nur jener **Teilaspekt der Kompetenz** im Schulbuch angeführt, der in diesem Schuljahr erworben werden kann.
In der 9. Schulstufe beispielsweise wird im Kapitel Zahlenbereiche nur der Bereich *„Wissen über die Zahlenmengen $\mathbb{N}$, $\mathbb{Z}$, $\mathbb{Q}$, $\mathbb{R}$ verständig einsetzen“* der Grundkompetenz AG-R 1.1 angesprochen und daher auch nur dieser Teilaspekt angeführt. Erst wenn in der 11. Schulstufe alle Aspekte der Grundkompetenz AG-R 1.1 *„Wissen über die Zahlenmengen $\mathbb{N}$, $\mathbb{Z}$, $\mathbb{Q}$, $\mathbb{R}$, und $\mathbb{C}$ verständig einsetzen“* angesprochen werden, wird dort auch die vollständige Formulierung der Grundkompetenz AG-R 1.1 angeführt.

Quellen:
Bundesinstitut Bifie (Hrsg.): Die standardisierte schriftliche Reifeprüfung in Mathematik.
Handreichung zum Lehrplan Mathematik Oberstufe AHS.

Liebe Schülerin, lieber Schüler!

Mit *Dimensionen – Mathematik* wollen wir dich einladen, Mathematik auf verschiedene Arten kennenzulernen. Wir stellen dir hier unser Buchkonzept kurz vor. Das Einbinden von Lernmethoden und Technologie und die Kennzeichnung des Anspruchsniveaus bei den Aufgaben unterstützen dich beim Lernen und fördern deine Eigenständigkeit, Selbsttätigkeit und Eigenverantwortung.

1. Gliederung der einzelnen Abschnitte

Die **Inhalte** und **Lernziele** jedes Kapitels sowie die **Grundkompetenzen** GK in Hinblick auf die standardisierte schriftliche Reifeprüfung sind im Vorspann jedes Kapitels beschrieben. Weitere Grundkompetenzen im Sinne des Lehrplans sind mit dem Icon O gekennzeichnet.

Im ersten Lernschritt wird dort wo nötig dein **Vorwissen** aktiviert. Es ist jenes Wissen, das du bereits einmal erworben hast und das du im nächsten Lernschritt für nachhaltigen Wissenserwerb brauchst. Die Aufgaben im Abschnitt *Vorwissen* sind kurz und meist in Einzelarbeit zu lösen.

Im zweiten Lernschritt erarbeitest du **Neues Wissen**. Dabei wechseln einander Lesetexte und Aufgaben entsprechend der Erarbeitungsschritte ab. Wichtige ▷ Sätze, Definitionen oder Zusammenfassungen sind gelb hinterlegt. Ein grüner Balken am Seitenrand kennzeichnet diesen Erarbeitungsteil.

Im dritten Lernschritt festigst und vertiefst du dein neues Wissen. Die **Aufgaben** orientieren sich an den Inhalten des Erarbeitungsteils. Als Vorbereitung auf die standardisierte schriftliche Reifeprüfung sind Aufgaben zu Grundkompetenzen mit dem Icon GK versehen und **Typ-2-Aufgaben** zur Vernetzung von Grundkompetenzen und Inhaltsbereichen entsprechend gekennzeichnet. Es kommen die verschiedenen Aufgabenformate (Multiple-Choice, Zuordnungen, Lückentexte und offene Aufgabenstellungen) zum Einsatz. Besonders anspruchsvolle Aufgaben tragen eine Eule.
Am Ende der Kapitel geben dir **Kompetenzchecks** und **Typ-2-Aufgaben** die Möglichkeit, dein **Wissen zu testen**.

2. Lernmethoden
Viele Aufgaben sind für die Arbeit zu zweit oder in der Gruppe geeignet. Sie sind durch Icons (bzw.) gekennzeichnet und häufig Teil eines mehrstufigen Lernprozesses.

3. Mathematik mit Technologieeinsatz
Technologische Tools unterstützen deinen Lern- und Verstehensprozess und nehmen dir Rechenarbeit ab. Das Icon verweist auf Aufgaben mit Technologieeinsatz bzw. auf **Technologie-Tipps**, die diesem Buch beigelegt sind. Passend zum jeweiligen Thema gibt es Anleitungen für die dynamische Geometriesoftware **GeoGebra**, für **Tabellenkalkulation** und für die **Computeralgebrasysteme** (CAS) von GeoGebraCAS, MathCad und TI-Nspire.

4. Digitales Übungsmaterial steht dir auf www.dorner-verlag.at/dimensionen zur Verfügung. Entsprechende Hinweise auf Online-Material sind blau und unterstrichen und mit dem Symbol www gekennzeichnet.

Wir wünschen dir ein interessantes Schuljahr und viel Erfolg mit *Dimensionen – Mathematik*!
Gabriele Bleier, Judith Lindenberg, Andreas Lindner und Evelyn Süss-Stepancik

Zahlen und Rechengesetze

Kompetenzbereich: Mengen, Zahlen und Rechengesetze (AG)

1 Mengen und Aussagen

Im Laufe vieler Jahrhunderte hat sich eine Symbolsprache in der Mathematik entwickelt, um mathematische Zusammenhänge präzise, knapp und international einheitlich zu beschreiben. Dafür wurden Begriffe und Symbole festgelegt (definiert). Mach dich mit ihnen vertraut!

Du erwirbst folgende Grundkompetenzen:
- GK Wissen über Zahlenmengen verständig einsetzen (AG-R 1.1)
- Mit Aussagen und Mengen umgehen (AG-L 1.3)

Neues Wissen – Wiederholung und Vertiefung

Arbeit nach der Lernmethode Informationssuche (bis Aufgabe 2)

Hinweise zur Vorgangsweise findest du unter www Lernmethode Informationssuche.

Löse die Aufgaben 1 und 2 mithilfe der Informationstexte.

In den Texten werden **Aussagen** zu Mengen formuliert. Aussagen können wahr oder falsch sein. Für die Verknüpfung bzw. die Beziehung zweier Aussagen gibt es folgende Symbole.

Verknüpfung zweier Aussagen A und B:		
$A \wedge B$	ist genau dann wahr, wenn sowohl A als auch B wahr ist	„A und B“
$A \vee B$	ist genau dann wahr, wenn mindestens eine der beiden Aussagen wahr ist	„A oder B“
Beziehungen zwischen zwei Aussagen A und B:		
$A \Rightarrow B$	Wenn A wahr ist, dann ist auch B wahr. (Wenn A falsch ist, dann kann B wahr oder falsch sein.)	„Aus A folgt B.“
$A \Leftrightarrow B$	A ist genau dann wahr (falsch), wenn B wahr (falsch) ist.	„A ist äquivalent zu B.“

Informationstext: Mengen

In der Mathematik können Objekte (z. B. Zahlen, Punkte) zu **Mengen** zusammengefasst werden.

Beispiel: $A = \{1, 3, 5, 7\}$

Die Zahlen 1, 3, 5, 7 heißen **Elemente der Menge A**.

Elemente in beliebiger Reihenfolge

$A = \{1, 3, 5, 7\}$

Mengenklammer

Die Zahl 3 ist Element der Menge A.
Symbolschreibweise: $3 \in A$
Sprechweise: „3 Element aus A“ oder „3 aus A“

4 ist kein Element der Menge A.
Symbolschreibweise: $4 \notin A$
Sprechweise: „4 kein Element aus A“ oder „4 nicht aus A“

Mengen können auf verschiedene Weise charakterisiert werden.

- Bei Mengen mit nur wenigen Elementen werden alle Elemente aufgezählt: z. B. $A = \{1, 3, 5, 7\}$
  Unendliche oder sehr umfangreiche Mengen können nicht vollständig aufgezählt werden. Drei Punkte ersetzen die fehlenden Elemente: z. B. $\mathbb{N}_U = \{1, 3, 5, 7, 9, ...\}$ oder $B = \{1, 3, 5, ..., 99\}$
- Die Menge wird in Worten beschrieben:
  z. B. $\mathbb{N}_U$ ist die Menge aller ungeraden natürlichen Zahlen.
- Die Menge wird mithilfe mathematischer Symbole beschrieben:
  z. B. $W = \{n \in \mathbb{N}_U \mid n > 3 \text{ und } n < 18\}$
  Sprechweise: W ist die Menge aller n aus $\mathbb{N}_U$, für die gilt: n größer als 3 und n kleiner als 18.

▷ Die **leere Menge** besitzt keine Elemente. Sie wird mit { } oder Ø geschrieben.

Übersetzungstabelle:

Schreibweise	Bedeutung	Sprechweise
$n \in A$	n ist ein Element der Menge A.	„n Element aus A"
$n \notin A$	n ist kein Element der Menge A.	„n kein Element aus A"
$\{n \mid ...\}$	Alle Elemente der Menge erfüllen bestimmte Eigenschaften.	„Menge aller n, für die gilt: ..."

GK **1** Bearbeite die folgenden Aufgaben mithilfe des Informationstextes *Mengen*.

a) Beschreibe die Mengen $M = \{2, 4, 6, 8, 10\}$ und $V = \{a, e, i, o, u\}$ in Worten.

b) Drücke in Symbolschreibweise aus und gib an, ob die Aussagen wahr oder falsch sind.
2 ist ein Element von $M = \{2, 4, 6, 8, 10\}$. u ist Element von $V = \{a, e, i, o, u\}$.
1 ist kein Element von $M = \{2, 4, 6, 8, 10\}$. b ist Element von $V = \{a, e, i, o, u\}$.

c) Welche Bedeutung haben die Punkte in den folgenden Beispielen?
$T = \{2, 4, 6, ..., 18, 20\}$ $G = \{2, 4, 6, ...\}$

d) Übersetze die Symbolschreibweise in Worte. Beschreibe die Menge außerdem in Alltagssprache mit einem vollständigen Satz und gib sie durch Aufzählen der Elemente an.
$D = \{x \mid x = 3 \cdot k \text{ mit } k = 1, 2, 3, 4, ...\}$

e) Gib die Menge W in Symbolschreibweise und durch Aufzählen ihrer Elemente an.
W ist die Menge aller natürlichen Zahlen n, die größer als 10 und kleiner als 100 sind.

f) Welche Menge wird durch $A = \{\ \}$ bzw. $A = \emptyset$ beschrieben?

g) Ordne entsprechende Mengen einander zu. Es gilt: $\mathbb{N}^* = \{1, 2, 3, 4, 5, 6, 7, ...\}$

$\{n \in \mathbb{N}^* \mid n - 2 = 2\}$	
$\{n \in \mathbb{N}^* \mid n > 2 \wedge n < 4\}$	
$\{n \in \mathbb{N}^* \mid n < 4\}$	
$\{n \in \mathbb{N}^* \mid n < 2 \vee n > 4\}$	
$\{n \in \mathbb{N}^* \mid n = 2 \wedge n = 4\}$	
$\{n \in \mathbb{N}^* \mid n = 2 \vee n = 4\}$	

A	$\{2, 4\}$
B	$\{4\}$
C	$\{1, 5, 6, 7, ...\}$
D	$\{\ \}$
E	$\{1, 2, 3\}$
F	$\{3\}$

Informationstext: Beziehungen und Verknüpfungen von Mengen

▷ Sind alle Elemente einer Menge A in der Menge B enthalten, so wird A eine **Teilmenge** von B genannt:
$A \subseteq B$ (*Sprechweise:* „A Teilmenge von B")
$A \subset B$ (*Sprechweise:* „A echte Teilmenge von B") $\Rightarrow A \neq B$

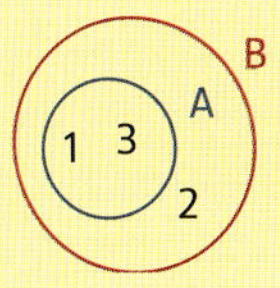

Beispiel: $\{1, 3\} \subseteq \{1, 2, 3\}$
Die leere Menge { } und die Menge B selbst sind ebenfalls Teilmengen von B.

▷ Die Zusammenfassung aller Elemente von A und B heißt **Vereinigungsmenge** (oder kurz **Vereinigung**) der Mengen A und B. Sie wird als $A \cup B$ angeschrieben:
$A \cup B = \{x | x \in A \text{ oder } x \in B\}$ (*Sprechweise:* „A Vereinigung B“)

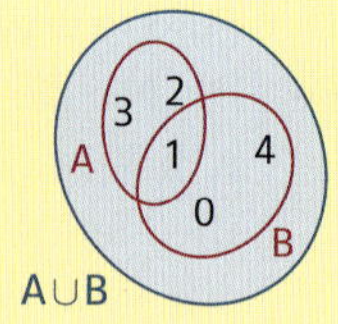

Beispiel: $\{1, 2, 3\} \cup \{0, 1, 4\} = \{0, 1, 2, 3, 4\}$

▷ Die Zusammenfassung aller Elemente, die A und B gemeinsam haben, heißt **Durchschnittsmenge** (oder kurz **Durchschnitt**) der Mengen A und B. Sie wird als $A \cap B$ angeschrieben:
$A \cap B = \{x | x \in A \text{ und } x \in B\}$ (*Sprechweise:* „A Durchschnitt B“)

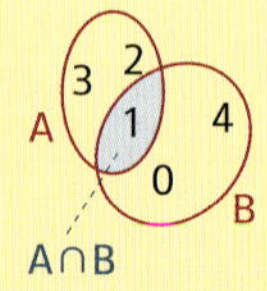

Beispiel: $\{1, 2, 3\} \cap \{0, 1, 4\} = \{1\}$

▷ Die Zusammenfassung aller Elemente von B, die nicht Elemente von A sind, heißt **Differenzmenge** und wird als B \ A angeschrieben:
$B \setminus A = \{x | x \in B \text{ und } x \notin A\}$ (*Sprechweise:* „A ohne B“)

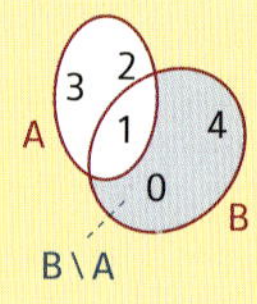

Beispiel: $\{0, 1, 4\} \setminus \{1, 2, 3\} = \{0, 4\}$

▷ Ist $A \subseteq B$, so wird B \ A auch **Komplementärmenge von A in B** genannt.

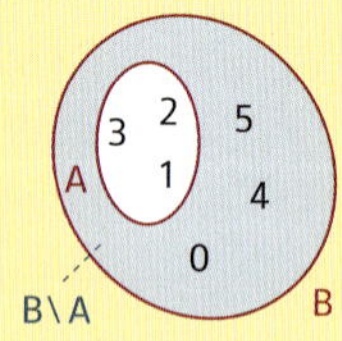

Beispiel: $\{0, 1, 2, 3, 4, 5\} \setminus \{1, 2, 3\} = \{0, 4, 5\}$

▷ Zwei Mengen, die keine Elemente gemeinsam haben, heißen **disjunkt** (oder **elementfremd**).
Zwei Mengen A und B sind genau dann disjunkt, wenn $A \cap B = \{\ \}$ ist.

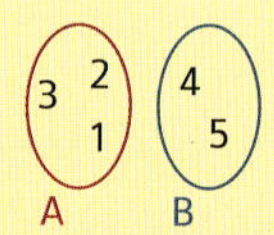

Beispiel: {1, 2, 3} und {4, 5} sind disjunkte Mengen.

Mengendiagramme stellen Beziehungen (Teilmengen) und Verknüpfungen (Vereinigung, Durchschnitt, Differenz) von Mengen grafisch dar. Zur Verdeutlichung sind alle Mittel erlaubt, die den Blick auf das Wesentliche richten: Umrandungen, Farben, Schraffur, …

Die Elemente aller bisher betrachteten Mengen waren Zahlen. Es können aber auch andere Objekte als Mengen zusammengefasst werden, z. B. Punkte der Zeichenebene. Die Abbildung zeigt eine Gerade und eine Kreisscheibe. Die Durchschnittsmenge der Geraden g mit der Kreisscheibe ist rot hervorgehoben.

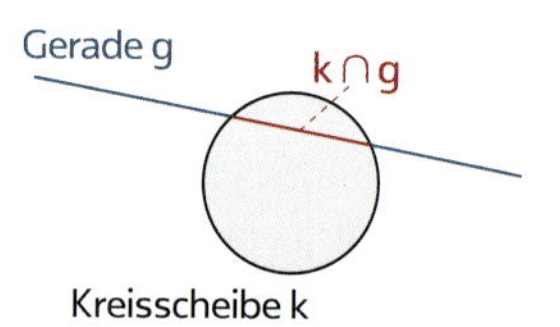

GK **2** Bearbeite die folgenden Aufgaben. Fehlende Informationen kannst du dem Informationstext *Beziehungen und Verknüpfungen von Mengen* (Seite 7 f.) entnehmen.

a) $A = \{1, 2, 3\}$, $B = \{1, 2, 3, 4, 5\}$, $C = \{2, 4, 6\}$, $D = \{1, 2, 3, \ldots\}$
Was bedeuten die folgenden Aussagen? Gib an, ob sie wahr oder falsch sind.
$A \subseteq B$, $C \subseteq B$, $A \subseteq D$, $D \subseteq B$

b) Ermittle für $S = \{2, 3, 4\}$ und $T = \{1, 2, 3\}$ die Mengen $S \cup T$, $S \cap T$ und $S \setminus T$. Gib zu jeder Menge den jeweiligen Fachbegriff an.

c) Bestimme für $V = \{-1, 0, 1\}$ und $W = \{-2, -1, 0, 1, 2\}$ die Komplementärmenge $W \setminus V$. Welche Beziehung zwischen V und W ist hier erfüllt?

d) Ermittle für $E = \{0, 1, 2\}$, $F = \{2, 3, 4\}$, $G = \{1\}$ und $H = \{3, 5\}$ die Durchschnittsmengen $E \cap F$, $E \cap H$, $F \cap G$ und $F \cap H$. Gib jeweils an, ob die Mengen disjunkt sind.

e) Stelle $\{1, 2, 3, 4, 5, 6\} \cap \{3, 4, 5, 6, 7\} = \{3, 4, 5, 6\}$ bzw.
$\{1, 2, 3, 4, 5, 6\} \cup \{3, 4, 5, 6, 7\} = \{1, 2, 3, 4, 5, 6, 7\}$ in Form von Mengendiagrammen dar.

f) Das in der Abbildung dargestellte Diagramm zeigt drei Mengen: A sei die von der Kreislinie, B die von der Rechteckslinie und C die von der Dreieckslinie umschlossene Fläche. Markiere die Menge $A \cap B$, $A \cup C$ bzw. $B \setminus C$ farbig.

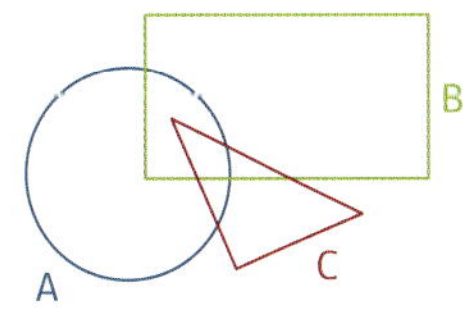

g) Begründe, dass folgende Beziehung gilt:
$A \cap B = A \Leftrightarrow A \subseteq B$

Aufgaben

Mengen

In den folgenden Aufgaben bezeichnet $\mathbb{N}_u$ die Menge aller ungeraden natürlichen Zahlen und $\mathbb{N}_g$ die Menge aller geraden natürlichen Zahlen (einschließlich null).

GK **3** Gegeben sind die Mengen $R = \{1, 3, 13\}$ und $S = \{13, 3, 7\}$. Ergänze durch Einfügen von $\in$ oder $\notin$:

a) 3 ☐ R b) 3 ☐ S c) 31 ☐ R d) 1 ☐ S e) 13 ☐ R

GK **4** Kreuze die zutreffenden Aussagen an.

☐ $13 \in \mathbb{N}_u$ ☐ $13 + 5 \in \mathbb{N}_u$ ☐ $0 \in \mathbb{N}_u$ ☐ $\frac{3}{2} \in \mathbb{N}_u$ ☐ $\frac{21}{7} \in \mathbb{N}_u$

GK **5** Kreuze die zutreffenden Aussagen an.

☐ $2{,}2 \in \mathbb{N}_g$ ☐ $12 - 6 \in \mathbb{N}_g$ ☐ $0 \in \mathbb{N}_g$ ☐ $\frac{5}{2} \in \mathbb{N}_g$ ☐ $\frac{18}{3} \in \mathbb{N}_g$

GK **6** Gib die Mengen durch Beschreiben der Eigenschaften in Symbolschreibweise an.

a) Die Menge aller ungeraden natürlichen Zahlen, die größer als 12 sind
b) Die Menge aller geraden natürlichen Zahlen, die größer als 7 und kleiner als 13 sind
c) Die Menge aller ungeraden natürlichen Zahlen zwischen 4 und 18
d) Die Menge aller Elemente von $\mathbb{N}_g$, deren Quadrat kleiner als 19 ist
e) $E = \{0, 1, 2, \ldots, 100\}$
f) $F = \{100, 102, 104, \ldots\}$
g) $G = \{13, 15, 17, \ldots, 99\}$

GK **7** Charakterisiere die Mengen durch Aufzählen ihrer Elemente.
a) A = Menge aller ungeraden natürlichen Zahlen, die kleiner als 10 sind.
b) B = Menge aller geraden natürlichen Zahlen, die größer als 4 und kleiner als 12 sind.
c) $C = \{n \in \mathbb{N}_g \mid n^2 = 16\}$
d) $D = \{n \in \mathbb{N}_u \mid n^2 < 10\}$

GK **8** Charakterisiere die Mengen durch Aufzählen ihrer Elemente.
a) A = Menge aller geraden natürlichen Zahlen, deren Quadrat 4 oder 16 ist.
b) B = Menge aller geraden natürlichen Zahlen, deren Quadrat 2 ist.
c) $C = \{n \in \mathbb{N}_u \mid n < 1\}$
d) $D = \{n \in \mathbb{N}_g \mid n^2 = 2\}$

9 Gib die Mengen durch Beschreiben der Eigenschaften in Symbolschreibweise an. Bezeichne die Menge der Primzahlen mit P.
a) Die Menge aller Primzahlen, die kleiner als 1000 sind.
b) Die Menge aller Primzahlen, die größer als 100 und kleiner als 1000 sind.
c) Die Menge aller Primzahlen, die kleiner als 100 oder größer als 1000 sind.

10 H bezeichnet die Menge der österreichischen Landeshauptstädte.
a) Schreibe die Menge H durch Aufzählen ihrer Elemente an.
b) Schreibe die Teilmenge B jener Hauptstädte an, die du bereits besucht hast.
c) Gib die Menge $T = \{s \mid (s \in H) \wedge (s \notin B)\}$ durch Aufzählen der Elemente an und charakterisiere T allgemein mit Worten.

Beziehungen zwischen Mengen

GK **11** Kreuze die zutreffenden Aussagen an.

- ☐ $\{-1, 3, 7\} \subseteq \{7, 24, 3, -1\}$
- ☐ $\{-1, 3, 1, 7\} \subseteq \{7, 24, 3, -1\}$
- ☐ $\{1, 3, 7\} \subseteq \mathbb{N}_u$
- ☐ $\{1, 2, 4\} \subseteq \mathbb{N}_g$
- ☐ $\mathbb{N}_g \subseteq \mathbb{N}_u$
- ☐ $\mathbb{N}_u \subseteq \{1, 3, 5, 7\}$

GK **12** a) Schreibe alle Teilmengen der Menge $A = \{2, 3\}$ und der Menge $B = \{4, 5, 6\}$ an.
b) Gib alle Teilmengen von $C = \{3, 4, 8, 9\}$ an, die aus Quadratzahlen bestehen.
c) Ermittle jene Teilmengen von $D = \{3, 4, 9\}$, die aus Primzahlen bestehen.

Verknüpfungen von Mengen

GK **13** Ordne einander entsprechende Mengen zu.

a) Gegeben sind die Mengen $K = \{-1, 0, 1\}$ und $L = \{0, 1, 2\}$.

$K \cup L$	
$K \cap L$	
$K \setminus L$	
$L \setminus K$	

A	$\{-1\}$
B	$\{1\}$
C	$\{2\}$
D	$\{0, 1\}$
E	$\{-1, 2\}$
F	$\{-1, 0, 1, 2\}$

b) Gegeben sind die Mengen $S = \{3, 4, 5, 6, 7, 8, 9\}$ und $T = \{2, 4, 6, 8, 10\}$

$S \cup T$	
$S \cap T$	
$T \setminus S$	
$S \setminus T$	

A	$\{2, 3, 4, ...\}$
B	$\{2, 3, ..., 10\}$
C	$\{3, 5, 7, 9\}$
D	$\{4, 6, 8\}$
E	$\{2, 10\}$
F	$\{\ \}$

GK **14**
a) Bestimme $A \cup B$, $A \cap B$ und $A \setminus B$ für $A = \{-2, 0, 2\}$ und $B = \{-1, 1\}$.
b) $C \cup D$, $C \cap D$ und $C \setminus D$ für $C = \{1, 3, 5\}$ und $D = \{2, 4, 6\}$.
c) Bestimme $X \cup Y$, $X \cap Y$, $X \setminus Y$ und $Y \setminus X$ für $X = \{-3, -2, -1, 0\}$ und $Y = \{0, 1, 2, 3\}$.
d) Bestimme $\mathbb{N}_g \cup H$, $\mathbb{N}_g \cap H$, $\mathbb{N}_g \setminus H$, $\mathbb{N}_g \cup \mathbb{N}_u$, $\mathbb{N}_g \cap \mathbb{N}_u$ und $\mathbb{N}_g \setminus \mathbb{N}_u$ für $H = \{1, 2, 3, 4\}$.

GK **15**
Stelle die in den Aufgaben vorkommenden Mengen in einem Mengendiagramm dar.
a) Aufgabe 14a) b) Aufgabe 14b) c) Aufgabe 14c)

GK **16**
Ordne den Mengendiagrammen die richtige symbolische Schreibweise zu.

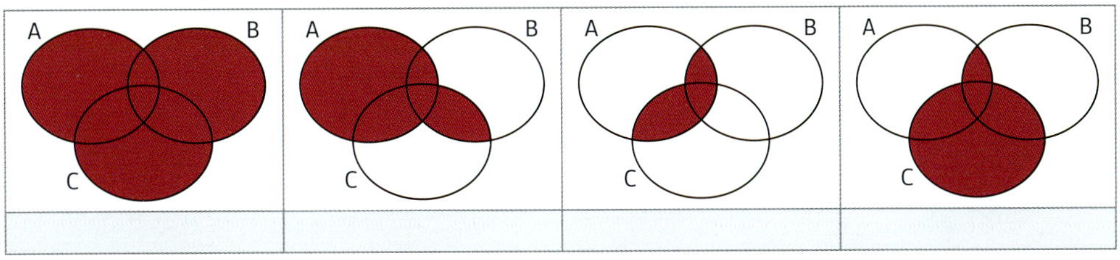

A	B	C	D	E	F
$A \cup (B \cap C)$	$(B \cup C) \cap A$	$A \cap (B \cup C)$	$A \cup (B \cup C)$	$A \cap (B \cap C)$	$(A \cap B) \cup C$

GK **17**
J ist die Menge der österreichischen Bundesländer. Schreibe die Menge $L = \{x \in J \mid$ Die Hauptstadt von x heißt genauso wie $x\}$ durch Aufzählung ihrer Elemente an. Charakterisiere die Menge $J \setminus L$ mit Worten. Um welche Bundesländer handelt es sich?

GK **18**
$P = \{2, 3, 5, 7, 11, 13, 17, \ldots\}$ ist die Menge aller Primzahlen.
Zähle die Elemente der gegebenen Menge auf.
a) $\{p \in P \mid p < 14\}$
b) $\{x \in \mathbb{N}_g \mid x < 5\} \cup \{p \in P \mid p < 12\}$
c) $P \cap \{x \in \mathbb{N}_g \mid x < 20\}$
d) $\{x \in \mathbb{N}_g \mid x < 20\} \setminus \{16, 17, 18, 19, 20\}$

GK **19**
A und B seien zwei Mengen mit endlich vielen Elementen. Begründe, warum $A \cap B$ nie mehr Elemente als $A \cup B$ haben kann.

GK **20**
Kreuze an, welche Aussagen auf zwei beliebige Mengen A und B zutreffen.
- ☐ $(A \cap B) \subseteq A$
- ☐ $A \subseteq (A \cap B)$
- ☐ $A \subseteq (A \cup B)$
- ☐ $(A \cup B) \subseteq A$
- ☐ $(A \subseteq B) \wedge (B \subseteq A) \Leftrightarrow A = B$
- ☐ $(A \subseteq B) \wedge (A \neq B) \Leftrightarrow A \subset B$
- ☐ $A \cup B = A \Rightarrow B = \{\ \}$
- ☐ $A \cap B = \{\ \} \Rightarrow A = \{\ \} \vee B = \{\ \}$

GK **21**
A sei die von der Kreislinie, B die von der Rechteckslinie und C die von der Dreieckslinie begrenzte Fläche. Übertrage das Diagramm in dein Heft und kennzeichne die folgenden Mengen.

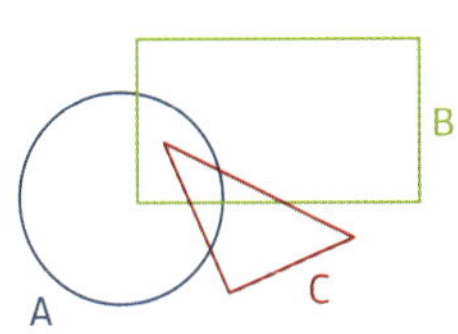

a) $A \cup B$ b) $(A \cap B) \cup C$ c) $(A \cup B) \setminus C$
d) $A \cap B \cap C$ e) $A \cup B \cup C$ f) $C \setminus A$

2 Zahlenbereiche

Die Zahlen, das Zählen und die vier Grundrechenoperationen sind zentrale Begriffe und Tätigkeiten in der Mathematik. Für das Verständnis von Zahlen und die Entwicklung der verschiedenen Zahlenbereiche, so wie du sie heute kennst, war ein langer Prozess nötig. Es dauerte beispielsweise mehrere Jahrhunderte, bis negative Zahlen akzeptiert wurden. Die Resultate dieses langwierigen Entwicklungsprozesses findest du in überschaubarer Form in diesem Kapitel.

Folgendes sollst du nach diesem Abschnitt können:
- beschreiben, was natürliche, ganze, reelle, rationale und irrationale Zahlen sind,
- die entsprechenden Mengenbezeichnungen und Eigenschaften angeben,
- die Beziehungen dieser Mengen untereinander angeben,
- Elemente dieser Mengen angeben und zuordnen,
- Zahlen auf der Zahlengeraden darstellen und
- Schreibweisen für Intervalle kennen und sie auf der Zahlengeraden darstellen.

Du erwirbst folgende Grundkompetenz:
GK Wissen über die Zahlenmengen $\mathbb{N}$, $\mathbb{Z}$, $\mathbb{Q}$, $\mathbb{R}$ verständig einsetzen (AG-R 1.1)

Vorwissen

22 (1) Gib die vier Grundrechenoperationen (Grundrechenarten) an und beschreibe, wie sie zusammenhängen.
(2) Welche Zahl ist geeignet, mithilfe der vier Grundrechenoperationen als Baustein für alle natürlichen, ganzen und rationalen Zahlen zu dienen?

23 In vielen Anwendungen treten positive und negative Zahlen auf. Zu einem bestimmten Zeitpunkt wurde an mehreren Orten der Erde die Temperatur gemessen und auf ganze Grad gerundet.

Ort	Ankara	Bern	Canberra	Detroit
Temperatur (in °C)	16	−3	35	−12

a) Gib die Temperaturunterschiede zwischen den Städten an.
b) Welche Rechenoperation benutzt du zum Beantworten der Frage?

Neues Wissen

Die natürlichen Zahlen
Die Zahlen 0, 1, 2, 3, 4, 5, ... werden **natürliche Zahlen**[1] genannt.
$\mathbb{N} = \{0, 1, 2, 3, 4, 5, ...\}$ Menge der natürlichen Zahlen
$\mathbb{N}^* = \{1, 2, 3, 4, 5, ...\}$ Menge aller von 0 verschiedenen natürlichen Zahlen
Das heißt: $\mathbb{N}^* = \mathbb{N} \setminus \{0\}$.

[1] Früher wurde in den österreichischen Lehrbüchern die Menge der natürlichen Zahlen ohne die Null definiert; in manchen Mathematikbüchern oder auf Webseiten findest du auch heute noch diese Konvention.

GK **24** Überprüfe anhand selbst gewählter Zahlen, ob beim Addieren, Subtrahieren, Multiplizieren und Dividieren beliebiger natürlicher Zahlen stets wieder eine natürliche Zahl als Ergebnis auftritt. Wenn nicht, gib ein Gegenbeispiel an.

Die ganzen Zahlen

Die Zahlen ... $-4, -3, -2, -1, 0, 1, 2, 3, 4$, ... werden **ganze Zahlen** genannt.

$\mathbb{Z} = \{\ldots, -4, -3, -2, -1, 0, 1, 2, 3, 4, \ldots\}$ Menge der ganzen Zahlen

Die Menge der ganzen Zahlen enthält die Menge der natürlichen Zahlen als Teilmenge: $\mathbb{N} \subseteq \mathbb{Z}$. Sie umfasst auch jene Zahlen, die durch Subtraktion zweier natürlicher Zahlen entstehen.

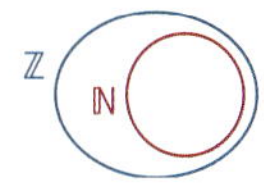

Die ganzen Zahlen werden geometrisch als Punkte auf der **Zahlengeraden** gedeutet:

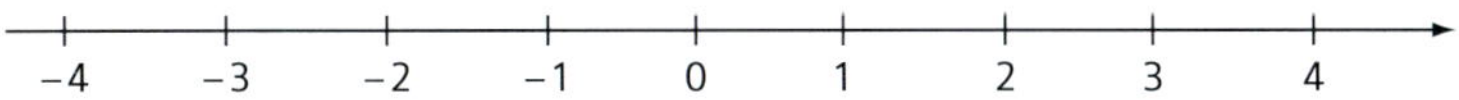

Auf der Zahlengeraden werden Punkte meist mittels Strichmarkierungen eingezeichnet.

GK **25** a) Ist das Produkt zweier ganzer Zahlen immer eine ganze Zahl? Wenn nein, gib ein Gegenbeispiel an.

b) Ist der Quotient $\frac{a}{b}$ zweier ganzer Zahlen, wobei $b \neq 0$ ist, immer eine ganze Zahl? Wenn nein, gib ein Gegenbeispiel an.

Die rationalen Zahlen

Zahlen, die sich als Quotient $\frac{a}{b}$ einer ganzen Zahl a und einer natürlichen Zahl b (ausgenommen 0) anschreiben lassen, werden **rationale Zahlen** (Bruchzahlen) genannt.

$\mathbb{Q} = \left\{\frac{a}{b} \,\middle|\, a \in \mathbb{Z} \text{ und } b \in \mathbb{N}^*\right\}$ Menge der rationalen Zahlen

$\mathbb{Q}^* = \mathbb{Q} \setminus \{0\}$ Menge aller von 0 verschiedenen rationalen Zahlen

Sie können in **Bruchdarstellung** oder **Dezimaldarstellung** angeschrieben werden.

Die Zahlenmengen $\mathbb{N}$, $\mathbb{Z}$ und $\mathbb{Q}$ stehen in folgender Beziehung:
$\mathbb{N} \subseteq \mathbb{Z} \subseteq \mathbb{Q}$.

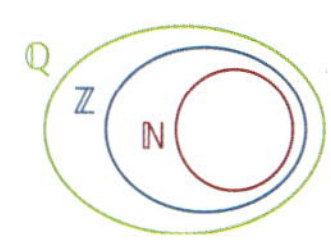

Jeder rationalen Zahl entspricht ein Punkt auf der Zahlengeraden.

Beispiel:

Stelle die Zahlen 3,2 und 3,27 auf der Zahlengeraden dar.

Lösung:

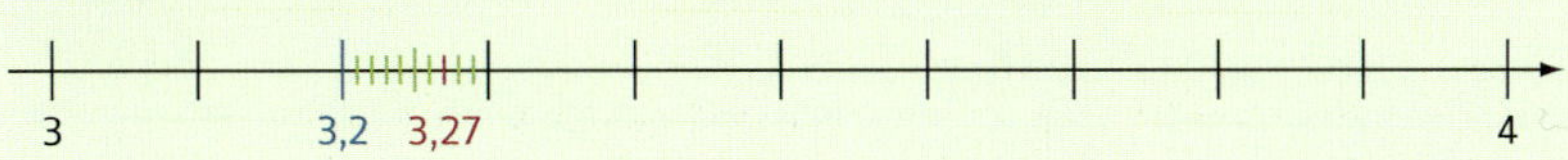

GK **26** Zeichne jene Punkte auf einer Zahlengeraden ein, die die folgenden Zahlen darstellen.
a) $-1{,}3$ b) $0{,}45$ c) $-0{,}04$ d) $1{,}11$

GK **27** Welche Zahlen entsprechen den Punkten A, B, C und D? Lies so genau wie möglich ab.

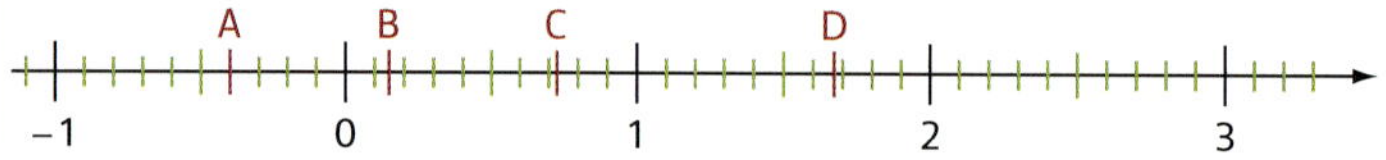

28 Führe mithilfe eines Rechners die Division 12:11 aus. Notiere das Ergebnis.
Führe die Division 12:11 nun händisch aus. Was lässt sich über die Dezimaldarstellung der Zahl $\frac{12}{11}$ sagen? (Siehe auch: ⮕ *Technologie-Tipp zur Anzeige numerischer Werte*)

Zahlen, bei denen sich ab einer bestimmten Stelle eine Ziffernkombination bis ins Unendliche wiederholt, heißen **periodische Dezimalzahlen**. Die Dezimaldarstellung einer rationalen Zahl bricht entweder ab oder ist periodisch.

Beachte: Die von einem Rechner angezeigte Dezimaldarstellung einer Zahl ist unter Umständen nur ein Näherungswert. Um eine Zahl mit unendlich vielen Nachkommastellen exakt anzugeben, müssen alle Nachkommastellen berücksichtigt werden.

Beispiele:

$\frac{759}{250} = 3{,}036$ abbrechende Dezimalzahl

$\frac{1}{3} = 0{,}3333333... = 0{,}\dot{3}$ periodische Dezimalzahl

Die drei Punkte deuten an, dass an allen Nachkommastellen 3 steht. Kürzer und eindeutig wird dies durch einen Punkt über der Ziffer 3 ausgedrückt.

$\frac{41\,111}{33\,300} = 1{,}234\,564\,564\,56... = 1{,}23\overline{456}$ periodische Dezimalzahl

Die drei Punkte deuten an, dass alle folgenden Stellen durch die Wiederholung der Kombination 456 zustande kommen. Kürzer und eindeutig wird die Wiederholung durch einen Strich über den Ziffern 4, 5 und 6 angeschrieben.

29 Ermittle die Dezimaldarstellung.
a) $\frac{87}{20}$ b) $\frac{73}{125}$ c) $\frac{2}{13}$ d) $\frac{17}{99}$ e) $-\frac{4}{3}$ f) $\frac{3}{7}$

Beispiel: Schreibe die Zahlen (a) 12,78, (b) $0{,}\overline{51}$, (c) $3{,}6\overline{51}$ in Bruchdarstellung an.

Lösung:

Abbrechende Dezimalzahl	Periodische Dezimalzahl	Periodische Dezimalzahl
$12{,}78 = \frac{1278}{100}$	$x = 0{,}515151...$	$x = 3{,}65151...$
	$100x = 51{,}515151...$ $x = 0{,}515151...$	$1000x = 3651{,}5151...$ $10x = 36{,}5151...$
	$100x - x = 51{,}000000...$ $99x = 51$ $x = \frac{51}{99}$	$1000x - 10x = 3615{,}0000...$ $990x = 3615$ $x = \frac{3615}{990}$

▷ *Beachte:* Die Bruchdarstellung ist nicht eindeutig. Durch Kürzen oder Erweitern erhältst du gleichwertige Brüche. Auch die Dezimaldarstellung einer reellen Zahl ist nicht immer eindeutig.

Beispiele: $1 = 0{,}9999...$ $\qquad 1{,}5 = 1{,}49999...$

Auf diese Weise kann jede abbrechende Dezimalzahl in eine nicht-abbrechende periodische Dezimalzahl umgewandelt werden.

30 Stellt als Bruch dar. Nach welchem Prinzip werden Zähler und Nenner gebildet?
a) 0,777... b) 0,383838... c) 0,123123...

31 Stellt als Bruch dar.
a) −1,6 b) 13,77777... c) 0,1010101... d) 0,28

▷ **Satz**

Zwischen zwei verschiedenen rationalen Zahlen liegt stets eine weitere rationale Zahl. Daraus ergibt sich, dass zwischen zwei verschiedenen rationalen Zahlen sogar unendlich viele rationale Zahlen liegen.
Man sagt: Die Menge der rationalen Zahlen ist **dicht**.

▷ *Beispiel:* Gib eine rationale Zahl zwischen $a = -0{,}5$ und $b = 1{,}25$ an.

Lösung: Das arithmetische Mittel $\frac{a+b}{2}$ liefert eine mögliche Zahl zwischen a und b.
$\frac{a+b}{2} = (-0{,}5 + 1{,}25) : 2 = 0{,}75 : 2 = 0{,}375$
Wenn du die jeweils neu ermittelte Zahl für dieses Verfahren verwendest, erhältst du beliebig viele weitere rationale Zahlen zwischen a und b.

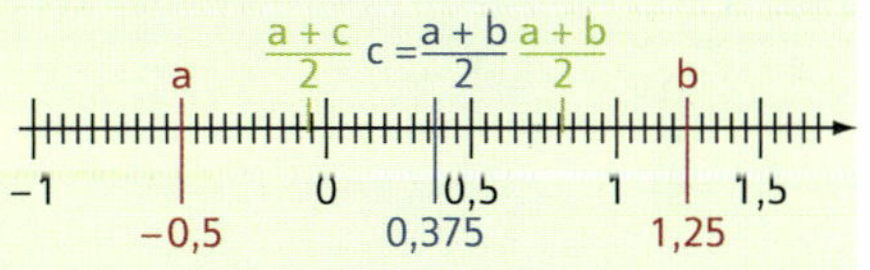

32 Berechne wie im obigen Beispiel mithilfe des arithmetischen Mittels drei weitere rationale Zahlen zwischen a und b.

▷ **Die irrationalen Zahlen**

Zahlen, deren Dezimaldarstellung weder abbricht noch periodisch ist, werden **irrationale Zahlen** genannt.

Die Zahl 0,101 001 000 100 001 000 001... bricht nicht ab und ist nicht periodisch, daher ist sie irrational.
Beachte: Irrationale Zahlen können nicht in Bruchdarstellung angegeben werden.

33 Kreuze die zutreffenden Aussagen an.

	... ist rational	... ist irrational
3,14	☐	☐
7,055555...	☐	☐
0,123456789101112131415...	☐	☐

34 Lässt sich die Zahl 0,919911999111999911111... als Bruchzahl schreiben? Begründe.

35 Ermittle den Beginn der Dezimaldarstellung von $\sqrt{2}$ mit einem Taschenrechner oder CAS. Kannst du eine Gesetzmäßigkeit der Ziffernfolge erkennen?

Satz

$\sqrt{2}$ ist irrational. Es gibt keine rationale Zahl, deren Quadrat 2 ist.

Bereits vor mehr als 2000 Jahren zeigte der griechische Mathematiker **Euklid**, dass $\sqrt{2}$ nicht als Bruchzahl dargestellt werden kann. Sein Beweis ist berühmt.

Beweis:

Euklid verwendete für den Nachweis, dass $\sqrt{2}$ eine irrationale Zahl ist, einen **indirekten Beweis.** Dieses spezielle Beweisverfahren nimmt zunächst an, das Gegenteil der zu beweisenden Aussage sei wahr, und leitet einen Widerspruch her.
Hier eine moderne Fassung des Beweises.

Euklid
(330–275 v. Chr.)

Annahme: $\sqrt{2}$ ist eine rationale Zahl. | $\sqrt{2} \in \mathbb{Q}$

In diesem Fall kann $\sqrt{2}$ als Bruch angeschrieben werden. | $\sqrt{2} = \frac{p}{q}$ mit $p, q \in \mathbb{Z}$

Weiters kann angenommen werden, dass p und q positiv sind und dass so weit wie möglich gekürzt wurde (d. h., p und q sind *teilerfremd*).

Wegen $1^2 = 1$ und $2^2 = 4$ liegt $\sqrt{2}$ zwischen 1 und 2. | $1 < \sqrt{2} < 2$

Daher ist $\sqrt{2} = \frac{p}{q}$ keine ganze Zahl und es ist $q \neq 1$.

$\sqrt{2} = \frac{p}{q}$ wird quadriert. | $2 = \frac{p \cdot p}{q \cdot q}$

Da p und q teilerfremd sind, kann der Bruch auf der rechten Seite der Gleichung nicht gekürzt werden, stellt also keine ganze Zahl dar. Daraus folgt aber, dass 2 keine ganze Zahl ist – ein offensichtlicher Widerspruch!
Die Annahme, dass $\sqrt{2}$ eine rationale Zahl ist, muss also falsch sein. Daraus folgt, dass $\sqrt{2}$ irrational ist.

Ganz allgemein kann man zeigen, dass die Wurzel aus einer natürlichen Zahl entweder ganzzahlig (das trifft auf die Quadratzahlen 0, 1, 4, 9, 16, 25 ... zu) oder irrational ist.
Eine weitere berühmte irrationale Zahl ist π, die das Verhältnis des Umfangs zum Durchmesser eines Kreises angibt. Ihre Dezimaldarstellung beginnt so:
$\pi = 3{,}141\,592\,653\,589\,793\,238\,462\,643\,383\,279\,502\,884\,197\,169\,399\,375\,105\,820\,974\,944\,592\,307\,8...$
Sie kann mit Computern auf viele Millionen Stellen genau berechnet werden, besitzt aber keine offensichtlichen Regelmäßigkeiten.

GK **36** Kreuze wahre Aussagen an und stelle falsche Aussagen richtig.

☐ $\sqrt{100} \in \mathbb{Q}$ ☐ $\sqrt{7} \notin \mathbb{Q}$ ☐ $\sqrt{23} \in \mathbb{Q}$ ☐ $\sqrt{81} \notin \mathbb{Q}$ ☐ $\pi \in \mathbb{Q}$

Die reellen Zahlen

Die rationalen und irrationalen Zahlen werden zu den **reellen Zahlen** zusammengefasst.

$\mathbb{R}$	Menge der reellen Zahlen
$\mathbb{R}^* = \mathbb{R}\setminus\{0\}$	Menge aller von 0 verschiedenen reellen Zahlen

Die Zahlenmengen ℕ, ℤ, ℚ und ℝ stehen in folgender Beziehung:
$\mathbb{N} \subseteq \mathbb{Z} \subseteq \mathbb{Q} \subseteq \mathbb{R}$.

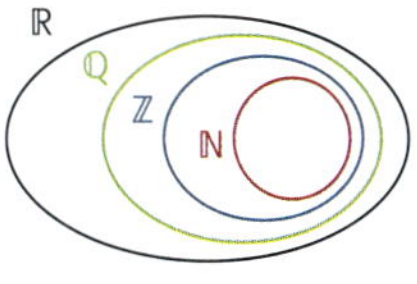

Jedem Punkt auf der Zahlengeraden entspricht eine reelle Zahl. Umgekehrt entspricht jeder reellen Zahl ein Punkt auf der Zahlengeraden. Durch die reellen Zahlen wird die Zahlengerade vollständig beschrieben.

GK **37** Kreuze alle zutreffenden Aussagen an.

	ℕ	ℤ	ℚ	ℝ
1 ist Element von ...	☐	☐	☐	☐
−3 ist Element von ...	☐	☐	☐	☐
10,7 ist Element von ...	☐	☐	☐	☐
π ist Element von ...	☐	☐	☐	☐
0 ist Element von ...	☐	☐	☐	☐

Technologie-Tipp: Anzeige numerischer Werte in exakter oder näherungsweiser Darstellung

Intervalle
Zusammenhängende Abschnitte auf der Zahlengeraden heißen **Intervalle**. In der Mengenschreibweise werden geschwungene Klammern, in der Intervallschreibweise eckige Klammern benutzt.

Beispiele:

a) $[2; 3] = \{x \in \mathbb{R} \mid 2 \leq x \leq 3\}$ abgeschlossenes Intervall

b) $]2; 3[= \{x \in \mathbb{R} \mid 2 < x < 3\}$ offenes Intervall

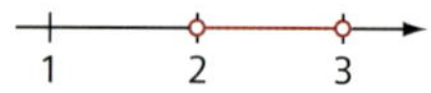

c) $[2; 3[= \{x \in \mathbb{R} \mid 2 \leq x < 3\}$ links abgeschlossenes, rechts offenes Intervall

d) $]2; 3] = \{x \in \mathbb{R} \mid 2 < x \leq 3\}$ links offenes, rechts abgeschlossenes Intervall

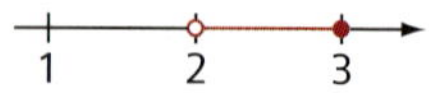

Für offene Intervalle können auch runde Klammern verwendet werden:
$]2; 3[= (2; 3)$ $[2; 3[= [2; 3)$ $]2; 3] = (2; 3]$

Ein Intervall, das auf einer Seite *bis ins Unendliche* reicht, wird mithilfe des Symbols ∞ (für unendlich) bezeichnet, z. B. $]-\infty; 3] = \{x \in \mathbb{R} \mid x \leq 3\}$ oder $]2; \infty[= \{x \in \mathbb{R} \mid 2 < x\}$.

GK **38** Gib die Menge in Intervallschreibweise an. Stelle sie auf der Zahlengeraden dar.
a) $\{x \in \mathbb{R} \mid -3 \leq x \leq 2\}$ b) $\{x \in \mathbb{R} \mid -4 < x < 0\}$ c) $\{x \in \mathbb{R} \mid x \leq 5\}$ d) $\{x \in \mathbb{R} \mid x > 0\}$

GK **39** Gib das Intervall in Mengenschreibweise an.
a) $[4; 10]$ b) $]-2; 3]$ c) $[1; \infty[$ d) $(0; 5)$ e) $[-3; -1)$ f) $(-\infty; 0]$

Aufgaben

Zahlenmengen

GK **40** Welche Zahlen entsprechen den Punkten A, B, C und D? Lies so genau wie möglich ab.

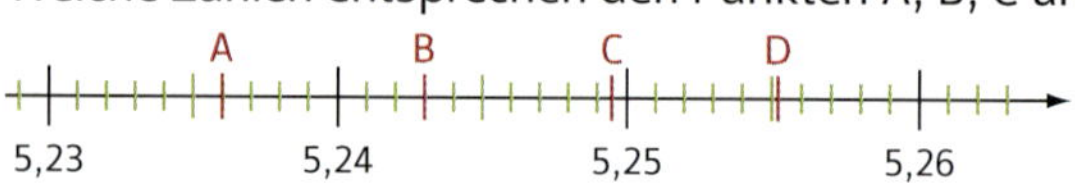

GK **41** Ermittle die Dezimaldarstellung.
a) $\frac{2}{11}$ b) $\frac{4}{55}$ c) $-\frac{4}{6}$ d) $\frac{22}{7}$ e) $\frac{11}{3}$

GK **42** Ermittle die Dezimaldarstellung.
a) $\frac{21}{15}$ b) $-\frac{5}{6}$ c) $\frac{27}{3}$ d) $\frac{18}{50}$ e) $-\frac{1}{7}$
f) $\frac{4}{9}$ g) $-\frac{2}{3}$ h) $\frac{15}{4}$ i) $\frac{2}{11}$ j) $-\frac{9}{8}$

GK **43** Stelle als Bruchzahl dar.
a) $-2{,}310310310\ldots$ b) $3{,}121212\ldots$ c) $-0{,}123123123\ldots$ d) $7{,}3$

GK 44 Kreuze die zutreffende(n) Aussage(n) an.

- ☐ Die Zahl $\sqrt{3}$ ist rational.
- ☐ Die Zahl $\sqrt{3}$ kann als periodische Dezimalzahl dargestellt werden.
- ☐ Die Zahl $\sqrt{3}$ kann nicht als Bruch dargestellt werden.
- ☐ Die Zahl $\sqrt{3}$ liegt in $\mathbb{R}$, aber nicht in $\mathbb{Q}$.
- ☐ Die Zahl $\sqrt{3}$ liegt nicht auf der Zahlengeraden.

GK 45 Beschreibe die angegebene Menge in Worten.

a) $\mathbb{N}^*$ b) $\mathbb{R} \setminus \mathbb{Q}$ c) $\mathbb{Z} \setminus \mathbb{N}$
d) $\mathbb{Q} \cap \mathbb{Z}$ e) $\{z \in \mathbb{Z} \mid z > 0\}$ f) $\{a \in \mathbb{Q} \mid 0 < a < 1\}$

Intervalle

GK 46 Gib die Menge in Intervallschreibweise an. Stelle sie auf der Zahlengeraden dar.

a) $\{x \in \mathbb{R} \mid 3 < x < 6\}$ b) $\{x \in \mathbb{R} \mid x \geq 0\}$ c) $\{x \in \mathbb{R} \mid x \geq 3 \text{ und } x < 5\}$
d) $\{x \in \mathbb{R} \mid x \leq 10 \text{ und } 7 < x\}$ e) $\{x \in \mathbb{R} \mid x \leq -1\}$ f) $\{x \in \mathbb{R} \mid x \leq 1 \text{ und } x > -1\}$

GK 47 Gib das Intervall in Mengenschreibweise an. Stelle es auf der Zahlengeraden dar.

a) $]0; 1]$ b) $]-1; 1[$ c) $[-2; 4]$ d) $[0; 10[$ e) $]0; \infty[$ f) $[0; \infty[$
g) $[-20; 5)$ h) $(0{,}5; 1)$ i) $(-\infty; 1)$ j) $(-1; 1]$ k) $(8; 9)$ l) $[3; 9)$

GK 48 Ordne zu. Trage den passenden Buchstaben in der linken Spalte ein.

$\{n \in \mathbb{N} \mid 2 < n < 5\}$	
$\{x \in \mathbb{R} \mid x > 0\}$	
$\{x \in \mathbb{R} \mid x \geq 0\}$	
$\{x \in \mathbb{Z} \mid -2 \leq x \text{ und } x < 5\}$	
$\{x \in \mathbb{R} \mid -2 > x \text{ und } x > 5\}$	

A	Menge aller nicht-negativen reellen Zahlen
B	$\{-2, -1, 0, 1, 2, 3, 4\}$
C	$\{3, 4\}$
D	$\{\ \}$
E	Menge aller positiven reellen Zahlen

49 Charakterisiere die folgenden Mengen in Mengenschreibweise. Welche der Mengen sind Intervalle? Gib diese auch in Intervallschreibweise an. Mache eine Skizze.

a) $]1, 7[\cap]2, 9[$ b) $[1, 2] \cup [3, 4]$ c) $[-1, 4] \cap [0, 3]$

50 a) Beweise, dass $\sqrt{3}$ irrational ist. b) Beweise, dass $\sqrt{5}$ irrational ist.
Tipp: Der Beweis funktioniert analog zu Euklids Argument für die Irrationalität von $\sqrt{2}$.

51 Welcher Teil von Euklids Argument funktioniert nicht, wenn man versucht, nach dem gleichen Verfahren zu beweisen, dass $\sqrt{4}$ irrational ist?

GK 52 Welche der folgenden fünf Zahlen sind irrational? Kreuze an.

☐ $-\frac{4}{5}$ ☐ π ☐ $\sqrt{50}$ ☐ $\frac{1}{3}$ ☐ $\sqrt{3}$

3 Rechengesetze für reelle Zahlen

In diesem Abschnitt lernst du
- Rechengesetze für reelle Zahlen zu formulieren und
- diese Rechengesetze bewusst einzusetzen.

Neues Wissen

Innerhalb der Menge der reellen Zahlen lassen sich die elementaren Rechenoperationen
- Addition
- Subtraktion
- Multiplikation
- Division durch eine Zahl $\neq 0$

ausführen. Das Resultat ist stets wieder eine reelle Zahl.

Definition

Eine Menge M heißt **abgeschlossen** bezüglich einer Rechenoperation (+, –, ·, :), wenn das Ergebnis der Rechenoperation wieder ein Element von M ist.

Satz

Die reellen Zahlen sind abgeschlossen bezüglich der Addition, Subtraktion, Multiplikation und Division durch eine Zahl $\neq 0$.

Zusammengesetzte Ausdrücke wie $\frac{7}{12}\pi$, $\frac{7}{12} + 2$, $\sqrt{3} - \sqrt{2}$ oder $\sqrt{8} \cdot \sqrt{2}$, deren Teilausdrücke reelle Zahlen sind, bezeichnen wieder reelle Zahlen.
Manche solcher Ausdrücke wie zum Beispiel $\sqrt{8} \cdot \sqrt{2}$ können weiter vereinfacht werden, andere liegen bereits in ihrer einfachsten Darstellungsform vor.

53 Für welche der nachfolgenden Operationen ist das Resultat immer eine ganze Zahl, wenn $a, b \in \mathbb{Z}$? Kreuze an.

☐ $-\frac{a}{b}$ ☐ $a \cdot b$ ☐ $\sqrt{a}$ ☐ $a + b$ ☐ $b - a$

54 Kreuze jene Ausdrücke an, die eine reelle Zahl darstellen, und begründe deine Entscheidung.

☐ $\frac{\sqrt{32} - \sqrt{31}}{\sqrt{32} + \sqrt{31}}$ ☐ $\frac{2\sqrt{3} - \sqrt{3}}{2\sqrt{2} - \sqrt{2} - \sqrt{2}}$ ☐ $\left(1 - \frac{1}{\sqrt{2}}\right)\left(1 + \frac{1}{\sqrt{4} - 2}\right)$ ☐ $3\pi^2\sqrt{5}$

Die Gegenzahl

Außer der Null ist jede reelle Zahl entweder positiv oder negativ. Das bedeutet, dass jede Zahl außer null ein **Vorzeichen** besitzt.

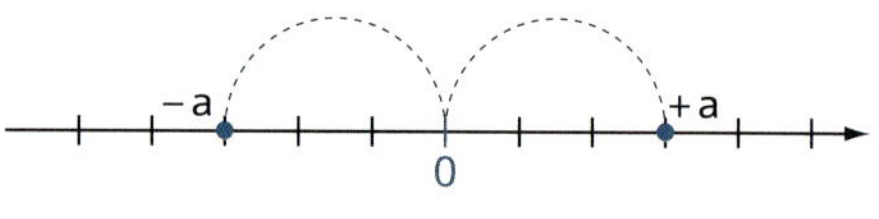

Das Vorzeichen einer positiven Zahl ist +, das Vorzeichen einer negativen Zahl ist –.

Wird das Vorzeichen einer Zahl umgekehrt, so erhält man ihre **Gegenzahl**.

▷ Die **Gegenzahl** von a ist $-a$.
Die Zahl 0 ist ihre eigene Gegenzahl.
Für die Gegenzahl einer negative Zahlen gilt: $-(-a) = a$.

Beispiele: Die Gegenzahl von 7,2 ist $-7{,}2$. Die Gegenzahl von $-7{,}2$ ist $-(-7{,}2) = 7{,}2$.

Grundlegende Rechengesetze (Axiome)

Allgemein gelten für das Rechnen mit reellen Zahlen folgende Grundgesetze ($a, b, c \in \mathbb{R}$):

	Addition	Multiplikation
Abgeschlossenheit	$a + b \in \mathbb{R}$	$a \cdot b \in \mathbb{R}$
Assoziativgesetz	$a + (b + c) = (a + b) + c$	$a \cdot (b \cdot c) = (a \cdot b) \cdot c$
Kommutativgesetz	$a + b = b + a$	$a \cdot b = b \cdot a$
Existenz eines neutralen Elements	$a + 0 = a$	$a \cdot 1 = a$
Existenz eines inversen Elements	$a + (-a) = 0$	$a \cdot \frac{1}{a} = 1;\ a \neq 0$
Distributivgesetz	$(a + b) \cdot c = a \cdot c + b \cdot c$	

Bedeutung des neutralen Elements

Bei der Addition hat die Zahl 0 eine besondere Bedeutung, bei der Multiplikation die Zahl 1.
0 verändert bei der Addition den Wert von a nicht $(a + 0 = a)$.
1 verändert bei der Multiplikation den Wert von a nicht $(a \cdot 1 = a)$.
Elemente mit dieser Eigenschaft werden **neutrale Elemente** genannt.

Bedeutung des inversen Elements

Addierst du zu a die Gegenzahl $(-a)$, so erhältst du 0, das neutrale Element der Addition.
Die **Gegenzahl** $(-a)$ ist daher das **inverse Element** zu a bezüglich der Addition.
Multiplizierst du a mit dem Kehrwert $\frac{1}{a}$, so erhältst du 1, das neutrale Element der Multiplikation.
$\frac{1}{a}$ ist daher das **inverse Element** zu a bezüglich der Multiplikation.

Die Bedeutung von Axiomen

Diese grundlegenden Rechengesetze werden auch Axiome genannt. Sie bilden die Basis für alle weiteren Aussagen über Zahlen und Rechenoperationen in $\mathbb{R}$, die aus diesen Axiomen abgeleitet werden können.

Vorteilhaftes Kopfrechnen

Die Rechengesetze erlauben dir in vielen Fällen eine Vereinfachung von Rechnungen.

▷ *Beispiel:* Berechne vorteilhaft. Gib an, welche Rechengesetze du dabei verwendet hast.
a) $12 + 125 + 38 + 25 =$ b) $3 \cdot 198 =$

Lösung:

a) $12 + 125 + 38 + 25 = 12 + 38 + 125 + 25 = (12 + 38) + (125 + 25) = 50 + 150 = 200$
Kommutativgesetz + Assoziativgesetz +

b) $3 \cdot 198 = 3 \cdot (200 - 2) = 3 \cdot 200 - 3 \cdot 2 = 600 - 6 = 594$
Distributivgesetz

55 Berechne möglichst vorteilhaft. Gib an, welche Rechengesetze du dabei verwendet hast.

a) $29 \cdot 16 =$ b) $27{,}2 + 23{,}4 + 6{,}6 - 7{,}2 =$ c) $17 \cdot 5{,}1 =$

Der Absolutbetrag

Wenn eine reelle Zahl als Punkt auf der Zahlengeraden dargestellt wird, dann beschreibt der Abstand vom Punkt zum Nullpunkt den **Absolutbetrag** (oder kurz **Betrag**) dieser reellen Zahl.

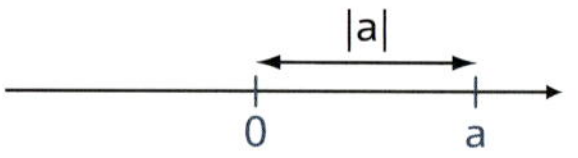

Beispiele: (1) $|5| = 5$ (2) $|-5| = 5$ (3) $|7 - 4| = |4 - 7| = 3$

▷ **Definition**

Der Betrag einer reellen Zahl a wird festgelegt durch:

$$|a| = \begin{cases} a & \text{wenn } a > 0 \\ 0 & \text{wenn } a = 0 \\ -a & \text{wenn } a < 0 \end{cases}$$

Beispiele: Die Gegenzahl von 7,2 ist $-7{,}2$. Die Gegenzahl von $-7{,}2$ ist $-(-7{,}2) = 7{,}2$.

Beachte: Wenn a negativ ist, dann ist $-a$ positiv.
Das Berechnen eines Betrags ergibt immer einen positiven Wert: $|a| > 0$.

56 Berechne (im Kopf).

a) $1 - |3 - 2|$ b) $|3 - 12|$ c) $|2 + 3| - |2 - 3|$ d) $(-3) + |(-2) \cdot 3|$

Der Betrag der Differenz zweier Zahlen besitzt eine geometrische Deutung auf der Zahlengeraden. Er ist gleich dem Abstand zwischen den beiden Punkten auf der Zahlengeraden.

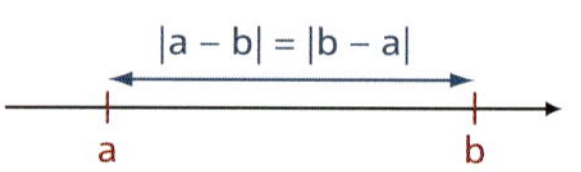

▷ *Beispiele:* Berechne den Betrag der Differenz von a und b. Zeichne ihn auf der Zahlengeraden ein.

a) $a = 0{,}4$ und $b = 1{,}7$ b) $a = 1{,}2$ und $b = -1{,}5$

Lösung:

a) $|a - b| = |0{,}4 - 1{,}7| = |-1{,}3| = 1{,}3$ b) $|a - b| = |1{,}2 - (-1{,}5)| = |2{,}7| = 2{,}7$

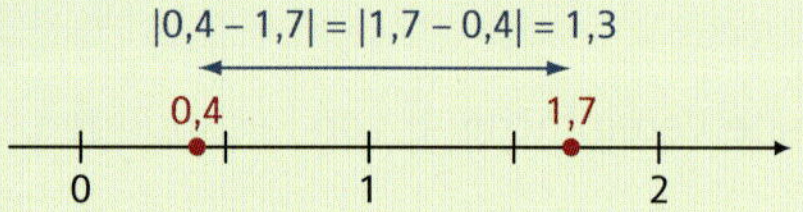

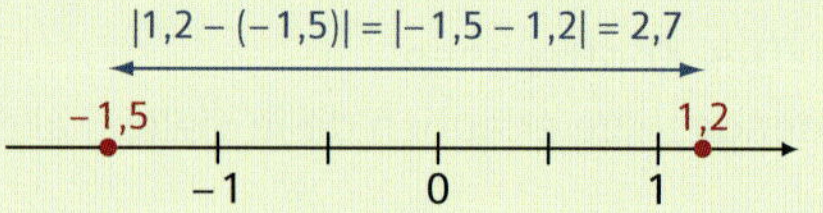

Technologie-Tipp: Absolutbetrag

Aufgaben

57 Kreuze jene Ausdrücke an, die eine reelle Zahl darstellen, und begründe deine Entscheidung.

☐ $\frac{\sqrt{26}+\sqrt{25}}{\sqrt{26}-\sqrt{25}}$ ☐ $\frac{\sqrt{3}\cdot\sqrt{5}}{\sqrt{9}-\sqrt{4}}$ ☐ $\left(1-\frac{1}{\sqrt{49}}\right)\left(\frac{1}{\sqrt{16-4}}-1\right)$ ☐ $\frac{\pi}{\sqrt{\pi-4}}$

58 Berechne durch geschicktes Anwenden der Rechengesetze.
Gib an, welche Rechengesetze (Axiome) du dabei verwendet hast.

a) $45{,}1-13{,}6-(-4{,}9)+3{,}6=$ b) $34{,}8-72{,}9+20{,}0-4{,}8+52{,}9=$
c) $237{,}1+64{,}8-17{,}1+35{,}2=$ d) $389{,}3+110{,}7-183{,}4-16{,}6=$

59 Berechne durch geschicktes Anwenden der Rechengesetze.
Gib an, welche Rechengesetze (Axiome) du dabei verwendet hast.

a) $203\cdot 8=$ b) $598\cdot 5=$ c) $98\cdot 12=$ d) $495\cdot 6=$

60 Berechne durch geschicktes Anwenden der Rechengesetze.
Gib an, welche Rechengesetze (Axiome) du dabei verwendet hast.

a) $23\cdot 81+19\cdot 23=$ b) $114\cdot 39-(62-48)\cdot 39=$
c) $241\cdot 61-6100-61\cdot 41=$ d) $378\cdot(172-22)-140\cdot 378=$

61 Berechne.

a) $4-|5-3|=$ b) $|7-15|=$ c) $|4+6|-|4-6|=$ d) $(-3-8)+|(-5)\cdot 2|=$

62 Berechne mithilfe der Abbildung $|b-a|$ und zeichne den Betrag der Differenz von b und a auf der Zahlengeraden ein.

a) 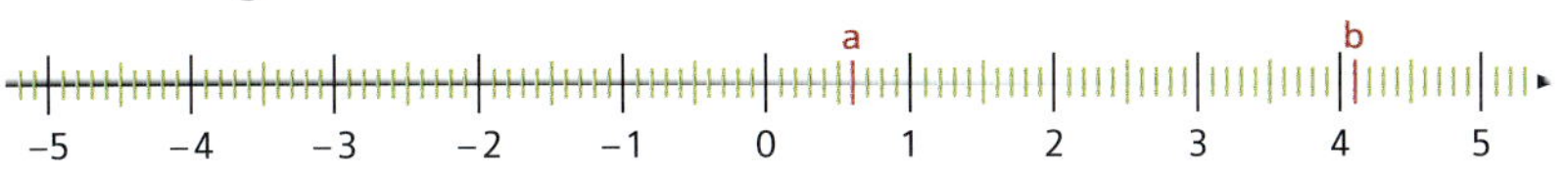

b) 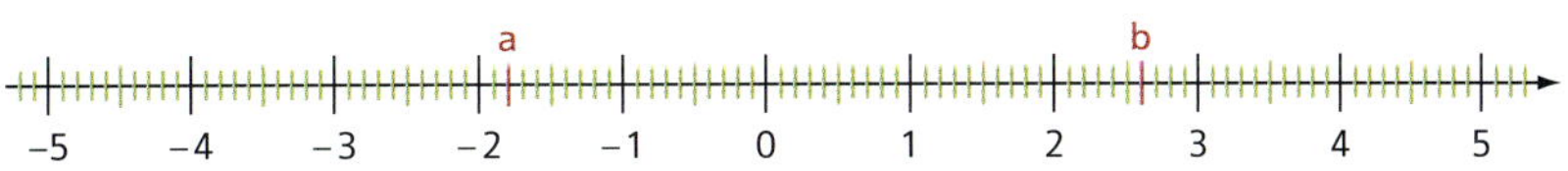

c) 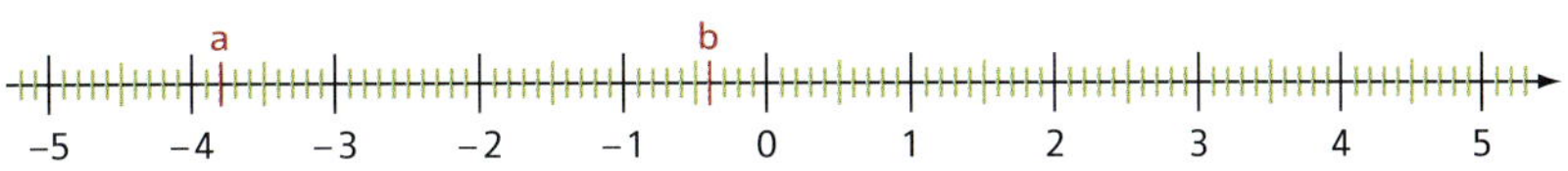

4 Zehnerpotenzen: Von großen und kleinen Zahlen

Die Beschäftigung mit Astronomie, den ungeheuren Datenmengen der modernen Informationstechnologie, den kleinsten Bausteinen des Lebens oder der Nanotechnologie[1] macht es notwendig, für den Umgang mit sehr kleinen und sehr großen Zahlen geeignete Darstellungsformen zu kennen.
Nach den folgenden Informationen und Übungen kannst du

- Zahlenangaben mit Zehnerpotenzen, Vorsilben bzw. in Gleitkommadarstellung richtig deuten,
- Zahlen in verschiedenen Darstellungsformen angeben,
- Maßangaben mithilfe dieser Darstellungsformen in andere Einheiten umwandeln,
- die Genauigkeit von Angaben beurteilen und Ergebnisse entsprechend runden.

Du erwirbst folgende Grundkompetenz:
GK Wissen über algebraische Begriffe angemessen einsetzen: Variable, Terme, Formeln, Umformungen (AG-R 1.2)

Vorwissen

GK **63** Berechne die Potenzen, gib die Anzahl der Nullen an und drücke die Zahl in Worten aus.
Beispiel: $10^2 = 10 \cdot 10 = 100$ (2 Nullen); *in Worten:* einhundert
a) 10^3 b) 10^6 c) 10^9 d) 10^{12}

GK **64** Berechne die folgenden Terme im Kopf, indem du Nullen ergänzt, das Komma verschiebst oder an die richtige Stelle setzt. Formuliere entsprechende Regeln.
a) $45 \cdot 10$ b) $2{,}3 \cdot 100$ c) $7{,}0711 \cdot 1000$ d) $9600:100$ e) $372:10$

Neues Wissen

Definition

Ausdrücke der Form $\mathbf{10^n}$ mit $n = 1, 2, 3, \ldots$ nennt man **Potenz mit der Basis 10** oder kurz **Zehnerpotenz**. **10** ist die **Basis** und **n** ist die **Hochzahl** (der **Exponent**), die bei Zehnerpotenzen die Anzahl der Nullen angibt.

Beispiel: Berechne: $10^2 \cdot 10^3$. Untersuche die Anzahl der Nullen in der Angabe und im Ergebnis.

Lösung:
$10^2 \cdot 10^3 = 100 \cdot 1000 = 100000 = 10^5$
2 bzw. 3 Nullen in den beiden Faktoren ergeben 5 Nullen im Produkt.

GK **65** Berechne. Untersuche die Anzahl der Nullen in der Angabe und im Ergebnis.
a) $10^4 \cdot 10^8$ b) $10^6 \cdot 10^{12}$ c) $\frac{10^5}{10^3}$ d) $\frac{10^8}{10^2}$

[1] nanus (griech.-lat.) ... Zwerg

Arbeit nach der Lernmethode Gruppenpuzzle (bis Aufgabe 77)

Hinweise zur Vorgangsweise findest du unter www Lernmethode Gruppenpuzzle.

I. Arbeiten in Expertinnen- und Expertengruppen

Pro Gruppe wird ein Informationstext A, B, C oder D bearbeitet.

Informationstext A: Zehnerpotenzen

▷ **Satz**
Für natürliche Zahlen a und b größer als 0 (in formaler Schreibweise: $a, b \in \mathbb{N} \setminus \{0\}$) gelten folgende Regeln für das Rechnen mit Zehnerpotenzen:
$10^a \cdot 10^b = 10^{a+b}$ $\quad \frac{10^a}{10^b} = 10^{a-b}$ für $a > b$

Der Begriff der Zehnerpotenz wird nun auf alle ganzzahligen Exponenten erweitert.

(1) Betrachtet den **Fall $a = b$** an einem Beispiel: $\frac{10^3}{10^3} = \frac{1000}{1000} = 1$

Der oben angeführte Satz soll auch in diesem Fall gelten, also: $\frac{10^3}{10^3} = 10^{3-3} = 10^0$

Daraus ergibt sich sinnvollerweise: $10^0 = 1$

(2) Betrachtet nun den **Fall $a < b$** an einem Beispiel: $\frac{10^3}{10^5} = \frac{1000}{100\,000} = \frac{1}{100} = \frac{1}{10^2}$

Andererseits soll wieder der oben angegebene Satz gelten: $\frac{10^3}{10^5} = 10^{3-5} = 10^{-2}$

Daraus ergibt sich: $10^{-2} = \frac{1}{10^2}$

▷ **Definition**

Für alle $n = 1, 2, 3, \ldots$ gilt:
(a) $10^n = 10 \cdot 10 \cdot 10 \cdot \ldots \cdot 10$, wobei der Faktor 10 n-mal auftritt.
(b) $10^{-n} = \frac{1}{10^n}$
(c) $10^0 = 1$

Deshalb gilt auch für ganze Zahlen[1]:

▷ **Satz**

Für ganze Zahlen a und b ($a, b \in \mathbb{Z}$) gilt:
$10^a \cdot 10^b = 10^{a+b}$ $\quad \frac{10^a}{10^b} = 10^{a-b}$

GK **66** Gebt an, nach welchen Definitionen bzw. Regeln die Ausdrücke umgeformt wurden.

a) $10^5 \cdot 10^{12} = 10^{17}$ b) $5 \cdot 10^0 = 5$ c) $10^{30} \cdot 10^{-20} = 10^{10}$ d) $10^9 \cdot 10^{-15} = 10^{-6}$

e) $\frac{10^{24}}{10^{16}} = 10^8$ f) $\frac{10^7}{10^{12}} = 10^{-5}$ g) $\frac{3}{10^4} = 3 \cdot 10^{-4}$ h) $4 \cdot 10^{-3} = \frac{4}{1000}$

[1] Im Abschnitt Zahlensysteme werden für Potenzen mit der Basis 2 entsprechende Definitionen und Regeln formuliert. Es lässt sich zeigen, dass sie sogar für jede positive reelle Zahl a als Basis und jede reelle Zahl r als Hochzahl gelten.

Informationstext B: Gleitkommadarstellung

▷ Sehr kleine und sehr große Zahlen werden in Naturwissenschaften und Technik mithilfe von Zehnerpotenzen in der Form $a \cdot 10^k$ angeschrieben, wobei k eine ganze Zahl ist. a heißt **Mantisse**. k ist von der Position des Kommas in der Mantisse abhängig. Die Darstellung wird daher **Gleitkommadarstellung** oder **Fließkommadarstellung** genannt.

Beispiele:
- Die Zahl 5200 kann in der Gleitkommadarstellung als $5{,}2 \cdot 10^3$ angeschrieben werden.
- Die Lichtgeschwindigkeit beträgt im Vakuum ungefähr 300000 km/s, also $3 \cdot 10^5$ km/s.
- Ein Atom hat annähernd die Gestalt einer Kugel und einen Durchmesser von ungefähr $0{,}0000000001\,m = 1 \cdot 10^{-10}\,m$ bis $0{,}0000000005\,m = 5 \cdot 10^{-10}\,m$.

Die Hochzahl k der Zehnerpotenz drückt die Verschiebung des Kommas in der Mantisse aus. Untersucht den Zusammenhang von Gleitkomma- und Dezimalschreibweise.

(1) $20 \cdot 10^2 = 2000$
$2 \cdot 10^3 = 2000$
$0{,}2 \cdot 10^4 = 2000$

(2) $2{,}4 \cdot 10^2 = 240$
$2{,}4 \cdot 10^3 = 2400$
$2{,}4 \cdot 10^4 = 24000$

(3) $2{,}4 \cdot 10^{-1} = 0{,}24$
$2{,}4 \cdot 10^{-2} = 0{,}024$
$2{,}4 \cdot 10^{-3} = 0{,}0024$

▷ Beim Umwandeln von der Gleitkommadarstellung in die Dezimalschreibweise gelten folgende **Regeln zur Kommaverschiebung**:
- Ist die *Hochzahl der Zehnerpotenz positiv*, so wird das Komma *nach rechts* verschoben. Die Hochzahl gibt an, um wie viele Stellen das Komma verschoben wird.
- Ist die *Hochzahl der Zehnerpotenz negativ*, so wird das Komma *nach links* verschoben. Der Betrag der Hochzahl gibt an, um wie viele Stellen das Komma verschoben wird.

Je nach Verwendungszweck werden die Mantisse a und die Hochzahl k gewählt.
Unterscheide folgende Darstellungsformen:

a) $1 \le a < 10$ (wissenschaftliche Notation[1])
Beispiele: $57000000 = 5{,}7 \cdot 10^7$ $\quad 0{,}023 = 2{,}3 \cdot 10^{-2}$

b) $0{,}1 \le a < 1$
Beispiele: $57\,000\,000 = 0{,}57 \cdot 10^8$ $\quad 0{,}023 = 0{,}23 \cdot 10^{-1}$

c) Für die Hochzahl k werden nur Vielfache von 3 gewählt. Es ist daher leichter, die Zahl in Worten auszudrücken, da entsprechende Vorsilben bzw. Bezeichnungen verwendet werden können (technische Notation[2]). Für die Mantisse gilt: $1 \le a < 1000$
Beispiele: $57000000 = 57 \cdot 10^6 = 57$ Millionen $\quad 0{,}023 = 23 \cdot 10^{-3} = 23$ Tausendstel
$57 \cdot 10^6$ Tonnen = 57 Megatonnen $\quad 23 \cdot 10^{-3}\,m = 23\,mm$

GK **67** Begründe die folgenden Umformungen.

a) $8 \cdot 10^4 = 80000$
b) $1{,}6 \cdot 10^6 = 1600000$
c) $0{,}25 \cdot 10^9 = 250000000$
d) $9{,}2 \cdot 10^{12} = 9{,}2$ Billionen
e) $3 \cdot 10^{-2} = 0{,}03$
f) $7{,}01 \cdot 10^{-4} = 0{,}000701$
g) $0{,}54 \cdot 10^{-2} = 0{,}0054$
h) $400 \cdot 10^{-3}\,\ell = 400\,ml$
i) $8 \cdot 10^6\,kg = 8000\,t$

1 abgekürzt SCI, von *scientific notation* (engl.) – Exponentialschreibweise, (natur)wissenschaftliche Schreibweise
2 abgekürzt ENG, von *engineering notation* (engl.) – technische Schreibweise

Informationstext C: Internationale Einheiten

1954 wurde das **Internationale Einheitensystem** (SI[1]) beschlossen. Sieben physikalische Größen als Basis im metrischen System sowie Vorsilben und entsprechende Symbole wurden festgelegt.

Vergleicht die Hochzahlen der Zehnerpotenzen mit dem Wert in Dezimalschreibweise. Was bedeutet eine Zehnerpotenz mit negativer Hochzahl? Wieso ist es sinnvoll, dass $10^0 = 1$ gilt?

Symbol	Vorsilbe	Wert		
T	Tera	10^{12}	1 000 000 000 000	Billion
G	Giga	10^9	1 000 000 000	Milliarde
M	Mega	10^6	1 000 000	Million
k	Kilo	10^3	1000	Tausend
h	Hekto	10^2	100	Hundert
da	Deka	10^1	10	Zehn
–	–	10^0	1	Eins
d	Dezi	10^{-1}	0,1	Zehntel
c	Zenti	10^{-2}	0,01	Hundertstel
m	Milli	10^{-3}	0,001	Tausendstel
μ	Mikro	10^{-6}	0,000 001	Millionstel
n	Nano	10^{-9}	0,000 000 001	Milliardstel
p	Piko	10^{-12}	0,000 000 000 001	Billionstel

Bei englischen Texten müsst ihr beachten, dass das Wort *billion* tausend Millionen meint.

deutsch	Million	Milliarde	Billion	Billiarde
englisch	million	billion	trillion	quadrillion

▷ *Beispiel:* Viren sind Auslöser für eine Vielzahl von Krankheiten. Dabei haben Viren nur eine Größe von ungefähr 15 nm bis 440 nm. Gib ihre Größe in Gleitkommadarstellung an.

Lösung: $15 \cdot 10^{-9}$ m bis $440 \cdot 10^{-9}$ m (oder $1{,}5 \cdot 10^{-8}$ m bis $4{,}40 \cdot 10^{-7}$ m)

Zehnerpotenzen lassen sich auch bei Maßen für Flächeninhalt und Rauminhalt einsetzen.

GK **68** Erklärt mithilfe der obigen Tabelle die folgenden Umformungen.

Beispiel: 1 Millimeter ist 1 tausendstel Meter: $1\,mm = 1 \cdot 10^{-3}\,m$

a) 1 Hektoliter = 100 Liter: $1\,hl = 1 \cdot 10^2\,\ell$

b) 1 Megahertz = 1 Million Hertz: $1\,MHz = 1 \cdot 10^6\,Hz$

c) 1 billion tonnes[2] = 1 Milliarde Tonnen = 1 Gigatonne: $1\,Gt = 1 \cdot 10^9\,t$

d) 1 Terawatt = 1 Billion Watt: $1\,TW = 1 \cdot 10^{12}\,W$

e) 1 Mikrogramm = 1 millionstel Gramm: $1\,\mu g = 1 \cdot 10^{-6}\,g$

GK **69** Begründe die Umformungen.

a) $1\,m = 100\,cm = 10^2\,cm$

b) $1\,m^2 = 100 \cdot 100\,cm^2 = 10^4\,cm^2$

c) $1\,m^3 = 100 \cdot 100 \cdot 100\,cm^3 = 10^6\,cm^3$

d) $1\,dm^2 = 100 \cdot 100\,mm^2 = 10^4\,mm^2$

---

1 SI ist die Abkürzung für *Système international d'unités* (franz.)

2 tonne (engl.) – Tonne (Maßeinheit)

Informationstext D: Genauigkeit von Werten

Formuliert zunächst die Regeln für das (mathematische) Runden von Dezimalzahlen.

Runden auf eine bestimmte Dezimalstelle bedeutet, dass die jeweils nachfolgende Dezimalstelle entscheidet, ob aufgerundet oder abgerundet wird.

▷ *Beispiel:* $\pi = 3{,}14159...$
auf 2 Dezimalstellen gerundet: $\pi \approx 3{,}14$
auf 4 Dezimalstellen gerundet: $\pi \approx 3{,}1416$

Beim **Runden auf eine bestimmte Einheit** muss die Stelle der entsprechenden Einheit ermittelt und die nächste Stelle zum Runden verwendet werden.

▷ *Beispiel:* Länge $a = 19{,}741\,m$ (Die Angabe ist auf mm genau.)
auf m genau: $a \approx 20\,m$
auf dm genau: $a \approx 197\,dm = 19{,}7\,m$
Lichtgeschwindigkeit $c = 299\,792\,458\,m/s$
auf km/s genau: $c \approx 299\,792\,km/s$
auf 100 000 km/s genau: $c \approx 3 \cdot 10^5\,km/s$

Auch folgende Schreibweise wird in den Naturwissenschaften oft verwendet:
Masse $m = (15{,}3 \pm 0{,}2)\,g$ bedeutet, dass m zwischen 15,1 g und 15,5 g bzw. im Intervall [15,1; 15,5] (Werte in g) liegt.

GK **70**

a) Runde auf 3 Dezimalstellen:
(1) $\pi = 3{,}141\,592\,654...$ (2) $\sqrt{2} = 1{,}414\,213\,562...$ (3) $\sqrt{5} = 2{,}236\,067\,978...$

b) Runde auf 5 Dezimalstellen:
(1) $2\pi = 6{,}283185307...$ (2) $\sqrt{7} = 2{,}6457513111...$ (3) $\sqrt{8} = 2{,}8\,284\,271\,247...$

c) Runde auf hunderstel Sekunden:
(1) 0,381 s (2) 3,4517 s (3) 2 min 34,29176 s

d) Runde auf zehntel Gramm:
(1) 23,67 g (2) 385 mg (3) 62 g 321 mg

e) Runde auf Millionen km:
(1) Die maximale Entfernung Erde–Sonne beträgt 149 600 000 km.
(2) Die mittlere Entfernung Jupiter–Sonne beträgt 5,20 AE (Astronomische Einheit 1 AE = 149,6 Mio. km).

GK **71**

Ordne den links stehenden Aussagen die entsprechenden Schreibweisen zu.

Die Geschwindigkeit v liegt zwischen 0,8 m/s und 1,6 m/s.	
Die Geschwindigkeit v liegt im Intervall [1,2; 1,6] (in m/s).	
Die Geschwindigkeit v liegt zwischen 0,4 m/s und 1,6 m/s.	
Die Geschwindigkeit v liegt zwischen 0,6 m/s und 1,6 m/s.	

A	$v = 1{,}1 \pm 0{,}5\,m/s$
B	$v = 1{,}2 \pm 0{,}4\,m/s$
C	$v = 1{,}4 \pm 0{,}2\,m/s$
D	$v = 1{,}1 \pm 0{,}4\,m/s$
E	$v = 1{,}0 \pm 0{,}6\,m/s$
F	$v = 1{,}20 \pm 0{,}04\,m/s$

II. Arbeit in Mischgruppen

Jede Gruppe besteht aus mindestens einer Expertin bzw. einem Experten der Gruppen A bis D. Die Expertinnen und Experten fassen jeweils das Wesentliche für die anderen zusammen. Gemeinsam werden anschließend die folgenden Aufgaben gelöst.

GK **72** Gebt die Ergebnisse mithilfe von Zehnerpotenzen und nicht in Bruchschreibweise an. Begründet die Umformungen.

a) $10^3 \cdot 10^{20}$ b) $\frac{10^{30}}{10^9}$ c) $\frac{5}{10000}$ d) $10^{24} \cdot 10^{-10}$

GK **73** Schreibt das Ergebnis in Dezimalschreibweise an und drückt es in Worten aus, ohne einen Taschenrechner zu verwenden.

Beispiel: $1{,}2 \cdot 10^{-2} = 0{,}012 = 12$ Tausendstel

a) $32 \cdot 10^6$ b) $8{,}9 \cdot 10^{10}$ c) $0{,}567 \cdot 10^{15}$ d) $3{,}14 \cdot 10^{-5}$

GK **74** Wandelt die Werte in die angegebene Einheit um und verwendet dazu die Gleitkommadarstellung.

a) 6378 km (in m) b) 45 Gigawatt (in W) c) 50 trillion drops of water
d) 0,2 Deziliter (in ℓ) e) 6,2 Mikrogramm (in g) f) 250 cm^3 (in m^3)

GK **75** Drückt den Wert in der gegebenen Einheit mit der angeführten Genauigkeit aus. Verwendet die Gleitkommadarstellung, wenn dies erforderlich ist.

a) 6378000 m (auf km genau)
b) 3476 g (auf dag genau)
c) 25,677 m (auf cm genau)
d) $\sqrt{3} = 1{,}7320508...$ (auf 3 Dez. genau)
e) $\sqrt{3612} = 60{,}0999168...$ (auf 3 Dez. genau)
f) $\sqrt{3612} - 60{,}0999168...$ (auf 2 Dez. genau)

GK **76** In welches Intervall fällt die angegebene Größe?

a) Geschwindigkeit $v = (54 \pm 1{,}2)\,m/s$ b) Zeit $t = (0{,}015 \pm 0{,}002)\,s$

GK **77**

> Unser Sonnensystem ist ein Teil der Milchstraße, einer Spiralgalaxie mit einem Durchmesser von ungefähr 100000 Lichtjahren. Astronomen nehmen an, dass in der Milchstraße eine Masse von ca. $3{,}6 \cdot 10^{41}$ kg vorhanden ist. Zum Vergleich: Die Sonne besitzt eine Masse von rund $2 \cdot 10^{30}$ kg.

a) Berechne den Durchmesser der Milchstraße in km.
Tipp: Ein Lichtjahr ist die Entfernung, die das Licht bei einer Geschwindigkeit von 300000 km/s in einem Jahr zurücklegt.
b) Berechne, wie vielen Sonnenmassen die angegebene Masse in der Milchstraße entspricht.

www Stationenbetrieb: Große und kleine Zahlen: Vorlagen zum Erstellen der Materialien und Hinweise zum Ablauf

Technologie-Tipp: Gleitkommadarstellung

Aufgaben

78 Vereinfache die Ausdrücke. Rechne dabei mit Zehnerpotenzen und wende die entsprechenden Regeln an.

a) $10^7 \cdot 10^{12}$ b) $10^{12} : 10^4$ c) $10^3 \cdot 10^6 \cdot 10^{10}$ d) $10^7 : 10^{-7}$

e) $10^3 : 10^{12}$ f) $\frac{10^8}{10^4}$ g) $\frac{10^5 \cdot 10^{18}}{10^2 \cdot 10^{21}}$ h) $\frac{10^4 \cdot 10^5}{10^6 \cdot 10^2 \cdot 10^3}$

79 Berechne die folgenden Ausdrücke mithilfe von Zehnerpotenzen und gib das Ergebnis in Dezimalschreibweise an.

a) $10^5 \cdot 10^{-4}$ b) $10^{-2} \cdot 10^{-3} \cdot 10^{-2}$ c) $10^{-12} \cdot 10^9 \cdot 10^{-2}$ d) $\frac{10^3 \cdot 10 \cdot 10^{-2}}{10^5 \cdot 10^4 \cdot 10^{-6}}$

80 Ordne die Werte jeweils einem der bunt unterlegten Ausdrücke zu.
Kontrolliere die Ergebnisse mit deinem Taschenrechner.

24 Millionen	24 Tausend	24 Hundertstel	24 Tausendstel

24000 | $240 \cdot 10^5$ | 0,24 | $0{,}024 \cdot 10$ | $24 \cdot 10^3$ | 24000000 | 0,024 | $\frac{24}{1000}$ | $0{,}000024 \cdot 10^3$ | $24 \cdot 10^6$ | $2{,}4 \cdot 10^4$ | $\frac{24}{100}$

81 Kreuze die richtig durchgeführten Umrechnungen an.

- ☐ 250 Zehntel = 25
- ☐ 17 Milliarden = 17 000 000
- ☐ 14 Tausendstel = 0,014
- ☐ $38 \cdot 10^{-4} = 0{,}0038$
- ☐ $123 \cdot 10^5 = 12\,300\,000$
- ☐ $4{,}56 \cdot 10^{-3} = 0{,}0456$
- ☐ 378 Hundertstel = 37,8
- ☐ $\frac{4556}{100} = 45{,}56$

82 Gib das Ergebnis in der üblichen Dezimalschreibweise an.

a) $5{,}123 \cdot 1000$ b) $0{,}01212 \cdot 100$ c) $34{,}90214 \cdot 10000$ d) $4536 : 100$

e) $7{,}123 : 10$ f) $0{,}0987 : 1000$ g) $1{,}65 \cdot 10^3$ h) $6{,}02 \cdot 10^{-3}$

83 Gib die folgenden Zahlen in Gleitkommadarstellung an. Verwende die technische Notation, bei der in der Zehnerpotenz nur Vielfache von 3 als Hochzahl verwendet werden.

a) 45000 b) 1234000 c) 1234,5 d) 812333000

e) 0,8182 f) 0,004321 g) 0,0314 h) 0,000025

84 Löse die Aufgabe 83 mit einem elektronischen Tool. Mach dich mit den Eingabe- und Ausgabeeinstellungen und den Möglichkeiten der Umrechnung vertraut (siehe Technologie-Tipp Gleitkommadarstellung).

85 Gib die folgenden Zahlen in Gleitkommadarstellung an. Verwende die wissenschaftliche Notation mit $a \cdot 10^k$, wobei $1 \le a < 10$ gelten soll.

a) 4 Millionen b) 439 Billionen c) 0,27 Milliarden d) 98,2 Trillionen

e) 8 Tausendstel f) 471 Hundertstel g) 21 Millionstel h) 382 Milliardstel

GK **86** Ersetze die Vorsilbe durch eine geeignete Zehnerpotenz.

a) 250 ml b) 3,7 km c) 78 Megatonnen d) 23 cl
e) 18 mm f) 45 Gigawatt g) 55 Kilojoule h) 800 hl

GK **87** Ersetze die Vorsilbe durch eine geeignete Zehnerpotenz und gib die Zahlen in Gleitkommadarstellung an.

a) 17 dm b) 100 Nanometer c) 2 Mikrosekunden d) 10 Pikogramm
e) 78 dag f) 4 dl g) 12,5 kg h) 2 Milliampere

GK **88** Ersetze die Zehnerpotenz durch eine geeignete Vorsilbe.

a) $5 \cdot 10^3$ m b) $24 \cdot 10^6$ J c) $700 \cdot 10^9$ W d) $1000 \cdot 10^{12}$ t
e) $14 \cdot 10^{-9}$ g f) $50 \cdot 10^{-3}$ A g) $0{,}8 \cdot 10^{-12}$ s h) $6{,}6 \cdot 10^{-6}$ m

GK **89** Schreibe die Werte mit Zehnerpotenzen an. Wandle sie in die angegebene Einheit um.

a) 25 m (in mm) b) 4,500 km (in m) c) 0,0005 nm (in m)
d) 56,7 m (in cm) e) 7800 mm (in m) f) 65 892 m (in km)
g) 98 a (in ha) h) 512 m^2 (in a) i) 0,0067 km^2 (in m^2)
j) 0,05 m^3 (in dm^3) k) 25 000 cm^3 (in m^3) l) 600 000 mm^3 (in m^3)

GK **90** Ordne den links stehenden Zahlen die entsprechenden gerundeten Werte zu.

Zahlen	
1,48397	
$\sqrt{6}$	
$\sqrt{13}$	

	Rundungswerte
A	1,4839 (auf 4 Dezimalstellen)
B	2,4495 (auf 4 Dezimalstellen)
C	1,484 (auf 3 Dezimalstellen)
D	3,605 (auf 3 Dezimalstellen)
E	2,44948 (auf 5 Dezimalstellen)
F	3,61 (auf 2 Dezimalstellen)

GK **91** Runde auf die angegebene Genauigkeit. Behalte jedoch die gegebene Einheit bei.

a) 0,89255 km (auf m genau) b) 5,6767 m (auf dm genau)
c) 0,125 ℓ (auf cl genau) d) 0,00556 s (auf ms genau)

GK **92** In welches Intervall fällt die angegebene Größe?

a) Spannung $U = (230 \pm 23)$ V b) Dichte $\rho = (7{,}52 \pm 0{,}03)$ g/cm^3
c) Temperatur $T = (1235 \pm 2)$ °C d) Stromstärke $I = (35{,}8 \pm 1{,}5)$ mA

Typ-2-Aufgaben

GK **93**

> Die Lichtgeschwindigkeit ist die Ausbreitungsgeschwindigkeit des Lichtes und anderer elektromagnetischer Wellen. Sie hat im Vakuum einen Wert von 299 792 458 m/s oder 1 079 252 849 km/h und trägt als physikalisches Symbol den Buchstaben c. Die Konstanz der Vakuumlichtgeschwindigkeit ist eines der grundlegenden physikalischen Prinzipien.

a) Gib eine Formel zur Umrechnung der Lichtgeschwindigkeit von m/s in km/h an und zeige, dass die Umrechnung stimmt.

b) Stelle die im Text angegebenen Werte mithilfe der Gleitkommadarstellung dar. Runde dabei auf
(1) Millionen m/s (2) Tausend m/s (3) Millionen km/h (4) Milliarden km/h
und drücke die Zahl in Worten aus.

c) Welchen Vorteil hat die Gleitkommadarstellung für die Darstellung des ungefähren Werts der Lichtgeschwindigkeit mit $3 \cdot 10^8$ m/s im Gegensatz zur Angabe als 300 000 000 m/s?

GK **94**

> Atome sind näherungsweise kugelförmig und haben eine Größe von 0,1 bis 0,5 nm. Innerhalb des Periodensystems nehmen die Atomradien von links nach rechts ab und von oben nach unten zu. Ihre Masse beträgt, abhängig von der Ordnungszahl, zwischen 10^{-24} und 10^{-22} g.

	Hauptgruppen							
Schale	**I**	**II**	**III**	**IV**	**V**	**VI**	**VII**	**VIII**
1 K-Schale	1,008 $_{1}$H Wasserstoff (2,1)	Atommasse in u Elementsymbol Ordnungszahl (Protonenanzahl) Elementname (Elektronegativitäts-Wert)						4,003 $_{2}$He Helium (–)
2 L-Schale	6,94 $_{3}$Li Lithium (1,0)	9,01 $_{4}$Be Beryllium (1,5)	10,81 $_{5}$B Bor (2,0)	12,01 $_{6}$C Kohlenstoff (2,5)	14,00 $_{7}$N Stickstoff (3,0)	16,00 $_{8}$O Sauerstoff (3,5)	19,00 $_{9}$F Fluor (4,0)	20,18 $_{10}$Ne Neon (–)
3 M-Schale	22,99 $_{11}$Na Natrium (0,9)	24,31 $_{12}$Mg Magnesium (1,2)	26,98 $_{13}$Al Aluminium (1,5)	28,09 $_{14}$Si Silicium (1,8)	30,97 $_{15}$P Phosphor (2,1)	32,07 $_{16}$S Schwefel (2,5)	35,45 $_{17}$Cl Chlor (3,0)	39,94 $_{18}$Ar Argon (–)
4 N-Schale	39,10 $_{10}$K Kalium (0,8)	40,08 $_{20}$Ca Calcium (1,0)	69,72 $_{31}$Ga Gallium (1,6)	72,61 $_{32}$Ge Germanium (1,8)	74,92 $_{33}$As Arsen (2,0)	78,96 $_{34}$Se Selen (2,4)	79,90 $_{35}$Br Brom (2,8)	83,8 $_{33}$Kr Krypton (–)

a) Drücke die Größe eines Atoms in Meter aus (Dezimalschreibweise).

b) Drücke die Masse mithilfe einer geeigneten Vorsilbe in Gramm aus.

c) Sind Atome mit einem Durchmesser von $0{,}2 \cdot 10^{-9}$ m größer als Atome mit $3{,}5 \cdot 10^{-10}$ m oder nicht? Begründe deine Antwort.

d) Haben Atome mit 10^{-24} g oder mit 10^{-22} g weniger Masse? Begründe deine Antwort.

GK 95

Die Sonne ist eine 5500 Grad Celsius heiße Gaskugel, die vor allem aus Wasserstoff und Helium besteht. Ihr Durchmesser beträgt 1,4 Millionen Kilometer. Auf die Erde, die einen Radius von rund 6380 km hat, trifft eine Strahlungsleistung von 1,37 Kilowatt pro Quadratmeter oder auf den gesamten Erdquerschnitt umgerechnet 170 000 Terawatt.

a) Drücke alle Werte, die im Informationstext vorkommen, in Gleitkommadarstellung aus. Verwende dabei die Basiseinheiten, also keine Vorsilben wie Kilo, Mega etc.
b) Die Oberfläche einer Kugel kann mit der Formel $O = 4r^2\pi$ berechnet werden. Berechne unter Annahme einer Kugelgestalt die Oberfläche der Sonne und die der Erde und gib sie in Gleitkommadarstellung an. Um wie viel ist der Radius bzw. die Oberfläche der Sonne größer als der Radius bzw. die Oberfläche der Erde?
c) Ermittle den Erdquerschnitt (Kreisfläche: $A = r^2\pi$) und rechne den im Text genannten Wert von 170 000 Terawatt mithilfe der Strahlungsleistung von 1,37 Kilowatt pro Quadratmeter nach.
d) Begründe, warum der Erdquerschnitt und nicht die Erdoberfläche als Grundlage für die gesamte Strahlungsleistung genommen wird.

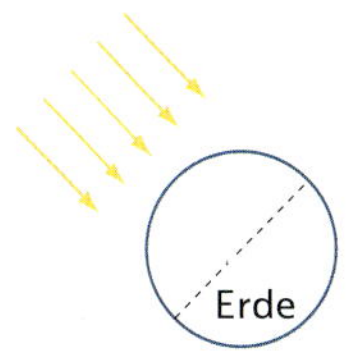

GK 96

Die Energiequelle der Sonne ist die Kernfusion: Dabei verschmelzen 4 Wasserstoffkerne zu einem Heliumkern. Bei der Kernfusion erzeugt die Sonne in ihrem Inneren aus Wasserstoff pro Sekunde 6000 Megatonnen Helium bei einer Temperatur von 15 Millionen Grad Celsius und einem Druck von über 100 Millionen bar. Pro kg erzeugtes Helium werden 630 Terajoule Energie frei. Zum Vergleich: Ein 1-Gigawatt-Kernkraftwerk – das entspricht etwa der halben Leistung des Kraftwerks in Temelin – muss für 630 Terajoule eine Woche in Betrieb sein.

a) Drücke alle Werte, die im Informationstext vorkommen, in Gleitkommadarstellung aus. Verwende dabei die Basiseinheiten, also keine Vorsilben.
b) Wie viel Energie wird pro Sekunde im Inneren der Sonne frei (in Joule)?
Wie lange müssten dafür tausend 1-Gigawatt-Kernkraftwerke arbeiten?
c) In Österreichs Nachbarländern gab es im Jahr 2012 Atomkraftwerke mit folgender ungefährer Leistung:
Temelin (Tschechien): 1930 MW; Krško (Slowenien): 670 MW; Isar 2 (Deutschland): 1400 MW; Mochovce (Slowakei): 870 MW; Goesgen (Schweiz): 970 MW.
Stelle die Werte in einem geeigneten Balkendiagramm dar und begründe die Skalierung.

GK 97

Die Grafik zeigt die Erdölförderung von ganz Saudi-Arabien und die des größten Erdölfelds Ghawar.

a) Gib die Gesamtförderung Saudi-Arabiens pro Tag in den Jahren 1975, 1990 und 2000 in Gleitkommadarstellung in wissenschaftlicher Notation an.
b) Welchen Anteil der Gesamtproduktion nahm die Produktion in Ghawar in den Jahren 1970 und 1980 ein?

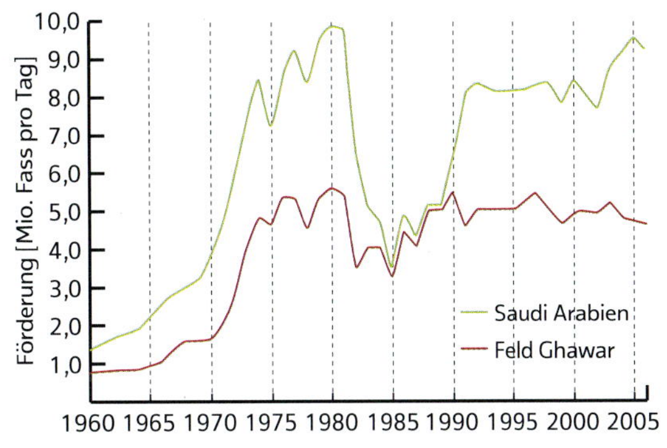

GK 98 Das Diagramm zeigt die Vermögenswerte im Ausland (in Millionen Dollar) und den prozentualen Anteil der Auslandsvermögenswerte am Gesamtvermögen von fünf der zehn größten transnationalen Unternehmen im Jahr 2008.

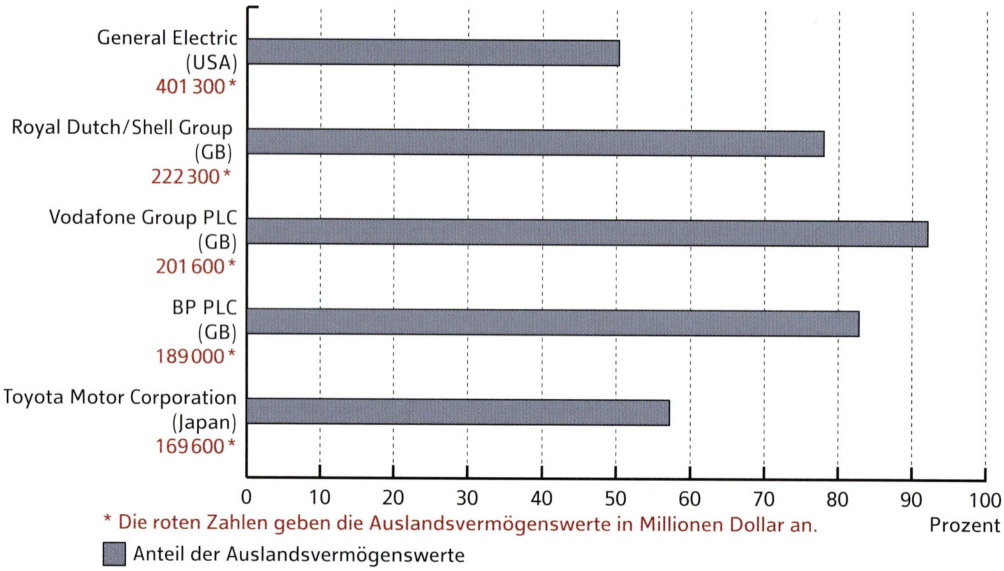

a) Kreuze die wahren Aussagen an.
- ☐ Die Auslandsvermögenswerte von BP belaufen sich auf 189 000 000 000 $.
- ☐ Toyota stellt bezüglich der Auslandsvermögenswerte einen Wert von rund 170 Mrd. $ dar.
- ☐ Das Auslandsvermögen von BP ist 189 Mio. $ groß.
- ☐ Die Auslandsvermögenswerte von General Electric betragen ca. $4 \cdot 10^{11}$ $.
- ☐ Das Auslandsvermögen der Vodafone Group ist rund 202 Mio. $ groß.
- ☐ Die Auslandsvermögenswerte von Royal Dutch/Shell Group belaufen sich auf 222 300 000 000 $.

b) Gib für jedes Unternehmen an, wie hoch das Gesamtvermögen des Unternehmens ist. Runde dabei auf Milliarden Dollar. Ordne die Unternehmen nach der Höhe des Gesamtvermögens.

5 Zahlensysteme

In vielen Kulturen entwickelten sich unterschiedliche Zahlensysteme. Es entstanden Stellenwertsysteme (z.B. unser dezimales Zahlensystem), bei denen die Position einer Ziffer ihren Wert bestimmt, und Additionssysteme (z. B. die römischen Zahlzeichen), die Symbole für bestimmte Zahlen kombinieren. In Zusammenhang mit Computertechnologie gewannen Binärzahlen und Hexadezimalzahlen an Bedeutung. Du lernst in diesem Abschnitt anhand des Dezimalsystems die Grundidee von Stellenwertsystemen kennen und wendest sie auf die Darstellung von Zahlen im Binärsystem an.

Du erwirbst folgende Grundkompetenz:
○ Zahlen in einem nichtdekadischen Zahlensystem darstellen (AG-L 1.4)

Vorwissen

Teste dein Wissen zum dezimalen Zahlensystem. Kreuze die richtigen Aussagen an. Lies dazu die Informationen www Historisches zur Entwicklung des Zahlbegriffs und Historisches zu Zahlsystemen in frühen Kulturen.

99 **Quiz 1**

a) ☐ Die Vorsilbe *deka* leitet sich vom griechischen Wort für *zehn* ab.
b) ☐ Die Vorsilbe *deka* geht auf René Descartes (franz. Mathematiker, 1596–1650) zurück.
c) ☐ Das dekadische Zahlensystem ist ein Stellenwertsystem, d.h., die Position einer Ziffer bestimmt ihren Wert.
d) ☐ Das dekadische Zahlensystem wurde in der Antike von griechischen Mathematikern entwickelt und von den Indern übernommen.
e) ☐ Die Römer kannten das dekadische Zahlensystem, blieben aber aus politischen Gründen beim römischen Zahlensystem.
f) ☐ Das auf den römischen Ziffern beruhende Zahlensystem ist ein Stellenwertsystem.
g) ☐ Die Ziffern 0, 1, 2, 3, 4, 5, 6, 7, 8 und 9 sind arabische Ziffern.
h) ☐ Die Ziffern 0, 1, 2, 3, 4, 5, 6, 7, 8 und 9 sind römische Zahlzeichen.
i) ☐ Das dekadische Zahlensystem wurde in Indien entwickelt.
j) ☐ Das dekadische Zahlensystem wurde von den Arabern um etwa 800 n.Chr. übernommen.

100 **Quiz 2**

a) ☐ Das dekadische Zahlensystem fand ab dem 12. Jahrhundert durch eine Übersetzung aus dem Arabischen ins Lateinische seine Verbreitung in Europa.
b) ☐ Die Verbreitung in Europa ging von Italien aus.
c) ☐ Die Verbreitung in Europa ging von Spanien aus.
d) ☐ Die Verwendung der Ziffer 0 ist eine Voraussetzung für das Dezimalsystem.
e) ☐ Gegen die Einführung des dekadischen Zahlensystems gab es in Europa Widerstände, weil man fürchtete, dass dadurch Fälschungen leichter möglich seien.
f) ☐ Die Kommaschreibweise war schon im Mittelalter bekannt.
g) ☐ Die Kommaschreibweise wurde vom Schotten John Napier (= Neper) zu Beginn des 17. Jahrhunderts eingeführt.
h) ☐ Die Kommaschreibweise geht auf Carl Friedrich Gauß (1777–1855) zurück.
i) ☐ Taschenrechner führen Berechnungen im dekadischen Zahlensystem durch.
j) ☐ Das Hundertfache der Kreiszahl π ist ungefähr $3 \cdot 10^2 + 1 \cdot 10^1 + 4 \cdot 10^0 + 2 \cdot 10^{-1}$.

Neues Wissen

Dezimalsystem

▷ Unser Zahlensystem beruht auf der Zahl 10. Man nennt es daher **Dezimalsystem** oder **dekadisches Zahlensystem**. Es benötigt die zehn Ziffern 0, 1, 2, 3, 4, 5, 6, 7, 8 und 9.
In dezimaler Schreibweise wird jede Zahl mithilfe dieser Ziffern und eines Dezimaltrennzeichens gebildet. Die Position der Ziffer gibt ihren Stellenwert an: ... T, H, Z, E, z, h, t ...

Der Stellenwert lässt sich durch Zehnerpotenzen, die von rechts nach links ansteigen, ausdrücken.

▷ *Beispiel:* Schreib die Zahl 204,53 als eine Summe von Zehnerpotenzen.

Lösung:

$$204{,}53 = 2\cdot 100 + 0\cdot 10 + 4\cdot 1 + 5\cdot\frac{1}{10} + 3\cdot\frac{1}{100}$$
$$= 2\cdot 100 + 0\cdot 10 + 4\cdot 1 + 5\cdot 0{,}1 + 3\cdot 0{,}01$$
$$= 2\cdot 10^2 + 0\cdot 10^1 + 4\cdot 10^0 + 5\cdot 10^{-1} + 3\cdot 10^{-2}$$

H	Z	E	z	h
100	10	1	0,1	0,01
10^2	10^1	10^0	10^{-1}	10^{-2}
2	0	4	5	3

In dezimaler Schreibweise kann stets nur eine endliche Anzahl an Stellen tatsächlich angeschrieben werden. Auch jeder elektronische Rechner erfasst nur eine endliche Anzahl an Stellen. Die meisten rationalen und alle irrationalen Zahlen lassen sich in Dezimaldarstellung nicht exakt, sondern nur näherungsweise angeben.

Dualsystem (Binärsystem)
Als Basis bei Stellenwertsystemen wurden schon in den frühen Kulturen unterschiedliche Zahlen genommen (10, 60, 20, ...).
Auf Gottfried Wilhelm Leibniz geht ein weiteres Stellenwertsystem zurück.

Gottfried Wilhelm Leibniz (1646–1716)

▷ Das **Dualsystem** oder **Binärsystem** (Zweiersystem) beruht auf der **Basis** von **2**. Im Binärsystem genügen daher zwei Ziffern: **0** und **1**.

Die Stellenwerte entsprechen von rechts nach links den Potenzen von 2:

128	64	32	16	8	4	2	1
2^7	2^6	2^5	2^4	2^3	2^2	2^1	2^0

Für Zweierpotenzen sollen dieselben Definitionen und Rechenregeln wie für Zehnerpotenzen gelten, daher erweist sich wegen $\frac{2^1}{2^1} = 1$ und $\frac{2^1}{2^1} = 2^{1-1} = 2^0$ die Definition $2^0 = 1$ als sinnvoll.

▷ *Beispiel:* Welcher Zahl im Dezimalsystem entspricht die Zahl 1001 im Binärsystem?

Lösung:

8	4	2	1
2^3	2^2	2^1	2^0
1	0	0	1

$= 1\cdot 2^3 + 0\cdot 2^2 + 0\cdot 2^1 + 1\cdot 2^0 = 1\cdot 8 + 1\cdot 1 = 9$

Die Zahl 1001 im Binärsystem entspricht der Zahl 9 im Dezimalsystem.

Werden Zahlen in verschiedenen Zahlensystemen nebeneinander verwendet, so wird zur Unterscheidung die Basis am Ende der Zahl tiefgestellt angeschrieben.

▷ *Beispiel:* Welcher Zahl im Dezimalsystem entspricht die Zahl 10011 im Binärsystem?
Lösung: $(10011)_2 = 1 \cdot 2^4 + 1 \cdot 2^1 + 1 \cdot 2^0 = 16 + 2 + 1 = (19)_{10}$
$(10011)_2$ stellt eine Zahl im Binärsystem dar, während $(19)_{10}$ eine Zahl im dekadischen Zahlensystem darstellt.

101 Zeige, dass $(1111\,1111)_2 = (255)_{10}$ gilt.

Technologie-Tipp: Darstellung von Zahlen in verschiedenen Zahlensystemen

Aufgaben

102 Zerlege die Zahlen in eine Summe von Zehnerpotenzen.
a) 2010 b) 3 705 001 c) 203,45 d) 0,708

103 Stelle die Binärzahlen als Summe von Zweierpotenzen dar und berechne die entsprechende Dezimalzahl.
a) 1011 b) 1001 1001 c) 1111 1111 d) 0110 0111

104 Im Binärsystem wird die Vorsilbe Kilo durch jene Zweierpotenz dargestellt, die dem Wert 1000 am nächsten kommt, also 2^{10}. Dadurch ergeben sich entsprechende Umwandlungen für die Vorsilben Mega, Giga usw.
1 Kilobyte (kB) = 2^{10} Byte; 1 Megabyte (MB) = 2^{10} Kilobyte = $2^{10} \cdot 2^{10}$ Byte = 2^{20} Byte
Berechne, wie viele Byte
a) 1 kB b) 1 MB c) 1 GB d) 1 TB entsprechen.

105 Viele Größenangaben im Bereich der Informatik hängen mit dem Binärsystem zusammen.
a) USB-Sticks wurden 2012 mit Speicherkapazitäten von 2 GB, 4 GB, 8 GB, 16 GB und 32 GB angeboten. Rechne die angegebenen Werte in Byte um (Umrechnung siehe Aufgabe 104).
b) Ein 32-Bit-Betriebssystem bedeutet, dass das Betriebssystem eine 32-stellige Zahl als Speicheradresse benutzt. Der entsprechende Zahlenraum reicht dann bis $2^{32} - 1$. Gib diese Zahl in Dezimaldarstellung an.
c) Im *American Standard Code for Information Interchange* (ASCII-Code) werden Zeichen mit 7 Bit verschlüsselt. Berechne, wie viele verschiedene Zeichen dargestellt werden können.
d) Mit dem Unicode, einem internationalen Standard, wird langfristig versucht, für jedes sinntragende Zeichen und Textelement aller bekannter Schriftkulturen und Zeichensysteme einen digitalen Code festzulegen. Dafür sind $2^{20} + 2^{16}$ Zeichen vorgesehen. Wie viele Zeichen können damit kodiert werden?

106 Bei Festplatten wird die Größe häufig mit der Basis 10 angegeben, um im Vergleich mit korrekt angegebenen Größen den Eindruck von mehr Speicherkapazität zu erwecken. 1 MB entspricht dann lediglich 1 Million Byte. Die Speicherkapazität einer Festplatte wird mit 120 GB (Basis 10) angegeben.

a) Berechne den Unterschied zu einer Festplatte, deren Speicherplatz 120 GB in korrekter binärer Darstellung entspricht.
b) Berechne, welche Speicherkapazität in MB bei korrekter binärer Berechnung für die Festplatte mit 120 GB (Basis 10) am Computer angezeigt wird.

107 Welche Uhrzeit zeigt die digitale Binäruhr an? Die obere Zeile gibt die Stunden in einer 4-Bit-, die untere Zeile die Minuten in einer 6-Bit-Anzeige an. Kreuze an.

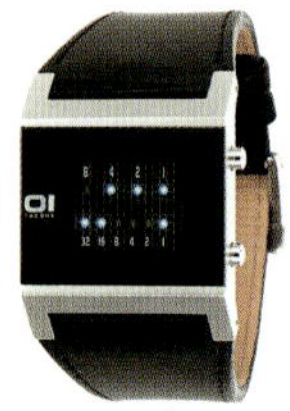

☐ 2 : 08 ☐ 4 : 15 ☐ 5 : 15 ☐ 7 : 25
☐ 7 : 49 ☐ 11 : 25 ☐ 12 : 34 ☐ 18 : 09

108 Rechne mithilfe eines elektronischen Tools die Binärzahlen in Dezimalzahlen um.

a) 1000 1000 1000
b) 1111 1111 1111 1111
c) 1111 0111 0011 0001
d) 1111 0000 0000 0000 0000

109 Stelle mithilfe eines Computeralgebrasystems die Dezimalzahlen als Binärzahlen dar.

a) 888 b) 5000 c) 1 000 000 d) 120 000 000

Fächerübergreifende Aufgaben

110 Bearbeite das Arbeitsblatt Fächerübergreifende Aufgaben (Informatik).

Zahlensysteme in frühen Kulturen

Schon in frühen Kulturen wurden für die Darstellung von Zahlen unterschiedliche Zahlensysteme verwendet. Dabei entwickelten sich unabhängig voneinander verschiedene Stellenwertsysteme (z. B. in Indien) und Nicht-Stellenwertsysteme (z. B. in Ägypten).

1	10	100	1000	10 000	100 000	1 000 000

europäisch	0	1	2	3	4	5	6	7	8	9
arabisch-indisch	٠	١	٢	٣	٤	٥	٦	٧	٨	٩

111 Gestaltet mithilfe des Arbeitsblattes Historisches zu Zahlensystemen in frühen Kulturen ein Plakat, auf dem ihr die Zahlensysteme von Ägypten, Mesopotamien, China, Indien, der Römern und der Maya gegenüberstellt.

Kompetenzcheck

1 Mengen können durch Aufzählung bzw. Andeutung der Aufzählung ihrer Elemente oder durch Angabe der Eigenschaften, die die Elemente erfüllen sollen, beschrieben werden. Ordne den gegebenen vier Mengen der linken Spalte die durch Aufzählung angedeutete Menge der rechten Spalte zu.

$\{n \in \mathbb{N}^* \mid n > 12 \text{ und } n \leq 17\}$	
$A \cap P$ mit $A = \{n \in \mathbb{N}^* \mid n > 4 \text{ und } n < 12\}$ und $P = \{2, 3, 5, 7, 11, 13 \ldots\}$	
$\{x \in \mathbb{Z} \mid -5 \leq x$ und x ist eine gerade Zahl$\}$	
$\{z \in \mathbb{Z} \mid z$ ist ein Vielfaches von 7$\}$	

A	$\{-4, -2, 0, 2, 4, 6, 8, \ldots\}$
B	$\{13, 14, 15, 16, 17\}$
C	$\{5, 7, 11\}$
D	$\{7, 14, 21, \ldots\}$
E	$\{-6, -8, -10, -12, \ldots\}$
F	$\{\ldots, -21, -14, -7, 7, 14, 21, \ldots\}$

2 Die Zahlenmengen $\mathbb{N}$, $\mathbb{Z}$, $\mathbb{Q}$ und $\mathbb{R}$ umfassen unterschiedliche Zahlenbereiche. Vervollständige den Lückentext so, dass er mathematisch korrekt ist.

a) Die Zahl $-\frac{3}{4}\pi$ ist eine ________❶________, weil die ________❷________.

❶	
negative rationale Zahl	☐
periodische Dezimalzahl	☐
negative irrationale Zahl	☐

❷	
Zahl nicht als Bruch dargestellt werden kann	☐
Zahl als Bruch dargestellt werden kann	☐
Ziffernkombination der Nachkommastellen sich bis ins Unendliche wiederholt.	☐

b) Die Zahl $\sqrt{2}$ ist eine ________❶________, weil die ________❷________.

❶	
reelle Zahl	☐
irrationale Zahl	☐
natürliche Zahl	☐

❷	
Zahl nicht als Bruch zweier ganzer Zahlen dargestellt werden kann	☐
Zahl als Bruch zweier ganzer Zahlen dargestellt werden kann	☐
Ziffernkombination der Nachkommastellen sich bis ins Unendliche wiederholt.	☐

3 Für das Rechnen mit reellen Zahlen gelten einige Grundgesetze. Kreuze die zutreffende(n) Aussage(n) an.

- ☐ Sind $a, b \in \mathbb{R}$, dann ist auch $a \cdot b \in \mathbb{R}$.
- ☐ Für die Addition der reellen Zahlen ist 1 das neutrale Element.
- ☐ Für die Multiplikation der reellen Zahlen ist 1 das neutrale Element.
- ☐ Ist $a \in \mathbb{R}$ mit $a \neq 0$, dann ist $\frac{1}{a}$ das inverse Element bezüglich der Multiplikation in $\mathbb{R}$.
- ☐ Sind $a, b \in \mathbb{R}$, dann ist auch $a + b \in \mathbb{R}$.

4 Zeichne das gegebene Intervall auf der Zahlengeraden ein.

a) $[-2; 4)$

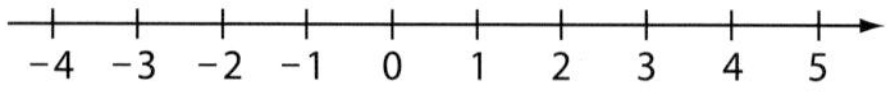

b) $]-1; 3]$

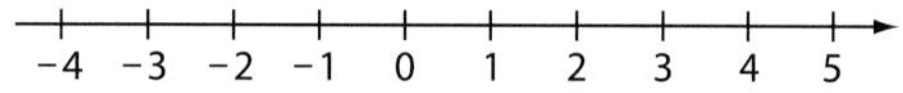

c) $(-9{,}2; -5]$

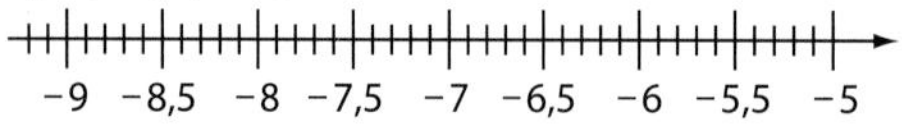

d) $[-2{,}7; 2]$

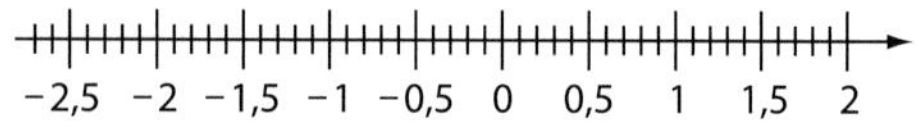

5 Die Erde ist ein Planet unseres Sonnensystems. Der Durchmesser der Erde beträgt ca. 12700 Kilometer. Das Alter wird mit etwa 4,6 Milliarden Jahren angegeben. Die Gezeiten auf der Erde werden durch die Gravitation von Mond und Sonne verursacht. Die sogenannte Gezeitenreibung, bedingt durch Ebbe und Flut, bremst die Erdrotation ab und verlängert dadurch die Dauer eines Tages um etwa 20 Mikrosekunden pro Jahr.

Kreuze die zutreffende(n) Aussage(n) an.

- ☐ Der Radius der Erde beträgt rund $6{,}4 \cdot 10^6$ m.
- ☐ Aufgrund der bremsenden Wirkung der Erdrotation wird die Dauer eines Tages pro Jahr um etwa 0,00002 Sekunden länger.
- ☐ Aufgrund der bremsenden Wirkung der Erdrotation wird die Dauer eines Tages pro Jahr um etwa $2 \cdot 10^{-6}$ Sekunden länger.
- ☐ Die Erde ist etwa $4{,}6 \cdot 10^9$ Jahre alt.
- ☐ Die Erde ist etwa $46 \cdot 10^{11}$ Jahre alt.

6 Ordne den links stehenden Aussagen die richtige Aussage der rechten Spalte zu.

a)

$\lvert 5-8\rvert = \lvert 8-5\rvert$	
$\lvert a\rvert = -a$	
$\lvert a\rvert = 0$	
$\lvert a\rvert = a$	

A	wenn $a < 0$
B	wenn $a > 0$
C	$= -3$
D	$= 5$
E	wenn $a = 0$
F	$= 3$

b)

$10^4 \cdot 10^6$	
$\frac{10^5}{10^6}$	
$10^3 \cdot 10^2$	
$\frac{10^6}{10^2}$	

A	$10^{-1} = 0{,}1$
B	$10^{-1} = 0{,}01$
C	10^5
D	10000
E	10^{10}
F	10^8

7 Kreuze in jeder Zeile alle Zahlenmengen an, zu denen die gegebenen Zahlen gehören.

		$\in \mathbb{N}$	$\in \mathbb{Z}$	$\in \mathbb{Q}$	$\in \mathbb{R}$
(1)	$\frac{1}{5}$	☐	☐	☐	☐
(2)	π	☐	☐	☐	☐
(3)	0,7	☐	☐	☐	☐
(4)	$2{,}8 \cdot 10^3$	☐	☐	☐	☐

		$\in \mathbb{N}$	$\in \mathbb{Z}$	$\in \mathbb{Q}$	$\in \mathbb{R}$
(5)	$-5{,}1 \cdot 10^{-2}$	☐	☐	☐	☐
(6)	$\sqrt{16}$	☐	☐	☐	☐
(7)	0	☐	☐	☐	☐
(8)	$-\sqrt[3]{27}$	☐	☐	☐	☐

Terme und Formeln

Kompetenzbereich: Mengen, Zahlen und Rechengesetze (AG)

1 Aufstellen und Interpretieren von Termen und Formeln

Das Aufstellen und Interpretieren von Formeln ist eine wichtige mathematische Tätigkeit, denn Variablen und Formeln ermöglichen die übersichtliche Darstellung eines Sachverhalts. Du wiederholst und übst grundlegende Kenntnisse und Fertigkeiten, damit du Folgendes beherrschst:

- Du kannst Terme und Formeln zu gegebenen Texten aufstellen.
- Du kannst Terme und Formeln interpretieren sowie aus ihnen Zusammenhänge herauslesen.
- Du kannst einzelne Größen berechnen.
- Du kannst Polynome faktorisieren.

Du erwirbst folgende Grundkompetenzen:

GK Wissen über algebraische Begriffe (Variable, Terme, Formeln) angemessen einsetzen (AG-R 1.2)

GK Einfache Terme und Formeln aufstellen, umformen und im Kontext deuten (AG-R 2.1)

Neues Wissen

Variablen sind in der Sprache der Mathematik von großer Bedeutung. Aber auch in der Alltagssprache verwendest du Begriffe ähnlich wie Variablen. Das Wort „Jugendliche/r" steht stellvertretend für eine beliebige Person der entsprechenden Altersgruppe. Ebenso steht $a \in \mathbb{N}$ für ganz verschiedene natürliche Zahlen. Werden Variablen mit Zahlen und/oder anderen Variablen durch Rechenzeichen (+, –, ·, :) verknüpft, entstehen Terme oder Formeln[1].

Einsetzen in Terme und Formeln

Beim Arbeiten mit Termen und Formeln setzt du häufig für Variable bestimmte Werte ein. Achte dabei stets auf die Rechengesetze.

▷ *Beispiel:* Setze in den gegebenen Termen für x die Zahl –3 und für y die Zahl 7 ein und vereinfache.

(1) $3 \cdot x$ (2) $5 \cdot y$ (3) $3 \cdot x + 5 \cdot y$

Lösung:

(1) $3 \cdot (-3) = -9$ (2) $5 \cdot 7 = 35$ (3) $3 \cdot (-3) + 5 \cdot 7 = 26$

Beispiel: Vervollständige die Tabelle.

a	3·a	3·a + 7
2		
	12	
		–2

Lösung:

a	3·a	3·a + 7
2	6	13
4	12	19
–3	–9	–2

[1] Eine Formel ist ein Term, mit dem eine *Größe* (Umfang, Fläche, ...) ausgedrückt werden kann oder der Zusammenhang zwischen mehreren Größen beschrieben wird.

Aufstellen von Termen und Formeln

Beim Aufstellen von Termen und Formeln kannst du die Bezeichnung der Variablen frei wählen.

Beachte die folgenden Tipps!
- Lies den Angabetext genau durch. Wenn nötig mehrmals.
- Kennst du eine ähnliche Aufgabe?
- Was ist unbekannt? Was ist gegeben?
- Gib den Text mit eigenen Worten wieder. Übersetze den Text in mathematische Fachsprache.
- Stelle den Sachverhalt anschaulich dar. Zeichne eine passende Figur.
- Löse die Aufgabe schrittweise.
- Überlege, welche mathematischen Symbole sich zum Aufstellen dieser Formeln eignen.

▷ *Beispiel:* Gib für die Rechenvorschrift *„Bilde die Summe zweier benachbarter natürlicher Zahlen“* einen Term an.

Lösung:

Summe	Zwei benachbarte natürliche Zahlen	Insgesamt
Ergebnis einer Addition	n und $n+1$ oder n und $n-1$ mit $n \in \mathbb{N}$	$n+n+1=2n+1$ oder $n+n-1=2n-1$ mit $n \in \mathbb{N}$

▷ *Beispiel:* Gib eine Formel für den Flächeninhalt eines Rechtecks an, wenn die eine Seitenlänge doppelt so groß ist wie die andere.

Lösung:

Seitenlänge	doppelte Seitenlänge	Flächeninhalt
s	$2 \cdot s$	$A = s \cdot 2s = 2 \cdot s^2$

112 Gib die Rechenvorschrift mithilfe eines Terms an.

a) Bilde die Differenz zweier aufeinanderfolgender natürlicher Zahlen.

b) Bilde das Produkt zweier ganzer Zahlen, wobei die eine Zahl um 7 kleiner als die andere Zahl ist.

c) Bilde den Quotienten zweier beliebiger ganzer Zahlen.

113 Ordne den Rechenvorschriften der linken Spalte die entsprechenden Terme der rechten Spalte richtig zu.

Multipliziere eine natürliche Zahl mit sich selbst.	
Bilde die Differenz zweier natürlicher Zahlen, die sich um 4 unterscheiden.	
Erweitere eine rationale Zahl mit 3.	
Quadriere die Summe zweier verschiedener natürlicher Zahlen.	

A	$\frac{a \cdot 3}{b \cdot 3}$ mit $a, b \in \mathbb{Z}$ und $b \neq 0$
B	$(a+b)^2$ mit $a, b \in \mathbb{N}$
C	$a^2 + b^2$ mit $a, b \in \mathbb{N}$
D	$n \cdot n$ mit $n \in \mathbb{N}$
E	$\frac{a}{b} \cdot 3$ mit $a, b \in \mathbb{Z}$ und $b \neq 0$
F	$(n+4) - n$ mit $n \in \mathbb{N}$

GK **114** Gib eine Formel für den Flächeninhalt eines Trapezes an, bei dem die Seitenlänge c halb so groß ist wie die Seitenlänge a.

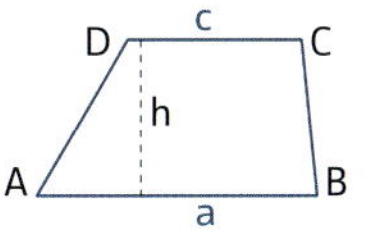

Interpretieren von Termen und Formeln

Beim Interpretieren von Termen und Formeln ist es wichtig, Zusammenhänge und Strukturen in Termen bzw. Formeln zu erkennen und diese eventuell im gegebenen Kontext zu deuten.

▷ *Beispiel:* In einem Nachtzug ist die Anzahl der schlafenden Personen deutlich größer als die Anzahl der wachen Personen. In einem voll belegten Nachtzug gilt: $S > W \cdot 3$, wobei S die Anzahl der schlafenden Personen und W die Anzahl der wachen Personen ist.
Der Schaffner sieht bei seinem Rundgang 9 wache Personen.
Welche der folgenden Aussagen über die Anzahl der schlafenden Personen ist richtig?

- ☐ Es sind genau 27 schlafende Personen im Zug.
- ☐ Es sind mindestens 28 schlafende Personen im Zug.
- ☐ Es sind höchstens 28 schlafende Personen im Zug.
- ☐ Es sind maximal 27 schlafende Personen im Zug.

Lösung: Da der Schaffner 9 wache Personen sieht, kann für W 9 eingesetzt werden und es gilt: $S > 27$.

☒ Es sind mindestens 28 schlafende Personen im Zug.

www Stationenbetrieb: Aufstellen und Interpretieren von Formeln mit Arbeitsplan, Spielvorlagen und Arbeitsblättern

GK **115** Ein Fanclub fährt mit v Personen in einem Bus zu einem Turnier. Der Bus kostet für den gesamten Fanclub p €, eine Eintrittskarte kostet k €. Was bedeutet der folgende Ausdruck?

a) $v \cdot k$ b) $\frac{p}{v}$ c) $\frac{p}{v} + k$

GK **116** Die Geschwindigkeit einer Radfahrerin ist mit v_1, die Geschwindigkeit einer Fußgängerin mit v_2 gegeben. Interpretiere den Term.

a) $v_1 > v_2$ b) $v_1 = 1{,}75 \cdot v_2$ c) $v_2 = 0{,}25 \cdot v_1$ d) $v_2 \leq \frac{1}{3} \cdot v_1$

Termstrukturen

Für einige Termstrukturen werden in der Mathematik spezielle Begriffe verwendet:

Ein **Monom** ist ein eingliedriger Term. *Beispiele:* $-7a$; $\frac{14}{15}b$; $2xy$

Ein **Binom** ist eine Summe oder Differenz zweier Monome. *Beispiele:* $-7a + 2b$; $\frac{1}{3}x - 4y$

Ein **Polynom** ist ein Term, der aus beliebig vielen Variablen und Zahlen mithilfe von Rechenoperationen zusammengesetzt ist. *Beispiel:* $\frac{a}{4} + 3b - 4c + 9d^2 - \frac{e}{15}$

Die Zahlen vor den Variablen werden **Koeffizienten** genannt.

Beachte: Zwischen Koeffizient und Variable kann ein Malpunkt geschrieben werden, er kann aber auch entfallen.

117 Ordne den Termen die Begriffe Monom, Binom oder Polynom zu.

(1) $-121b$ (2) $\frac{2}{3}u - \frac{1}{4}v + 3w + \frac{13}{17}x - 9y$ (3) $\frac{a}{5} - 7b$

Beim Arbeiten mit Termen und Formeln ist es wichtig, dass du die Struktur – also den Aufbau – richtig erkennst. Auch hier gilt es, die Rechengesetze zu beachten.

Beispiel: Welche Formeln aus der Geometrie sind von der Form $X = Y \cdot Z$? Wofür stehen die Variablen X, Y und Z?

Lösung:

X	Y	Z	$X = Y \cdot Z$
Flächeninhalt A eines Rechtecks	Seitenlänge a des Rechtecks	Seitenlänge b des Rechtecks	$A = a \cdot b$
Flächeninhalt A eines Parallelogramms	Seitenlänge einer Seite	Länge der entsprechenden Höhe	$A = a \cdot h_a$ $A = b \cdot h_b$
Umfang u eines Quadrates	Anzahl der Seiten ist 4	Seitenlänge s eines Quadrats	$u = 4 \cdot s$
Volumen eines Drehzylinders	Grundfläche eines Drehzylinders $r^2\pi$	Höhe h eines Drehzylinders	$V = r^2\pi \cdot h$

118 Welche Formeln aus der Geometrie und Physik sind von der Form $P = \frac{R}{S}$? Wofür stehen die Variablen P, R und S?

Beim Rechnen mit Termen und Variablen gelten dieselben Rechengesetze wie beim Rechnen mit Zahlen. Dabei sind die folgenden drei Arbeitsschritte hilfreich:

(1) Variablen in alphabetischer Reihenfolge ordnen.	$a + c + b = a + b + c$ $b \cdot 7 \cdot a = 7 \cdot a \cdot b$
(2) Termglieder mit gleichen Variablen und Hochzahlen zusammenfassen. Steht keine Zahl vor einer Variablen, so ist ihr Koeffizient 1.	$x + x - y - y = 2x - 2y$ $ab - 2c^3d + ab + 3c^3d = 2ab + c^3d$ $x \cdot x \cdot x + z \cdot z = x^3 + z^2$
(3) Klammern auflösen. Achte auf die Vorzeichen.	$4(a + 2b) = 4a + 8b$ $-3(x^2 - y) = -3x^2 + 3y$

Binomische Formeln

Die binomischen Formeln erleichtern das Potenzieren von Binomen. Sie gelten für alle reellen Zahlen a und b.

▷ $(a+b)^2 = a^2 + 2ab + b^2$ $\quad$ $(a-b)^2 = a^2 - 2ab + b^2$
$(a+b)^3 = a^3 + 3a^2b + 3ab^2 + b^3$ $\quad$ $(a-b)^3 = a^3 - 3a^2b + 3ab^2 - b^3$
$(a-b)\cdot(a+b) = a^2 - b^2$ $\quad$ $(a+b)\cdot(a-b) = a^2 - b^2$

Die Gültigkeit der binomischen Formeln kann z. B. durch Ausmultiplizieren gezeigt werden.

▷ *Beispiel:* Zeige durch Ausmultiplizieren die Gültigkeit der Formel $(a+b)^2 = a^2 + 2ab + b^2$.

Lösung: $\mathbf{(a+b)^2} = (a+b)\cdot(a+b) = a^2 + ab + ba + b^2 = a^2 + ab + ab + b^2 = \mathbf{a^2 + 2ab + b^2}$

GK **119** Zeige durch Ausmultiplizieren die Gültigkeit der folgenden Formeln.
a) $(a-b)^2 = a^2 - 2ab + b^2$
b) $(a-b)^3 = a^3 - 3a^2b + 3ab^2 - b^3$
c) $(a+b)(a-b) = a^2 - b^2$

Technologie-Tipp: Berechnung von binomischen Formeln

Faktorisieren von Polynomen

In den vorangegangenen Beispielen wurden die binomischen Formeln zum Ausmultiplizieren von Klammerausdrücken verwendet. Nun wird der umgekehrte Weg gegangen. Polynome sollen – wenn möglich – zu Binomen faktorisiert werden.

▷

	Polynom	Produkt von Binomen
(I)	$a^2 - b^2$	$= (a-b)\cdot(a+b)$
(II)	$a^2 + 2ab + b^2$	$= (a+b)^2$
(III)	$a^2 - 2ab + b^2$	$= (a-b)^2$
(IV)	$a^3 + 3a^2b + 3ab^2 + b^3$	$= (a+b)^3$
(V)	$a^3 - 3a^2b + 3ab^2 - b^3$	$= (a-b)^3$

Polynome müssen also eine bestimmte Struktur haben, damit sie faktorisiert werden können.

▷ *Beispiel:* Faktorisiere die Polynome.

(1) $s^2 - 25$ (2) $x^2 + 6x + 9$ (3) $t^3 + 6t^2 + 12t + 8$

Lösung:

(1) $s^2 - 25$ ist ein Polynom mit der Struktur $a^2 - b^2 = (a - b) \cdot (a + b)$

s^2 entspricht $a^2 \Rightarrow s = a$

25 entspricht $b^2 \Rightarrow 5 = b$

$\}$ $s^2 - 25 = (s - 5) \cdot (s + 5)$

(2) $x^2 + 6x + 9$ ist ein Polynom mit der Struktur $a^2 + 2ab + b^2 = (a + b)^2$

x^2 entspricht $a^2 \Rightarrow x = a$

9 entspricht $b^2 \Rightarrow 3 = b$

$6x$ entspricht $2ab$, weil $a = x$ und $b = 3$.

$\}$ $x^2 + 6x + 9 = (x + 3)^2$

(3) $t^3 + 6t^2 + 12t + 8$ ist ein Polynom mit der Struktur $a^3 + 3a^2b + 3ab^2 + b^3 = (a + b)^3$

t^3 entspricht $a^3 \Rightarrow t = a$

8 entspricht $b^3 \Rightarrow 2 = b$

$6t^2$ entspricht $3a^2b$, weil $a = t$ und $b = 2$.

$12t$ entspricht $3ab^2$, weil $a = t$ und $b = 2$.

$\}$ $t^3 + 6t^2 + 12t + 8 = (t + 2)^3$

GK **120** Weisen die Polynome eine der in (I) bis (V) beschriebenen Strukturen auf? Falls ja, gib die entsprechende Nummer an und forme die Polynome zu Binomen um.

a) $y^2 + 4y + 4$ b) $x^2 - 9$ c) $x^3 - 8$

d) $s^2 + 2s - 1$ e) $t^3 + 9t^2 + 27t + 27$ f) $9x^2 - 25y^2$

g) $4x^2 - 49$ h) $x^4 - 8x^2 + 16$ i) $a^3 - 9a^2 + 27a - 27$

Technologie-Tipp: Faktorisieren von Polynomen

Terme und Formeln zur Prozentrechnung

Bei vielen Aufgaben ist es vorteilhaft, wenn du die Bruch- und Dezimalschreibweise wichtiger Prozentsätze auswendig weißt.

▷ $1\,\% = \frac{1}{100} = 0{,}01$

121 Gib den entsprechenden Prozentsatz an. Arbeite ohne Taschenrechner.

a) $\frac{5}{100}$ b) $\frac{1}{4}$ c) $\frac{3}{4}$ d) $\frac{1}{2}$ e) $\frac{1}{10}$

122 Ordne den Prozentanteilen der linken Spalte den zugehörigen Prozentsatz der rechten Spalte zu.

10€	
32€	
4€	
5€	

A	20% von 50€
B	10% von 50€
C	40% von 80€
D	5% von 80€

Beispiel:
Beim Training haben zwei Tennisspielerinnen je 200 Aufschläge. Eine Spielerin schießt x von 200 Bällen ins Netz, die andere dreimal so viele Bälle.
Wie hoch ist der Prozentsatz der ins Netz geschossenen Bälle bei Spielerin 1 bzw. bei Spielerin 2?

Lösung:
Spielerin 1: $\frac{x}{200} \cdot 100 = 0{,}5x$ Prozent *Spielerin 2:* $\frac{3x}{200} \cdot 100 = 1{,}5x$ Prozent

GK **123** Ein Schüler hat 7 von x Fragen richtig, ein Mitschüler 9 von x Fragen.
Wie hoch ist jeweils der Prozentsatz der richtigen Antworten?

GK **124** Gib den folgenden Sachverhalt mit einer Formel an:
Bei der Qualitätskontrolle eines Betriebes waren
a) 12 % der Fleischwaren und 4 % der Wurstwaren verdorben;
b) 7 % der Fleischwaren und 8 % der Wurstwaren verdorben.

Formeln aus der Geometrie

Du hast in den vergangenen Jahren viele Formeln aus der ebenen und räumlichen Geometrie kennen gelernt, die auch weiterhin für dich wichtig sind.

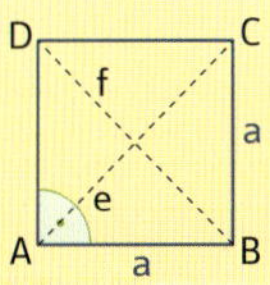

Quadrat
$A = a^2 = \frac{e \cdot f}{2}$, $u = 4a$

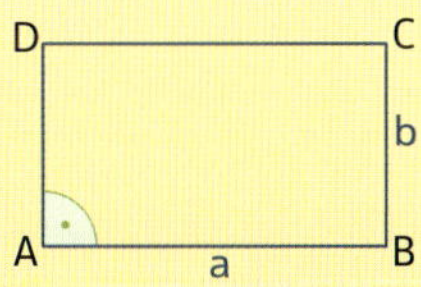

Rechteck
$A = a \cdot b$, $u = 2a + 2b$

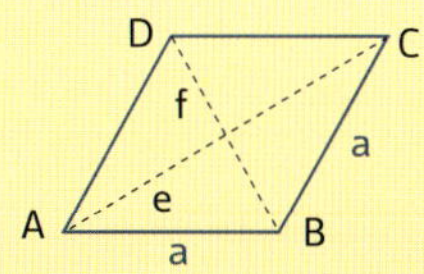

Raute (Rhombus)
$A = a \cdot h = \frac{e \cdot f}{2}$, $u = 4a$

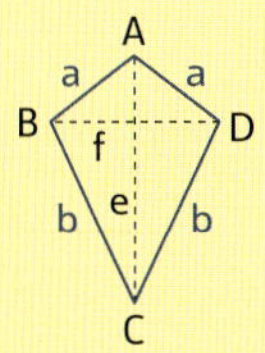

Deltoid
$A = \frac{e \cdot f}{2}$, $u = 2a + 2b$

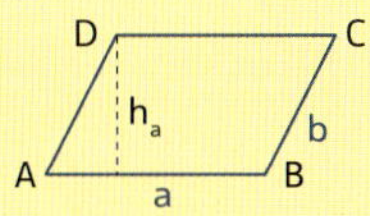

Parallelogramm
$A = a \cdot h_a = b \cdot h_b$,
$u = 2a + 2b$

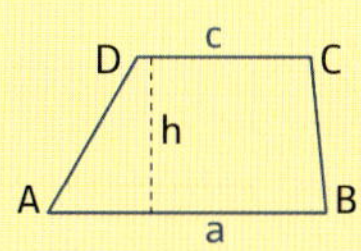

Trapez
$A = \frac{(a + c) \cdot h}{2}$,
$u = a + b + c + d$

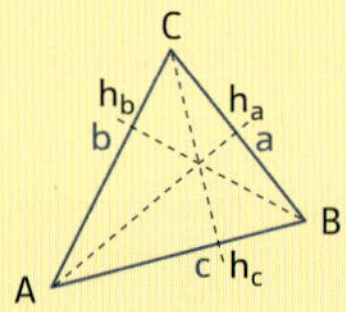

Allgemeines Dreieck
$A = \frac{a \cdot h_a}{2} = \frac{b \cdot h_b}{2} = \frac{c \cdot h_c}{2}$,
$u = a + b + c$

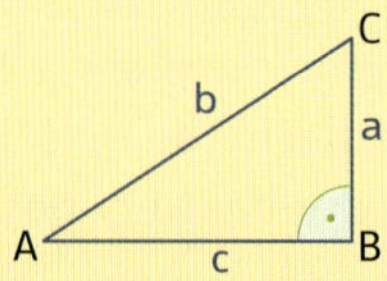

Rechtwinkliges Dreieck
$A = \frac{a \cdot c}{2}$, $u = a + b + c$

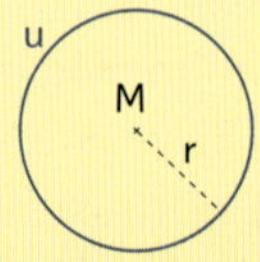

Kreis
$A = r^2 \cdot \pi$, $u = 2r \cdot \pi$

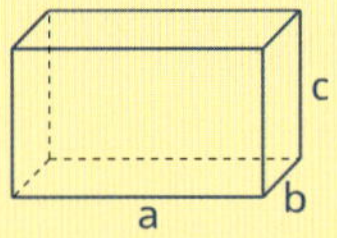

Quader
$V = a \cdot b \cdot c$,
$O = 2ab + 2bc + 2ac$

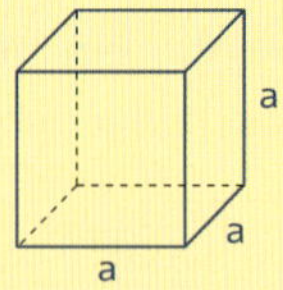

Würfel
$V = a^3$,
$O = 6a^2$

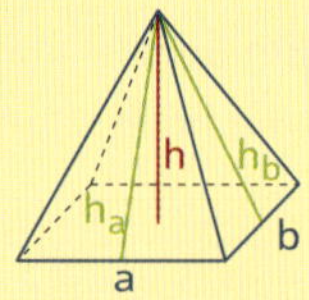

Pyramide
$V = \frac{a \cdot b \cdot h}{3}$,
$O = a \cdot b + a \cdot h_a + b \cdot h_b$

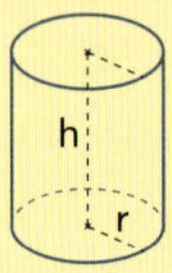

Zylinder
$V = r^2 \cdot \pi \cdot h$,
$O = 2r^2\pi + 2r\pi h$

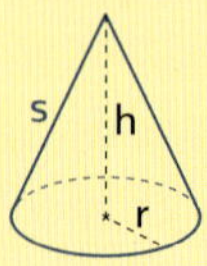

Kegel
$V = \frac{r^2 \cdot \pi \cdot h}{3}$,
$O = r^2 \cdot \pi + r \cdot \pi \cdot s$

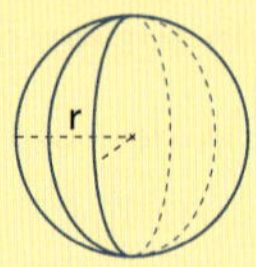

Kugel
$V = \frac{4 \cdot r^3 \cdot \pi}{3}$,
$O = 4 \cdot r^2 \cdot \pi$

GK **125** Gib für den Inhalt eines allgemeinen Dreiecks eine Formel an, wenn
(1) h_a doppelt so groß ist wie a, (2) b halb so groß ist wie h_b.

Aufgaben

Einsetzen in Terme und Formeln

GK **126** Setze in der Formel für K_0 den Wert 175 ein und berechne K_1. Lässt sich aufgrund der Formel sagen, ob K_1 kleiner oder größer als K_0 ist? Begründe.

a) $K_1 = 1{,}73 \cdot K_0$ b) $K_1 = 0{,}5 \cdot K_0$ c) $K_1 = \frac{3}{4} \cdot K_0$ d) $K_1 = (K_0)^3$

127 Gib Werte an, die für a und b in den Term $T(a, b) = 7a - 3b$ eingesetzt werden können, um das angegebene Ergebnis zu erhalten.

a) $T(a, b) = 4$ b) $T(a, b) = -14$ c) $T(a, b) = 4a$ d) $T(a, b) = 4b$

128 Gegeben ist ein Term $T(e, f) = -\frac{1}{2} \cdot e + 3f$.

a) Welchen Wert muss f haben, wenn $e = 2$ ist und $T(e, f) > 0$ ist?
b) Welchen Wert muss e haben, wenn $f = -1$ ist und $T(e, f) = 2$ ist?

Aufstellen von Termen und Formeln

GK **129** Eis-Max liefert Eis in 1-ℓ-Behältern zu s € sowie $\frac{1}{2}$ℓ zum halben Preis und 2ℓ zum doppelten Preis von 1ℓ. An einem Tag hat er a Behälter zu $\frac{1}{2}$ℓ, b zu 1ℓ und c zu 2ℓ verkauft. Durch welche Formel(n) werden die Tageseinnahmen dargestellt? Kreuze an.

- ☐ $s \cdot a + b + c$
- ☐ $(a + b + c) \cdot s$
- ☐ $s \cdot \frac{a}{2} + s \cdot b + 2s \cdot c$
- ☐ $a \cdot b \cdot c \cdot s$
- ☐ $s \cdot (2c + 0{,}5a + b)$

GK **130** Eine Gruppe von x Schülerinnen und y Schülern nimmt an einem Tanzkurs teil.

a) Beschreibe mit Worten, wie die Gesamteinnahmen E der Tanzschule ermittelt werden können, wenn jedes Mädchen 130 € und jeder Bursch 100 € bezahlt.

b) Stelle den Sachverhalt mit einer Formel dar.

c) Wie lautet die Formel, wenn jedes Mädchen m € und jeder Bursch b € bezahlt?

GK **131** S ist die Anzahl der Schüler/innen und L die Anzahl der Lehrer/innen an einer Schule. Auf eine Lehrerin bzw. einen Lehrer kommen 12 Schülerinnen bzw. Schüler.
Drücke die Beziehung zwischen S und L mit einer Formel aus.

GK **132** H ist die Anzahl der Handys und L die Anzahl der Laptops in einer Klasse. Es gibt siebenmal so viele Handys wie Laptops.
Drücke die Beziehung zwischen H und L mit einem Term aus.

GK **133** Für die Besitzerinnen und Besitzer einer bestimmten Kundenkarte betragen die Preise bei einer Liftgesellschaft für die Tageskarte t €. All jene, die keine Kundenkarte haben, müssen z € für eine Tageskarte bezahlen.

a) Stelle eine Formel für die Einnahmen E der Liftgesellschaft auf, wenn an einem Tag 234 vergünstigte und 719 nicht vergünstigte Tageskarten verkauft werden.

b) Stelle eine Formel für die Einnahmen E der Liftgesellschaft auf, wenn die Kartenpreise für alle Kunden um 2,5 € erhöht werden.

GK **134** Für den Eintritt in ein Schwimmbad zahlen Erwachsene e €, Kinder zahlen nur ein Drittel. Wie groß sind die Tageseinnahmen für x Erwachsene und y Kinder?

GK **135** Die monatlichen Kosten einer Lebensversicherung für eine Frau unter 40 Jahren betragen f €, für einen Mann unter 40 Jahren betragen sie um 20 % mehr.

a) Stelle eine Formel für die Jahresausgaben eines Ehepaares auf, das sich für diese Lebensversicherung entschieden hat. Vereinfache die Formel.

b) Stelle eine Formel für die Jahreseinnahmen einer Versicherung auf, bei der 390 Männer und 721 Frauen dieses Angebot gewählt haben. Vereinfache die Formel.

GK **136** Eine Pflanze hat an einem bestimmten Tag b Blüten. Pro Tag vermehrt sich die Anzahl der Blüten auf das Doppelte. Wie viele Blüten hat die Pflanze am vierten Tag?

GK **137**
(1) Gib eine Formel zur Berechnung des arithmetischen Mittels von zwei Zahlen a und b an.
(2) Gib eine Formel zur Berechnung des arithmetischen Mittels von drei Zahlen a, b und c an.
(3) Gib eine Formel zur Berechnung des arithmetischen Mittels von zehn Zahlen $z_1, z_2, ..., z_{10}$ an.
(4) Gib eine Formel zur Berechnung des arithmetischen Mittels von n Zahlen an.

GK **138**
In einem Betrieb erhalten fünf Angestellte die aufsteigend sortierten Einkommen e_1, e_2, e_3, e_4 und e_5. Ist es möglich, dass das durchschnittliche Einkommen
a) größer als e_5 ist,
b) kleiner als e_1 ist?
Wähle realistische Werte für die fünf Einkommen und überprüfe deine Vermutungen.

GK **139**
Ein kleines Eisgeschäft verkauft im April 12532, im Mai 21402, im Juni 23102, im Juli 25730, im August 22543 und im September 9703 Portionen Eis. In den restlichen Monaten des Jahres ist das Geschäft geschlossen. Berechne den Mittelwert
a) der verkauften Eisportionen pro Monat während der Saison,
b) der verkauften Eisportionen pro Monat während eines gesamten Jahres.

GK **140**
Gib eine Formel an.
a) Die Dichte ρ eines Körpers ergibt sich aus dem Quotienten der Masse m und des Volumens V dieses Körpers.
b) Die gemessene Kraft F entspricht dem Produkt der gleich bleibenden Masse m und der konstanten Beschleunigung a.
c) Die kinetische Energie E_{kin} beschreibt die Energie, die ein Objekt aufgrund seiner Bewegung enthält. Sie hängt von der Masse m und der Geschwindigkeit v des bewegten Körpers ab und entspricht der Hälfte des Produkts der Masse m und der zweiten Potenz der Geschwindigkeit.
d) Bei einer gleichförmigen geradlinigen Bewegung gilt für die Geschwindigkeit v, dass v zum zurückgelegten Weg s direkt proportional und zur verstrichenen Zeit t indirekt proportional ist.
e) Bei einer gleichförmigen geradlinigen Bewegung gilt für den zurückgelegten Weg s, dass s direkt proportional zur Geschwindigkeit v und direkt proportional zur verstrichenen Zeit t ist.

Interpretieren von Termen und Formeln

GK **141**
Ein neuer Tablet-PC kostet rund 445 €. Mirna bekommt von ihren Eltern 300 €. Sie spart pro Woche 15 €. Mit welcher der folgenden Formeln kann Mirna berechnen, wie viele Wochen sie noch sparen muss, damit sie einen Tablet-PC kaufen kann? Kreuze die richtige(n) Formel(n) an.

☐ $w = \frac{445 - 300}{15}$	☐ $w = \frac{445}{15} - 300$	☐ $15w = 145$
☐ $w = \frac{445}{15} + 300$	☐ $15w = 745$	☐ $15w - 300 = 445$

GK **142** In den folgenden Aussagen steht n für eine natürliche Zahl. Ordne den verbalen Formulierungen der linken Spalte den passenden Term der rechten Spalte zu.

Das Doppelte einer natürlichen Zahl n	
Der Kehrwert der Zahl n	
Das Dreifache des Quadrats der Zahl n	
Die Hälfte der um 4 verminderten Zahl n	

A	$\frac{n-4}{2}$
B	$\frac{n}{2} - 4$
C	$3n^2$
D	$\frac{1}{n}$
E	$(3n)^2$
F	$2n$

GK **143** Die Anzahl F der Frauen, die eine bestimmte Theatervorstellung besuchen, ist deutlich größer als die Anzahl M der Männer, die diese Theatervorstellung besuchen. Es gilt: $2 \cdot M < F$. In der Pause kamen 31 Frauen zum Buffet. Welche der folgende(n) Aussage(n) ist für die Anzahl der männlichen Theaterbesucher richtig? Kreuze an.

- ☐ Es kamen mindestens 15 männliche Theaterbesucher zum Buffet.
- ☐ Es kamen genau 15 männliche Theaterbesucher zum Buffet.
- ☐ Es kamen weniger als 15 männliche Theaterbesucher zum Buffet.
- ☐ Es kamen weniger als 16 männliche Theaterbesucher zum Buffet.
- ☐ Es kamen mehr als 16 männliche Theaterbesucher zum Buffet.

Termstrukturen

144 Welche der folgenden Formeln ist von der Struktur $A = B \cdot C$? Gib an, wofür A, B und C stehen.

(1) $F = m \cdot a$ (2) $v = a \cdot t$ (3) $E_{pot} = m \cdot g \cdot h$ (4) $O = 6a^2$ (5) $\rho = \frac{m}{V}$

145 Welche der folgenden Formeln ist von der Struktur $A = \frac{B}{C}$? Gib an, wofür A, B und C stehen.

(1) $E_{kin} = \frac{m \cdot v^2}{2}$ (2) $v = \frac{s}{t}$ (3) $V = \frac{1}{3} r^2 \cdot \pi \cdot h$ (4) $V = r^2 \cdot \pi \cdot h$ (5) $\bar{x} = \frac{a+b}{2}$

Binomische Formeln – Faktorisieren

GK **146** Berechne und überprüfe dein Ergebnis mit einem CAS.

a) $(x-2)^2$ b) $(y+4)^2$ c) $(2a+b)^2$
d) $(3f-2g)^2$ e) $(h+3)^3$ f) $(5-k)^3$

GK **147** Berechne und überprüfe dein Ergebnis mit einem CAS.

a) $(a+2)(a-2)$ b) $(2e-f)(2e+f)$ c) $\left(\frac{1}{5}x + y^2\right)\left(\frac{1}{5}x - y^2\right)$

GK **148** Welche binomische Formel steckt hinter dem Term?
Überprüfe deine Vermutung mit einem CAS.

a) $16 - a^2$ b) $4a^2 - 25b^2$ c) $27 + 27k + 9k^2 + k^3$
d) $r^2 - 4r + 4$ e) $s^2 + 6s + 9$ f) $b^3 - 12b^2 + 48b - 64$

GK **149** Durch welche Terme kann $25a^2 - 36b^2$ dargestellt werden? Kreuze an.

- ☐ $(5a - 6b)^2$
- ☐ $(5a - 6b)(5a + 6b)$
- ☐ $(5a)^2 - (6b)^2$
- ☐ $(-6b - 5a)(6b - 5a)$
- ☐ $25 \cdot (a^2 - b^2)$

Terme und Formeln zur Prozentrechnung

GK **150** In einer Schulklasse befinden sich 32 Jugendliche.

a) 25 % davon sind männlich. Wie viele Mädchen bzw. Burschen sind in der Klasse?

b) m % der Mädchen und b % der Burschen verlassen in der Pause die Klasse. Wie viele Jugendliche fehlen danach? Gib eine Formel an.

GK **151** An einem bestimmten Tag sind in einem Biotop $4\,dm^2$ der Wasseroberfläche mit Algen bedeckt. Aufgrund großer Anreicherung von Nährstoffen vermehren sie sich sehr rasch. Berechne die Größe der von Algen bedeckten Wasserfläche, wenn sie sich um

a) 25 % vermehren, b) 40 % vermehren, c) 75 % vermehren, d) p % vermehren,

e) am ersten Tag um 25 %, am zweiten Tag um 20 %, am dritten Tag um 15 % vermehren.

GK **152** Ein Aktionär schätzt, dass der Wert seiner Aktien jährlich um 5 % zunehmen wird.

a) Stelle eine Formel für den Wert der Aktien nach 4 Jahren auf und vereinfache sie.

b) Stelle eine Formel für den Wert der Aktien nach x Jahren auf.

GK **153** Der Preis der Ware beträgt p €. Dieser wird zuerst um 10 % gesenkt, der neue Preis nach einem Monat um 10 % erhöht. Durch welche der folgenden Formeln kann der endgültige Preis dargestellt werden? Kreuze an.

- ☐ p
- ☐ $0{,}9 \cdot p \cdot 1{,}1$
- ☐ $p - 10$
- ☐ $0{,}99 \cdot p$
- ☐ $1{,}01 \cdot p$

Formeln aus der Geometrie

Gib in den Aufgaben 154 bis 163 die Formel für die jeweilige Größe an und vereinfache sie. Verwende die hervorgehobene Größe als unabhängige Variable.

GK **154** Flächeninhalt des Parallelogramms:

a) a ist doppelt so groß wie $\mathbf{h_a}$. b) b ist um 30 % größer als $\mathbf{h_b}$.

GK **155** Flächeninhalt des Trapezes:

a) a ist das Doppelte von **c**, und h ist ein Drittel von **c**.

b) h ist das Doppelte der Summe von a und **c**.

GK **156** Flächeninhalt der Raute: a) a ist ein Drittel von **h**. b) e ist das 4-Fache von **f**.

GK **157** Flächeninhalt des Deltoids: a) e ist das 6-Fache von **f**. b) f ist ein Viertel von **e**.

GK **158** Flächeninhalt des Kreises: a) $r = 3\mathbf{x}$ b) $r = \frac{1}{4}\mathbf{x}$

GK **159** Kreisumfang: a) $r = 1{,}5\mathbf{x}$ b) $r = \frac{7}{2}\mathbf{x}$

GK **160** Volumen des Drehzylinders: a) r ist das 4-Fache von **h**. b) h ist halb so groß wie **r**.

GK **161** Volumen des Drehkegels: a) r ist das Doppelte von **h**. b) h ist das Dreifache von **r**.

GK **162** Volumen der Kugel: a) **r** wird verdoppelt. b) **r** wird halbiert.

GK **163** Oberflächeninhalt der Kugel: a) **r** wird verdoppelt. b) **r** wird halbiert.

GK **164** Die Breite eines Rechtecks ist b, die Länge ist das $1\frac{1}{2}$-Fache der Breite.

(1) Durch welche der folgenden Formeln kann der Umfang des Rechtecks dargestellt werden? Kreuze an.

- ☐ $4b$ ☐ $2\frac{1}{2} \cdot b$ ☐ $1\frac{1}{2} \cdot b^2$
- ☐ $5b$ ☐ $(b + 1{,}5b) \cdot 2$ ☐ $2{,}5b^2$

(2) Durch welche der folgenden Formeln kann der Flächeninhalt des Rechtecks dargestellt werden? Kreuze an.

- ☐ b^2 ☐ $1\frac{1}{2} \cdot b^2$ ☐ $b + 1{,}5b$ ☐ $3b^2$ ☐ 5

GK **165** Aus drei gleichseitigen Dreiecken mit der Seitenlänge a wird ein Trapez zusammengesetzt.

a) Zeichne das Trapez für $a = 4\,\text{cm}$.

b) Gib eine Formel zur Berechnung von Flächeninhalt und Umfang des Trapezes an. Verwende nur die Seitenlänge a $\left(\text{Höhe im gleichseitigen Dreieck: } h = \frac{a}{2} \cdot \sqrt{3}\right)$.

c) Berechne den Flächeninhalt des Trapezes für $a = 4\,\text{cm}$.

GK **166** Von einem Quadrat mit Seitenlänge a werden die Ecken abgeschnitten. Berechne den Flächeninhalt des Achtecks

a) mittels Addition der Teilflächen,

b) mittels Subtraktion der abgeschnittenen Ecken.

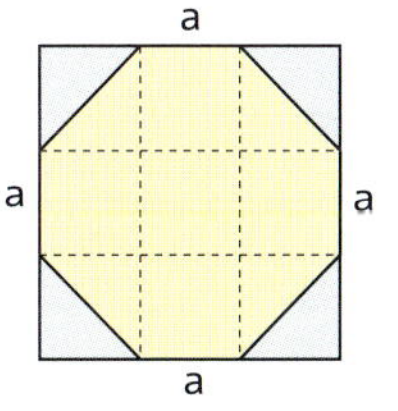

167 Von einem Rechteck mit den Seitenlängen a und b wird ein Pfeil ausgeschnitten. Berechne den Flächeninhalt des Pfeiles

a) mittels Addition der Teilflächen,

b) mittels Subtraktion der abgeschnittenen Teilflächen.

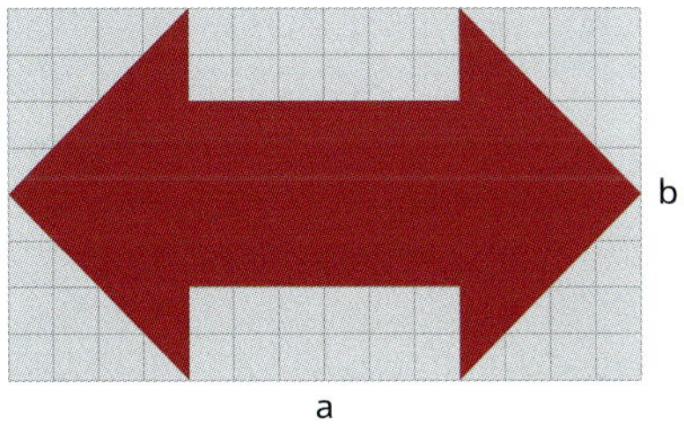

2 Terme umformen

Terme sind wichtige Hilfsmittel, um Rechenansätze, Rechengesetze oder mathematische Zusammenhänge allgemein darzustellen. Oft ist es notwendig, Terme umzuformen, dafür ist es wichtig:

- Rechengesetze richtig anzuwenden,
- Klammern aufzulösen und Klammerausdrücke miteinander zu multiplizieren,
- gemeinsame Faktoren herauszuheben,
- Terme mithilfe binomischer Formeln umzuformen,
- Termstrukturen auch in komplizierten Ausdrücken zu erkennen und
- Terme mithilfe elektronischer Tools zu faktorisieren und auszumultiplizieren.

Du erwirbst folgende Grundkompetenzen:

GK Wissen über algebraische Begriffe (Terme, Umformungen) angemessen einsetzen (AG-R 1.2)

GK Einfache Terme umformen und im Kontext deuten (AG-R 2.1)

Vorwissen

GK 168 Was besagen die Rechengesetze für reelle Zahlen a, b und c? Verbinde die Rechengesetze der linken Spalte mit der passenden Formulierung der rechten Spalte.

Kommutativgesetz der Addition: $a + b = b + a$	
Assoziativgesetz der Addition: $a + (b + c) = (a + b) + c$	
Existenz eines neutralen Elements: $a + 0 = a$	
Existenz eines inversen Elements: $a + (-a) = 0$	
Kommutativgesetz der Multiplikation: $a \cdot b = b \cdot a$	
Assoziativgesetz der Multiplikation: $a \cdot (b \cdot c) = (a \cdot b) \cdot c$	
Distributivgesetz: $(a + b) \cdot c = a \cdot c + b \cdot c$	
Existenz eines neutralen Elements: $a \cdot 1 = a$	
$a \cdot 0 = 0$	
$(a \cdot b) + (a \cdot c) = a \cdot b + a \cdot c$	

A	Eine Zahl wird mit einem Produkt multipliziert, indem man sie mit einem Faktor multipliziert.
B	Addiert man zu einer gegebenen Zahl ihre Gegenzahl, führt das zur Summe Null.
C	Bei einer Summe ist die Reihenfolge der Summanden nicht wichtig.
D	Eine Zahl wird mit einer Summe multipliziert, indem man sie mit jedem Summanden multipliziert.
E	Eine Zahl wird zu einer Summe addiert, indem man sie zu einem Summanden addiert.
F	Die Multiplikation bindet immer stärker als die Addition.
G	Null zu einer Zahl addiert, ändert diese nicht.
H	Die Eins mit einer Zahl multipliziert, ändert diese nicht.
I	Es kommt bei einem Produkt nicht auf die Reihenfolge der Faktoren an.
J	Eine Zahl mit null multipliziert führt zum Produkt Null.

Neues Wissen

Beim Arbeiten mit Termen ist es häufig von Vorteil, diese zu vereinfachen. Welche Darstellungsform die einfachste und sinnvollste ist, hängt von der Aufgabenstellung ab. Die folgenden Umformungen sind dabei hilfreich:

Auflösen von Klammern
Das Vorzeichen, das vor Klammer steht, muss beachtet werden.

$+(a+b) = a+b$ $\qquad$ $-(a+b) = -a-b$

$+(a-b) = a-b$ $\qquad$ $-(a-b) = -a+b$

Multiplikation mit Klammern

$(a+b)\cdot(c+d) = ac+bc+ad+bd$

Faktorisieren, d. h. Herausheben gemeinsamer Faktoren

$ab+ac+ad = a(b+c+d)$ $\qquad$ $ab+ac+db+dc = (a+d)(b+c)$

Umformen mithilfe der binomischen Formeln

$(a+b)^2 = a^2+2ab+b^2$ $\qquad$ $(a+b)^3 = a^3+3a^2b+3ab^2+b^3$

$(a-b)^2 = a^2-2ab+b^2$ $\qquad$ $(a-b)^3 = a^3-3a^2b+3ab^2-b^3$

$(a+b)(a-b) = a^2-b^2$ $\qquad$ $(a-b)(a^2+ab+b^2) = a^3-b^3$

GK **169** Finde das Wort, das die Buchstaben der richtigen Lösungen aneinandergereiht ergeben.

$(-a)\cdot b\cdot(-1) =$

G	$-ab$
W	ab
K	$-\frac{a}{b}$

$a\cdot(-b)^2 =$

N	a^2b^2
T	$-ab^2$
I	ab^2

$(-2)^3(-a) =$

S	$8a$
I	$-8a$
W	$-8a^3$

$(+a)\cdot(+b) =$

L	$(-ab)$
S	$(+ab)$
N	$a\cdot(-b)$

$(-5)^2(-b) =$

E	$-25b$
L	$25b$
D	$25b^2$

$(+a)\cdot(-b) =$

E	$(-ab)$
N	$-ab$
O	ab

GK **170** Vereinfache.

a) $(x-2y)-(x-y)$
b) $4(a-b)+4(a+b)+a(4-2b)$
c) $(x+4y+z)-2(-x-y+z)$
d) $(m-2n+k)-5(m+n+k)+2k-8n$
e) $(2a+b)(-3)-2a$
f) $3(g-2h)+5(-h+2g)-(h-g)(h+g)$

171 Hebe gemeinsame Faktoren heraus.

a) $4a^2-2ab+6a^3b$
b) $9u^2vw-3u+27w^2$
c) $3\cdot(s-t)+5s^2+2\cdot(s-t)^2$
d) $\frac{1}{2}x^2y-\frac{3}{4}xy^3+2xy$
e) $2ab-6\cdot(a-b)+3b^2$
f) $(x-2)+2\cdot(x^2-4)+(x-2)^2$

GK **172** Welche Termstruktur steckt dahinter?
Ergänze die Tabelle und mache die Probe mit selbst gewählten Zahlen.

$(a+b)^2$	$a^2\cdot(a+b^2)$	a^2+b^2	$(a^2+b^2)(a^2-b^2)$	$a\cdot(b+a^2)$

$x^2+(y^2+z)^2$	=		mit $a=x,\ b=y^2+z$
$(u^2+v)\cdot(w+(u^2+v)^2)$	=		mit $a=u^2+v,\ b=w$
$(x^2+(y^2+z)^2)(x^2-(y^2+z)^2)$	=		mit $a=x,\ b=y^2+z$
$(x^2+y^2+w^2)^2$	=		mit $a=x^2+y^2,\ b=w^2$
$r^2\cdot(r+(s^2+t)^2)$	=		mit $a=r,\ b=s^2+t$

GK **173** Verbinde jeden Term der linken Spalte mit der richtigen Aussage in der rechten Spalte. In einem Fall können dem Term zwei Aussagen richtig zugeordnet werden.

$4+(3-a)^2$	
$(a-1)(a+1)$	
$-(4+a)^2-3$	
$4+\frac{1}{a}$	
$(a-3)(a^2+1)$	
$2\cdot(a^2+3-a^2)$	

A	ist positiv für $a=4$ und negativ für $a=2$.
B	kann alle Werte bis auf einen annehmen.
C	ist null für $a=1$.
D	ist immer negativ.
E	kann nur einen einzigen Wert annehmen.
F	ist immer positiv.

174
a) Stelle einen Term für den Flächeninhalt der gekennzeichneten Figur auf, indem du die Summe $A+4\cdot B+2\cdot C$ der Teilflächen A, B und C bildest. Setze für $a=15$ und berechne den Flächeninhalt der Figur.
b) Vereinfache den Term so weit wie möglich.
Setze für $a=15$, berechne den Flächeninhalt und vergleiche mit dem Ergebnis in a).

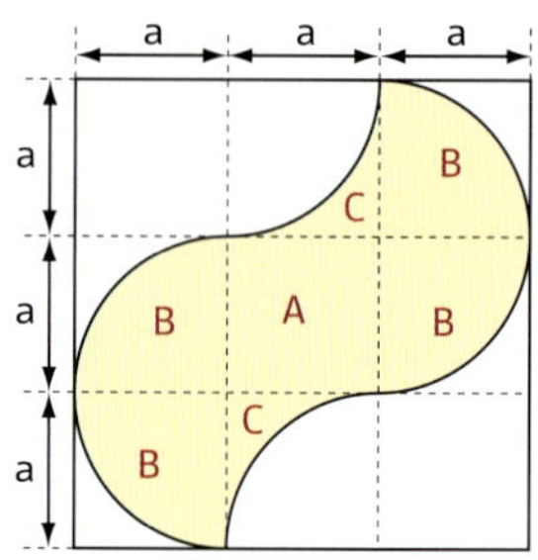

Technologie-Tipp: Umformen und Vereinfachen von Termen

Beim Arbeiten mit einem **CAS** achte stets darauf, dass du die Klammern richtig setzt.

175 Wie muss der Term in ein CAS eingegeben werden?

a) $4x-\frac{1}{x}-5$
b) $4x-\frac{1}{x-5}$
c) $4x-\left(\frac{1}{x}-5\right)$
d) $4\left(x-\frac{1}{x}-5\right)$
e) $4x-\frac{x-5}{1-x}-5$
f) $\left(4x-\frac{1}{x}\right)\frac{1}{-5}$

176 Mit einem CAS können Terme durch verschiedene Vereinfachungsoptionen in unterschiedlichen Darstellungsformen ausgedrückt werden. Beschreibe, wie die hier angewandten Befehle EXPAND (Multipliziere) und FAKTOR (Faktorisiere) auf die eingegebenen Terme wirken.

```
#1: (3·a + b)·(2·c - 4·d) - (4·c - 8·d)·(3·a + b)
#2: EXPAND((3·a + b)·(2·c - 4·d) - (4·c - 8·d)·(3·a + b), Rational)
#3:                 -6·a·c + 12·a·d - 2·b·c + 4·b·d
#4: FACTOR(-6·a·c + 12·a·d - 12·b·c + 4·b·d, Rational)
#5:                     2·(2·d - c)·(3·a + b)
```

Technologie-Tipp: Faktorisieren und Ausmultiplizieren

Aufgaben

GK **177** Vereinfache.

a) $(-6u+5v)-(3u-v)$
b) $4\cdot(x+y)-3\cdot(x-y)+2\cdot(x+y)$
c) $(7d+3)\cdot(-2)+4d$
d) $(-3)\cdot(a+2b+5c)+6b$
e) $(k+3l-2m)-8\cdot(-2k+l+m)$
f) $(-a)\cdot b+3ab-2a\cdot(4b)$

GK **178** Vereinfache den Term mit einem CAS. Setze im Ausgangs- und Endterm für $a=1$, $b=-2$ und $c=5$ ein und überprüfe, ob die Werte des Ausgangs- und Endterms gleich sind.

a) $(a-4b)+2\cdot(b-3a)-4ab$
b) $(b+10c)-(a+3b+c)$
c) $-a+11b-(3c+0{,}5a)$

179 Hebe gemeinsame Faktoren heraus.

a) $0{,}25x^2y-0{,}5x^3y^2z+xy^3$
b) $a\cdot(b-c)+a\cdot(b+c)$
c) $x-x\cdot(2a-b)+x^2$
d) $\frac{1}{8}a^3b+\frac{1}{2}ab^5-\frac{3a^2}{16}$
e) $\frac{2}{3}ef^2-\frac{1}{9}e^2f+3ef$
f) $2ab-4ac+8a^2b^3c$

GK **180** Verbinde jeden Term der linken Spalte mit der richtigen Aussage in der rechten Spalte.

$(2a+b)^2+c^2$	
$a(a+1)(a+2)$	
$(1+(a+b)^2)^3$	
$(1-a)(1+2b-b^2)$	
$a^2-(a-b)^2$	
$(a^2+(a+1)^2+b^2)^2$	

A	ist das Produkt zweier verschiedener Terme.
B	ist eine Differenz aus Quadraten.
C	ist das Quadrat einer Summe von Quadraten.
D	ist die dritte Potenz eines Terms.
E	ist das Produkt dreier verschiedener Terme.
F	ist eine Summe von Quadraten.

GK **181** Forme Summen in ein Produkt bzw. Produkte in eine Summe um, indem du binomische Formeln anwendest.

a) $a^2+2ab+b^2$
b) x^2-4x+4
c) $1+10a+25a^2$
d) $1{,}44a^2+3{,}6ab+2{,}25b^2$
e) $x^2-xy+\frac{1}{4}y^2$
f) $(1{,}2a+0{,}3b)^2$
g) $(-2x+5y)^2$
h) $\left(\frac{1}{5}x-3y\right)^2$
i) $\left(\frac{1}{3}x-2\right)\left(\frac{1}{3}x+2\right)$

GK **182** Ergänze.

a) $16x^2 - \square = (\square - 3y)(\square + \square)$

b) $x^2 + \square + \frac{b^2}{4} = \left(\square + \frac{b}{2}\right)^2$

c) $0{,}0625a^2 - \square + 0{,}25b^2 = (0{,}25a - \square)^2$

d) $(-2x + \square)^2 = \square - 20xy + \square$

GK **183** Finde einen Term zur Berechnung des Flächeninhalts und vereinfache diesen so weit wie möglich.
Gibt es Werte für x, für die der Term nicht mehr als Rechteck interpretiert werden kann? Wie ändert sich die Rechtecksform, wenn der Wert von x größer oder kleiner wird?

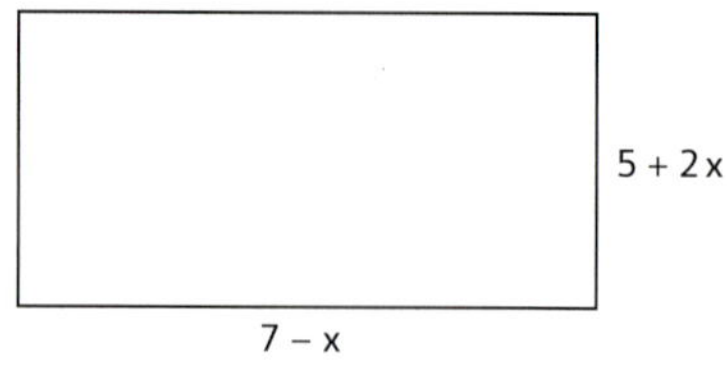

GK **184** Finde einen Term zur Berechnung des Flächeninhalts,

a) indem du die Summe der Teilrechtecke bildest,
b) indem du die Länge des Rechtecks mit der Breite multiplizierst.
c) Vergleiche die beiden so erhaltenen Terme und überprüfe die Äquivalenz.

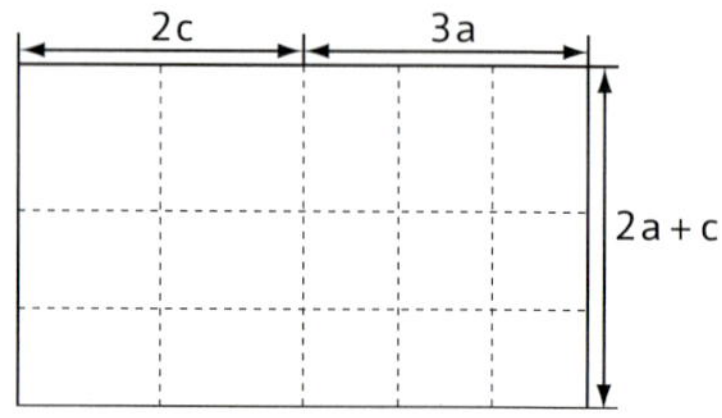

GK **185** Aus einem rechteckigen Stück Karton wird eine Schachtel hergestellt. Dazu werden an den Ecken vier (gleich große) Quadrate herausgeschnitten und das verbleibende Stück Karton zu einer Schachtel (ohne Deckel) aufgeklappt.

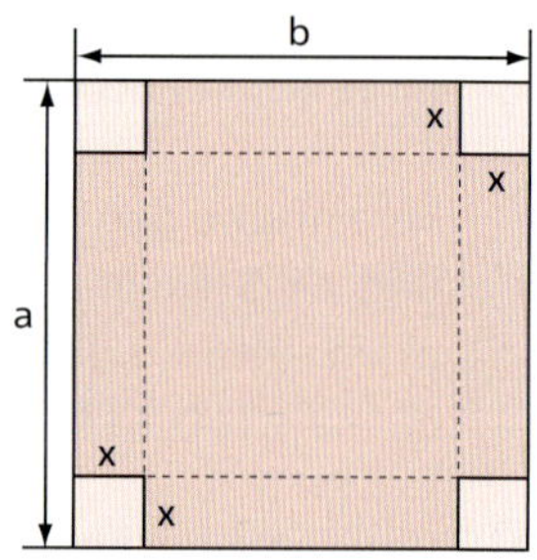

a) Erstelle einen möglichst einfachen Term für den Flächeninhalt der Grundfläche G der Schachtel. Berechne den Flächeninhalt von G für $a = 100\,\text{cm}$, $b = 90\,\text{cm}$ und $x = 20\,\text{cm}$.
b) Erstelle einen möglichst einfachen Term für das Volumen V der Schachtel. Berechne das Volumen V für $a = 100\,\text{cm}$, $b = 90\,\text{cm}$ und $x = 20\,\text{cm}$.
c) Wie viel cm^2 Karton werden für die Herstellung der Schachtel benötigt? Erstelle einen möglichst einfachen Term für den Oberflächeninhalt O dieser Schachtel. Berechne den Oberflächeninhalt O für $a = 100\,\text{cm}$, $b = 90\,\text{cm}$ und $x = 20\,\text{cm}$.

GK **186**
a) Gib einen möglichst einfachen Term für den Flächeninhalt A der Pfeilspitze an.
b) Gib einen Term für den Umfang u der Pfeilspitze an. Vereinfache diesen Term mit einem **CAS**.

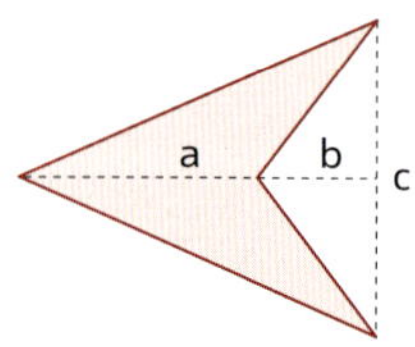

GK **187** Ordne die Terme richtig zu.

$a \cdot (a + 2b) + b \cdot (b + 2a)$	$(a + b)^2 - (a^2 + b^2)$	$(a + b)^2 - (a + b)$	$a^2 - b^2 + 2ab$

A	B	C	D	E	F
$(a + b)(a - 1 + b)$	$a^2 + b^2$	$(a + b)^2 + 2ab$	$2ab$	$(a - b)^2$	$(a + b)^2 - 2b^2$

GK **188** Ordne richtig zu.

$1-4a^2$	$(a-3b)^2$	$(1-a)^2$	$(2a+3b)^2$

A	B	C	D	E	F
$1-2a+a^2$	$1-2a-a^2$	$(1-2a)(1+2a)$	$a^2-6ab+9b^2$	$4a^2+12ab+9b^2$	$2a^2+3b^2$

189 Mit einem CAS können auch Binome höheren Grades leicht ausmultipliziert werden.

a) Berechnet mit einem **CAS** folgende Potenzen und versucht, Gesetzmäßigkeiten herauszufinden.

$(a+b)^3 =$ $(a+b)^4 =$ $(a+b)^5 =$

$(a+b)^6 =$ $(a+b)^7 =$

b) Versucht, Gesetzmäßigkeiten bezüglich der Koeffizienten herauszufinden. Betrachtet dazu folgendes Zahlendreieck (Pascal'sches Dreieck) Zeile für Zeile von oben nach unten.

```
            1
          1   1
        1   2   1
      1   3   3   1
    1   4   6   4   1
  1   5  10  10   5   1
...  ...  ...  ...  ...  ...  ...
```

Die dritte Zeile besteht aus den Koeffizienten der Formel für $(a+b)^2$, die vierte Zeile aus den Koeffizienten der Formel für $(a+b)^3$ ...

c) Was ändert sich am Pascal'schen Dreieck, wenn statt $(a+b)$ der Term $(a-b)$ potenziert wird?

d) Überprüft am Pascal'schen Dreieck: Der Rand des Dreiecks wird von der Zahl 1 gebildet. Die Zahlen im Inneren sind jeweils die Summe der beiden darüberliegenden Zahlen.

e) Bildet nun ohne CAS, aber mithilfe des Pascal'schen Dreiecks $(a+b)^8$.

190 Experimentiere mit den Zahlen des Pascal'schen Dreiecks.

a) Bilde die Summe der einzelnen Zeilen. Was fällt dir auf?

b) Erweitere das Dreieck und markiere alle geraden Zahlen des Dreiecks. Kannst du ein Muster erkennen?

c) Schau dir Zahlenreihen, die schräg parallel zum Rand verlaufen, genau an. Kannst du Regeln erkennen?

d) Markiere alle durch 3 teilbaren Zahlen des Dreiecks. Kannst du ein Muster erkennen?

e) Findest du eine weitere Besonderheit des Pascal'schen Dreiecks?

191 In diesem Kapitel hast du eine Reihe von Formeln und Rechengesetzen wiederholt oder neu kennengelernt. Manche Formeln kommen häufig vor. Diese wirst du dir leicht merken. Andere wirst du nach einiger Zeit wieder vergessen haben.

Beginne jetzt, eine Formelsammlung anzulegen, die du im Laufe der nächsten Schuljahre ständig erweitern kannst.

Nutze die Tipps zum www Anlegen einer Formelsammlung.

3 Formeln und Gleichungen umformen

In der Unterstufe hast du bereits gelernt, Formeln und Gleichungen umzuformen. In diesem Zusammenhang sind Äquivalenzumformungen besonders wichtig. Daher wiederholst und vertiefst du dein Wissen dazu.

Du erwirbst folgende Grundkompetenzen:
- GK Wissen über algebraische Begriffe angemessen einsetzen: Formeln, Gleichungen, Äquivalenz, Umformungen (AG-R 1.2)
- GK Formeln aufstellen, umformen und im Kontext deuten (AG-R 2.1)

Vorwissen

192 Beim Umformen der Formel bzw. Gleichung ist zumindest ein Fehler passiert. Gib an, welcher.

$3x - 7 = 2$	$\mid +7$	$u = 2a + 2b$	$\mid :2$
$3x = 9$	$\mid -3$	$u = a + b$	$\mid -b$
$x = 6$		$a = u - b$	

193 Ordne den Formeln bzw. Gleichungen der ersten Zeile die richtige Termstruktur der zweiten Zeile zu. Begründe deine Zuordnung.

$A = a \cdot h$	$3x = 4 - 2x$	$\frac{1}{2} = -\frac{1}{4} \cdot x$	$O = r^2 \cdot \pi + r \cdot \pi \cdot s$
	$R = P + S$	$R = P \cdot S$	

Neues Wissen

Formeln und Gleichungen kannst du im Wesentlichen ähnlich behandeln, da auch deren Strukturen ähnlich sind.

Eine **Formel** gibt einen Term zur Berechnung einer bestimmten Größe an. Beim Umformen von Formeln achte besonders auf die richtige Anwendung der Rechengesetze.

Größe = Term
z.B.: $A = \frac{(a + c) \cdot h}{2}$

Eine **Gleichung** besteht aus zwei Termen, die durch das Gleichheitszeichen miteinander in Beziehung gesetzt werden. Beim Umformen von Gleichungen dürfen nur **Äquivalenzumformungen** vorgenommen werden.

$Term_1 = Term_2$
z.B.:
$O - 2rh = 2r^2\pi$

Äquivalenzumformungen

Eine Umformung, welche die Lösungsmenge einer Gleichung nicht verändert, heißt Äquivalenzumformung.
Bei Äquivalenzumformungen werden beide Seiten der Gleichung auf die gleiche Art und Weise umgeformt.

Die wichtigsten Äquivalenzumformungen sind:
- Auf beiden Seiten der Gleichung wird dieselbe Zahl, Variable oder der gleiche Term **addiert** oder **subtrahiert**.
- Auf beiden Seiten der Gleichung wird mit dem gleichen Term, der von 0 verschieden ist, oder derselben Zahl $\neq 0$ **multipliziert.**
- Auf beiden Seiten der Gleichung wird durch den gleichen Term, der von 0 verschieden ist, oder durch dieselbe Zahl $\neq 0$ **dividiert**.

Beispiel: Forme die Flächeninhaltsformel des Trapezes nach c um.

Lösung:

$A = \frac{(a+c)\cdot h}{2}$	$\mid \cdot 2$	Beide Seiten werden mit 2 multipliziert.
$2\cdot A = (a+c)\cdot h$	$\mid : h$	Beide Seiten werden durch h ($\neq 0$) dividiert.
$\frac{2A}{h} = a + c$	$\mid -a$	Von beiden Seiten wird a subtrahiert.
$\frac{2A}{h} - a = c$		

Beispiel: Löse die Gleichung $2x - 4 = 8$ und $x^2 + 2x - 1 = x^2 + 5$ für die Grundmenge $G = \mathbb{R}$.

Lösung:

$2x - 4 = 8$	$\mid +4$	Zu beiden Seiten wird 4 addiert.
$2x = 12$	$\mid :2$	Beide Seiten werden durch 2 dividiert.
$x = 6$		Damit ist die Lösung gefunden.
$L = \{6\}$		

$x^2 + 2x - 1 = x^2 + 5$	$\mid +4$	Von beiden Seiten wird x^2 subtrahiert.
$2x - 1 = 5$	$\mid +1$	Zu beiden Seiten wird 1 addiert.
$2x = 6$	$\mid :2$	Beide Seiten werden durch 2 dividiert.
$x = 3$		Damit ist die Lösung gefunden.
$L = \{3\}$		

GK **194** Drücke in der gegebenen Volums- und Oberflächenformel den Radius r, die Höhe h bzw. die Erzeugende s aus. In der Oberflächenformel kann r nur bei c) ausgedrückt werden.
a) $V = r^2\cdot\pi\cdot h,\ O = 2r^2\pi + 2r\pi h$
b) $V = \frac{r^2\cdot\pi\cdot h}{3},\ O = 2r^2\cdot\pi + r\cdot\pi\cdot s$
c) $V = \frac{4\cdot r^3\cdot\pi}{3},\ O = 4r^2\cdot\pi$

GK **195** Löse die Gleichung für die Grundmenge $G = \mathbb{R}$ mit möglichst wenigen Äquivalenzumformungen.
a) $3x + 7 = 28$
b) $10 - 0{,}5x - x^2 = 5 - x^2$
c) $4u + 2 = 3u - 7$

Technologie-Tipp: Formeln und Gleichungen umformen

Aufgaben

GK **196** Drücke jede Größe der folgenden Formeln durch die jeweils anderen aus.
(1) $F = m \cdot a$ (2) $v = a \cdot t$ (3) $E_{pot} = m \cdot g \cdot h$ (4) $O = 6a^2$ (5) $\rho = \frac{m}{V}$

GK **197** Drücke jede Größe der folgenden Formeln durch die jeweils anderen aus.
(1) $E_{kin} = \frac{m \cdot v^2}{2}$ (2) $v = \frac{s}{t}$ (3) $V = \frac{1}{3}a \cdot b \cdot h$ (4) $V = a \cdot b \cdot c$ (5) $\overline{x} = \frac{a+b}{2}$

GK **198** Angeblich wird die Größe der Kinder von ihren Eltern vererbt. Es gelten folgende Näherungsformeln.

$$\text{Junge} = \frac{\text{Größe des Vaters in cm} + \text{Größe der Mutter in cm}}{2} + 6{,}5$$

$$\text{Mädchen} = \frac{\text{Größe des Vaters in cm} + \text{Größe der Mutter in cm}}{2} - 6{,}5$$

(1) Überprüfe, ob diese Formeln auch für deine Körpergröße gelten.
(2) Gib die Näherungsformeln mithilfe von Variablen an.
(3) Forme beide Formeln aus (2) so um, dass die Größe der Mutter berechnet werden kann. Löse die Aufgabe (3) mit einem CAS.

GK **199** Forme die gegebene Formel nach der gesuchten Größe um.

(1) $F = \frac{m \cdot v^2}{r}$	a) $m =$	b) $v =$	c) $r =$
(2) $E_{rot} = \frac{I \cdot \omega^2}{2}$	a) $I =$	b) $\omega =$	
(3) $F = G \cdot \frac{M \cdot m}{r^2}$	a) $M =$	b) $m =$	c) $r =$
(4) $\frac{1}{R} = \frac{1}{R_1} + \frac{1}{R_2}$	a) $R =$	b) $R_1 =$	c) $R_2 =$

GK **200** Forme die gegebenen Formeln nach der Größe v_0 um.
(1) $v = v_0 - g \cdot t$ (2) $h = v_0 \cdot t - \frac{g}{2} \cdot t^2$

GK **201** Für den Flächeninhalt eines Kreissektors gilt: $A = \frac{r^2 \cdot \pi \cdot \alpha}{360°}$. Forme nach r und α um.

GK **202** Welche der folgenden Umformungen sind Äquivalenzumformungen?
- ☐ Die linke und rechte Seite mit der gleichen Zahl multiplizieren.
- ☐ Die linke und rechte Seite mit der gleichen Zahl $\neq 0$ multiplizieren.
- ☐ Zur linken und rechten Seite die gleiche Zahl addieren.
- ☐ Die linke und die rechte Seite halbieren.
- ☐ Die linke und die rechte Seite quadrieren.
- ☐ Zur linken und rechten Seite den gleichen Term addieren.
- ☐ Auf der linken und der rechten Seite die Wurzel ziehen.
- ☐ Von der linken und rechten Seite den gleichen Term subtrahieren.
- ☐ Die linke Seite mit der rechten und die rechte Seite mit der linken multiplizieren.
- ☐ Die linke und die rechte Seite durch die gleiche Zahl $\neq 0$ dividieren.

Gib für alle Umformungen, die keine Äquivalenzumformungen sind, ein Gegenbeispiel an.

GK 203 Leitet die binomischen Formeln geometrisch her.

a) Zeigt durch Addition der Teilflächen in Abb. (1), dass die binomische Formel $(a+b)^2 = a^2 + 2ab + b^2$ gilt.

b) Zeigt durch Subtraktion der Teilflächen in Abb. (2), dass die binomische Formel $(a-b)^2 = a^2 - 2ab + b^2$ gilt.

c) Leitet die binomische Formel $(a+b)(a-b) = a^2 - b^2$ geometrisch her (Abb. (3)).

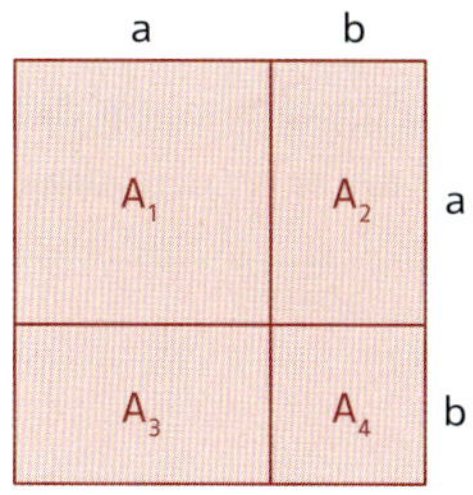

(1)

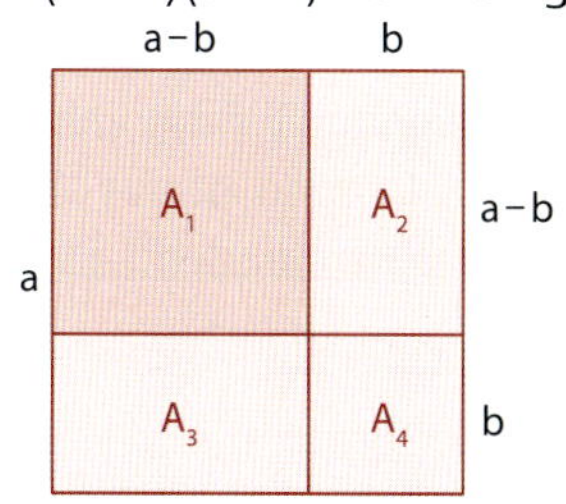

(2)

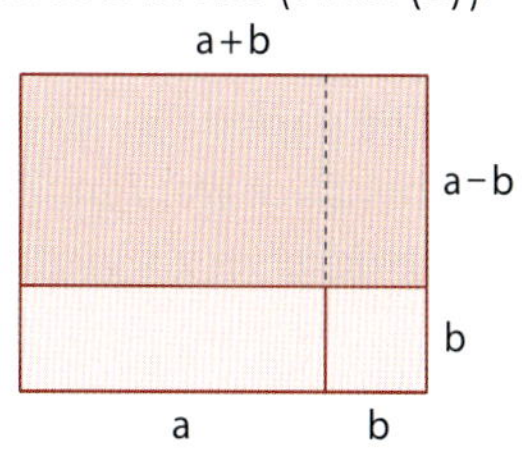

(3)

204 Ein Quadrat mit der Seitenlänge $(a+b)$ wird in drei Flächenstücke T_1, T_2 und D geteilt.

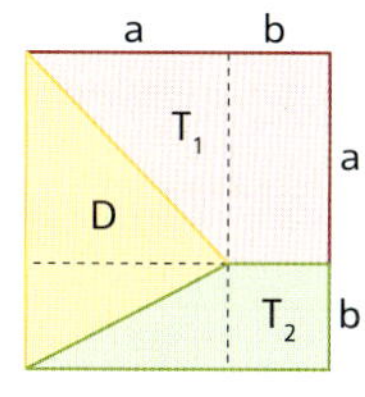

a) Berechnet den Flächeninhalt der drei Flächen, verwendet dafür die Flächeninhaltsformeln für Trapez und Dreieck.

b) Bildet die Summe der drei Flächeninhalte und zeigt durch Umformen, dass die Formel $(a+b)^2 = a^2 + 2ab + b^2$ gilt.

205 Ein Quadrat mit der Seitenlänge a wird in 4 Teilflächen zerlegt.

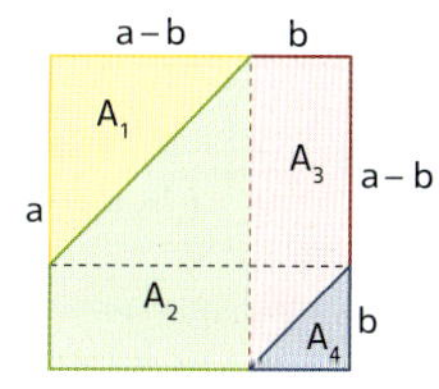

a) Berechnet den Flächeninhalt jeder Teilfläche.

b) Bildet die Summe der 4 Flächeninhalte und zeigt durch Umformen, dass der Gesamtflächeninhalt a^2 beträgt.

206 Leite die binomische Formel $(a+b)^3 = a^3 + 3a^2b + 3ab^2 + b^3$ her.

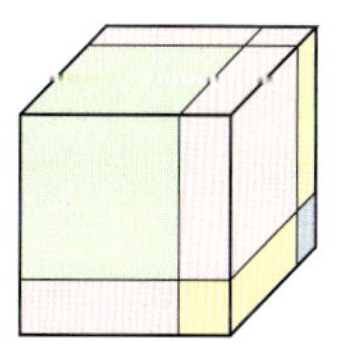

a) Forme den Term $(a+b)^3$ in ein Produkt von Binomen um und führe anschließend die Multiplikation aus.

b) Betrachte einen Würfel mit der Kantenlänge $(a+b)$ und zerlege ihn in Quader und Würfel. Bilde die Summe.

GK 207 Löse die Gleichung für die Grundmenge $G = \mathbb{R}$ mit möglichst wenigen Äquivalenzumformungen.

a) $3u + 4 = 7u$ b) $5v - 4 = 3v$ c) $3x + 13 = 82$

d) $2 \cdot (x-2) = 3$ e) $15x - 2 = x + 24$ f) $100x^2 - 25 = 100(x - 2 + x^2)$

GK 208 Forme die Gleichung schrittweise mit einem CAS um und ermittle so den Wert der Unbekannten.

a) $2x - 7 = x + 11$ b) $u - 3 = 3 - \frac{2u}{3}$ c) $2 = \frac{2b-1}{4}$

d) $3 - \frac{w}{5} = 1$ e) $\frac{x}{5} - \frac{3}{10} = \frac{x}{2}$ f) $y - \frac{1}{2} = 2y + 3$

GK 209 Forme die Gleichung schrittweise mit einem CAS nach x um.

a) $6x - 9a = 4x - 5a$ b) $29u - 7x = 17u - 4x$ c) $3v - 2x = 13v + 8x$

Kompetenzcheck

1 Für ein Galilei-Fernrohr gilt: Die Vergrößerung V ist gleich dem Quotienten der Brennweite des Objektivs f_{ob} und der Brennweite des Okulars f_{ok}. Gib eine Formel für die Vergrößerung V an.

2 Die nachstehenden Formeln geben Flächeninhalte ebener Figuren an, für die zwei Längen benötigt werden. Eine dieser Längen ist das Vielfache der anderen. Gib die Länge an und drücke sie als Vielfaches der auftretenden Länge aus.

(1) Flächeninhalt eines rechtwinkligen Dreiecks: $A = \frac{1}{2} \cdot a \cdot \frac{a}{4}$

(2) Flächeninhalt eines Parallelogramms: $A = 3 \cdot h_a^2$

(3) Flächeninhalt eines Deltoids: $A = \frac{e^2}{2}$

(4) Flächeninhalt eines Rechtecks: $A = 5 \cdot a^2$

3 Ordne zu.

Ein Kapital K_0 hat sich um 20 % vermehrt.	
Ein Kapital K_0 hat sich um ein Viertel erhöht.	
Ein Kapital K_0 hat sich um ein Viertel verringert.	
Ein Kapital K_0 hat sich auf 20 % verringert.	

A	$K_0 \cdot 0{,}2$
B	$K_0 + 0{,}25$
C	$1{,}2 \cdot K_0$
D	$\frac{3}{4} \cdot K_0$
E	$\frac{5}{4} \cdot K_0$
F	$K_0 \cdot 0{,}25$

4 Gib für die Rechenvorschrift einen Term an.

a) Zur Zahl a wird das Quadrat der Zahl a addiert.
b) Vom Kehrwert der Zahl z wird die Gegenzahl der Zahl z subtrahiert.
c) Die Zahl b wird mit der Summe der Zahlen x und y multipliziert.
d) Die Zahl P wird durch die Differenz der Zahlen R und S dividiert.

5 Ordne zu.

$(2a - 5)(2a + 5)$	
$1 + 12b + 36b^2$	
$1 - 36b^2$	
$(2a - 5)^2$	

A	$4a^2 - 20a + 25$
B	$(1 - 6b)(1 + 6b)$
C	$4a^2 - 25$
D	$(1 + 6b)(1 + 6b)$

6 Mit der Karvonen-Formel kann ein Schätzwert für die optimale Herzfrequenz HF beim Grundlagenausdauertraining bestimmt werden. Für untrainierte Personen gilt: $HF_{train} = (HF_{max} - RP) \cdot 0{,}5 + RP$, wobei HF_{train} für die Herzfrequenz während des Trainings, HF_{max} für die maximale Herzfrequenz (oder Maximalpuls) und RP für den Ruhepuls steht.
Nach Winfried Spanaus wird der Maximalpuls von Männern mit der Formel $223 - 0{,}9 \cdot \text{Lebensalter (in Jahren)}$, der von Frauen mit der Formel $223 - 1{,}0 \cdot \text{Lebensalter (in Jahren)}$ berechnet. Senioren haben einen durchschnittlichen Ruhepuls von 90 Schlägen pro Minute.
Ermittle aus diesen Angaben die optimale Herzfrequenz für das Training a) eines Pensionisten im Alter von 67 Jahren und b) einer Pensionistin im Alter von 67 Jahren.

7 Löse die Gleichung schrittweise für die Grundmenge $G = \mathbb{R}$ und gib die verwendeten Äquivalenzumformungen an.
a) $7 - 2x = 2x - (5x - 6)$ b) $2x^2 - (8x + 10) = 2x \cdot (1 + x)$ c) $y + (7y - 1) = 8 - y$

Typ-2-Aufgaben

GK **210** Der sogenannte Broca-Index ist ähnlich wie der Body-Mass-Index ein Richtwert für Untergewicht, Normalgewicht und Übergewicht.

Für Männer gilt: Broca-Index $= \frac{\text{Masse in kg}}{\text{Größe in cm} - 100}$.

(1) Gib die Formel für den Broca-Index mithilfe von Variablen an und gib an, wie sich der Index verändert, wenn die Masse verdoppelt wird, die Größe aber gleich bleibt.

(2) Forme die Formeln aus (1) so um, dass bei bekanntem Broca-Index und bekannter Größe die Masse berechnet werden kann, und gib an, welche Größe eine Person mit einem Broca-Index von 1,5 und einer Masse von 90 kg hat.

GK **211** Der Maximalpuls eines Menschen gibt näherungsweise die größtmögliche Belastung des menschlichen Herzens an. Zur Berechnung dieses Werts gibt es viele verschiedene Formeln. Nach der Formel von Hill gilt für Männer $P_{Max} = 214 - 0{,}5 \cdot L - 0{,}11 \cdot m$ und für Frauen gilt $P_{Max} = 210 - 0{,}5 \cdot L - 0{,}11 \cdot m$, wobei L das Lebensalter in Jahren und m das Körpergewicht in kg meint.

(1) Erläutere Gemeinsamkeiten und Unterschiede der beiden Formeln und berechne die größtmögliche Herzbelastung für einen 63-jährigen Mann mit 72 kg.

(2) Forme die beiden Formeln nach den Größen L und m um.

GK **212** Bei der Abbildung durch eine Linse gilt für das Entstehen eines Bildes folgende Linsengleichung:

$\frac{1}{f} = \frac{1}{b} + \frac{1}{g}$ (f Brennweite, b Bildweite, g Gegenstandsweite)

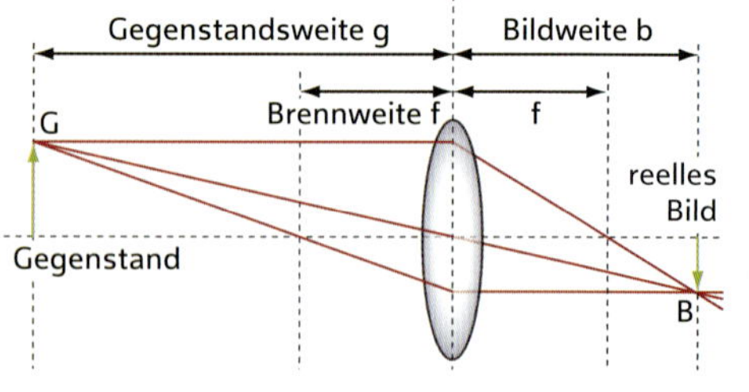

a) Forme die Formel so um, dass du einen Ausdruck für die Brennweite f bzw. für die Bildweite b erhältst.

b) Gib eine Formel für die Gegenstandsweite g an und kreuze die dafür zutreffende Aussage an.

- ☐ Die Gegenstandsweite entspricht dem Quotienten aus der Differenz der Bild- und Brennweite und dem Produkt der Bild- und Brennweite.
- ☐ Die Gegenstandsweite entspricht dem Produkt aus der Differenz der Bild- und Brennweite und der Summe der Bild- und Brennweite.
- ☐ Die Gegenstandsweite entspricht der Summe aus der Differenz der Bild- und Brennweite und dem Produkt der Bild- und Brennweite.
- ☐ Die Gegenstandsweite entspricht der Differenz aus dem Produkt der Bild- und Brennweite und der Summe der Bild- und Brennweite.
- ☐ Die Gegenstandsweite entspricht dem Quotienten aus dem Produkt der Bild- und Brennweite und der Differenz der Bild- und Brennweite.
- ☐ Die Gegenstandsweite entspricht der Differenz aus der Summe der Bild- und Brennweite und dem Produkt der Bild- und Brennweite.

Funktionen

Kompetenzbereich: Funktionen (FA)

Funktionen beschreiben Abhängigkeiten von Größen. Sie zählen zu den wichtigsten Hilfsmitteln der modernen Mathematik. Der erste Mathematiker, der Funktionen grafisch darstellte, war **Nikolaus von Oresme**, der um 1350 lebte und in Paris lehrte. Viel später erst, im 18. Jahrhundert, führte **Leonhard Euler** (1707–1783) die Bezeichnungsweise f(x) für Funktionen ein. In seinem zweibändigen Werk *Introductio in analysin infinitorum* (1748) stand der Begriff der Funktion im Mittelpunkt.
Für Funktionen gibt es drei wichtige Darstellungsformen: Tabelle, Graph und Funktionsterm.
Diese drei Darstellungsformen und ihre Zusammenhänge wirst du im Folgenden kennen lernen.

1 Abhängigkeiten

In diesem Kapitel lernst du einige Schreib- und Sprechweisen kennen, die für das Arbeiten mit Funktionen wichtig sind.

Du erwirbst folgende Grundkompetenzen:
- GK Für gegebene Zusammenhänge entscheiden, ob man sie als Funktionen betrachten kann (FA-R 1.1)
- GK Funktionen als mathematische Modelle verstehen und damit verständig arbeiten (FA-R 1.7)

Vorwissen

Abhängigkeiten werden oft durch Beobachtungen und Vermessung unserer Umwelt gewonnen. Sie können durch grafische Darstellung auf einen Blick erfasst werden.

GK **213** Alice und Bob machen ein leichtes Lauftraining von Katzenstätten nach Wiesenhain. Aus dem folgenden Diagramm kannst du ermitteln, an welchem Ort sie zu verschiedenen Uhrzeiten sind.

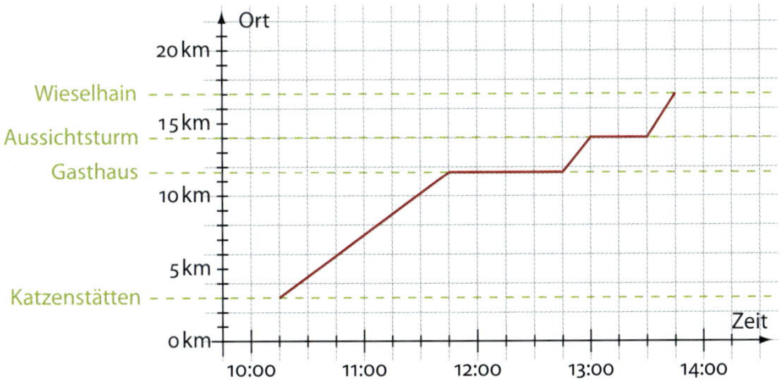

Schreibt mithilfe des Diagramms eine Geschichte über den Trainingslauf.

Abhängigkeiten können auch mithilfe von **Formeln** festgelegt werden.

214 Der Flächeninhalt eines Quadrats hängt von der Seitenlänge des Quadrats ab. Werden der Flächeninhalt mit A und die Seitenlänge mit s bezeichnet, so gilt $A = s^2$.

s	A
0,2	0,04
0,4	...
0,6	...
0,8	...
...	...

a) Erstellt händisch eine Tabelle mit zwei Spalten. Tragt in die erste Spalte alle möglichen Werte von s zwischen 0,2 und 2,0 [Längeneinheiten] in Schritten von 0,2 ein. Tragt in die zweite Spalte die entsprechenden Werte für den Flächeninhalt A ein.

b) Beantwortet durch Ablesen aus der Tabelle die folgenden Fragen.
(1) Wie groß ist der Flächeninhalt eines Quadrats der Seitenlänge 1,8?
(2) Wie groß ist A, wenn $s = 1{,}2$ ist?
(3) Welches Quadrat hat den Flächeninhalt 0,64 [Flächeneinheiten]?

Neues Wissen

Abhängigkeiten

▷ Bei ganz alltäglichen Gegebenheiten treten oft Zusammenhänge auf, die sich durch Abhängigkeiten beschreiben lassen.

Beispiele:
- Die Höhe deiner Handyrechnung hängt von der Gesprächsdauer, deinem Tarifmodell (Kosten zu anderen Betreibern, Wertkarte ...), von der Anzahl der gesendeten SMS bzw. MMS sowie deiner Nutzung zusätzlicher Dienste ab.
- Das Gewicht deiner Schultasche hängt ab von der Anzahl der Hefte und Bücher, dem Umfang deiner Jause u. a.
- Der Flächeninhalt A des Quadrats hängt von der Seitenlänge s des Quadrats ab.

Abhängigkeiten, die in **eindeutiger** Weise einer (unabhängigen) Größe eine andere (abhängige) Größe zuordnet, werden **Funktionen** genannt. Die zugeordnete Größe ist von der Ausgangsgröße abhängig.

Die Abhängigkeit einer Größe von einer anderen kann
- durch eine Formel, d. h. durch eine Rechenvorschrift (einen **Term**),
- in Form einer **Tabelle** und
- mittels **Graph**

dargestellt werden.

Funktion
↙ ↓ ↘
Graph Tabelle Term

Um auszudrücken, dass der Flächeninhalt A des Quadrats von der Seitenlänge s abhängt, wird A in der Form A(s) angeschrieben.
Sprechweise: „A von s“
Der Flächeninhalt A des Quadrats ist eine Funktion der Seitenlänge s.

215 Für einen Wertkartenhandytarif ohne Anmeldegebühr und ohne Grundgebühr beschreibt g(t) die monatliche Gesprächsgebühr g in Euro, die von der Anzahl der telefonierten Minuten t abhängt.

(1) Was bedeutet g(1000)?
(2) Was bedeutet $g(1000) = 7$?

216 An einem bestimmten Ort wurde an einem bestimmten Tag zu vier Zeitpunkten die Temperatur T in Abhängigkeit von der Zeit t ermittelt:

a) Lies T(18) und T(21) ab.
b) Für welches t ist $T(t) = 3$?
c) Für welche t ist $T(t) > 2$?

t (Uhrzeit)	T(t) (Grad Celsius)
12	4
15	3
18	2
21	1

Aufgaben

GK 217 Können die angegebenen Zusammenhänge als Funktion betrachtet werden? Begründe.

(1) In der Tabelle wird der Zusammenhang von einer natürlichen Zahl und der Anzahl ihrer Teiler dargestellt.

natürliche Zahl	1	2	3	4	5	6	7	...
Anzahl der Teiler	1	2	2	3	2	...	...	...

(2) Mit der Formel $s = \left(\frac{v}{10}\right)^2$ wird der Zusammenhang von Bremsstrecke s und Fahrzeuggeschwindigkeit v beschrieben.

(3) Die Grafik zeigt den Zusammenhang von Alter und Erwerbsquote.

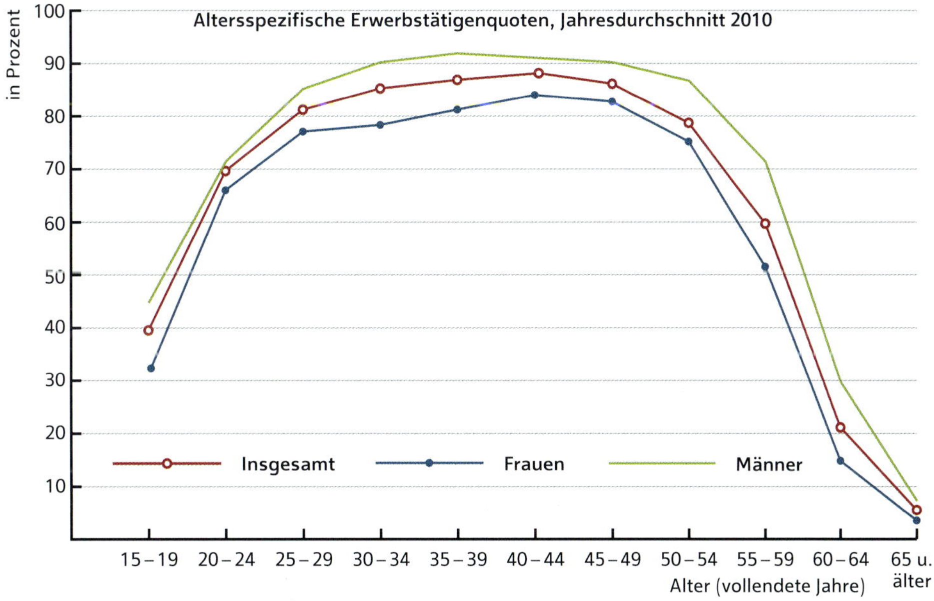

GK 218 Trage die auftretenden Variablen in die passenden Spalten ein.

	unabhängige Variable	abhängige Variable
a) Für eine Strecke $s = 60\,km$ wird jeder Geschwindigkeit v (in km/h) eine Zeit t (in h) zugeordnet.		
b) Für ein Rechteck mit der Breite $b = 20\,m$ wird jeder Länge a der Umfang u zugeordnet.		
c) Für die Zylinderhöhe $h = 1\,dm$ wird jedem Radius r das Zylindervolumen V zugeordnet.		

GK **219** Die Grafik zeigt die **durchschnittliche Kinderzahl k pro Frau seit 1951** in Österreich.

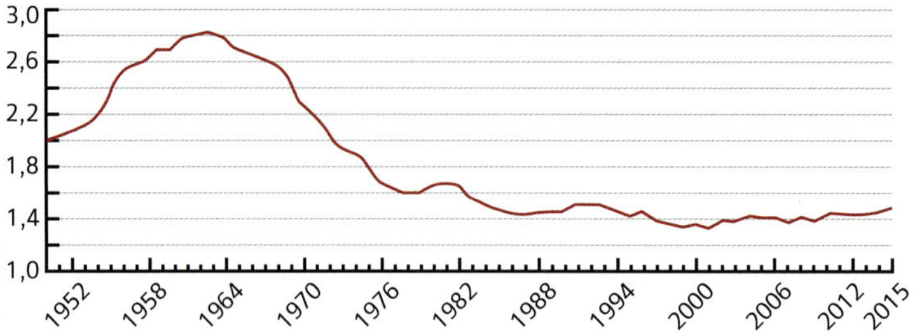

Quelle: STATISTIK AUSTRIA, Statistik der natürlichen Bevölkerungsbewegung. Erstellt am 14.07.2016.

(1) Begründe, dass die Grafik einen funktionalen Zusammenhang darstellt.
(2) Wie groß war die durchschnittliche Kinderzahl k im Jahr 1978?
(3) Lies aus der Grafik k(1990) und k(2010) ab.
(4) Für welches Jahr j gilt: k(j) = 2,4?

Typ-2-Aufgaben

GK **220** In einen 30cm hohen Blumentopf aus Ton wird Erde eingefüllt. Für das Volumen V in Abhängigkeit von einigen Füllhöhen h gilt:

Höhe h in cm	10	15	20	25	30
Volumen V(h) in dm^3	8,25	14,28	18,79	21,5	23,2

a) Lies V(10) und V(20) ab und interpretiere den Sachverhalt.
b) Für welche Füllhöhe werden 21,5 dm^3 Erde benötigt? Für welche h gilt V(h) > 14?
c) Begründe rechnerisch: Die untenstehende Tabelle stellt den Zusammenhang von Füllhöhe h (in cm) und Volumen V(h) (in dm^3) eines **zylinderförmigen** Gefäßes dar.

Höhe h in cm	0	5	10	15	30
Volumen V(h) in dm^3	0	3,867	7,733	11,60	23,20

GK **221** Fällt Licht durch eine Glasplatte, so wird es abgeschwächt, d.h. die Intensität (Helligkeit) I des austretenden Lichts ist geringer als jene des einfallenden Lichts. Für eine besondere Glassorte wurde die prozentuelle Abnahme der Intensität in Abhängigkeit von der Dicke d der Glasplatte gemessen.

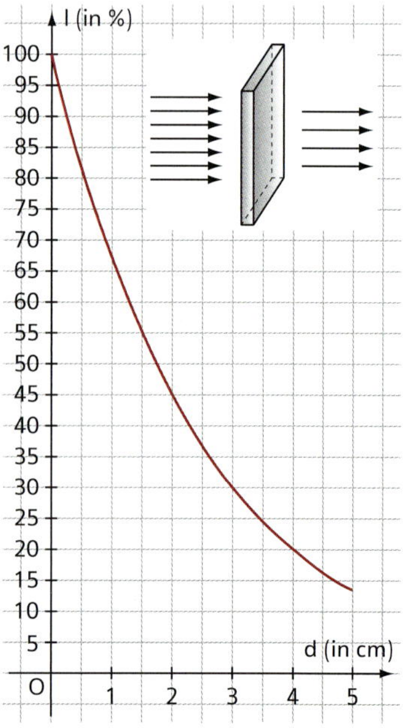

a) Lies aus der Grafik ab, auf wie viel Prozent die Intensität durch eine 1cm, 2cm, 3cm, 4cm bzw. 5cm dicke Glasplatte reduziert wird. Erstelle eine Tabelle mit der Lichtschwächung für diese Werte.
b) Wie dick muss die Glasplatte sein, damit die Intensität auf die Hälfte sinkt? Gib die Stärke der Glasplatte an, wenn die Intensität um 10%, 20%, 60% bzw. 80% abnimmt.
c) Interpretiere den Zusammenhang von Stärke der Glasplatte und Intensität des austretenden Lichts.

2 Funktionen – Darstellungsform Term

Zur mathematischen Beschreibung verschiedener Sachverhalte werden Formeln und Terme verwendet und als Funktion betrachtet. Am Ende dieses Kapitels kennst du folgende Begriffe und kannst sie entsprechend anwenden:

- Funktionsterm
- Funktionsgleichung
- Unabhängige und abhängige Variable
- Argument
- Stelle
- Funktionswert
- Konstante
- Maßzahl und Einheit

Du erwirbst folgende Grundkompetenzen:

GK Formeln als Darstellung von Funktionen interpretieren (FA-R 1.2)

GK Aus Gleichungen von Funktionen Werte(paare) ermitteln und im Kontext deuten (FA-R 1.4)

Neues Wissen – Wiederholung und Vertiefung

Darstellungsform Term

▷ Die Sprungweite beim **Weitsprung** hängt unter anderem ab von

- der Absprunggeschwindigkeit,
- dem Absprungwinkel und
- der Lage des Körperschwerpunkts.

Der Weitsprung kann als physikalischer „Wurf" betrachtet werden. Für einen optimalen Absprungwinkel von 45° gilt zur Berechnung der maximalen Sprungweite[1] die Formel:

$w = \frac{v^2}{g}$ (v ... Absprunggeschwindigkeit in m/s; $g = 9{,}81\ m/s^2$ ... Erdbeschleunigung)

Dabei wird vernachlässigt, dass der Körperschwerpunkt beim Absprung höher liegt als bei der Landung.

Für Hobbysportlerinnen und Hobbysportler genügt es, auf eine hohe Anlaufgeschwindigkeit zu achten. Daher wird als einfaches mathematisches Modell die Sprungweite als Funktion der Absprunggeschwindigkeit angenommen.

Diese Strategie – ein komplexes Modell auf einen einfachen bzw. den ausschlaggebenden Zusammenhang zu reduzieren – ist eine typisch mathematische Vorgangsweise. Derartige Vereinfachungen erleichtern das Untersuchen von Abhängigkeiten.

[1] Für beliebige Absprungwinkel gilt die Formel $w_{max} = v_0^2 \cdot \frac{\sin(2\alpha)}{g}$, wobei $\sin(2\alpha)$ die sogenannte Sinusfunktion eines Winkels bezeichnet. Diese Funktion lernst du im Kapitel Trigonometrie genauer kennen. Die maximale Sprungweite wird bei einem Absprungwinkel von 45° erreicht. Für $v_0 = 9\ m/s$ ergibt sich eine Sprungweite von 8,3 m. In diesem Modell wird vorerst vernachlässigt, dass der Körperschwerpunkt etwa auf der Höhe von 1 m liegt. Das heißt: Der Landepunkt liegt tiefer als der Absprungpunkt. Dadurch senkt sich der optimale Absprungwinkel auf 42°. Mike Powell erreichte kurz vor den Olympischen Spielen 1992 mit 8,99 m den weitesten Sprung aller Zeiten. Allerdings hatte er Rückenwind von 4,4 m/s.

▷ *Beispiel:*
(1) Welche maximale Weite kann mit einer Absprunggeschwindigkeit von 7 m/s erreicht werden?
(2) Mit welcher Geschwindigkeit musst du abspringen, um 3 m weit zu springen?

Lösung:
Die Funktion w mit $w(v) = \frac{v^2}{9{,}81}$ bestimmt die Sprungweite, die von der Absprunggeschwindigkeit v abhängt.
(1) Ist v bekannt, so kann der Funktionswert w(v) berechnet werden.
$w(7) = \frac{7^2}{9{,}81} \approx 4{,}99$
Für eine Absprunggeschwindigkeit von 7 m/s ergibt sich eine Sprungweite von 4,99 m.
(2) Ist der Funktionswert w(v) gegeben, so kann v berechnet werden.
$w(v) = 3$
$3 = \frac{v^2}{9{,}81} \Rightarrow 29{,}43 = v^2 \Rightarrow v \approx 5{,}42$
Damit du 3 m weit springen kannst, muss deine Absprunggeschwindigkeit 5,42 m/s sein.

GK **222** Der Stoffverbrauch für die Hülle h eines 30 cm hohen zylinderförmigen Sitzkissens mit dem Radius x hängt von x ab und lässt sich als Funktion von x darstellen. Es gilt: $h(x) = 2\pi x \cdot (x + 30)$.
Berechne jeweils den Stoffverbrauch h(x) für Sitzkissen mit den Radien $x = 17$ cm, $x = 20$ cm und $x = 25$ cm.
Vergleiche mit der Formel für die Oberfläche eines Zylinders:
Wofür steht in h(x) der Wert +30?

$2\pi x \cdot (x + 30)$	**Funktionsterm**
$h(x) = 2\pi x \cdot (x + 30)$	**Funktionsgleichung bzw. Funktion in Termdarstellung**
x	**unabhängige Variable**
h	**abhängige Variable**

- Die unabhängige Variable wird auch als **Argument** bezeichnet.
- Ein konkreter Zahlenwert von x kann auch **Stelle** genannt werden.
- Für ein gegebenes x heißt h(x) der zugehörige **Funktionswert an der Stelle x**.

223 Erstelle zum Thema Funktionen eine Mindmap so auf ein leeres Blatt, dass du später noch weitere Ergänzungen vornehmen kannst.
Nutze die Hinweise zur www Lernmethode Mindmap.

GK **224** Gegeben ist eine Funktion f mit der Funktionsgleichung $f(x) = x^2 \cdot (x - 1)$.
a) Berechne die Funktionswerte an den Stellen −2, −1, 0, 1 und 2.
b) Gib eine Stelle x an, an der $f(x) = 4$ ist.
c) Gib eine oder mehrere Stellen x an, für die der Funktionswert 0 ist.

Technologie-Tipp: Darstellungsform Term

GK **225** Ermittle mit einem elektronischen Tool die gesuchten Funktionswerte.

a) $f(x) = 3x - 7;\ f(0), f(-3), f(4)$

b) $f(x) = \frac{1}{3}x^2 + 2;\ f(0), f(-3), f(6)$

c) $f(x) = 3x^2 + x^2 \cdot (2 - x);$
$f(0), f(-1), f(2)$

d) $f(x) = 7 \cdot (x + 1) \cdot (2x + 3);$
$f(0), f(-2), f(2)$

Für die unabhängige Variable können unterschiedliche Symbole verwendet werden:
z. B. $f(x) = 180 - 2x$ oder $f(u) = 180 - 2u$ oder $f(\alpha) = 180 - 2\alpha$.
Ausmultiplizieren eines Funktionsterms bzw. Herausheben ändert die Funktion nicht!
$f(x) = 180 - 2x$ beschreibt die gleiche Abhängigkeit wie $f(x) = 2 \cdot (90 - x)$

226 Untersuche, ob die zwei Funktionsgleichungen die gleiche Abhängigkeit beschreiben. Falls ja, zeige die Gleichheit durch geeignete Termumformung. Falls nein, gib eine Stelle an, für die die beiden Funktionsgleichungen unterschiedliche Werte liefern.

a) $f(x) = (1 - x)(1 + x)$ und $f(x) = 1 - x^2$

b) $g(s) = 2 \cdot (s + 3)$ und $g(s) = 2s + 5$

c) $f(x) = 2x^2 - 1$ und $f(z) = 2z - 1$

d) $g(s) = 2s^2 + 3$ und $g(y) = 2y^2 + 3$

Variable und Konstante

Hängt eine Größe von mehreren anderen Größen ab, so kannst du dich meist darauf beschränken, die Abhängigkeit von einer einzigen Größe zu betrachten.

Beispiel:
Der Flächeninhalt A eines Dreiecks hängt von zwei Größen ab, nämlich der Grundlinie c und der Höhe h, und ist durch die Formel $A = \frac{c \cdot h}{2}$ gegeben.

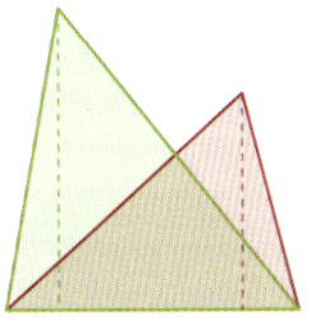

$A(h) = \frac{c \cdot h}{2}$ beschreibt die Abhängigkeit des Flächeninhalts von der Höhe h, wenn die Grundlinie c festgehalten wird.
h ... **unabhängige Variable**
c ... **Konstante** (Formvariable, Parameter)

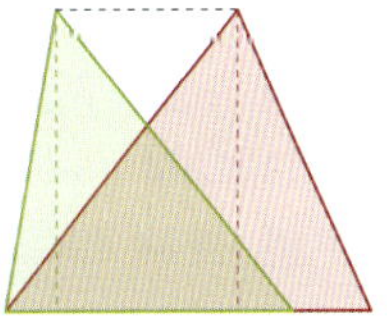

$A(c) = \frac{c \cdot h}{2}$ beschreibt die Abhängigkeit des Flächeninhalts von der Grundlinie c, wenn die Höhe h festgehalten wird.
c ... **unabhängige Variable**
h ... **Konstante** (Formvariable, Parameter)

▷ Viele Größen, die in Anwendungen der Mathematik auftreten, hängen von mehreren anderen Größen ab. Wenn die Abhängigkeit von einer dieser Größen von besonderem Interesse ist, können aus Formeln Funktionen gemacht werden.

Beispiele:

Die Größe ...	kann aufgefasst werden als Funktion ...
Position eines Fahrzeugs	der Zeit
Energie eines auf die Erde auftreffenden Asteroiden	seiner Geschwindigkeit
Energie eines auf die Erde auftreffenden Asteroiden	seiner Masse
durchschnittliche Niederschlagsmenge	der Position auf unserem Planeten
Größe einer Tierpopulation	des Nahrungsangebots

GK **227** Ordne den Abhängigkeiten die jeweils passenden unabhängigen Variablen oder Konstanten zu. Trage dazu den entsprechenden Buchstaben in der linken Spalte ein.

$O(r) = 4 \cdot r^2 \cdot \pi$	
$V(a) = a^3$	
$G(b) = a^2 \cdot b$	
$U(x) = 4 \cdot x$	
$\varphi(y) = 3 \cdot x \cdot y$	

A	a ist Konstante
B	x ist unabhängige Variable
C	x ist Konstante
D	r ist unabhängige Variable
E	a ist unabhängige Variable
F	b ist unabhängige Variable
G	y ist unabhängige Variable

▷ Größen, die in mathematischen Anwendungen auftreten, bestehen aus einer **Maßzahl** und einer **Einheit**. Im Zusammenhang mit Funktionen gibt es dafür zwei Schreibweisen.

5,321 km
Maßzahl Einheit

▷ *Beispiel:*
Die gleichförmige Bewegung eines Körpers wird durch die Funktion $s(t) = v \cdot t$ beschrieben. Welche Distanz hat der Körper nach einer Hundertstelsekunde zurückgelegt, wenn die Geschwindigkeit 12 Meter pro Sekunde beträgt?

▷ **Bevorzugte Schreibweise der Mathematik**
Es wird vereinbart, in welchen Einheiten die auftretenden Größen gemessen werden, etwa v (Geschwindigkeit) in Meter pro Sekunde (m/s), s (zurückgelegte Distanz) in Meter (m) und t (vergangene Zeit) in Sekunden (s). Diese drei Größen können nun bloße Zahlen (ohne Einheiten) als Werte annehmen.

Lösung:

Die Bewegung wird durch die Funktion $s(t) = 12t$ beschrieben.
$s(0{,}01) = 12 \cdot 0{,}01 = 0{,}12$
Bei der Antwort wird die korrekte Einheit wieder hinzugefügt: Die zurückgelegte Distanz ist 0,12 m (oder 12 cm).

▷ **Bevorzugte Schreibweise der Physik**
Die Einheiten werden mitgenommen und haften den Variablen an. Die Bewegung wird nun durch die Funktion $s(t) = 12\frac{m}{s} \cdot t$ beschrieben.

Lösung:
$s\left(\frac{1}{100}s\right) = 12\frac{m}{s} \cdot \frac{1}{100}s = 0{,}12\,m = 12\,cm.$
Beachte, dass das Symbol s für Sekunde „gekürzt" wird, als wäre es eine Variable.

GK **228** Manuela geht mit einer gleichbleibenden Geschwindigkeit von 5 km/h. Drücke den zurückgelegten Weg als Funktion der dafür benötigten Zeit aus. Wie weit kommt Manuela in
a) einer Minute, b) 15 Minuten, c) zwei Stunden?

GK **229** Paul legt eine Strecke von 2 km mit einer gleichbleibenden Geschwindigkeit zurück. Kreuze die zutreffenden Aussagen an.
- ☐ $t(v) = \frac{2}{v}$ drückt die Zeit, die er dafür benötigt, als Funktion seiner Geschwindigkeit aus.
- ☐ Bei einer Geschwindigkeit von 5 km/h braucht er für diese Strecke 24 Minuten.
- ☐ $2 = v \cdot t$ entspricht dem Zusammenhang $s = v \cdot t$.
- ☐ Bei einer Geschwindigkeit von 4 km/h braucht er für diese Strecke 30 Minuten.
- ☐ Je größer die Geschwindigkeit, umso länger braucht er für diese Strecke.

Aufgaben

GK **230** Die Funktion g ist durch den Funktionsterm $g(u) = 1 - u$ gegeben.
a) Berechne $g(1)$, $g(2)$ und $g(3)$.
b) Ist $g(-1)$ negativ, positiv oder 0?
c) Ist $g(0)$ negativ, positiv oder 0?
d) Für welches u gilt: $g(u) = 7$?

GK **231** Gegeben ist die Funktion h mit $h(z) = 2z$.
a) Für welche z ist $h(z)$ negativ?
b) Berechne $h(10) - h(9)$, $h(9) - h(8)$, $h(8) - h(7)$ und $h(7) - h(6)$. Was fällt dir auf?
c) Sei a eine beliebige reelle Zahl. Wie hängt die Differenz $h(a+1) - h(a)$ von a ab?

GK **232** Untersuche, ob die gegebenen Funktionsgleichungen die gleiche Abhängigkeit beschreiben. Falls ja, zeige die Gleichheit durch geeignete Termumformung. Falls nein, gib eine Stelle an, für die die beiden Funktionsgleichungen unterschiedliche Werte liefern.
a) $h(x) = (1+x)^2 - (1-x)^2$ und $h(x) = 4x$
b) $r(t) = 2t \cdot (1 - t^3)$ und $r(t) = 2t - 2t^3$
c) $s(u) = u^3 - 2u^2 + 1$ und $s(u) = u \cdot (u^2 - 2u + 1)$
d) $r(t) = 2(t^2 - t^3)$ und $r(x) = 2(x^3 - x^2)$
e) $s(u) = u^3 - 2u^2 + u$ und $s(x) = x(x^2 - 2x + 1)$

GK **233** Ordne den Abhängigkeiten die jeweils passenden unabhängigen Variablen oder Konstanten zu. Trage dazu den entsprechenden Buchstaben in der linken Spalte ein.

h ist Konstante.	
a ist Konstante.	
f ist Konstante.	
m ist Konstante.	
e ist Konstante.	
l ist unabhängige Variable.	
a ist unabhängige Variable.	
m ist u nabhängige Variable.	
h ist unabhängige Variable.	
e ist unabhängige Variable.	
f ist unabhängige Variable.	

A	$A(h) = a \cdot h$
B	$A(a) = a \cdot h$
C	$A(e) = \frac{e \cdot f}{2}$
D	$A(f) = \frac{e \cdot f}{2}$
E	$K(l) = l \cdot m$
F	$T(m) = 2 \cdot m$

GK **234** Schreibe als Funktion in Termdarstellung an.

a) Das Volumen eines Prismas in Abhängigkeit der Höhe h.
b) Die Fläche eines Kreises in Abhängigkeit vom Radius r.
c) Den in einer bestimmten Zeit zurückgelegten Weg in Abhängigkeit von der Geschwindigkeit.
d) Den mit einer bestimmten Geschwindigkeit zurückgelegten Weg in Abhängigkeit von der Zeit.

GK **235** Ein Zug fährt mit einer gleichbleibenden Geschwindigkeit von 85 km/h. Ergänze die folgenden Sätze, sodass sie mathematisch korrekt sind.
Die Funktionsgleichung __❶__ beschreibt den zurückgelegten Weg s in Abhängigkeit der dafür benötigten Zeit t (t in Stunden). In einer Minute legt dieser Zug __❷__ km zurück. Die Strecke Wien–Salzburg (317 km) legt der Zug in rund __❸__ zurück.

❶	
$85 = \frac{s}{t}$	☐
$t(s) = \frac{s}{85}$	☐
$s(t) = 85 \cdot t$	☐

❷	
$s\left(\frac{1}{60}\right) = \frac{85}{60} \approx 1{,}42$	☐
$t\left(\frac{1}{60}\right) = \frac{85}{60} \approx 1{,}42$	☐
$\frac{85 \cdot 60}{1000} = 5{,}1$	☐

❸	
3 h 76 min	☐
3 h 73 min	☐
3 h 44 min	☐

GK **236** Ein Zug fährt mit gleichbleibender Geschwindigkeit eine Strecke von 120 km. Drücke die Fahrzeit als Funktion der Geschwindigkeit aus. Berechne die Fahrzeit für

a) 60 km/h, b) 80 km/h, c) 100 km/h.

Typ-2-Aufgaben

GK **237** Die Funktion h mit $h(t) = 25t - 5t^2$ beschreibt die Höhe h (in Meter) eines senkrecht nach oben geworfenen Körpers in Abhängigkeit von der Zeit t (in Sekunden).

a) Berechne h(0), h(0,5), h(1), h(2), h(2,5), h(3), h(4) und h(5) und beschreibe die Wurfhöhe des Körpers in den ersten 5 Sekunden.

b) Kreuze die zutreffende(n) Aussage(n) an.

- ☐ Der Körper befindet sich nach 2 und 3 Sekunden in 30 m Höhe.
- ☐ Nach 5 Sekunden befindet sich der Körper in derselben Höhe wie zu Beginn.
- ☐ Die Funktion h(t) drückt die Zeit als Funktion der Höhe aus.
- ☐ Der Körper befindet sich nach 2,5 Sekunden in der maximalen Höhe von 31,25 m.
- ☐ Der Körper befindet sich nach 1 und 4 Sekunden in 10 m Höhe.

GK **238** Wenn du die Masse m besitzt und dich auf einem Planeten mit Masse M und Radius R befindest, ist dein Gewicht durch $F = G \cdot \frac{M \cdot m}{R^2}$ gegeben. G ist die Gravitationskonstante.

a) Fasse F als Funktion der Masse M des Planeten auf, d.h. $F(M) = \frac{G \cdot M \cdot m}{R^2}$.

Wie ändert sich dein Gewicht, wenn du dich auf einem Planeten befindest, der doppelte Erdmasse besitzt, aber gleich groß ist?

b) Fasse F als Funktion des Radius R des Planeten auf, d.h. $F(R) = \frac{G \cdot M \cdot m}{R^2}$.

Wie ändert sich dein Gewicht, wenn du dich auf der Oberfläche eines Planeten befindest, der den doppelten Radius der Erde hat, aber die gleiche Masse besitzt?

Beantworte diese Fragen, ohne Zahlenwerte für die einzelnen Größen einzusetzen!

GK **239** Als Anhalteweg wird der zurückgelegte Weg vom Zeitpunkt des Erkennens einer Gefahr bis zum Stillstand des Fahrzeuges bezeichnet. Je nach Reaktionsvermögen einer Fahrerin bzw. eines Fahrers und der Qualität der Bremsung kann der tatsächliche Anhalteweg stark variieren. Unter bestimmten Fahrbahnverhältnissen wird der Anhalteweg annähernd mit der Formel $s = \frac{v \cdot 3}{10} + \left(\frac{v}{10}\right)^2$ (s in Meter, v in km/h) berechnet.

a) Drücke den Anhalteweg als Funktion der Geschwindigkeit aus. Bestimme den Anhalteweg s(v) für die Geschwindigkeiten 30 km/h, 50 km/h, 80 km/h, 100 km/h und 130 km/h.

b) Bei Nässe verlängert sich der Anhalteweg um 400 %. Gib einen Funktionsterm für den Anhalteweg bei nasser Fahrbahn an. Berechne den Anhalteweg für die Geschwindigkeiten 70 km/h und 90 km/h.

GK **240** Die Formel $s = v \cdot t$ gilt bei einer gleichförmigen Bewegung. Dabei bezeichnet s den Weg, v die Geschwindigkeit und t die Zeit.

a) Beschreibe für eine bestimmte Strecke s die Geschwindigkeit v, abhängig von der Zeit t. Der RAILJET braucht für die Strecke Wien–Salzburg (317 km) 2 Stunden und 45 Minuten, der ÖBB*IC* fährt diese Strecke in 3 Stunden und 9 Minuten. Berechne jeweils die durchschnittlichen Fahrgeschwindigkeiten der beiden Züge.

b) Beschreibe für eine bestimmte Strecke s die Zeit t als Funktion der Geschwindigkeit v. Die Autobahn A1 zwischen Wien und Salzburg ist 292 km lang. Die erlaubte Höchstgeschwindigkeit auf österreichischen Autobahnen beträgt für Motorräder und PKW 130 km/h, für Busse und Anhänger 100 km/h und für LKW 80 km/h. Berechne für PKW, Bus und LKW die durchschnittliche Fahrzeit (in Stunden und Minuten) auf dieser Strecke.

3 Funktionen – Darstellungsformen Wertetabelle und Graph, Wechsel der Darstellungsformen

In diesem Abschnitt arbeitest du mit Tabellen und grafischen Darstellungen (auch mit elektronischen Tools). Du übst den Wechsel von einer Darstellungsform in eine andere.

Du erwirbst folgende Grundkompetenzen:

- GK Aus Tabellen, Graphen und Gleichungen von Funktionen Wert(paare) ermitteln und im Kontext deuten (FA-R 1.4)
- GK Zwischen tabellarischen und grafischen Darstellungen funktionaler Zusammenhänge wechseln (FA-R 1.3)

Neues Wissen

Die Termdarstellung ist in der Mathematik eine Form, Funktionen anzugeben. Es kann jedoch schwierig sein, die Art der Abhängigkeit zu erkennen, wenn eine Funktion durch einen komplizierten Term definiert ist.
Soll etwa beschrieben und erkannt werden, wie der Term $\frac{x}{(x^2+1)^2}$ von x abhängt, so kann dazu eine grafische Darstellung der Funktion f mit $f(x) = \frac{x}{(x^2+1)^2}$ erstellt werden.

▷ Abhängigkeiten, die durch Beobachtung (Vermessung) realer Sachverhalte gewonnen werden, besitzen nicht von vornherein eine Termdarstellung. Solche *empirisch* gewonnenen Daten werden am besten in Tabellenform oder grafisch dargestellt.

▷ *Beispiel:*
Empirisch gewonnene Daten bezüglich Eheschließungen in Österreich.
Was kann aus der Grafik herausgelesen werden und welche Informationen erhältst du aus der Tabelle?

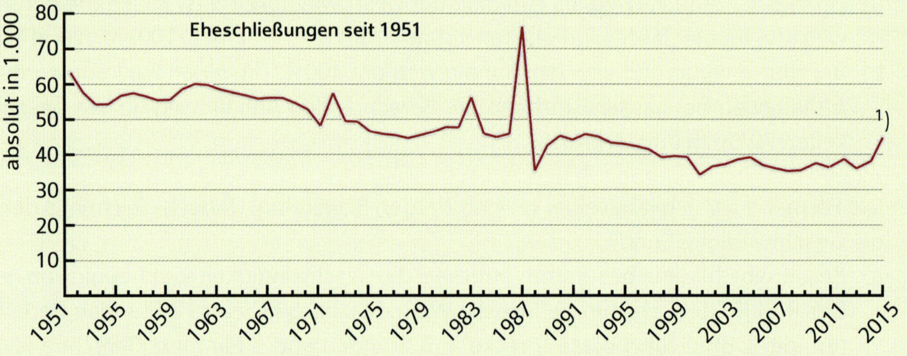

Quelle: STATISTIK AUSTRIA, Statistik der natürlichen Bevölkerungsbewegung. Erstellt am 14.07.2016.
1) Ab 2015 erstmals inklusive im Ausland geschlossene Ehen von Personen mit Wohnsitz in Österreich

Eheschließungen im Jahr 2011	Burgenland	Kärnten	NÖ	OÖ	Salzburg	Steiermark	Tirol	Vorarlberg	Wien
	1130	2296	6861	6295	2355	5161	2905	1513	7910

Lösung: Die Grafik zeigt die Anzahl der Eheschließungen in Österreich von 1951 bis 2011. Es ist eine abnehmende Tendenz zu erkennen. 1951 lag die Zahl der Eheschließungen bei ca. 63000, 2011 bei 36426. (Diese Zahl kann aus der Tabelle errechnet werden.) Auffällig in der Grafik sind drei Spitzen in den Jahren 1972 (ca. 57000 Eheschließungen), 1983 (ca. 56700 Eheschließungen) und 1987 (ca. 76 000 Eheschließungen). Hier besteht möglicherweise ein Zusammenhang mit Einführung bzw. Abschaffung der Heiratsbeihilfe. Im Jahr 2001 mit ca. 34000 Eheschließungen wurde die niedrigste Zahl erreicht.
Die Tabelle gibt Auskunft über die Anzahl Eheschließungen im Jahr 2011 in den einzelnen Bundesländern.

Darstellungsform Tabelle

Eine Tabelle, die eine Abhängigkeit einer Größe von einer anderen darstellt, wird **Wertetabelle** genannt.
Sie besteht aus zwei Spalten (bzw. zwei Zeilen), in denen
- Werte der unabhängigen Variablen (1. Spalte bzw. 1. Zeile) und
- die zugehörigen Werte der abhängigen Variablen (2. Spalte bzw. 2. Zeile) eingetragen sind.

▷ Eine durch einen Term gegebene Abhängigkeit (d. h. eine *termdefinierte Funktion*) kann im Allgemeinen nicht vollständig in Form einer Tabelle dargestellt werden, weil es unendlich viele mögliche reelle Werte der unabhängigen Variablen gibt. Manchmal ist das Anlegen einer Tabelle mit einigen ausgewählten Wertepaaren hilfreich.

GK **241** Für die Funktionäre eines Vereins wird ein Handytarifmodell angeboten: Die ersten 1000 Gesprächsminuten sind frei, nach deren Verbrauch werden 0,2417 Euro pro Gesprächsminute verrechnet.
Erstelle eine Tabelle mit Schrittweite 500 Minuten für dieses Tarifmodell, die Auskunft über die Kosten von 0 bis 3000 Gesprächsminuten gibt.

Technologie-Tipp: Darstellungsform Tabelle

GK **242** Lege eine Tabelle an, die die Werte des Terms $x^2 \cdot (x-1)$
(1) im Bereich $0 \le x \le 10$ mit Schrittweite 1 angibt,
(2) im Bereich $9 \le x \le 9{,}5$ mit Schrittweite 0,02 angibt. Verwende ein elektronisches Tool.

GK **243** In einer Firma werden die Produktionskosten (in 1000 Euro) in Abhängigkeit von der Stückzahl m mithilfe der Gleichung $p(m) = \frac{3m}{5000} + 2$ veranschlagt.
Die Mitarbeiter/innen der Firma hätten gern eine Tabelle, aus der sie die Produktionskosten für Stückzahlen zwischen 500 und 1500 (mit Schrittweite 100) ablesen können.
Erstelle für sie die gewünschte Tabelle.

GK **244** Am 24. Juli 2013 gibt eine Bank den Wechselkurs 1,0 EUR = 1,32 USD an.
a) Erstelle dazu eine Umrechnungstabelle mit Schrittweite 10 Euro, aus der du Eurobeträge von 0 bis 200 Euro in US-Dollar ablesen kannst.
b) Erstelle dazu eine Umrechnungstabelle mit Schrittweite 10 US-Dollar, aus der du Dollarbeträge von 0 bis 200 USD in Euro ablesen kannst.

Darstellungsform Graph

Am anschaulichsten lässt sich die Abhängigkeit einer reellen Größe f von einer anderen reellen Größe x grafisch darstellen.
Das **Zahlenpaar** **(x|f(x))** wird als Koordinatenpaar eines Punktes der Zeichenebene gedeutet. Die Gesamtheit aller dieser Punkte bildet eine Teilmenge der Zeichenebene, den **Funktionsgraphen** (oder kurz **Graph**).
Die Achse der unabhängigen Variablen heißt **Abszisse**, die Achse der abhängigen Variablen heißt **Ordinate**.

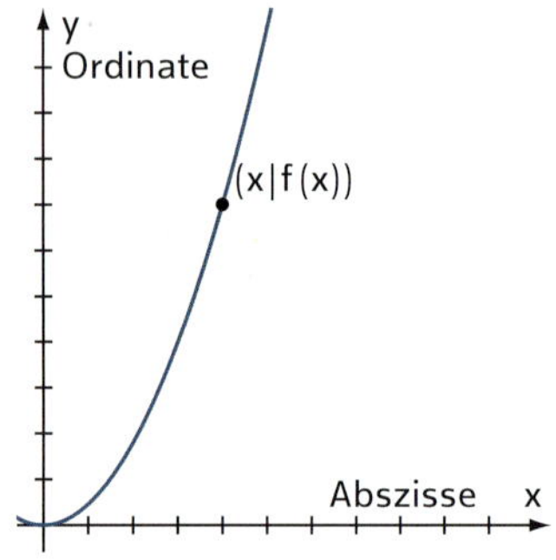

Wie die Achsen beschriftet werden, hängt von der Aufgabenstellung ab:

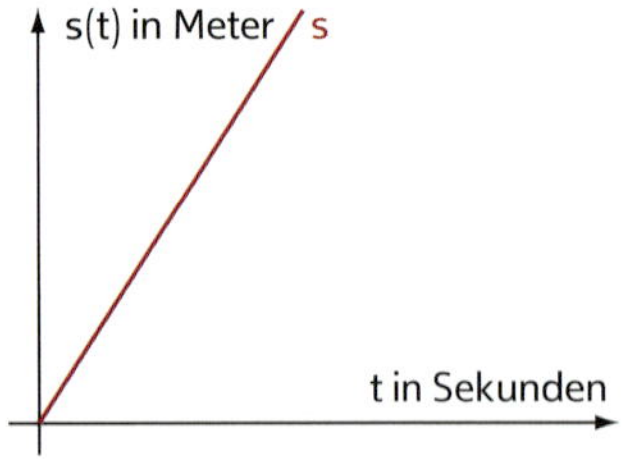

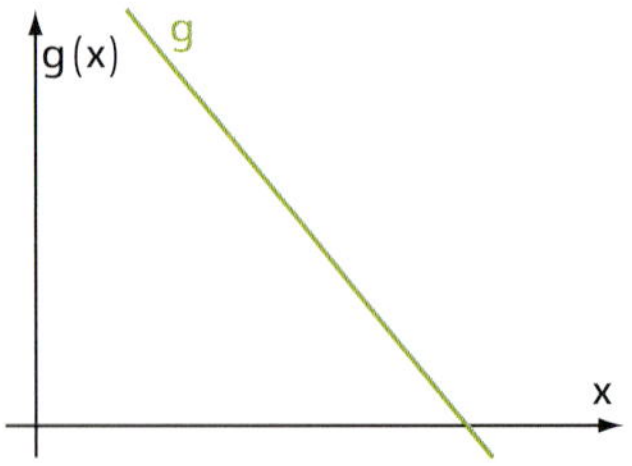

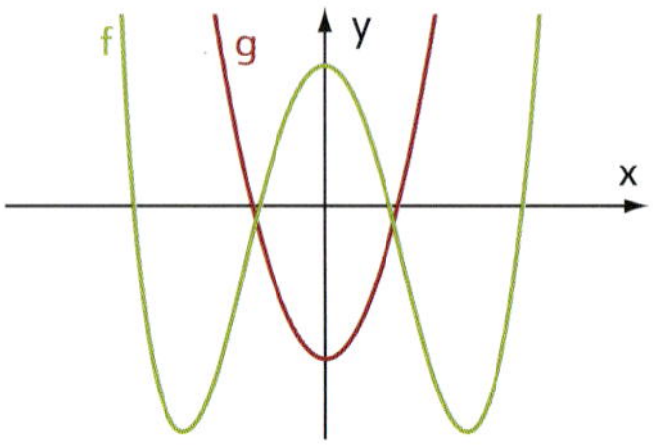

▷ Manchmal werden die unabhängige und die abhängige Variable mit x und y bezeichnet. Anstelle einer Funktionsgleichung wie $f(x) = x^2$ kann man $y(x) = x^2$ oder kurz $y = x^2$ schreiben. Die Achsen werden entsprechend beschriftet.

GK **245** Tobias springt vom 10-Meter-Turm.
Die Tabelle zeigt seine Höhe in Abhängigkeit von der Zeit.

Zeit t (in Sekunden)	0,0	0,2	0,4	0,6	0,8	1,0	1,2	1,4
Höhe h (in Meter)	10,0	9,8	9,2	8,2	6,8	5,0	2,8	0,2

Zeichne den Graphen der Funktion und beschrifte die Achsen.

Arbeit nach der Lernmethode Gruppenpuzzle (Aufgabe 246 und 247)

Hinweise zur Vorgehensweise findest du unter www Lernmethode Gruppenpuzzle.

In Gruppenarbeit wird zunächst von jeder ExpertInnengruppe Beispiel A oder B bearbeitet. Anschließend werden in Mischgruppen die Informationen ausgetauscht und Beispiel C gelöst.

GK **246** **Beispiel A für eine Gruppe**
Beantwortet die Fragen mithilfe des Graphen.
Falls Begriffe unklar sind, lest den Text auf der nächsten Seite.

a) An welcher Stelle hat die Funktion f ihren kleinsten Funktionswert?
Welche Koordinaten hat der tiefste Punkt?
b) Wo ist $f(x) = 6$?
c) In welchem Punkt schneidet der Graph die y-Achse?
d) An welchen Stellen schneidet der Graph die x-Achse?

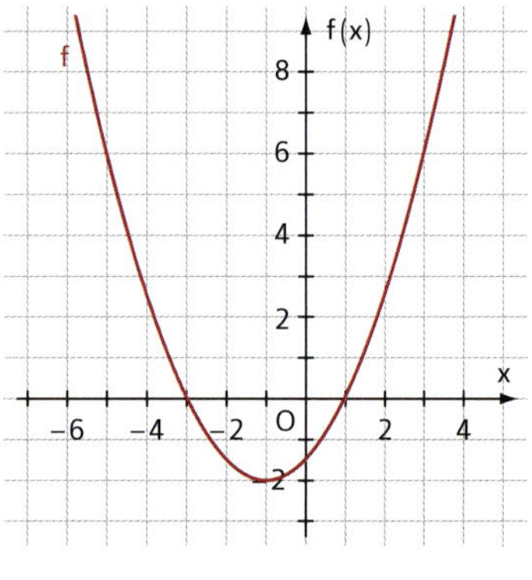

Beispiel B für die zweite Gruppe

Beantwortet die Fragen mithilfe des Graphen.
Falls Begriffe unklar sind, lest den Text auf der nächsten Seite.

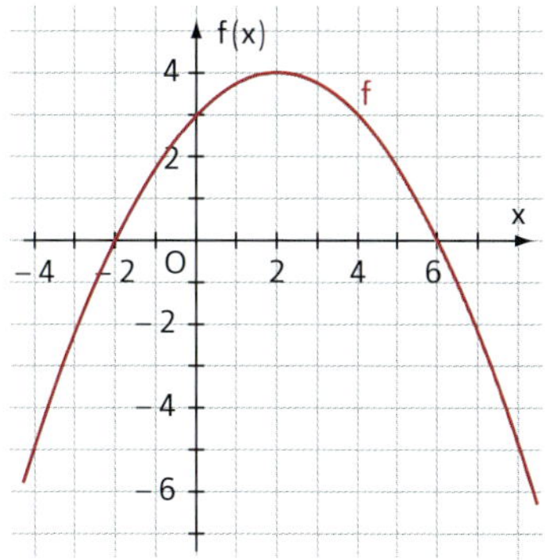

a) An welcher Stelle hat die Funktion f ihren größten Funktionswert?
   Welche Koordinaten hat der höchste Punkt?
b) Wo ist $f(x) = -5$?
c) In welchem Punkt schneidet der Graph die y-Achse?
d) An welchen Stellen schneidet der Graph die x-Achse?

GK 247

Beispiel C für die Mischgruppe

Ein Ball wird aus 20 m Höhe fallen gelassen. Beide Graphen beschreiben diesen Vorgang. Beantwortet die Fragen.

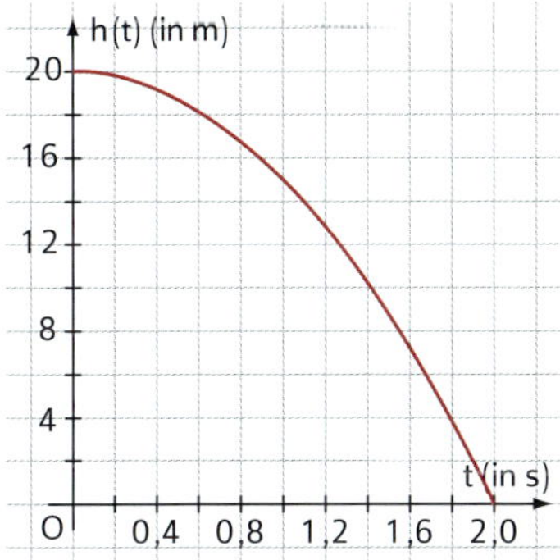

h(t) drückt die Höhe (den Ort) zum Zeitpunkt t aus.

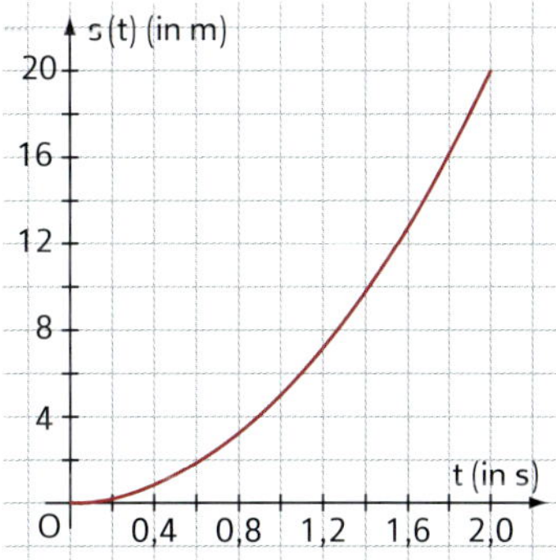

s(t) drückt den zurückgelegten Weg (Entfernung von der Ausgangslage) zum Zeitpunkt t aus.

a) In welcher Höhe befindet sich der Ball zum Zeitpunkt $t = 0$?
b) Wann erreicht der Ball den Boden?
c) Welchen Weg hat der Ball nach einer halben bzw. einer Sekunde zurückgelegt?
d) Welche y-Koordinate hat der Punkt $P(0{,}8 \mid y)$ in den beiden Graphen?
   Was sagen die Koordinaten im Punkt P aus?
e) Begründet eure Antworten auf folgende Fragen:
   Lässt sich aus dem Verlauf des Graphen erkennen, ob der Ball fällt oder steigt?
   Lässt sich aus einem Graphen ablesen, in welcher Höhe sich der Ball befindet?
   Lässt sich aus der Form des Graphen schließen, dass der Ball beim Fallen eine Kurve beschreibt?

Beachte den Unterschied zwischen den Begriffen
- **Stelle oder Argument**
- **Funktionswert**
- **Punkt am Graphen**

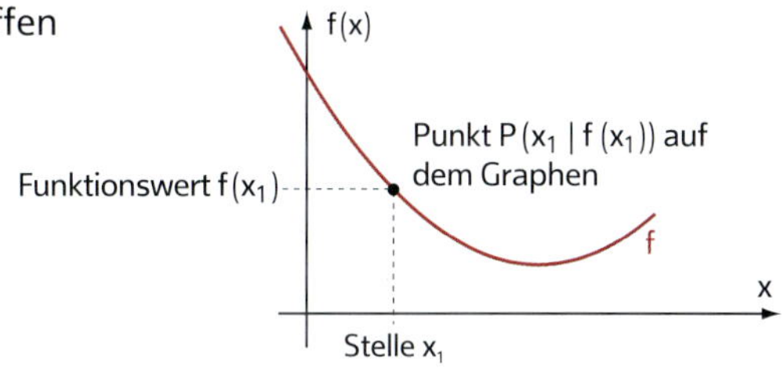

▷ *Beispiel:*
An welcher Stelle hat die Funktion ihren kleinsten Wert?
Lösung: An der Stelle $x = 1$.

An welchen Stellen gilt $f(x) = 1$?
Lösung: An den Stellen $x = -1$ und $x = 3$.

In welchem Punkt schneidet der Graph die y-Achse?
Lösung: Im Punkt $(0|-2)$.

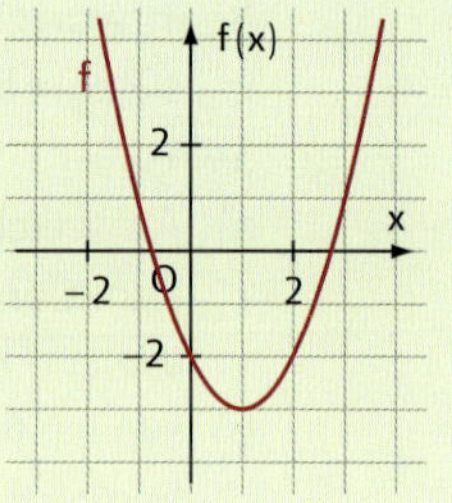

GK **248** Ergänze in der Mindmap *Funktionen* (Aufgabe 223) die neuen Begriffe.

Technologie-Tipp: Darstellungsform Graph

GK **249** Wähle eines der im Technologie-Tipp angegebenen Werkzeuge und erstelle die Graphen der Funktionen f, g bzw. h mit
(1) $f(x) = x^2$ (2) $g(x) = x^2 + 1$ (3) $h(x) = -x^2 - 1$

Es hängt von der Fragestellung ab, welche der drei Darstellungsformen Term, Tabelle oder Graph zur Untersuchung von Funktionen am günstigsten ist.
Oft lassen sich aus einer einzigen Darstellungsform nicht ausreichend viele Informationen ablesen, dann kann eine andere Form der Darstellung hilfreich sein.

Aufgaben

Wechsel der Darstellungsformen: Tabelle → Graph

250 Die Daten zu dieser Aufgabe findest du unter www Bahnfahrt.
Von einem Eisenbahnzug wird durch das automatische Sicherheitssystem jede Minute die Position (in km vom Abfahrtsbahnhof) ermittelt und aufgezeichnet.
t: Vergangene Zeit (ab Abfahrt) in Minuten
P: Position (Entfernung vom Abfahrtsbahnhof) in Kilometer

t	P	t	P	t	P
1	0,32	10	6,67	19	11,33
2	0,67	11	7,07	20	12,28
3	1,12	12	7,40	21	13,33
4	1,67	13	7,73	22	14,48
5	2,32	14	8,08	23	15,68
6	3,07	15	8,43	24	16,93
7	3,92	16	8,90	25	18,23
8	4,87	17	9,53	26	19,85
9	5,92	18	10,48		

a) Lest aus der Tabelle ab, wie die Fahrt verlaufen ist. Wo befindet sich auf der Strecke eine Baustelle, die zum Langsamfahren zwingt?
b) Den besten Überblick über den Verlauf der Fahrt liefert eine grafische Darstellung. Erstelle eine Grafik. Wo befindet sich die Baustelle?

Wechsel der Darstellungsformen: Graph ⟶ Tabelle

GK **251** Erstelle aus dem Graphen eine Wertetabelle für $-1{,}5 \le r \le 2{,}5$ mit Schrittweite 0,5.

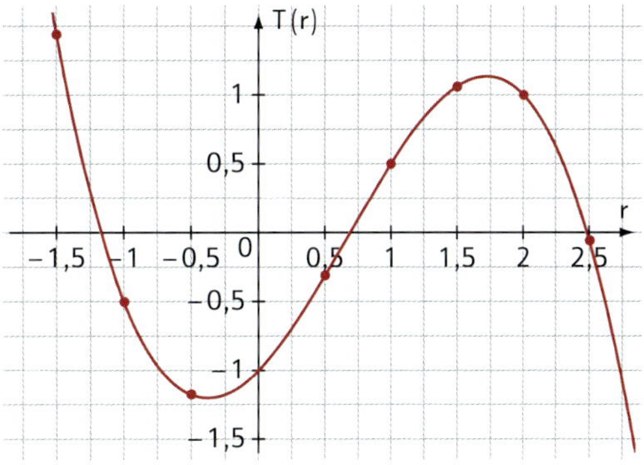

Wechsel der Darstellungsformen: Term ⟶ Tabelle

GK **252** Erstelle anhand des gegebenen Terms eine Wertetabelle für $-5 \le x \le 5$.

a) $f(x) = 3x^2 - 7$ b) $g(x) = -\frac{1}{5}x^3 + 1$ c) $h(x) = 0{,}23x^4$

d) $f(x) = 0{,}5x + 2$ e) $g(x) = \sqrt{x^2 - 2}$ f) $h(x) = \sqrt[3]{x + 10}$

GK **253** Zur Umrechnung von Grad Fahrenheit in Grad Celsius wird die Formel $T_F = T_C \cdot 1{,}8 + 32$ verwendet. Erstelle eine Tabelle für –100 °C; –99 °C; –98 °C; ...; –90 °C.

GK **254** Ein Zug fährt mit gleichbleibender Geschwindigkeit von 85 km/h. Stelle eine Wertetabelle auf, die den zurückgelegten Weg als Funktion der dafür benötigten Zeit (in Schritten von 10 Minuten; bis eineinhalb Stunden) darstellt.

GK **255** Der Gewinn eines Unternehmens (in Euro) hängt von der produzierten Stückzahl s ab: $G(s) = 1000s - 9s^2$. Stelle diese Abhängigkeit in einer Tabelle im Bereich $1 \le s \le 100$ dar. Kannst du daraus ablesen, für welche Stückzahl der Gewinn am größten ist? Wie hoch ist er? Mögliche Gründe für die Abnahme des Gewinns: Überstunden, zusätzliche Mitarbeiter, Betriebskosten oder Investitionen.

GK **256** Erstelle für die Funktion eine Wertetabelle mit Schrittweite 1 für Argumente im Intervall [–15; 15]. Verwende ein elektronisches Tool deiner Wahl.

a) $f(x) = 120x^2 - 200x + 3$ b) $g(x) = 370x^3 - 250$ c) $h(x) = 0{,}001x^4 - 0{,}2$

d) $K(s) = 320s + 12340$ e) $s(t) = 0{,}7t^2 - 0{,}15$ f) $G(p) = 3{,}75p^2$

GK **257** Erstelle für die Funktion eine Wertetabelle mit Schrittweite 0,2 für Argumente im Intervall [–2; 2]. Verwende ein elektronisches Tool deiner Wahl.

a) $f(x) = 1{,}2x^2 - 0{,}23$ b) $g(x) = \frac{1}{25}x^3 - \frac{1}{5}$ c) $h(x) = \frac{2}{9}x^5 + 27{,}3$

d) $K(s) = 0{,}25s + 0{,}35$ e) $s(t) = \frac{1}{8} \cdot (t^2 - 7)$ f) $G(p) = 0{,}025p^2$

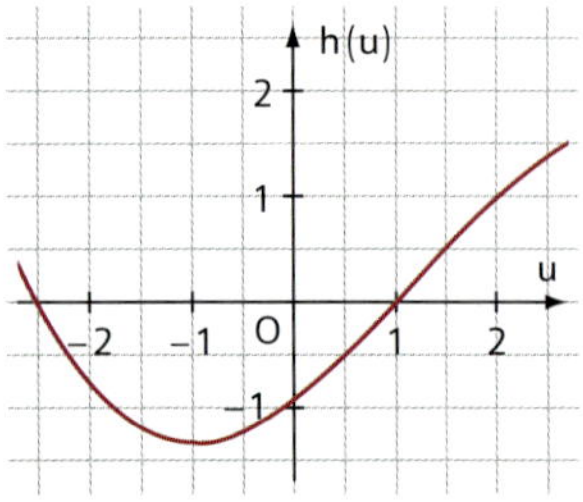

Abb. 1

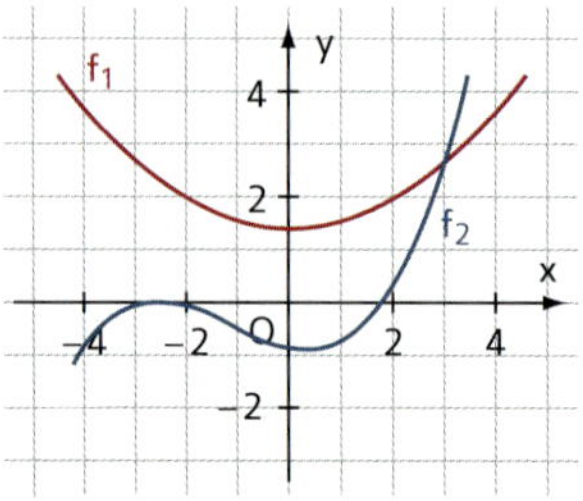

Abb. 2

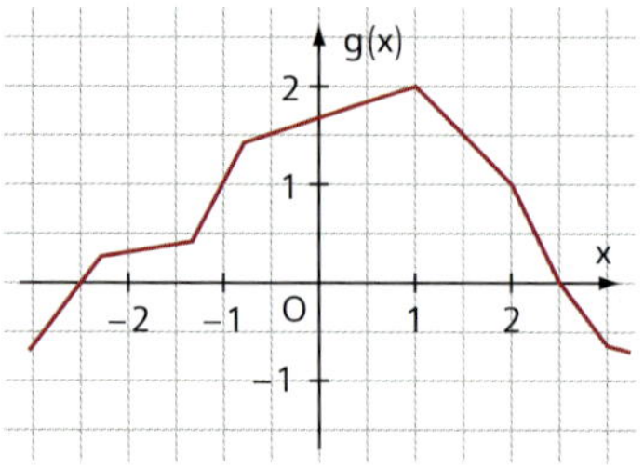

Abb. 3

GK **258** Beantworte für die durch den Graphen in Abb. 1 dargestellte Funktion h folgende Fragen:
a) Für welche u ist $h(u) = 0$?
b) Für welche positiven u ist $h(u) \geq 1$?
c) Für welches u ist der Funktionswert minimal?

GK **259** Welche Aussagen für die Funktion h (Abb. 1) sind wahr, welche falsch?
a) $h(0) > 0$ b) $h(2) > 0$ c) $h(u) < 0$, für alle $u < 0$

GK **260** Betrachte die Graphen der Funktionen f_1 und f_2 in Abb. 2. Für welche x ist $f_2(x) > f_1(x)$?

GK **261** In Abb. 3 ist der Graph einer Funktion g dargestellt. An welcher Stelle ist der Funktionswert (1) 0, (2) 1, (3) maximal?

Wechsel der Darstellungsformen: Term ⟶ Graph

GK **262** Ein Zug fährt 90 Minuten lang mit einer gleichbleibenden Geschwindigkeit von 85 km/h. Zeichne den Graphen des zurückgelegten Weges als Funktion der dafür benötigten Zeit.

GK **263** Zeichne den Graphen der Funktion f mit $f(x) = -x^2 + 9$. Beantworte mithilfe des Graphen.
a) An welcher Stelle hat die Funktion f ihren größten Funktionswert?
b) Welche Koordinaten hat der höchste Punkt?
c) An welcher Stelle ist $f(x) = 5$?
d) In welchem Punkt schneidet der Graph die y-Achse?
e) An welchen Stellen schneidet der Graph die x-Achse?
f) Welche y-Koordinate hat der Punkt $P(-1|y)$?
g) Welche x-Koordinate hat der Punkt $Q(x|-7)$?

GK **264** Zeichne mit einem elektronischen Tool deiner Wahl den Graphen der Funktion. An welchen Stellen schneidet der Graph die x-Achse?
a) $f(x) = x^3 - 5x^2 - 8x + 12$ b) $f(x) = -x^3 + 5x^2 + 8x - 12$
c) $f(x) = 0{,}2x^3 - x^2 - 0{,}8x + 1{,}2$ d) $f(x) = -0{,}2x^3 + x^2 + 0{,}8x - 1{,}2$

GK **265** Zeichne den Graphen der Funktion mit einem elektronischen Tool deiner Wahl und lies ab, wo der Funktionswert null ist.
a) $f(x) = \frac{2}{7}x^2 + 3x - 4$ b) $f(x) = \frac{1}{3}x^3 - 2x^2 + 4x - 3$ c) $f(x) = \frac{1}{2x-1} + 2$
d) $f(x) = 600x^2 - 120x$ e) $f(x) = -7 \cdot (x^2 - 3)^2$ f) $f(x) = x^2 \cdot (x-1) \cdot (2x+3)$

Wechsel der Darstellungsformen: Tabelle ⟶ Graph

GK **266** Die folgende Tabelle stellt den Zusammenhang zwischen der Temperatur, gemessen in °Celsius und °Fahrenheit, dar. Ergänze die Tabelle und stelle den Zusammenhang grafisch dar. Verwende eventuell ein elektronisches Tool.

Temperatur (in °C)	–2	–1	0	1	2	3	4	5
Temperatur (in °F)	…	30,2	32	33,8	35,6	37,4	…	…

GK **267** Die Tabelle zeigt die Höhe eines senkrecht in die Luft geschossenen Tennisballes in Abhängigkeit von der Zeit.

Zeit (in s)	0	1	2	3	4	5	6	7	8
Höhe (in m)	0	35	60	75	80	75	60	35	0

a) Stelle den Zusammenhang grafisch dar.
b) Nach wie vielen Sekunden schlägt der Tennisball am Boden auf?
c) Welche maximale Höhe erreicht der Tennisball?
d) In welcher Höhe befindet sich der Ball nach 1 Sekunde?
e) Wann erreicht der Tennisball eine Höhe von 75 m?

GK **268** Stellt mithilfe der (für Wien gültigen) Tabelle die Tageslänge in Abhängigkeit von der Zeit grafisch dar (MEWZ = Mitteleuropäische Winterzeit, d.h., die Daten berücksichtigen die Umstellung auf Sommerzeit nicht).

Datum	Tag innerhalb des Jahres	Sonnenaufgang (MEWZ)	Sonnenuntergang (MEWZ)
1. Jänner	1	06:45	15:11
1. Februar	32	06:23	15:54
1. März	60	05:36	16:39
1. April	91	04:33	17:25
1. Mai	121	03:36	18:08
1. Juni	152	02:59	18:47
1. Juli	182	02:58	18:58
1. August	213	03:30	18:31
1. September	244	04:12	17:36
1. Oktober	274	04:54	16:34
1. November	305	05:40	15:36
1. Dezember	335	06:24	15:03

GK **269** Die Tabelle zeigt den Zusammenhang zwischen Produktionsmenge und Kosten. Stelle den Zusammenhang grafisch dar.
Die Daten zu dieser Aufgabe findest du unter www Produktionsmenge und Kosten.

Stück	0	10	20	30	40	50	60	70	80	90	100
Kosten	2500	5000	7500	10000	12500	15000	17500	20000	22500	25000	27500

Stück	110	120	130	140	150	160	170	180	190	200
Kosten	30000	32500	35000	37500	40000	42500	45000	47500	50000	52500

270 ⇨ Die Tabelle zeigt den zurückgelegten Weg eines Wanderers in Abhängigkeit von der Zeit. Stelle dies grafisch dar. (Daten auch unter www Zeit und Weg.)

Zeit t (in Stunden)	0	0,25	0,5	0,75	1	1,25	1,5	1,75	2	2,25	2,5
Weg s (in km)	0	1,35	2,7	4,05	5,4	6,75	8,1	9,45	10,8	11,925	13,25

Zeit t (in Stunden)	2,75	3	3,25	3,5	3,75	4	4,25	4,5	4,75	5
Weg s (in km)	14,575	15,9	17,225	18,55	19,875	21,2	22,1	23,4	24,7	26

271 ⇨ Die Tabelle zeigt die Höhe eines Wanderers in Abhängigkeit von der Zeit. Stelle den Zusammenhang grafisch dar. (Daten auch unter www Zeit und Höhe.)

Zeit t (in Stunden)	0	0,25	0,5	0,75	1	1,25	1,5	1,75	2	2,25	2,5
Höhe (in m)	3280	3005	2890	2700	2588	2460	2013	2115	1985	1800	1670

Zeit t (in Stunden)	2,75	3	3,25	3,5	3,75	4	4,25	4,5	4,75	5
Höhe (in m)	1524	1300	1300	1093	900	821	730	605	528	407

Wechsel der Darstellungsformen: Graph → Tabelle

272

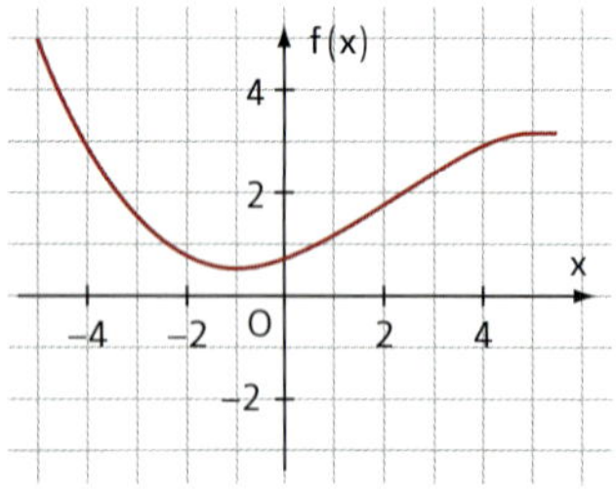

Abb. 1

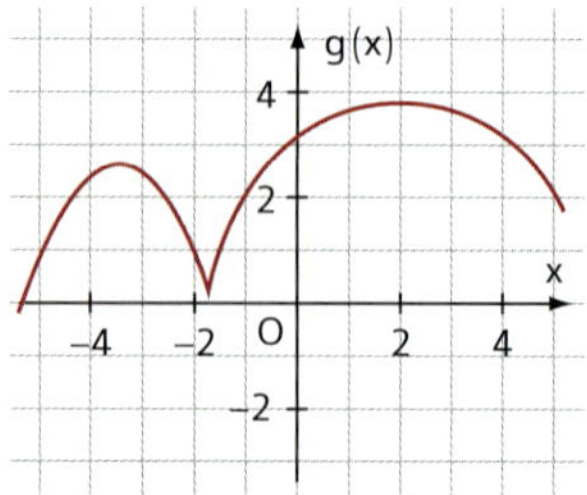

Abb. 2

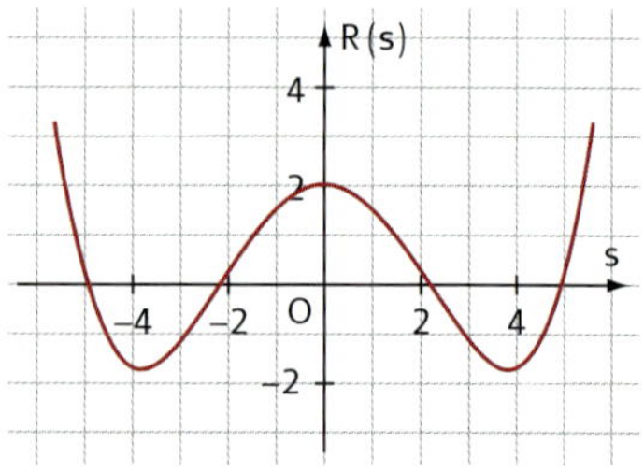

Abb. 3

a) Lies in Abb. 1 die Funktionswerte an allen ungeraden Stellen näherungsweise ab.
b) An welchen Stellen in Abb. 2 ist der Funktionswert näherungsweise 2?
c) An welcher Stelle in Abb. 3 ist $R(s) = 0$?
d) Lies in Abb. 1 die Funktionswerte an den Stellen $-3; -2{,}5; -2; -1{,}5; -1$ und 0 ab.
e) An welchen Stellen in Abb. 3 sind die Funktionswerte am kleinsten?

Typ-2-Aufgaben

273 Die Grafik auf Seite 87 zeigt für verschiedene Strecken s die Fahrzeit t als Funktion der Geschwindigkeit v.

a) Lies aus der Grafik ab: Welcher Zeitgewinn entsteht bei einer Strecke von 10 km, wenn du statt mit 10 km/h mit 20 km/h fährst? Welchen Zeitgewinn kannst du erreichen, wenn du diese Strecke statt mit 20 km/h mit 30 km/h fährst?
b) Welche Zeitdifferenz entsteht, wenn eine Strecke von 40 km statt mit 110 km/h nur mit 100 km/h gefahren werden kann? Vergleiche die Zeitdifferenz mit der, die entsteht, wenn eine Strecke von 10 km statt mit 110 km/h nur mit 100 km/h gefahren wird. Interpretiere das Ergebnis.
c) Gib jeweils für die Strecken von 20 km und 40 km an: t(60), t(80) und t(100). Beschreibe den Verlauf der beiden Graphen.

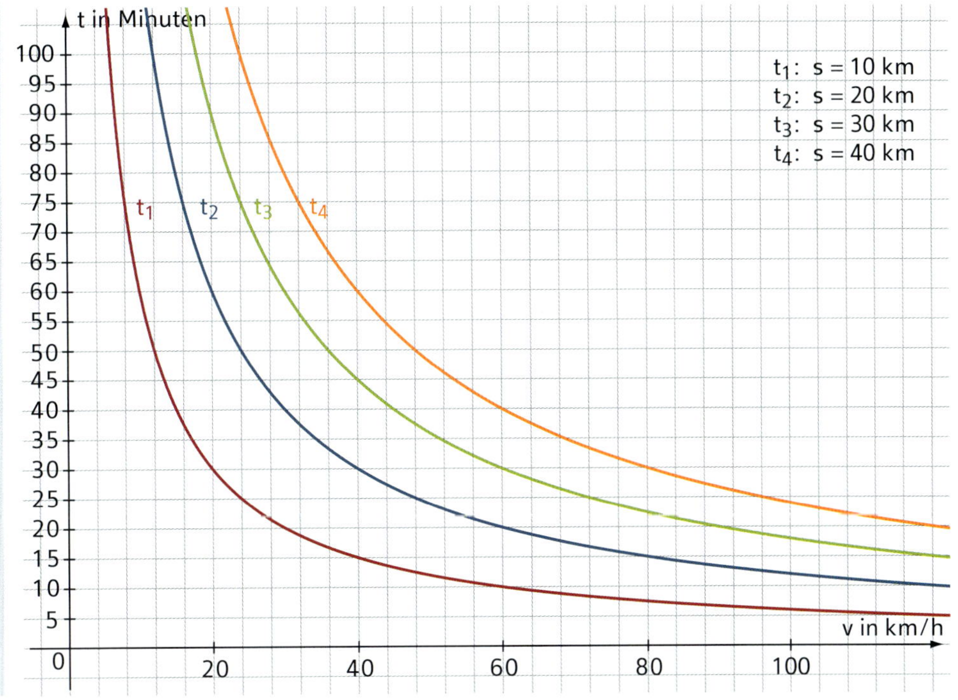

GK **274** Mit dem Handkantenschlag kann ein Karatesportler einen Stoß Ziegel zertrümmern.
Die Formel $E_M = \frac{4 \cdot m \cdot M}{(M+m)^2} \cdot \frac{m \cdot v^2}{2}$ beschreibt die Beziehung zwischen der kinetischen Energie $E_{kin} = \frac{m \cdot v^2}{2}$ der Hand des Karatekämpfers und der bei einem elastischen Stoß auf eine ruhende Masse M (z.B. Ziegelstoß) übertragenen Energie.[1]
Die Energie wird in Joule, die ruhende Masse M und die Masse der Hand m in kg, die Geschwindigkeit v in m/s angegeben.
Zeichne mit einem elektronischen Tool einen Graphen, der darstellt, wie sich die Energie E_M in Abhängigkeit von der Masse M (im Intervall von 0 bis 10 kg) ändert.

a) Nimm an, dass die Masse der Hand für einen Erwachsenen $m = 0{,}7\,kg$ beträgt und dass der Handkantenschlag mit einer Geschwindigkeit von $v = 8\,m/s$ ausgeführt wird.
b) Nimm an, dass die Masse der Hand eines Kindes $m = 0{,}35\,kg$ beträgt und der Schlag mit einer Geschwindigkeit von $v = 1\,m/s$ ausgeführt wird.

GK **275** Die Tabelle zeigt den Pegelstand der Donau in Korneuburg während eines Gewitters.

Zeit (in Stunden)	0	0,25	0,5	0,75	1	1,25	1,5	1,75	2	2,25
Pegelstand (in cm)	580	595	602	612	615	620	633	640	645	630

a) Stelle den Zusammenhang grafisch dar. Verwende eventuell ein elektronisches Tool.
b) In welchem Zeitintervall stieg der Pegel am schnellsten, in welchem am langsamsten?
c) Von welchem Zeitpunkt an sank der Pegelstand? Interpretiere diesen Zeitpunkt im Zusammenhang mit dem Gewitter.

[1] *kinetisch* (gr.) – bewegt; die kinetische Energie ist ein Maß dafür, wie viel Arbeit man an einem Gegenstand verrichten musste, um ihn auf die Geschwindigkeit zu bringen, die er gerade hat. Die Einheit der Energie ist ein Joule J.

4 Elementare Eigenschaften von Funktionen

Am Ende dieses Abschnitts kennst du Fachbegriffe, um das Verhalten der abhängigen Variablen zu beschreiben, wenn die unabhängige Variable geändert wird. Du kannst den Verlauf des Graphen beschreiben, die Nullstelle(n) ermitteln sowie Maximum und Minimum ablesen.

Du erwirbst folgende Grundkompetenz:
GK Eigenschaften von Funktionen erkennen und benennen: Monotonie, lokale Extrema (Maximum, Minimum) und Schnittpunkte mit den Achsen (FA-R 1.5)

Neues Wissen

Die **Wachstumseigenschaften** einer Funktion lassen sich durch drei Begriffe beschreiben.

Definition: Wachstumseigenschaften

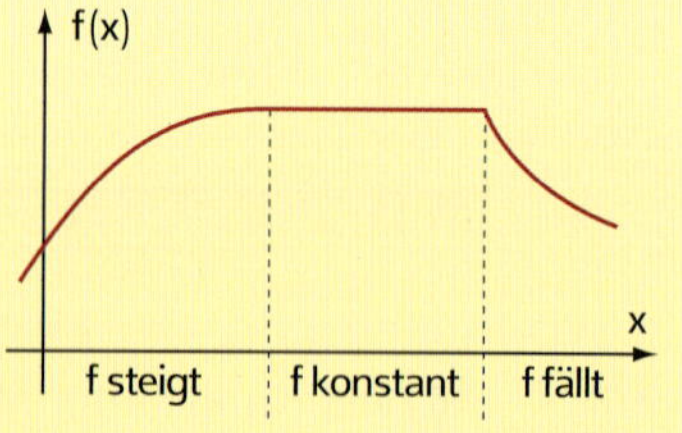

- Eine Funktion **steigt** in einem Bereich, wenn in diesem Bereich gilt:
  Je größer das Argument, umso größer der Funktionswert.
  Geht man entlang des Graphen von links nach rechts, so steigt er an (wird höher).
- Eine Funktion heißt in einem Bereich **konstant**, wenn alle Funktionswerte in diesem Bereich gleich sind.
- Eine Funktion **fällt** in einem Bereich, wenn gilt:
  Je größer das Argument, umso kleiner der Funktionswert.

GK **276** Ermittle (durch Ablesen) jene Bereiche, in denen die Funktion steigt bzw. fällt.

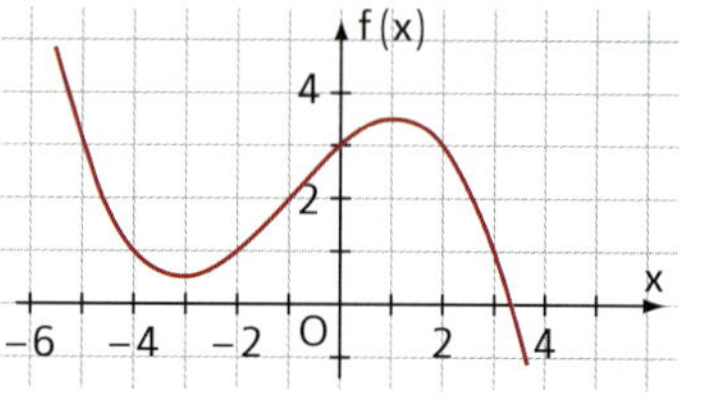

Schnittpunkte mit den Achsen sind markante Stellen einer Funktion.

Definition: Nullstelle

Eine Stelle x, an der der Funktionswert 0 ist, heißt **Nullstelle** der Funktion f. Es gilt: $f(x) = 0$.

Nullstellen sind in der grafischen Darstellung die Schnittpunkte des Graphen mit der x-Achse.

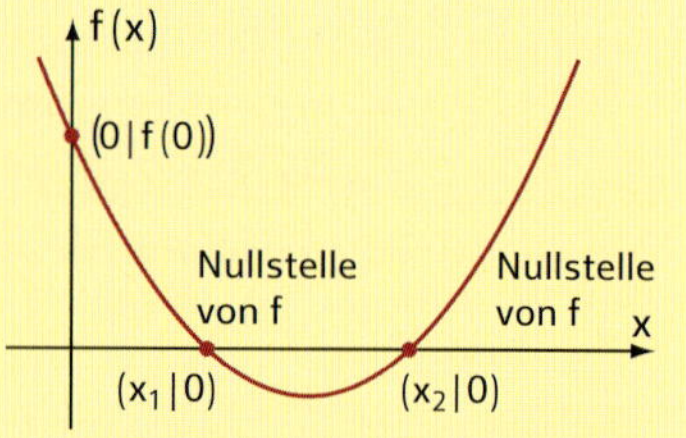

Die Abbildung zeigt den Graphen einer Funktion mit zwei Nullstellen.

Für einen Schnittpunkt mit der x-Achse an der Stelle x_1 gilt: $y = 0$. Er hat die Koordinaten $(x_1|0)$.
Für den Schnittpunkt mit der y-Achse gilt: $x = 0$. Er hat die Koordinaten $(0|f(0))$.

▷ *Beispiel:*
Berechne die Nullstellen der Funktion $f(x) = x(x-1)$ und die Schnittpunkte des Graphen mit den Achsen.

Lösung:

Für Nullstellen und Schnittpunkte mit der x-Achse gilt: $f(x) = 0$.	$x(x-1) = 0$
Ein Produkt ist 0, wenn einer der beiden Faktoren null ist.	$x = 0$ oder $x - 1 = 0$
Nullstellen und Schnittpunkte mit der x-Achse:	$x_1 = 0$ und $x_2 = 1 \Rightarrow N_1(0\vert 0), N_2(1\vert 0)$
Für den Schnittpunkt mit der y-Achse gilt: $x = 0$:	$y = f(0) = 0\cdot(0-1) = 0 \Rightarrow S(0\vert 0)$

GK **277** Eine Funktion ist durch ihren Graphen gegeben. Bestimme näherungsweise (durch Ablesen) die Nullstellen und die Schnittpunkte des Graphen mit den beiden Achsen. Achte auf die unterschiedliche Schreibweise.

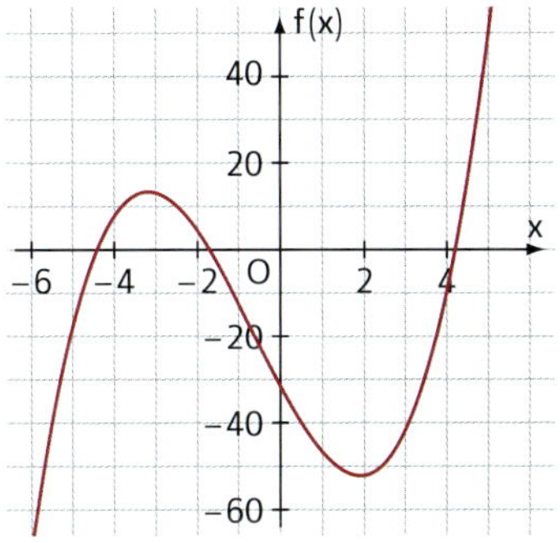

GK **278** Bestimme die Nullstellen der Funktion (ohne ihren Graphen zu zeichnen).
Gib die Koordinaten der Schnittpunkte des Graphen mit den beiden Achsen an.

a) $g(x) = x - 3$ b) $f(x) = x$ c) $p(z) = 2(z + 7)$
d) $v(y) = 2y + 3$ e) $t(s) = s^2 - 4$ f) $k(n) = n(n - 1)$

Definition: Extremstellen

Manche Funktionen besitzen einen **größten Wert** (kurz: ein **Maximum**). Die Stelle, an der eine Funktion ihren größten Wert annimmt, heißt **Maximumstelle**. Der ihr entsprechende Punkt am Graphen heißt **Hochpunkt**.
Manche Funktionen besitzen einen **kleinsten Wert** (kurz: ein **Minimum**). Die Stelle, an der eine Funktion ihren kleinsten Wert annimmt, heißt **Minimumstelle**. Der ihr entsprechende Punkt am Graphen heißt **Tiefpunkt**.

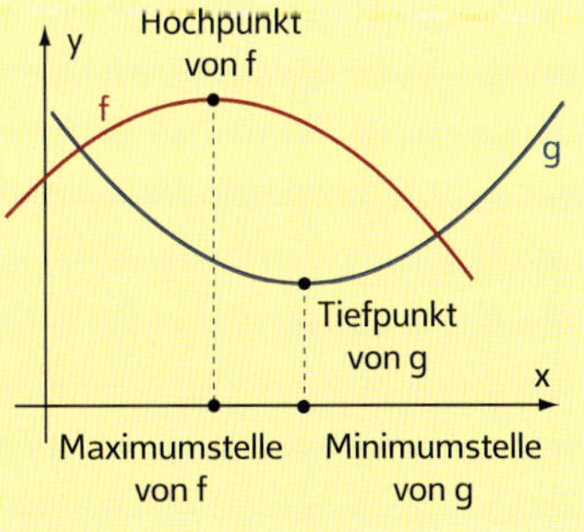

Wie aus der Abbildung hervorgeht, sind Maximumstellen und Hochpunkte sowie Minimumstellen und Tiefpunkte leicht an den Funktionsgraphen abzulesen. Randpunkte werden dabei vernachlässigt.

GK **279** Lies in der Grafik ab und ordne entsprechend zu.

Die Maximumstelle liegt bei x = ...	
Das Maximum beträgt ...	
Der Hochpunkt ist ...	

A	0
B	1
C	4,5
D	(1|4,5)
E	(4,5|1)

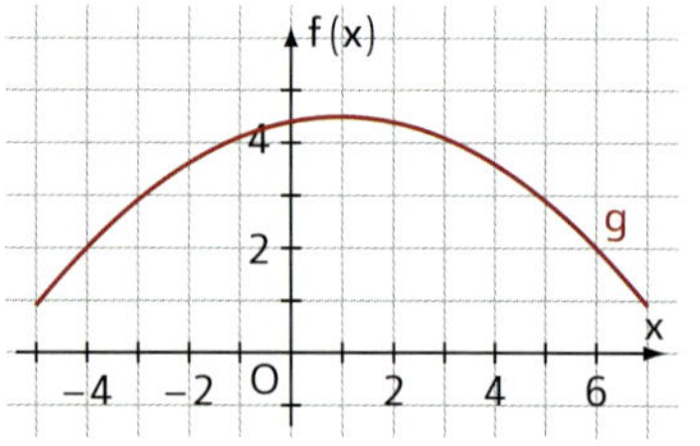

GK **280** Gegeben ist die Funktion $f(x) = x^2$. Kreuze die zutreffenden Aussagen an.
f(x) hat ...

- ☐ ein Minimum
- ☐ ein Maximum
- ☐ einen Tiefpunkt
- ☐ einen Hochpunkt
- ☐ an der Stelle $x = 0$
- ☐ an der Stelle $y = 0$
- ☐ an der Stelle $x = 1$
- ☐ im Punkt (0|0)

281 Ergänze die Mindmap zum Thema Funktionen (Aufgabe 223) mit den neuen Begriffen.

Technologie-Tipp: Nullstellen, Hochpunkt und Tiefpunkt

Aufgaben

GK **282** In welchem Bereich ist die Funktion von Aufgabe 279 steigend, in welchem fallend?

GK **283** Lies näherungsweise ab: Wo ist die Funktion von Aufgabe 277 steigend, wo ist sie fallend?

GK **284** Im Intervall [0; 7] ist der Graph einer Funktion gegeben. Vervollständige die Aussagen zu den Wachstumseigenschaften des Graphen so, dass sie mathematisch korrekt sind.

Die Funktion ___❶___ im Intervall $0 \leq x \leq 1$.
Die Funktion ___❷___ im Intervall $1 \leq x \leq 4$.
Die Funktion ___❸___ im Intervall $4 \leq x \leq 7$.

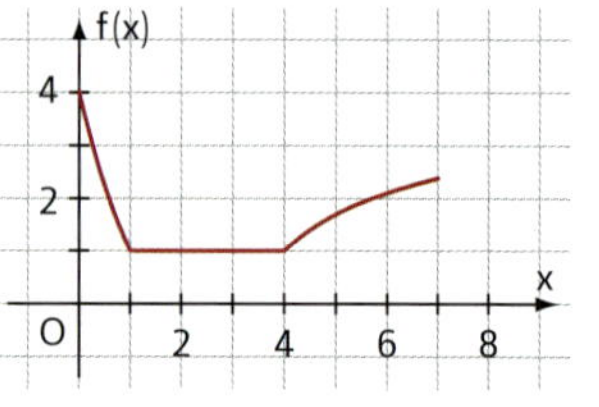

❶		❷		❸	
steigt	☐	steigt	☐	steigt	☐
fällt	☐	fällt	☐	fällt	☐
ist konstant	☐	ist konstant	☐	ist konstant	☐

GK **285** Beschreibe die Wachstumseigenschaften der dargestellten Funktion.

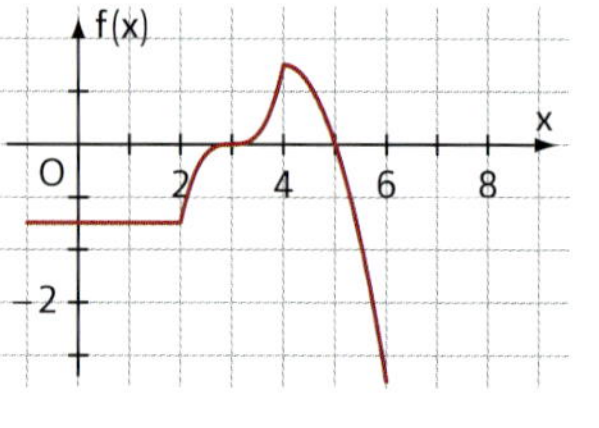

GK **286** Lies Nullstellen, Maximum- und Minimumstellen ab und beschreibe die Wachstumseigenschaften.

a) 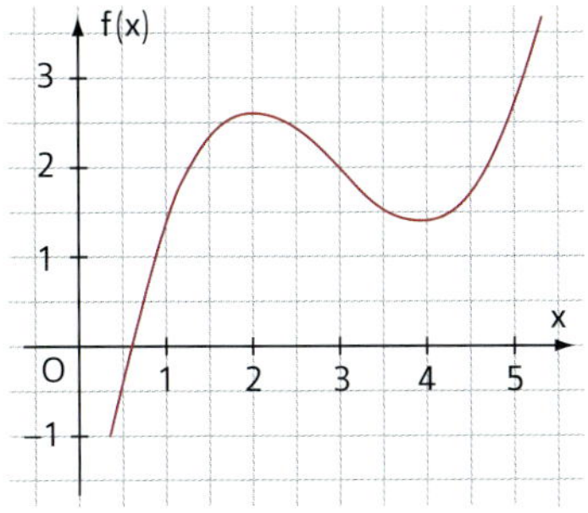

b) 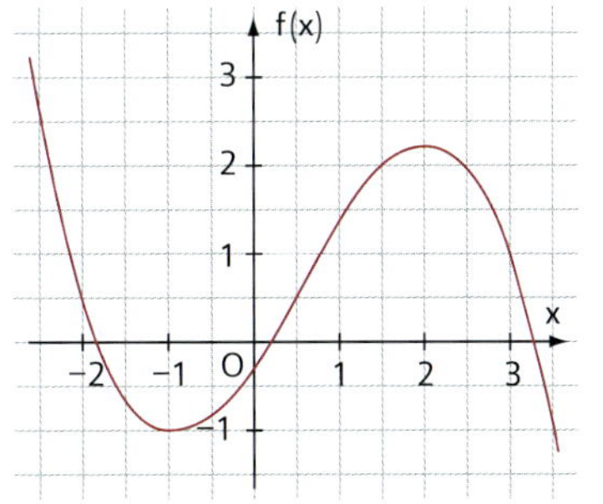

c) 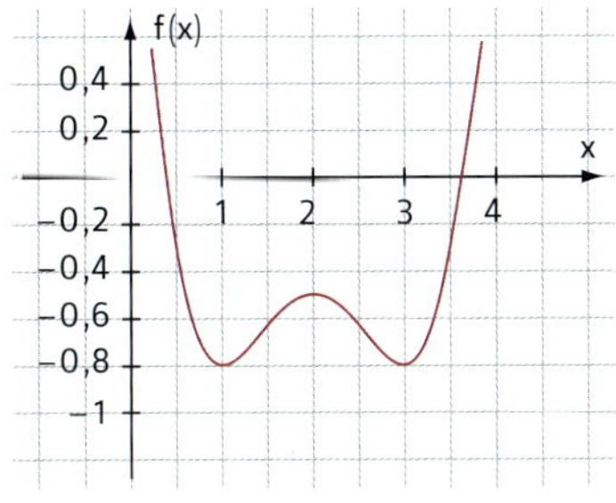

d) 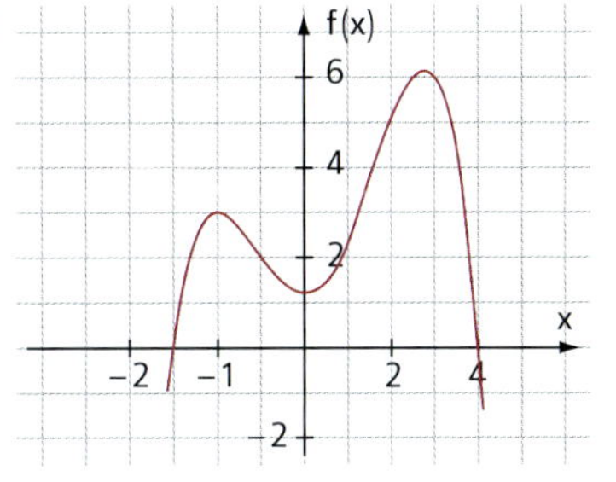

GK **287** Lies näherungsweise die Nullstelle der Funktion von Aufgabe 276 ab. Gib die Koordinaten der Schnittpunkte des Graphen mit den beiden Achsen an.

GK **288** Skizziere im Intervall $[-5; 5]$ den Graphen einer Funktion, die folgende Eigenschaften erfüllt: Nullstellen bei $x = -2$ und $x = 4$, steigend im Intervall $[-5; -1]$, konstant im Intervall $[-1; 3]$ und fallend im Intervall $[3; 5]$.

GK **289** Bestimme die Nullstelle(n) der Funktion (*ohne* ihren Graphen zu zeichnen).
Gib die Koordinaten der Schnittpunkte des Graphen mit den beiden Achsen an.

a) $f(x) = x + 3$ b) $f(x) = 2x - 1$ c) $q(s) = s^2 - 25$
d) $h(r) = r^2 + 1$ e) $f(x) = (x - 2)(x + 3)$ f) $g(u) = 5u(u - 2)$

290 Bestimme mit einem elektronischen Tool deiner Wahl die Nullstellen der Funktion aus ihrem Graphen auf drei Dezimalstellen genau.

a) $f(x) = x^3 + 2x$ b) $f(x) = x^3 - x^2$
c) $f(x) = x^4 + 2x$ d) $f(x) = x^3 - 2x$

291 Bestimme mit einem elektronischen Tool deiner Wahl die Nullstellen der Funktion aus ihrem Graphen auf drei Dezimalstellen genau. In welchen Fällen erhältst du dadurch einen Hinweis auf den *exakten* Wert einer Nullstelle (Probe durch Einsetzen!), in welchen Fällen klappt das Verfahren nur näherungsweise?

a) $f(x) = x^3 - 2x + 1$ b) $f(x) = x^2 - 3x + 2$
c) $f(x) = x^5 + x^4 + x^3 + x^2 + x$ d) $f(x) = x^5 + x^4 + x^3 + x^2 + x + 1$

GK **292** Besitzen die gegebenen Funktionen f und g die gleichen Nullstellen? Wenn das nicht der Fall ist, gib ein Beispiel für eine Stelle an, die für eine Funktion eine Nullstelle, für die andere Funktion keine Nullstelle ist.

a) $f(x) = x$ und $g(x) = 2x$
b) $f(x) = x + 2$ und $g(x) = 2x - 4$
c) $f(x) = x - 4$ und $g(x) = 2x - 8$
d) $f(x) = x^2 - 4$ und $g(x) = -2x^2 + 8$

293 Ermittle mit einem elektronischen Tool deiner Wahl die Hoch- und Tiefpunkte.

a) $f(x) = \frac{x^3}{3} - \frac{3x^2}{2} + 2x$
b) $f(x) = 2x^3 + 3x^2 - 12x$
c) $f(x) = (x^2 - 1)^2$
d) $f(x) = 1 - (x^2 - 4)^2$

GK **294**
a) Eine Funktion hat genau einen Hochpunkt $H(2|3)$. Sie steigt für alle $x \leq 2$. Außerdem geht sie durch den Punkt $P(-1|-1)$. Skizziere einen möglichen Funktionsgraphen. Begründe, warum die Funktion im Bereich $-1 < x < 2$ eine Nullstelle haben muss.
b) Eine Funktion hat einen Tiefpunkt $T(-2|1)$ und genau eine Nullstelle bei $x = 4$. Zwischen $x = -2$ und $x = 4$ hat die Funktion einen Verlauf ohne Unterbrechung. Skizziere einen möglichen Funktionsgraphen. Begründe, warum im Bereich $-2 < x < 4$ eine Maximumstelle auftreten muss.

Typ-2-Aufgaben

295 Ein Radfahrer fährt über eine Geländekuppe. In Abb. 1 ist die Höhe h in Abhängigkeit von der horizontalen Entfernung e, in Abb. 2 die Geschwindigkeit v in Abhängigkeit von der Zeit t dargestellt.

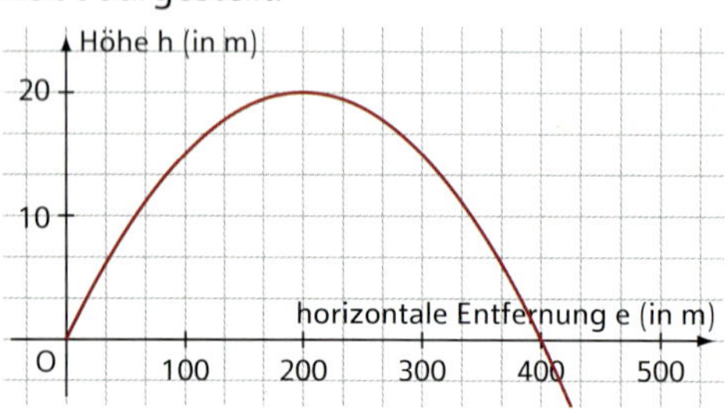

Abb. 1

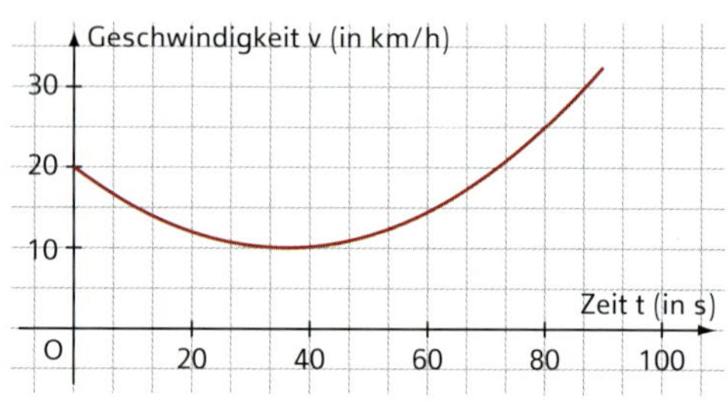

Abb. 2

a) Gib die Nullstellen der Funktion h(e) an und erläutere ihre Bedeutung im vorliegenden Zusammenhang. Gib in formaler Schreibweise an, welche Bedingung für die Nullstellen von h(e) gilt.
b) Gib die Extremstellen der beiden Funktionen an.
Beschreibe ihre Bedeutung für die Fahrt des Radfahrers.
c) Entnimm den Abbildungen, zu welchem Zeitpunkt der Radfahrer vermutlich die maximale Höhe erreicht. Welche Geschwindigkeit hat er dann etwa? Warum nimmt die Geschwindigkeit anfangs ab?

5 Präzisierung des Funktionsbegriffs

Die bisher entwickelte anschauliche Idee einer Funktion (oder Abhängigkeit) wird in diesem Abschnitt durch präzise mathematische Formulierungen und Definitionen ergänzt.
Wichtige neue Begriffe sind: Definitionsmenge, Zielmenge, Zuordnungsvorschrift.

Du erwirbst folgende Grundkompetenz:
GK Für gegebene Zusammenhänge entscheiden, ob man sie als Funktionen betrachten kann (FA-R 1.1)

Neues Wissen

296 Kannst du für die Funktion f mit $f(x) = \frac{1}{x}$ den Funktionswert f(0) berechnen? Begründe.

Für die Funktion f mit $f(x) = \frac{1}{x}$ gibt es an der Stelle $x = 0$ keinen Funktionswert. Um mathematisch genau zu sein, müssen die zulässigen Werte des Arguments definiert werden.
Meistens beschreiben Funktionen Abhängigkeiten zwischen Zahlen, sie können aber auch Abhängigkeiten zwischen anderen Objekten angeben. So könnte die Variable b für ein österreichisches Bundesland stehen und h(b) dessen Hauptstadt bezeichnen.

▷ Zur **Definition einer Funktion** legt man fest:
- Eine Menge D, aus der die Werte der unabhängigen Variablen genommen werden (die **Definitionsmenge**),
- eine Menge B, in der alle Funktionswerte liegen (die **Zielmenge**),
- eine **Zuordnungsvorschrift**, die jedem Element der Definitionsmenge D in eindeutiger Weise ein Element der Zielmenge B zuordnet.
- Schreibweise: $f\colon D \to B;\ x \mapsto f(x)$

Als Zuordnungsvorschrift sind beispielsweise verbale Beschreibung, Term, Tabelle oder auch eine grafische Darstellung geeignet.

297 Gib für die Funktion f mit $f(x) = \frac{1}{x}$ die größtmögliche Definitionsmenge und eine passende Zielmenge an.

Zuordnungsvorschriften werden mit einem Namen, beispielsweise f, versehen.
Die **Zuordnungsvorschrift** f gibt an, wie für jedes $x \in D$ der zugehörige Funktionswert $f(x) \in B$ festgelegt ist. Bei termdefinierten Funktionen wird der betreffende Term angegeben.
Das Symbol $\mapsto$ gibt an, welchem Element der Zielmenge B ein Element $x \in D$ zugeordnet wird.

Kurzschreibweise	Sprechweise:
$f\colon D \to B$	f ist eine Funktion von D nach B.
$f\colon f(x) = x^2$	f ist eine Funktion mit f von x gleich x^2.
$f\colon x \mapsto x^2$	Funktion f: x wird zugeordnet x^2.

298 Drücke in Worten aus.
a) $f\colon \mathbb{N} \to \mathbb{R};\ x \mapsto 3x^2$
b) $f\colon \mathbb{Q} \setminus \{0\} \to \mathbb{R};\ x \mapsto \frac{4}{x} + 2$

299 Ordne jedem Satz die entsprechende Kurzschreibweise zu.

Die Funktion f von $\mathbb{R}$ nach $\mathbb{R}$ bildet jedes Element x auf $3x + 1$ ab.	
f ist eine Funktion, die jeder Zahl ihre Quadratzahl zuordnet und natürliche Zahlen auf natürliche Zahlen abbildet.	

A	$f: \mathbb{N} \to \mathbb{N};\ x \mapsto x^2$
B	$f: \mathbb{N} \to \mathbb{N};\ x \mapsto 3x + 1$
C	$f: \mathbb{R} \to \mathbb{R};\ x \mapsto 3x + 1$
D	$f: \mathbb{R} \to \mathbb{R};\ x \mapsto x^2$

300 Schreibe in Kurzschreibweise.

a) f ist eine Funktion von $\mathbb{Z} \setminus \{3\}$ nach $\mathbb{R}$. x wird abgebildet auf $\frac{3}{x-3}$.

b) f ist eine Funktion von $\mathbb{R}$ nach $\mathbb{R}$. Das Argument wird quadriert und um 2 vermehrt.

Definition: Reelle Funktion

Eine Funktion heißt **reelle Funktion**, wenn ihre Definitionsmenge eine Teilmenge von $\mathbb{R}$ ist und wenn sie reelle Zahlen als Funktionswerte besitzt. Die Zielmenge ist die Menge $\mathbb{R}$.

Bei der Wahl der Definitionsmenge ist zu beachten:

- Aus dem Zusammenhang der Anwendung ergibt sich eine eingeschränkte Definitionsmenge.
- Für manche Terme müssen bestimmte reelle Werte ausgeschlossen werden.

Beispiele:

- Für die Abhängigkeit des Flächeninhalts eines Quadrats von der Seitenlänge, $F(a) = a^2$, sind nur positive Werte (eventuell der Wert Null) sinnvoll. Man wählt $F: \mathbb{R}^+ \to \mathbb{R}$ oder $F: \mathbb{R}_0^+ \to \mathbb{R}$
- Der Term $\frac{1}{x}$ ist für $x = 0$ nicht definiert. Um eine Funktion $f(x) = \frac{1}{x}$ zu definieren, darf die Zahl 0 nicht in der Definitionsmenge enthalten sein. Möglich ist $f: \mathbb{R}^* \to \mathbb{R}$.

301 Die Deutschlehrerin lädt einen Schauspieler für einen Workshop in deine Klasse ein. Das Honorar beträgt €900. Die Kosten werden auf die anwesenden Schülerinnen und Schüler aufgeteilt. Wähle eine geeignete Definitionsmenge und begründe deine Wahl.

302 Gib die maximale Definitionsmenge für die Funktion an.

a) $f(x) = \frac{1}{x} - 3$

b) $f(x) = \frac{1}{x-2}$

Mithilfe der Begriffe *Definitionsmenge*, *Zielmenge* und *Zuordnungsvorschrift* kann der Begriff *Funktionsgraph* definiert werden.

Definition

Der **Graph** einer Funktion $f: D \to B$ ist die Menge $\{(x, f(x)) \mid x \in D\}$,
d.h. die Menge aller Zahlenpaare $(x, f(x))$, für die x ein Element der Definitionsmenge ist.

Nach dieser Definition ist der Graph einer reellen Funktion eine Menge von Zahlenpaaren. Wird jedes dieser Zahlenpaare als Punkt in der Zeichenebene aufgefasst, erweist sich der Graph als eine Teilmenge der Zeichenebene. Allerdings ist nicht jede Punktmenge der Graph einer Funktion.

Beispiel:
Betrachte die Kurve in der Abbildung. An der Stelle x ist die Zuordnung nicht eindeutig. Daher liegt kein Graph einer Funktion vor.

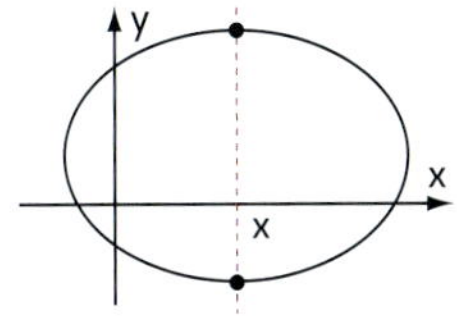

GK **303** Kreuze jene Graphen an, die eine reelle Funktion $f\colon x \mapsto f(x)$ darstellen. Begründe.

☐ (1)
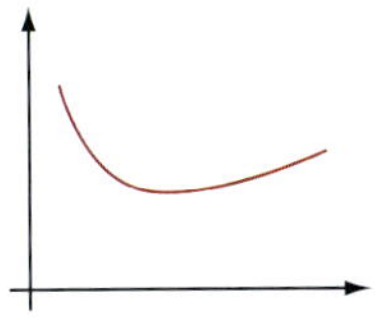
☐ (2)
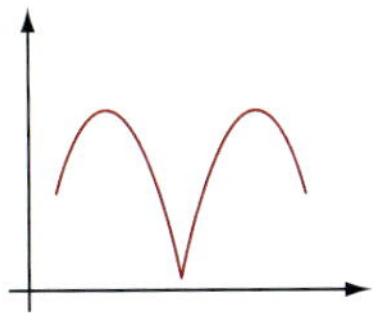
☐ (3)
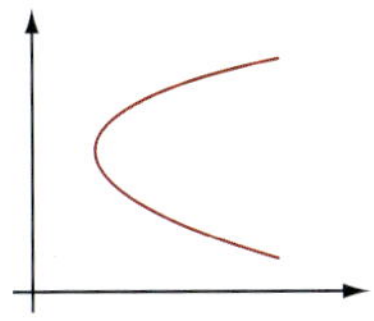
☐ (4)
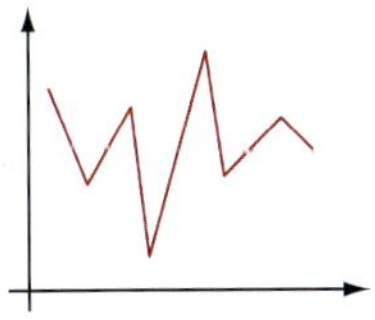
☐ (5)
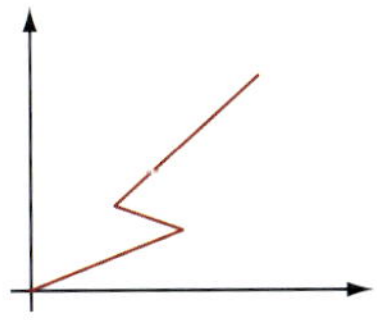
☐ (6)
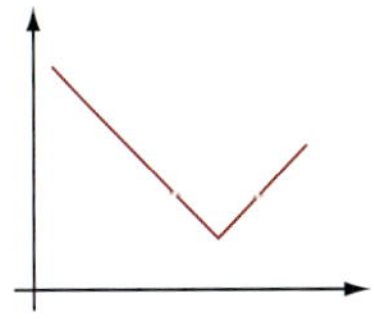

304 Ergänze die Mindmap zum Thema *Funktionen* mit den neuen Begriffen und Schreibweisen.

305 a) Ist $x = -3$ eine Nullstelle der Funktion $f\colon [0; 1] \to \mathbb{R}$ mit $f(x) = (x+3)^2$?
b) Die Funktion $f\colon \mathbb{R} \to \mathbb{R}$ ist durch $f(x) = (x+3)^2$ definiert. Ist $x = -3$ eine Nullstelle von f?

Aufgaben

306 Ordne jeder Funktion eine sinnvolle Definitionsmenge zu.

$f\colon x \mapsto 3x^2$	
$f\colon x \mapsto \frac{4}{x} + 2$	
$f(x) = \frac{1}{x-1}$	
$f(x) = \frac{1}{x^2-25}$	
$f(r) = \frac{1}{(r+2)(r-3)}$	
$p(s) = \frac{s}{s^2+1}$	

A	$D = \mathbb{R} \setminus \{0\}$
B	$D = \mathbb{R} \setminus \{-1\}$
C	$D = \mathbb{R} \setminus \{-2; 3\}$
D	$D = \mathbb{R} \setminus \{5; -5\}$
E	$D = \mathbb{R} \setminus \{5\}$
F	$D = \mathbb{R}$
G	$D = \mathbb{R} \setminus \{-1; 1\}$
H	$D = \mathbb{R} \setminus \{1\}$

307 Gib die größtmögliche Definitionsmenge und eine passende Zielmenge an.
a) $f(x) = \frac{x}{3} + 1$
b) $f(x) = 2x^2 - 1$
c) $f(x) = -x$
d) $f(x) = \frac{1}{x+2}$
e) $f(x) = \sqrt{x}$
f) $f(x) = 3x^3 - 2x^2$

308 Gib die Zuordnungsvorschrift der Funktion an.
a) Das Argument wird verdoppelt.
b) Das Argument wird halbiert.
c) Zum Argument wird 7 addiert.
d) Das Argument wird quadriert.

309 Gib genaue und vollständige Funktionsdefinitionen für die Zuordnung an.
a) Funktion f: Jeder reellen Zahl wird ihr Quadrat zugeordnet.
b) Funktion g: Jeder nicht-negativen reellen Zahl wird ihre Quadratwurzel zugeordnet.

310 Gib genaue und vollständige Funktionsdefinitionen für die Zuordnung an.
a) Jeder reellen Zahl x, deren Kehrwert existiert, wird das Quadrat des Kehrwerts zugeordnet.
b) Zu jedem Element der Menge $\{-2, -1, 0, 1, 2\}$ wird sein Quadrat addiert.

311 Gib sinnvolle Definitionsmengen an.
a) Volumen eines Würfels in Abhängigkeit von der Kantenlänge.
b) Flächeninhalt des Kreises in Abhängigkeit vom Radius.
c) Inhalt der Restfläche, die übrig bleibt, wenn aus einem Quadrat der Seitenlänge 1 ein Kreis vom Radius r herausgeschnitten wird.
d) Inhalt der Restfläche, die übrig bleibt, wenn aus einem Quadrat der Seitenlänge a ein Kreis vom Radius 1 herausgeschnitten wird.

GK 312 Kreuze jene Graphen an, die eine reelle Funktion $f: x \mapsto f(x)$ darstellen. Begründe.

☐ (1)
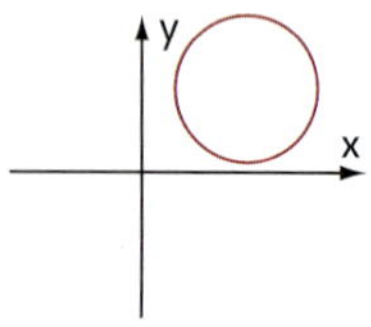

☐ (2)
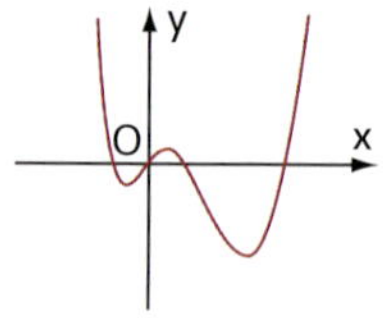

☐ (3)
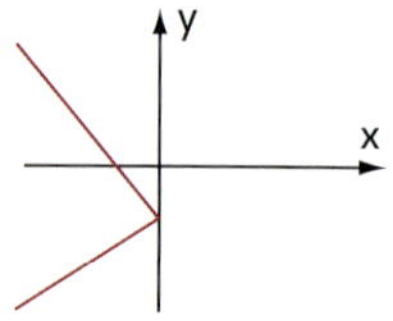

☐ (4)
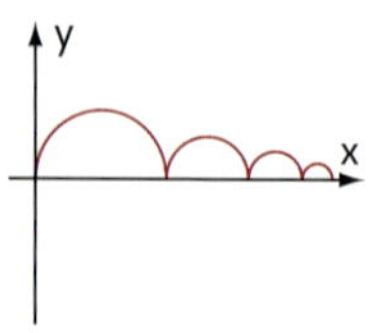

☐ (5)
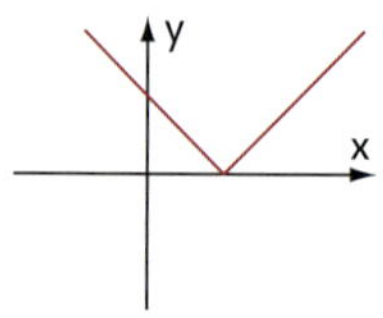

☐ (6)
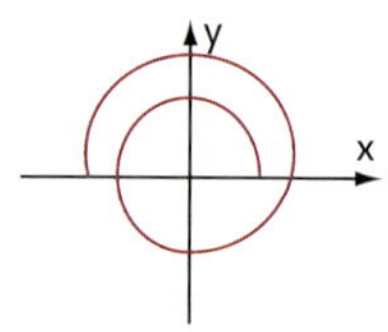

313 Die Funktion $f: \mathbb{R} \setminus \{5\} \to \mathbb{R}$ ist durch $f(x) = \frac{x}{x-5}$ definiert.
(1) Ist $x = 0$ eine Nullstelle von f? (2) Ist $x = 5$ eine Nullstelle von f?

314 Die Funktion $g: \mathbb{R}^+ \to \mathbb{R}$ mit $x \mapsto x^2 - 25$ ist gegeben. Ist x_0 eine Nullstelle von g?
☐ $x_0 = 0$ ☐ $x_0 = 5$ ☐ $x_0 = 25$ ☐ $x_0 = -5$

315 Gegeben ist eine Funktion $f: \mathbb{R} \to \mathbb{R}$. x_0 ist eine Nullstelle von f.
Kreuze jene beiden Aussagen an, die immer wahr sind.
☐ Der Punkt $(x_0|f(x_0))$ des Graphen liegt auf der x-Achse.
☐ Der Punkt $(x_0|f(x_0))$ des Graphen liegt auf der y-Achse.
☐ Es gilt: $(x_0|f(x_0)) = (0|f(x_0))$
☐ Es gilt: $(x_0|f(x_0)) = (x_0|0)$
☐ Es gilt: $(x_0|f(x_0)) = (0|0)$

316 Gib sinnvolle, genaue und vollständige Funktionsdefinitionen für die Abhängigkeiten an.

a) $E(m) = m c^2$
Das ist Einsteins berühmte Formel: m ist die Masse eines Körpers (in kg), c ist die Lichtgeschwindigkeit (in m/s) und E ist die Gesamtenergie (in Joule).

b) Länge der Diagonale eines Quadrats, wenn sein Flächeninhalt bekannt ist.

c) Radius eines Kreises, wenn sein Flächeninhalt bekannt ist.

d) Radius einer Kugel, wenn ihr Volumen bekannt ist.

e) Kathetenlänge a eines rechtwinkligen Dreiecks in Abhängigkeit von der Länge der Hypotenuse, wenn die andere Kathetenlänge 2 ist.

317 Der absolute Nullpunkt liegt bei –273,15 Grad Celsius. In der Einheit Kelvin entspricht dies 0 Kelvin. Um eine Temperatur x von Grad Celsius auf Kelvin umzurechnen muss zum Temperaturwert x die Zahl 273,15 addiert werden. Die entsprechende Funktion soll mit T bezeichnet werden.

(1) Gib die Funktion als Term mit geeigneter Definitionsmenge und Zielmenge an.

(2) Erstelle für $T: G \rightarrow \mathbb{R}$ mit $G = \{-200, -150, -100, -50, 0, 50\}$ eine Tabelle für x und T(x). Zeichne dazu den Graphen der Funktion T. Beschreibe den Verlauf des Graphen.

(3) Gib die Menge W der Funktionswerte bezogen auf die Menge G an.

318 Die Schallgeschwindigkeit v_S wird üblicherweise mit $1235\frac{km}{h}$ angegeben, hängt jedoch von der Temperatur ab. Die Formel $v_S = 72{,}2\frac{km}{h} \cdot \sqrt{T + 273{,}15}$ gibt den Zusammenhang zwischen der Schallgeschwindigkeit v_S in $\frac{km}{h}$ und der Temperatur T in Grad Celsius an.

(1) Gib die Funktion v_S als Term mit geeigneter Definitionsmenge und Zielmenge an. Beachte, dass der absolute Nullpunkt bei –273,15 Grad Celsius liegt.

(2) Erstelle für $v_S: G \rightarrow \mathbb{R}$ mit $G = [-250; 50]$ eine Tabelle für T und $v_S(T)$ mit Schrittweite 50.
Zeichne passend zur Tabelle den Graphen der Funktion v_S. Beschreibe den Verlauf des Graphen.

(3) Gib die Menge W aller Funktionswerte bezogen auf die gesamte Menge G an.

(4) Wie groß ist die Schallgeschwindigkeit beim absoluten Nullpunkt? Bei welcher Temperatur beträgt die Schallgeschwindigkeit $1235\frac{km}{h}$?

319 Aus einem quadratischen Stück Papier der Seitenlänge 6 wird von jeder Ecke ein Quadrat der Seitenlänge x herausgeschnitten. Durch Auffalten der vier Seitenteile entsteht eine Schachtel (ohne Deckel).

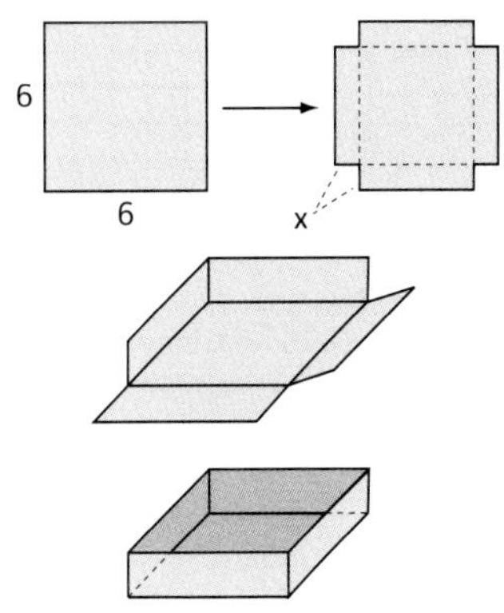

a) Berechnet das Volumen der Schachtel und drückt es als Funktion von x aus.

b) Benutzt eine Methode eurer Wahl (eine Wertetabelle aufstellen, den Graphen händisch zeichnen oder den Graphen plotten), um mit sinnvoller Genauigkeit zu ermitteln, wie x gewählt werden muss, damit das Volumen der Schachtel maximal ist.

6 Lineare Funktionen

6.1 Termdarstellung, Wertetabelle und Graph

In diesem Abschnitt wiederholst und vertiefst du dein Wissen über lineare Funktionen.

Du erwirbst folgende Grundkompetenzen:

- GK Verbal, tabellarisch, grafisch oder durch eine Gleichung (Formel) gegebene lineare Zusammenhänge als lineare Funktionen erkennen bzw. betrachten; zwischen diesen Darstellungsformen wechseln (FA-R 2.1)
- GK Aus Tabellen, Graphen und Gleichungen linearer Funktionen Werte(paare) sowie die Parameter k und d ermitteln und im Kontext deuten (FA-R 2.2)
- GK Die Angemessenheit einer Beschreibung mittels linearer Funktion bewerten (FA-R 2.5)

Neues Wissen

Du weißt bereits, dass Funktionen Abhängigkeiten beschreiben. Diese Abhängigkeiten können mittels einer Formel bzw. eines Terms, eines Graphen oder einer Tabelle dargestellt werden. Lineare Funktionen haben sehr einfache Termdarstellungen, Graphen und Tabellen.

▷ *Beispiele:*

Im Schwimmbecken eines Bades befinden sich $400\,m^3$ Wasser. Für das weitere Füllen des Beckens wird eine Wasserpumpe in Betrieb genommen, die stündlich $36\,m^3$ Wasser liefert.

a) Die nebenstehende Tabelle gibt das Wasservolumen V des Schwimmbeckens in Abhängigkeit von der Zeit t an. Ergänze zwei weitere Zeilen und deute die Tabelleneinträge im Kontext.

t (in h)	V (in m^3)
0	400
1	436
2	472
3	508

(+ 1 ↓ bei t; + 36 ↓ bei V)

b) Die Formel $V = 36 \cdot t + 400$ gibt ebenfalls das Wasservolumen des Schwimmbeckens in Abhängigkeit von der Zeit t an und kann als Funktion $V(t) = 36 \cdot t + 400$ betrachtet werden. Berechne $V(1{,}5)$ und $V(15)$ und deute die Ergebnisse im Kontext.

c) Der nebenstehende Graph stellt auch das Wasservolumen V des Schwimmbeckens in Abhängigkeit von der Zeit t dar. Zeichne die Punkte $(t_1 | V(t_1))$ und $(t_2 | V(t_2))$ für $t_1 = 7$ und $t_2 = 8$ ein und gib an, was die beiden Punkte beschreiben.

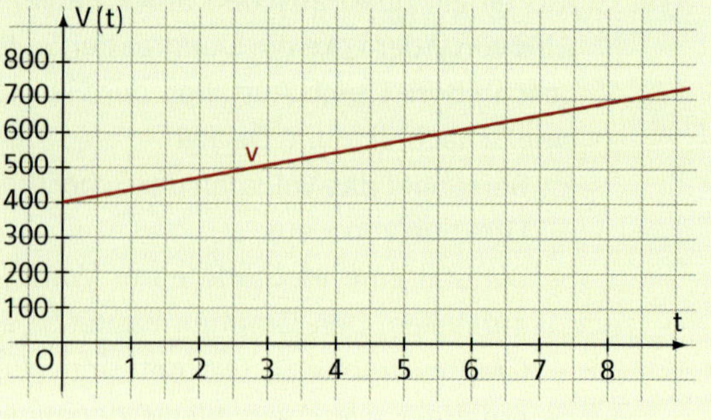

Lösung:

a)

t (in h)	V (in m^3)
...	...
3	508
4	544
5	580

Die Tabelle zeigt, dass die Wassermenge V eines Schwimmbeckens pro Stunde um 36 m^3 zunimmt.

b) $V(1{,}5) = 36 \cdot 1{,}5 + 400 = 454$
Nach 1,5 Stunden sind 454 m^3 Wasser im Schwimmbecken.
$V(15) = 36 \cdot 15 + 400 = 940$
Nach 15 Stunden sind 940 m^3 Wasser im Schwimmbecken.

c) Die Punkte (7|652) und (8|688) beschreiben die Wassermenge V zum Zeitpunkt $t_1 = 7$ und $t_2 = 8$.
Nach 7 Stunden sind 652 m^3, nach 8 Stunden sind 688 m^3 Wasser im Schwimmbecken.
Der Graph zeigt ausgehend von den vorhandenen 400 m^3 Wasser die gleichmäßige Zunahme der Wassermenge im Schwimmbecken.

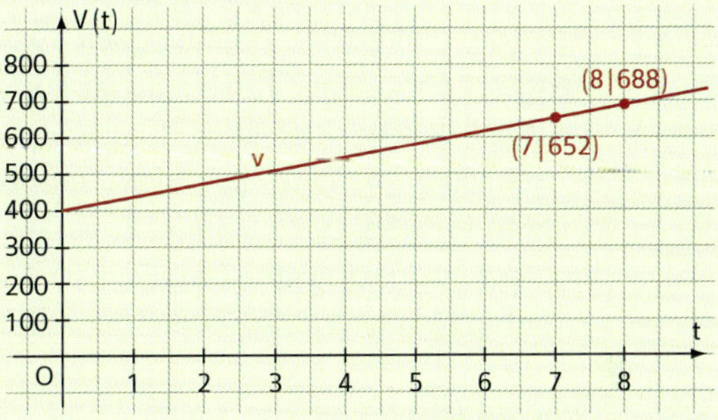

Im obigen Beispiel liegt eine Funktion besonderer Art vor.

▷ An der **Stelle t = 0** hat die Funktion V den **Funktionswert V(0) = 400**, dieser Wert entspricht dem Wasservolumen im Schwimmbecken beim Start des Auffüllens.

Bei der **Erhöhung des Arguments um eine Einheit** verändert sich der Funktionswert um einen bestimmten **Wert k**. In diesem Fall ist **k = 36**, also jene Wassermenge in m^3, die pro Stunde ins Schwimmbecken fließt.

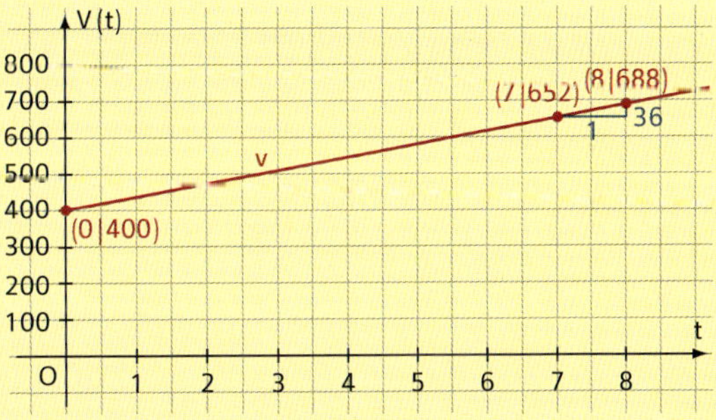

Jede weitere Erhöhung des Arguments um eine Einheit verändert den Funktionswert um denselben Wert k.

Für den hier vorliegenden Kontext gilt:
$V(1) = 400 + 36 = V(0) + k$
$V(2) = 436 + 36 = V(1) + k = V(0) + k + k = V(0) + 2 \cdot k$
$V(3) = 472 + 36 = V(2) + k = V(0) + 2 \cdot k + k = V(0) + 3 \cdot k$

Allgemein gilt: $V(t) = V(0) + t \cdot k$

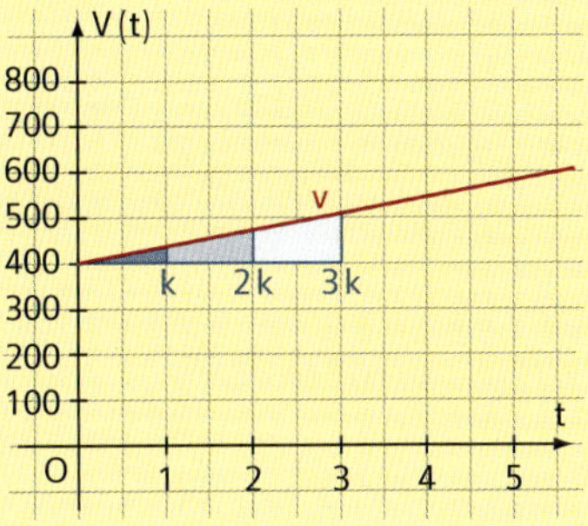

Derartige Funktionen f können auch mit $\mathbf{f(x) = k \cdot x + d}$ angeschrieben werden, wobei $\mathbf{f(0) = d}$ ist und $k > 0$, $k = 0$ oder auch $k < 0$ sein kann. Die Graphen dieser Funktionen sind Geraden.

▷ **Definition**
Eine Funktion f mit dem Funktionsterm $\mathbf{f(x) = k \cdot x + d}$ heißt **lineare Funktion** ($k, d \in \mathbb{R}$). Als Definitionsmenge einer linearen Funktion wird meist $\mathbb{R}$ gewählt.
Die Gleichung $f(x) = k \cdot x + d$ wird **Funktionsgleichung** oder kurz **Gleichung der linearen Funktion f** genannt und kann, wenn $f(x) = y$ gesetzt wird, in der Form $y = k \cdot x + d$ angeschrieben werden.

GK **320** Stelle die funktionale Abhängigkeit zwischen der Zeit und der Download- bzw. Uploadmenge in Form einer Tabelle, einer Formel, einer Funktionsgleichung und eines Graphen dar. Nach welcher Zeit ist der Ladevorgang beendet?

a) Sebastian möchte aus dem Internet eine Datei mit einer Größe von 10 Mbyte (= 81 920 kBit) downloaden. Er hat eine gleichbleibende Downloadrate von 1024 kBit/s.
b) Clemens möchte eine Datei mit 10 MByte (= 81 920 kBit) auf seine Homepage uploaden. Er hat eine gleichbleibende Uploadrate von 800 kBit/s.

GK **321** Überlegt und begründet, ob die vorliegende Zuordnung linear ist. Falls eine lineare Funktion vorliegt, gebt die Funktionsgleichung an und zeichnet den Graphen der Funktion.

a)

x	−2	−1	0	1	2
f(x)	7	5	3	1	−1

b)

x	−1	0	1	2	3
y	−7	−2	3	8	13

c) Ein zylinderförmiger Behälter hat die Höhe $h = 7{,}5\,\text{dm}$. Der leere Behälter wird gleichmäßig mit Flüssigkeit gefüllt. Pro Minute steigt die Höhe der Flüssigkeit um 0,8 dm.
d) Ein Behälter hat die Form eines Zylinders mit der Höhe $h = 10{,}3\,\text{dm}$. Der Behälter ist bis zur Höhe von 0,7 dm mit Flüssigkeit voll und soll gleichmäßig angefüllt werden. Pro Minute steigt die Höhe der Flüssigkeit um 0,9 dm.

GK **322** Lies aus den Funktionsgleichungen der Funktion f den Wert für k und $f(0) = d$ ab. Zeige für die gegebene lineare Funktion f, dass jede Erhöhung des Arguments um eine Einheit den Funktionswert um den Wert k verändert.

a) $f(x) = 30x + 7$ b) $f(x) = -120x + 350$ c) $f(x) = -\frac{1}{2}x + 2$ d) $f(x) = 3x - 10$

Aufgrund der bisherigen Beispiele kann vermutet werden, dass die Graphen linearer Funktionen immer Geraden sind.

▷ **Satz**
Der Graph einer linearen Funktion f mit $f(x) = k \cdot x + d$ ist stets eine Gerade.

Beweis:
1. Fall: $k = 0$, $d = 0$
Wenn k und d gleich 0 sind, sind alle Funktionswerte gleich 0 und der Graph der linearen Funktion f mit $f(x) = kx + d$ ist identisch mit der ersten Achse.

2. Fall: $k \neq 0, d = 0$

Wenn k ungleich 0 ist, kann k größer oder kleiner 0 sein. Die folgenden Überlegungen beruhen auf der Entscheidung **$k > 0$**. Für $k < 0$ können analoge Überlegungen durchgeführt werden. Die nebenstehende Abbildung zeigt den typischen Verlauf einer linearen Funktion f mit $f(x) = k \cdot x$ im 1. Quadranten. Die Punkte $P(1|k)$ und $R(x|y)$ liegen auf dem Graphen der linearen Funktion f. Aufgrund des Strahlensatzes gilt für die Punkte P und R:
$1 : k = x : y \Rightarrow y = k \cdot x$

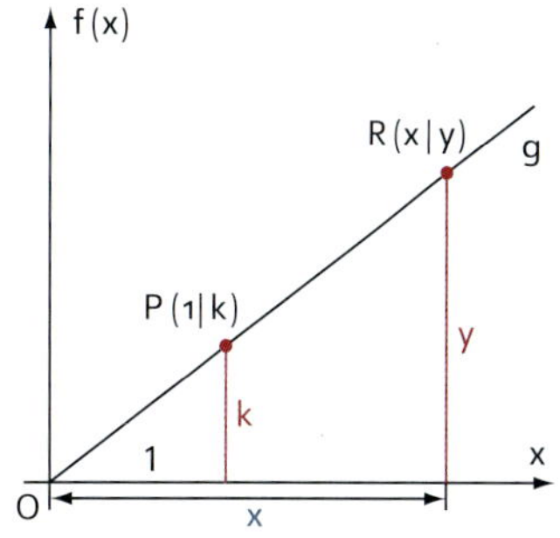

Somit beschreibt der Graph einer linearen Funktion f mit $f(x) = k \cdot x$ eine Gerade $y = k \cdot x$, die durch den Ursprung geht.

3. Fall: $k \neq 0,\ d \neq 0$

Wenn k und d ungleich 0 sind, ist die Funktionsgleichung der linearen Funktion f von der Form $f(x) = k \cdot x + d$.

Die Punkte des Graphen der Funktion f mit $f(x) = k \cdot x + d$ erhält man durch Parallelverschiebung der Geraden g um d in Richtung der zweiten Achse. Somit ist auch der Graph von $f(x) = k \cdot x + d$ eine Gerade.

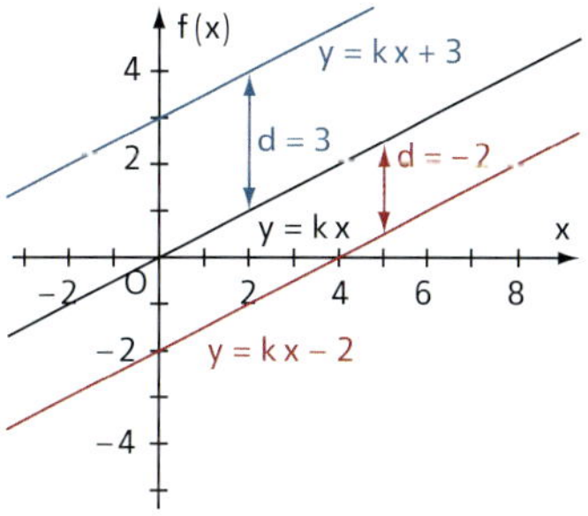

▷ Aufgrund dieses Satzes kann der Graph linearer Funktionen einfach und rasch gezeichnet werden:
- Lineare Funktionen f mit $f(x) = k \cdot x$ gehen immer durch den Ursprung des Koordinatensystems. Es genügt also, einen einzigen weiteren Punkt P des Graphen zu ermitteln. Dann können P und der Ursprung durch eine Gerade verbunden werden.
- Für lineare Funktionen der Form $f(x) = k \cdot x + d$ genügt es, zwei Punkte des Graphen zu ermitteln und diese durch eine Gerade zu verbinden.

Technologie-Tipp: Graphen linearer Funktionen zeichnen

323 Ergänze in der Mindmap *Funktionen* zu den *Linearen Funktionen* die neuen Begriffe.

Aufgaben

GK 324 Zeichne den Graphen der linearen Funktion f, indem du nur einen Punkt berechnest.

a) $f(x) = -37x$ b) $f(x) = 13x$ c) f: $y = x$
d) $f(x) = -x$ e) f: $y = -\frac{1}{3}x$ f) f: $y = 0{,}2x$

GK 325 Berechne f(0) und einen weiteren Funktionswert. Zeichne den Graphen der Funktion f anhand der zuvor ermittelten Werte.

a) $f(x) = -3x + 2$ b) $f(x) = 3x - 7$ c) $y = \frac{1}{2}x + 4$
d) $f(x) = -x - 5$ e) $y = -0{,}5x + 1$ f) $y = 0{,}2x - 3$

GK **326** Ordne den vier linearen Funktion f ohne zu rechnen jenen Wert zu, um den f(x) zunimmt bzw. abnimmt, wenn das Argument um 1 erhöht wird.

$f(x) = 1{,}5x + 3$	
$f(x) = \frac{2}{3}x - 2$	
$f(x) = -2x + 5$	
$f(x) = 17x + 100$	

A	−2
B	1,5
C	5
D	$\frac{2}{3}$
E	17
F	3

GK **327** Zeichne die Graphen der linearen Funktionen mit einem elektronischen Tool deiner Wahl und vergleiche sie. Was fällt dir auf? Kannst du deine Beobachtung auf die Funktionsgleichungen zurückführen?

a) $f_1(x) = 3x - 1$ $f_2(x) = \frac{2}{3}x - 1$ $f_3(x) = 5x - 1$ $f_4(x) = -x - 1$
$f_5(x) = -2x - 1$ $f_6(x) = -\frac{2}{3}x - 1$ $f_7(x) = 0 \cdot x - 1$ $f_8(x) = -0{,}75x - 1$

b) $f_1(x) = \frac{2}{3}x - 1$ $f_2(x) = \frac{2}{3}x - 4$ $f_3(x) = \frac{2}{3}x + 8$ $f_4(x) = \frac{2}{3}x - 9$
$f_5(x) = \frac{2}{3}x + 3$ $f_6(x) = \frac{2}{3}x - 2{,}5$ $f_7(x) = \frac{2}{3}x + \frac{1}{3}$ $f_8(x) = \frac{2}{3}x - \frac{4}{5}$

GK **328** Welcher der vorliegenden Sachverhalte kann mit einer linearen Funktion beschrieben werden? Kreuze an.

- ☐ Ein kleines Unternehmen bezahlt monatlich 1200€ Miete. Pro Mitarbeiter/in fallen weitere Kosten von 870€ an.
- ☐ Ein PKW wird mit Super-Benzin betankt. Der Preis für das Super-Benzin beträgt 1,5€ je getanktem Liter.
- ☐ Eine Kerze mit einer Höhe von 12cm verringert sich beim Abbrennen um 25% pro Stunde.
- ☐ Eine Kerze mit einer Höhe von 23cm verringert sich beim Abbrennen um 0,8cm pro Stunde.

Falls eine lineare Funktion vorliegt, gib die Funktionsgleichung an und zeichne den Graphen der Funktion.

GK **329** Welche der folgenden Wertetabellen beschreibt eine lineare Funktion? Falls eine lineare Funktion vorliegt, gib k und d an.

a)

x	−1	0	1
f(x)	4	7	10

b)

x	−2	−1	0	3
f(x)	−6	−4	−2	4

c)

x	1	0	2	4
f(x)	−7	−3	6	13

d)

x	0	50	100	150
f(x)	−10	−40	−70	−100

GK **330** Wegen eines Räumungsverkaufs werden alle Preise um 23% reduziert.

a) Stelle die funktionale Abhängigkeit zwischen dem ursprünglichen und dem reduzierten Preis mit einer Funktionsgleichung dar und zeichne den Graphen der Funktion.
b) Lies aus dem Graphen ab, wie viel eine Ware, die ursprünglich €55 gekostet hat, im Räumungsverkauf kostet.
c) Wie viel hat eine Ware vor dem Räumungsverkauf gekostet, wenn jetzt €23 zu zahlen sind?

GK **331** Ein Bus fährt auf der Autobahn mit einer gleichbleibenden Geschwindigkeit von 100 km/h. Ein Auto startet 15 Minuten später und fährt dieselbe Strecke mit einer gleichbleibenden Geschwindigkeit von 120 km/h.

a) Stelle die funktionalen Abhängigkeiten zwischen Zeit und zurückgelegtem Weg in Form von Funktionsgleichungen und Graphen dar.
b) Lies aus den Graphen ab, nach welcher Zeit der PKW-Fahrer den Bus-Fahrer eingeholt hat.
c) Lege eine Tabelle für Zeitschritte von 10 Minuten an, in der du den zurückgelegten Weg für den Bus und für das Auto einträgst. Lies aus der Tabelle ab, wann das Auto den Bus überholt. Wenn notwendig, ergänze den entsprechenden Zeitpunkt.

Anmerkung: Für Busse gilt auf Österreichs Autobahnen eine Höchstgeschwindigkeit von 100 km/h, für LKW 80 km/h.

Typ-2-Aufgaben

GK **332** Fallschirmspringer öffnen in der Regel ihren Fallschirm in einer Höhe von 1200 m bis 700 m über dem Erdboden. Sobald der Fallschirm ganz geöffnet ist, beträgt die Sinkgeschwindigkeit 5 m/s.
Der Fallschirm einer Fallschirmspringerin ist 1150 m über dem Erdboden ganz geöffnet.

a) Stelle die funktionale Abhängigkeit zwischen der Zeit t und der Höhe h(t), in der sich die Fallschirmspringerin befindet, in Form einer Tabelle, einer Formel und eines Graphen dar.
b) Ermittle rechnerisch und grafisch: Nach welcher Zeit hat die Fallschirmspringerin den Erdboden erreicht?

GK **333** Der französische Hochgeschwindigkeitszug TGV *(train à grande vitesse)* erreicht eine Höchstgeschwindigkeit von 300 km/h.
Auf einem Großteil der Strecke von Bordeaux nach Paris (≈ 500 km) kann der TGV mit gleichbleibender Höchstgeschwindigkeit fahren.

a) Stelle die funktionale Abhängigkeit zwischen der Zeit und dem zurückgelegten Weg in Form einer Funktionsgleichung und mit einem Graphen dar.

b) Aufgrund von Bauarbeiten auf der Strecke zwischen Bordeaux und Paris kann der TGV nur mit einer durchschnittlichen Geschwindigkeit von 230 km/h fahren. Mit welcher der folgenden Gleichungen kann berechnet werden, wann der TGV unter diesen Voraussetzungen Paris erreicht? Kreuze die zutreffende Gleichung an und berechne die vom TGV auf dieser Strecke benötigte Zeit.

☐ $500 = 300 \cdot t$	☐ $s(t) = 300 \cdot t$	☐ $\frac{500}{230} = t$
☐ $s(t) = 230 \cdot t$	☐ $500 - 230 = t$	☐ $230 = 300 \cdot t$

GK **334** Drei Fallschirmspringer öffnen ihre Fallschirme gleichzeitig auf unterschiedlicher Höhe. Der erste Fallschirm ist bei 1,2 km vollständig geöffnet, der zweite bei 1,1 km und der dritte bei 0,98 km. Die Sinkgeschwindigkeit bei geöffnetem Fallschirm beträgt 20 km/h.

a) Stelle für die beiden Fallschirmspringer, die in 1,1 km und 0,98 km Höhe starten, die funktionale Abhängigkeit zwischen der Zeit und der Höhe mit Funktionsgleichung und Funktionsgraph dar und lies aus dem Graphen ab, wann die beiden Fallschirmspringer den Boden erreicht haben.

b) In der nebenstehenden Abbildung ist der Funktionsgraph jenes Fallschirmspringers abgebildet, der aus 1,2 km Höhe startet. Ergänze den Graphen eines Fallschirmsprungs, der ebenfalls in 1,2 km Höhe startet, aber den Boden erst nach 0,08 h erreicht. Welcher Parameter (k oder d) der entsprechenden linearen Funktion muss sich im Vergleich zum ursprünglichen Sprung ändern? Was bedeutet dies für den Fallschirmsprung?

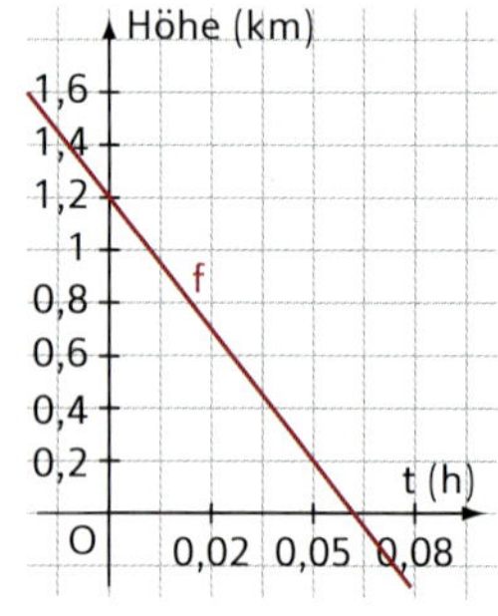

6.2 Eigenschaften linearer Funktionen

Du erwirbst folgende Grundkompetenzen:

- GK Die Wirkung der Parameter k und d kennen und die Parameter in unterschiedlichen Kontexten deuten (FA-R 2.3)
- GK Charakteristische Eigenschaften kennen und im Kontext deuten:
  $f(x + 1) = f(x) + k$; $\frac{f(x_2) - f(x_1)}{x_2 - x_1} = k$ (FA-R 2.4)
- GK Aus Tabellen, Graphen und Gleichungen linearer Funktionen Werte(paare) sowie die Parameter k und d ermitteln und im Kontext deuten (FA-R 2.2)

Vorwissen

GK **335** Ordne die in der linken Spalte genannten Eigenschaften den Formulierungen rechts zu.

steigend	
konstant	
fallend	

A	Je größer das Argument, umso kleiner der Funktionswert.
B	Je größer das Argument, umso größer der Funktionswert.
C	Bei größer werdenden Argumenten bleibt der Funktionswert gleich.

Neues Wissen

Für eine lineare Funktion f mit $f(x) = kx + d$ gilt an der Stelle $x = 0$: $f(0) = k \cdot 0 + d = d$

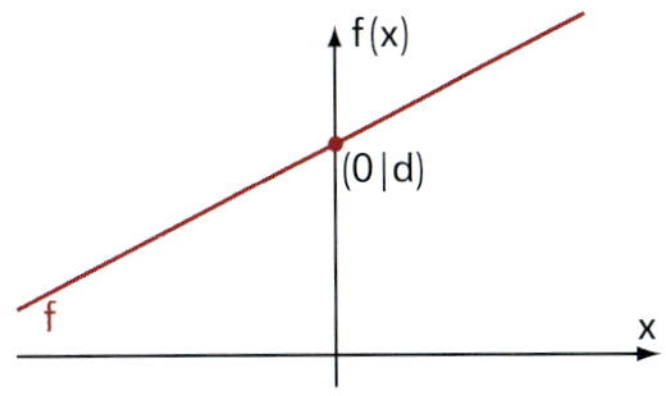

- Die Zahl **d** ist der Funktionswert an der Stelle 0.
- Der Graph von f schneidet die zweite Achse im Punkt **(0|d)**.
- Die Zahl **k** gibt an, wie stark die lineare Funktion f steigt bzw. fällt.
- **k** wird **Steigung der linearen Funktion f** bzw. **Steigung der entsprechenden Geraden** genannt.
- k und d können nicht nur in der Funktionsgleichung, sondern auch an der Geraden abgelesen werden.

▷ **Das Steigungsdreieck**
Um den Graphen einer linearen Funktion zu zeichnen, genügt es, den Punkt (0|f(0)) und dort ein Steigungsdreieck mit den Katheten 1 und k zu zeichnen.

▷ *Beispiel:*
Zeichne den Graphen der Funktion f mit a) $f(x) = 2x - 1$ und b) $f(x) = -2x + 3$ mithilfe des Punktes (0|f(0)) und des Steigungsdreiecks.

Lösung:

a) $f(x) = 2x - 1$
Zeichne zuerst den Punkt (0|−1) und von diesem dann ausgehend das Steigungsdreieck, indem du 1 nach rechts und k hinauf gehst.

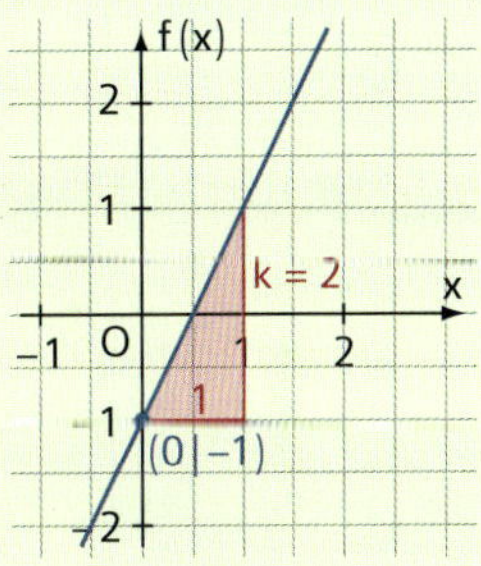

b) $f(x) = -2x + 3$
Zeichne zuerst den Punkt (0|3) und von diesem dann ausgehend das Steigungsdreieck, indem du 1 nach rechts und k hinunter gehst.

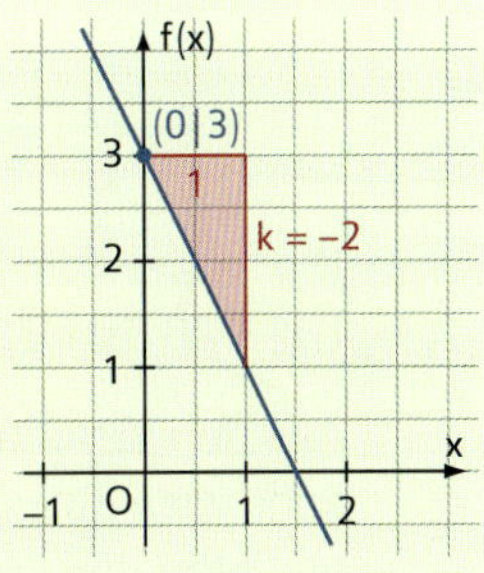

Umgekehrt kannst du auch mithilfe des Steigungsdreiecks die Steigung einer linearen Funktion ablesen.

GK **336** Zeichne die Funktion f mit $f(x) = 3x - 4$ mithilfe des Punktes (0|f(0)) und des Steigungsdreiecks.

GK **337** Der Graph einer linearen Funktion f geht durch den Punkt A und hat die Steigung k. Zeichne den Graphen mithilfe eines Steigungsdreiecks.

a) $A(-1|2)$, $k = -4$

b) $A(1|-1)$, $k = 1{,}5$

GK **338** Zeichne ein Steigungsdreieck ein und lies die Steigung ab.

a)

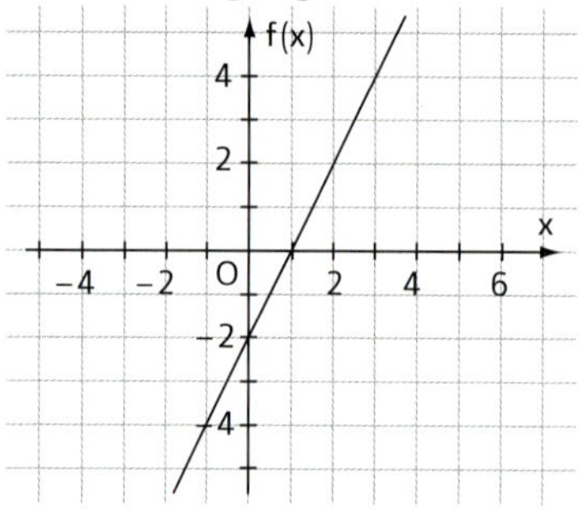

b)

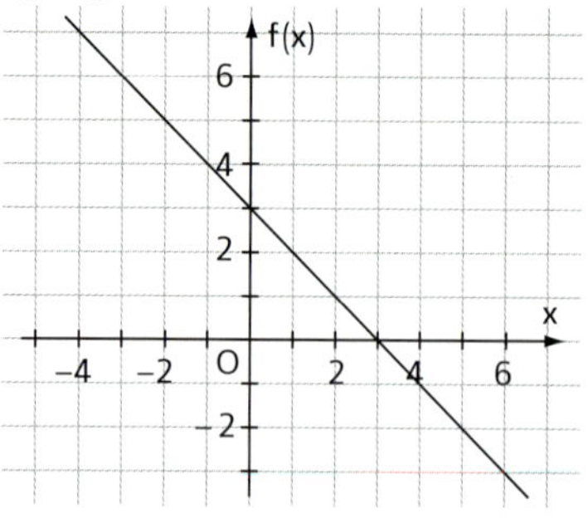

Wachstumseigenschaften

Die Wachstumseigenschaften linearer Funktionen lassen sich durch die drei Begriffe *steigend*, *fallend* und *konstant* beschreiben. Du kannst die Wachstumseigenschaften am Graphen der Funktion, an der Funktionsgleichung und an der Wertetabelle erkennen.

▷ *Beispiel:*

Zeichne die lineare Funktion f mit a) $f(x) = -0{,}5x + 3$, b) $f(x) = 0{,}5x + 3$ und c) $f(x) = 3$ im Intervall $[-3; 3]$. Gib an, ob die Funktion f steigend, fallend oder konstant ist, und begründe. Vergleiche die Wachstumseigenschaften mit dem Wert der Steigung k.

Lösung:

a) $f(x) = -0{,}5x + 3$

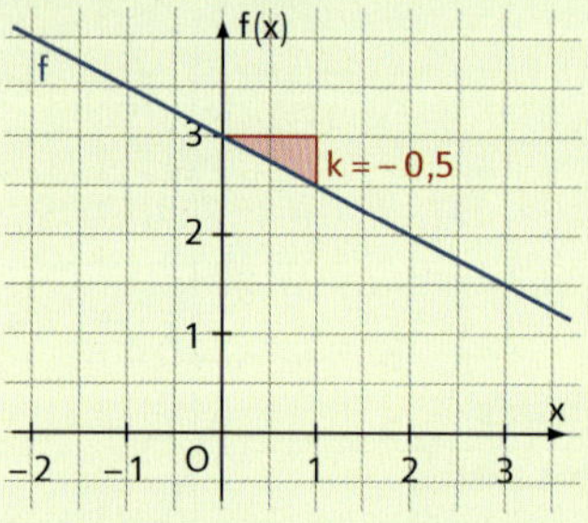

Die lineare Funktion f mit $f(x) = -0{,}5x + 3$ ist fallend.

Aus dem Graphen von f kann man ablesen: Je größer das Argument, umso kleiner der Funktionswert.

Außerdem gilt: $k = -0{,}5 < 0$.

b) $f(x) = 0{,}5x + 3$

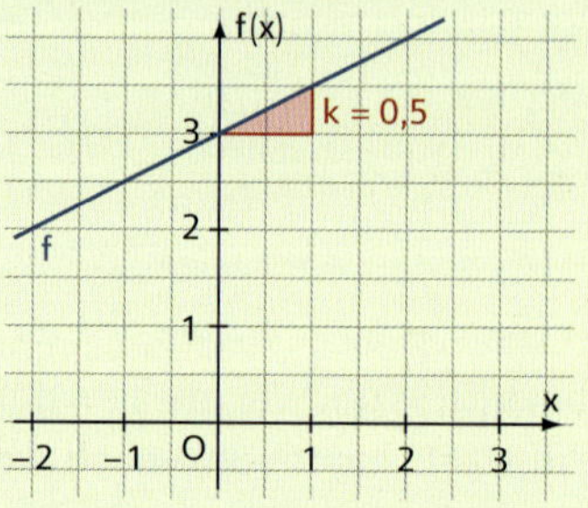

Die lineare Funktion f mit $f(x) = 0{,}5x + 3$ ist steigend.

Aus dem Graphen von f kann man ablesen: Je größer das Argument, umso größer der Funktionswert.

Außerdem gilt: $k = 0{,}5 > 0$.

c) $f(x) = 3$

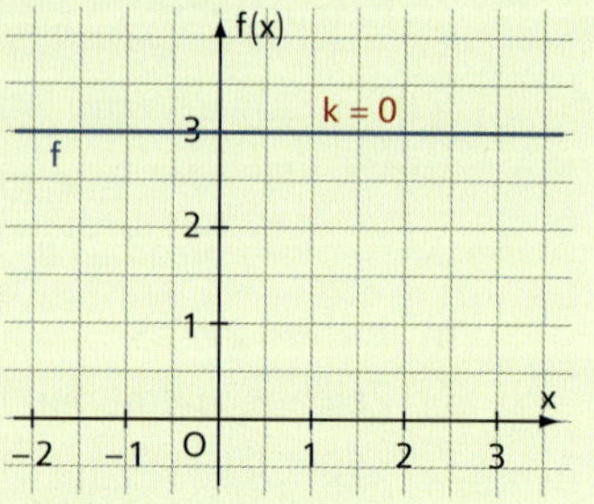

Die lineare Funktion f mit $f(x) = 3$ ist konstant.

Aus dem Graphen von f kann man ablesen, dass alle Funktionswerte gleich sind.

Außerdem gilt: $k = 0$.

Zusammenfassung
Eine lineare Funktion f mit $f(x) = kx + d$ ist
- **fallend**, wenn $k < 0$ ist,
- **steigend**, wenn $k > 0$ ist,
- **konstant**, wenn $k = 0$

GK **339** Lies aus dem Graphen der linearen Funktion k und d ab. Gib an, ob die Funktion fallend, steigend oder konstant ist.

a) 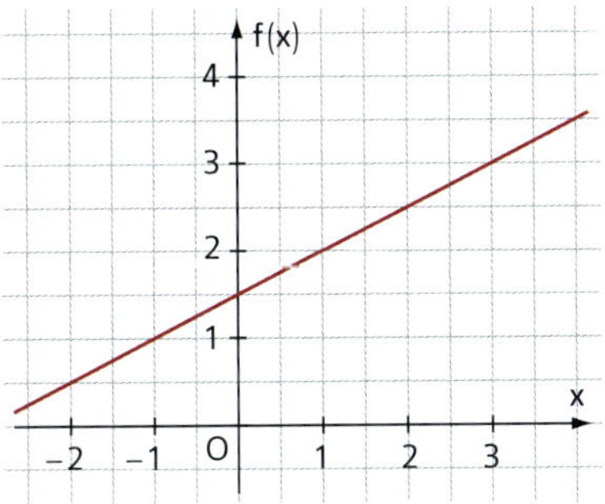

b) 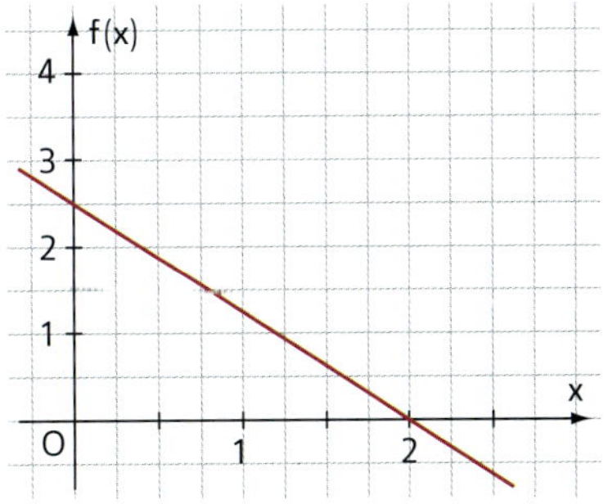

c) 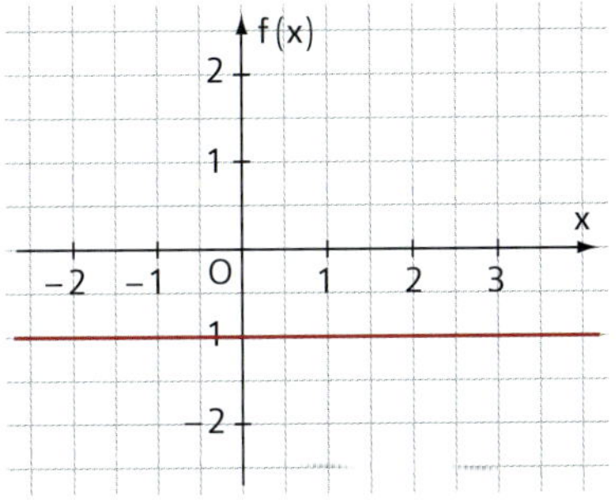

d) 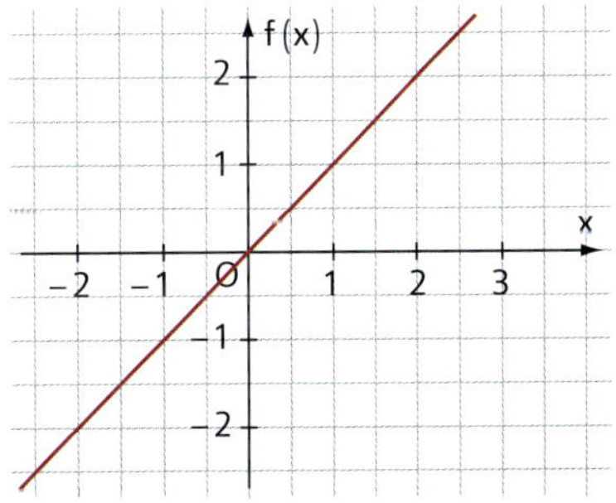

e) Mit den dynamischen Arbeitsblättern
www Lineare Funktion $f(x) = k \cdot x$ und www Lineare Funktion $f(x) = k \cdot x + d$
übst du an weiteren linearen Funktionen.

GK **340** Gegeben sind sechs Wertetabellen. Kreuze an, welche Wertetabelle eine lineare Funktion beschreibt. Gib deren Wachstumseigenschaft an.

☐ (1)

x	–3	–2	–1	0
f(x)	–9	–3	–1	$-\frac{1}{3}$

☐ (2)

x	5	6	7	8
f(x)	15	18	21	24

☐ (3)

x	–3	–2	–1	0
f(x)	2	1	0	–1

☐ (4)

x	–2	–1	0	1
f(x)	6	6	6	6

☐ (5)

x	–3	–2	–1	0
f(x)	1	4	9	16

☐ (6)

x	–2	0	2	4
f(x)	–3	0	3	9

Die Bedeutung des Parameters d

Beim Zeichnen von linearen Funktionen f mit $f(x) = kx + d$ hast du den Parameter d zur Bestimmung des Punktes $(0|f(0)) = (0|d)$ verwendet.

▷ *Beispiel:*
Zeichne die Graphen der linearen Funktion f mit
a) $f_1(x) = -x$, b) $f_2(x) = -x - 2$ und c) $f_3(x) = -x + 1{,}5$ in ein Koordinatensystem.
Beschreibe, wie sich der Parameter d auf den Graphen der linearen Funktion f auswirkt.

Lösung:
Die Graphen der linearen Funktionen f_1, f_2 und f_3 sind parallele Geraden, da die Steigung der linearen Funktionen f_1, f_2 und f_3 den Wert $k = -1$ hat.
Der Parameter d nimmt den Wert 0, −2 und +1,5 an.
Der Parameter d bewirkt eine Parallelverschiebung des Graphen in Richtung der 2. Achse.

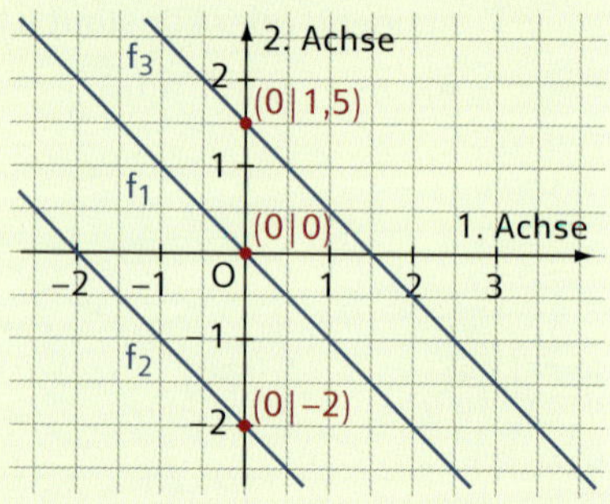

▷ **Zusammenfassung:**
Die Graphen linearer Funktionen mit **gleicher Steigung k** und **unterschiedlichem d sind parallele Geraden.**

GK 341 Ordne den Graphen die passende Funktionsgleichung zu. Gib an, welche Graphen parallel sind.

a)

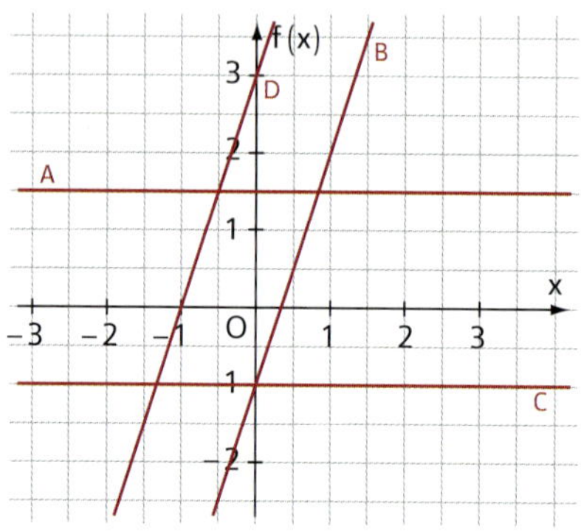

$f_1(x) = -1$
$f_2(x) = 3x + 3$
$f_3(x) = 3x - 1$
$f_4(x) = 1{,}5$

b)

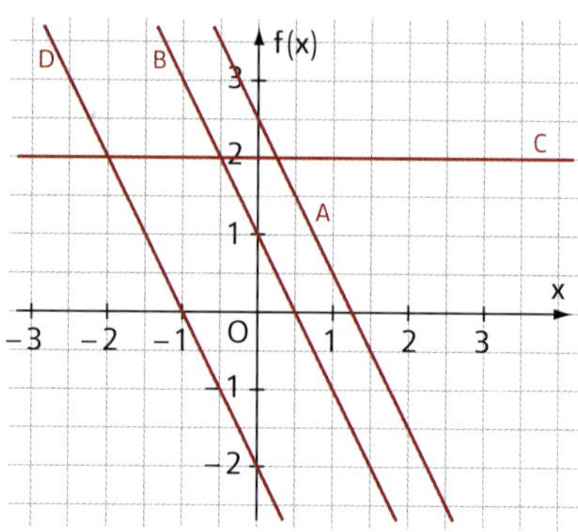

$f_1(x) = 2$
$f_2(x) = -2x + 2{,}5$
$f_3(x) = -2x + 1$
$f_4(x) = -2x - 2$

GK 342 Je eine der Geraden ist nicht parallel zu den anderen. Streiche sie durch.

a) $f(x) = -\frac{1}{3}x + 2$
$g\colon x \mapsto -\frac{1}{3}x - 5$
$h\colon y = -3x + 2$

b) $s(t) = -3t + 5$
$r(t) = 3t + 5$
$p(m) = -3m - 3$

c) $f_1\colon x \mapsto 2x - 7$
$f_2(x) = 2x + 3$
$f_3\colon x \mapsto 2{,}5x - 7$

Die Eigenschaft $f(x+1) = f(x) + k$

Lineare Funktionen haben aufgrund ihrer einfachen Termdarstellung Eigenschaften, die sich formal und anschaulich gut beschreiben lassen.

Satz

Erhöht man das Argument einer linearen Funktion mit $f(x) = kx + d$ um 1, so verändert sich der Funktionswert um k.

Es gilt: $\mathbf{f(x+1) = f(x) + k}$

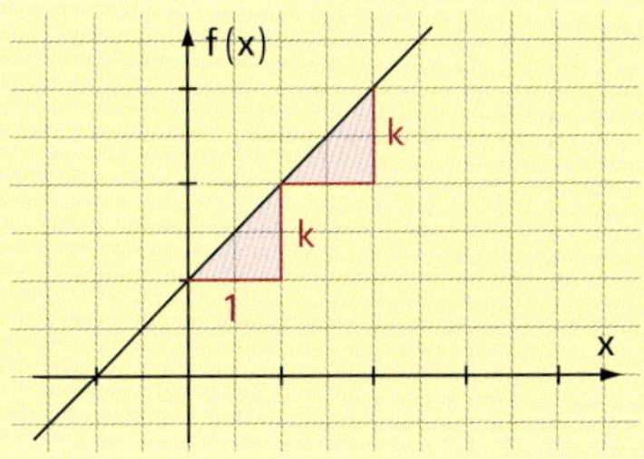

Beweis:
Jede lineare Funktion f ist von der Form $f(x) = kx + d$.

Zu zeigen ist, dass $f(x+1) = f(x) + k$.
$f(x) = k \cdot x + d$
$f(x+1) = k \cdot (x+1) + d = k \cdot x + k + d = k \cdot x + d + k = f(x) + k$

Beispiel:
Zeige für die lineare Funktion f mit $f(x) = -\frac{1}{2}x + 3$ exemplarisch, dass $f(x+1) = f(x) + k$ ist.

Lösung:
$k = -\frac{1}{2}$ und an der Stelle $x_1 = 2$ ist $f(2) = 2$.
An der Stelle $x_1 + 1 = 3$ ist $f(3) = 1{,}5$.
$\Rightarrow f(3) = f(2) + k = 2 + \left(-\frac{1}{2}\right) = 1{,}5.$

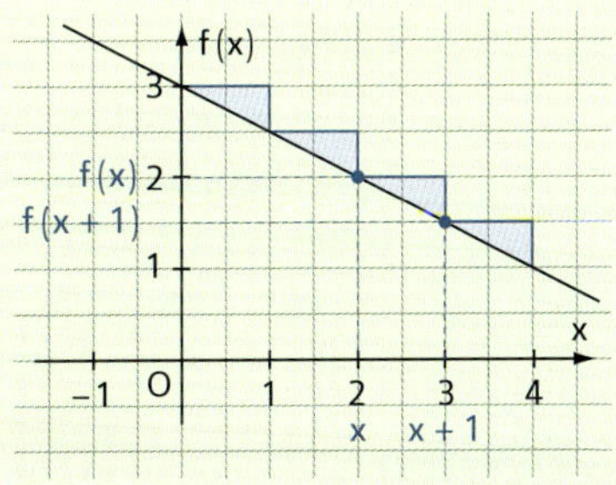

343 Zeichne die Funktion $f(x) = 3x - 2$ und zeige rechnerisch und grafisch durch Wahl zweier Argumente, die sich um 1 unterscheiden, dass $f(x+1) = f(x) + k$ gilt.

Eine Verallgemeinerung der Eigenschaft $f(x+1) = f(x) + k$ liefert der folgende Satz.

Satz
Erhöht man das Argument einer linearen Funktion mit $f(x) = kx + d$ um h $(h \neq 0)$, so verändert sich der Funktionswert um $k \cdot h$.
Es gilt: $\mathbf{f(x+h) = f(x) + k \cdot h}$

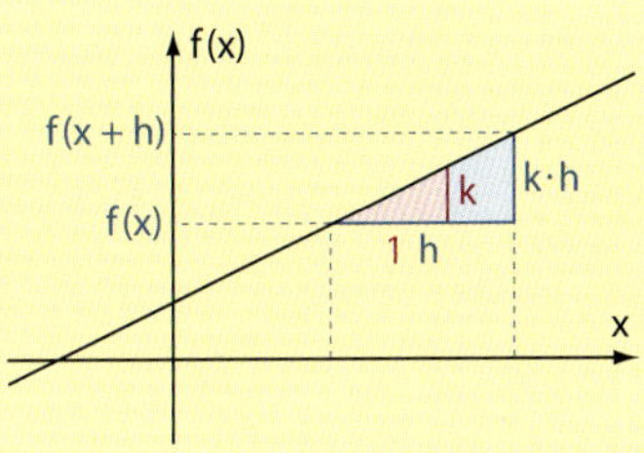

Beweis:
Jede lineare Funktion f ist von der Form $f(x) = kx + d$.

Zu zeigen ist, dass $f(x+h) = f(x) + k \cdot h$.
$f(x) = k \cdot x + d$
$f(x+h) = k \cdot (x+h) + d = k \cdot x + k \cdot h + d = k \cdot x + d + k \cdot h = f(x) + k \cdot h$

▷ *Beispiel:*
Zeige für die lineare Funktion f mit $f(x) = -\frac{1}{2}x + 3$ exemplarisch, dass $f(x+h) = f(x) + k \cdot h$ ist, wenn $h \neq 0$.

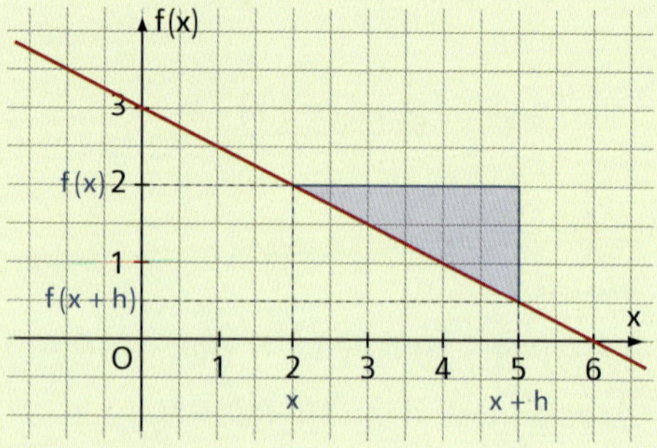

Lösung:
$k = -\frac{1}{2}$ und an der Stelle $x_1 = 2$ ist $f(2) = 2$.
Wenn für h beispielsweise 3 gewählt wird, dann ist $x_1 + 3 = 5$ und $f(5) = 0{,}5$.
$\Rightarrow f(5) = f(2) + k \cdot h = 2 + \left(-\frac{1}{2}\right) \cdot 3 = 0{,}5$.

GK **344** Überprüfe rechnerisch und grafisch für die Funktion f mit $f(x) = 3x - 4$.
(1) Für zwei verschiedene Argumente mit der Differenz h unterscheiden sich die Funktionswerte um $k \cdot h$.
Wähle a) $x = 0,\ h = 2$, b) $x = 3,\ h = -1{,}5$.
(2) Für zwei Argumente x_1 und x_2 mit $h = x_2 - x_1$ gilt $f(x_2) - f(x_1) = k \cdot h$.
Wähle a) $x_1 = -1$ und $x_2 = 1{,}5$, b) $x_1 = 2{,}5$ und $x_2 = 0{,}5$.

GK **345** Zeichne die Funktion f mit $f(x) = -\frac{1}{3}x + 4$ und zeige durch Wahl eines Arguments für $h \neq 0$, dass $f(x+h) = f(x) + k \cdot h$ gilt. Wähle dabei h einmal größer und einmal kleiner als 1.

Der Differenzenquotient $\frac{f(x_2) - f(x_1)}{x_2 - x_1} = k$

Aus dem vorhergehenden Satz lässt sich durch eine weitere Verallgemeinerung eine wichtige Eigenschaft für die Steigung k einer linearen Funktion formulieren.
Im obigen Satz wurde ausgehend von Stelle x eine Stelle $x + h$ gewählt. Nun wird die Stelle x mit x_1 und die Stelle $x + h$ mit x_2 bezeichnet, somit kann $f(x+h) = f(x) + k \cdot h$ als $f(x_2) = f(x_1) + k \cdot (x_2 - x_1)$ geschrieben werden.

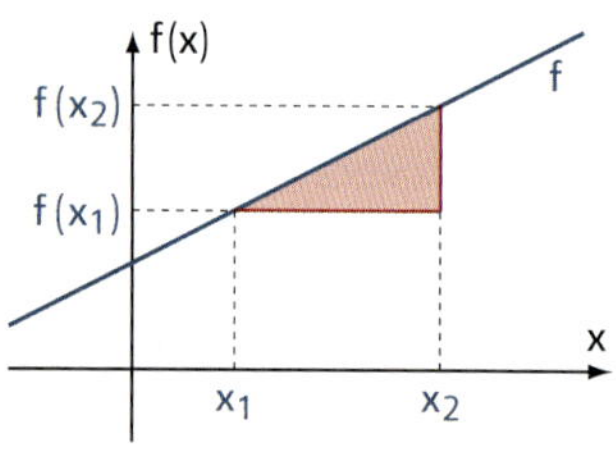

Durch Subtraktion von $f(x_1)$ wird die Gleichung $f(x_2) = f(x_1) + k \cdot (x_2 - x_1)$ umgeformt zu:	$f(x_2) - f(x_1) = k \cdot (x_2 - x_1)$
Wird die Gleichung durch $(x_2 - x_1) \neq 0$ dividiert, so erhält man:	$\frac{f(x_2) - f(x_1)}{x_2 - x_1} = k$

▷ Der Quotient $\frac{f(x_2) - f(x_1)}{x_2 - x_1} = k$ wird **Differenzenquotient** genannt.

Der Differenzenquotient hat eine wichtige Bedeutung im Zusammenhang mit der Steigung k einer linearen Funktion. Mit dem Differenzenquotienten kann die Steigung einer linearen Funktion ausgehend von zwei Punkten $(x_1|f(x_1))$ und $(x_2|f(x_2))$ berechnet werden.

Die nachfolgenden Überlegungen machen den Zusammenhang zwischen dem Differenzenquotienten und dem Steigungsdreieck deutlich.

Aus der nebenstehenden Abbildung kann mithilfe des Strahlensatzes folgender Zusammenhang formuliert werden:

$1 : k = (x_2 - x_1) : (f(x_2) - f(x_1))$

$\Rightarrow k \cdot (x_2 - x_1) = 1 \cdot (f(x_2) - f(x_1))$

$\Rightarrow k = \dfrac{f(x_2) - f(x_1)}{x_2 - x_1}$

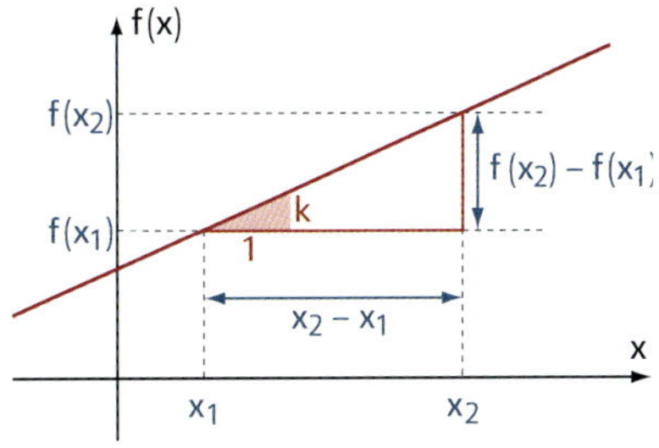

▷ *Beispiel:*

Von einer linearen Funktion f mit $f(x) = kx + d$ sind die zwei Punkte A(2|2) und B(4|3) bekannt. Gib die Funktionsgleichung an.

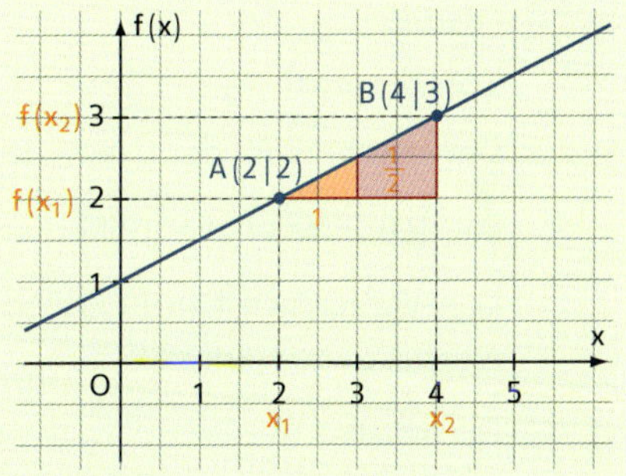

Lösung:

Zur Berechnung der Steigung k wird der Differenzenquotient $\frac{f(x_2) - f(x_1)}{x_2 - x_1} = k$ verwendet. Der Punkt A(2|2) kann beispielsweise für x_1 und $f(x_1)$ verwendet werden. Der Punkt B(4|3) wird dann für x_2 und $f(x_2)$ verwendet.

Somit ergibt sich: $\frac{3-2}{4-2} = \frac{1}{2} = k$.

Die allgemeine Funktionsgleichung einer lineare Funktion lautet: $f(x) = kx + d$.

Der für k ermittelte Wert wird in die Funktionsgleichung eingesetzt: $f(x) = \frac{1}{2} \cdot x + d$.

Zur vollständigen Bestimmung der Funktionsgleichung wird d durch Einsetzen des Punkte A oder B in $f(x) = \frac{1}{2} \cdot x + d$ berechnet.

Einsetzen von A(2|2) in $f(x) = \frac{1}{2} \cdot x + d$

$2 = \frac{1}{2} \cdot 2 + d$

$2 = 1 + d$

$1 = d$

Einsetzen von B(4|3) in $f(x) = \frac{1}{2} \cdot x + d$

$3 = \frac{1}{2} \cdot 4 + d$

$3 = 2 + d$

$1 = d$

Daher lautet die Funktionsgleichung der linearen Funktion: $f(x) = \frac{1}{2}x + 1$.

GK **346** Von einer linearen Funktion f sind die Punkte A(−1|2) und B(5|4) gegeben. Ermittle k und d rechnerisch. Gib die Funktionsgleichung an. Zeichne die Funktion und vergleiche die berechneten Werte mit jenen der Zeichnung.

Da die Differenz der y-Koordinaten bzw. Funktionswert $f(x_2) - f(x_1)$ auch mit Δy und die Differenz der x-Koordinaten bzw. Argumente $x_2 - x_1$ auch mit Δx bezeichnet wird, kann der Differenzenquotient auch in folgender Form angeschrieben werden:

▷ Differenzenquotient $\frac{f(x_2) - f(x_1)}{x_2 - x_1} = \frac{\Delta y}{\Delta x} = k$

Mit dieser Deutung kann der Differenzenquotient auch sehr nützlich zum Zeichnen linearer Funktionen sein.

▷ *Beispiel:*
Gegeben ist eine lineare Funktion f mit $f(x) = -\frac{3}{4}x + 3$. Lies aus der Funktionsgleichung die Werte für k und d ab und zeichne die lineare Funktion mithilfe des Differenzenquotienten.

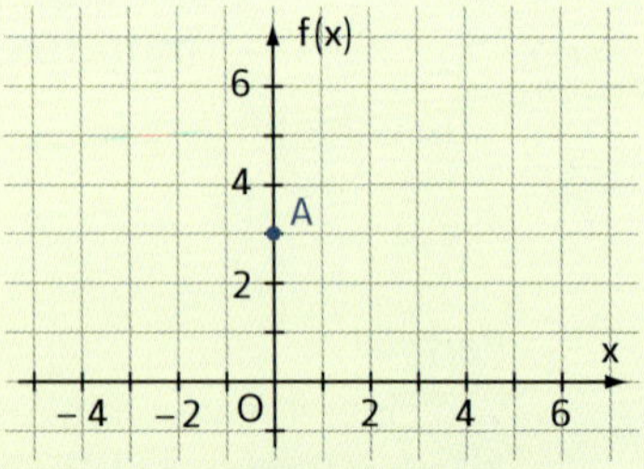

Lösung:
$k = -\frac{3}{4}$ und $d = 3$.
Daher schneidet der Graph der Funktion die y-Achse im Punkt (0|3).
Für den Differenzenquotienten gilt: $\frac{\Delta y}{\Delta x} = -\frac{3}{4}$.
Das Vorzeichen kann entweder dem Zähler oder dem Nenner zugeordnet werden.
Du erhältst mit dem Einzeichnen des Differenzenquotienten zwei weitere Punkte B und C der linearen Funktion f.

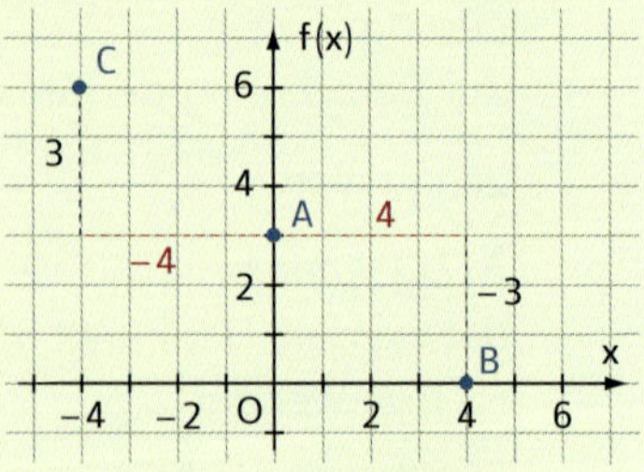

Das Verbinden der Punkte A und B oder A und C ergibt den Graphen der linearen Funktion f.

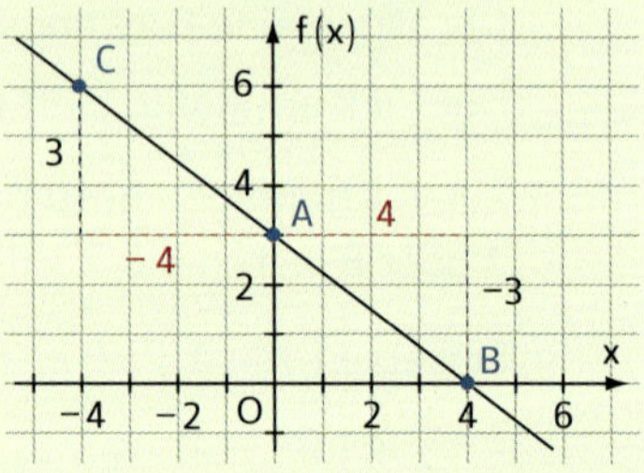

Achte beim Zeichnen des Differenzenquotienten darauf, dass der Wert im Nenner entlang der x-Achse, der Wert im Zähler entlang der y-Achse gemessen wird.

347 Ergänze in der Mindmap die neuen Begriffe zum Thema *Lineare Funkionen*.

GK **348** Zeichne den Graphen der linearen Funktion unter Verwendung des Differenzenquotienten.
a) $f(x) = \frac{2}{3}x$ b) $f(x) = -\frac{1}{4}x + 3$ c) $f(x) = \frac{1}{6}x + 2$

Der Steigungswinkel einer Geraden

Mithilfe der Steigung k einer linearen Funktion kann der **Steigungswinkel α** einer Geraden $y = k \cdot x + d$ ermittelt werden.

▷ *Beispiel:*
Zeichne den Graphen der linearen Funktion f mit $f(x) = \frac{2}{3}x + 1$ und lies den Steigungswinkel α ab, den der Graph der Funktion f mit der x-Achse einschließt.

Lösung:

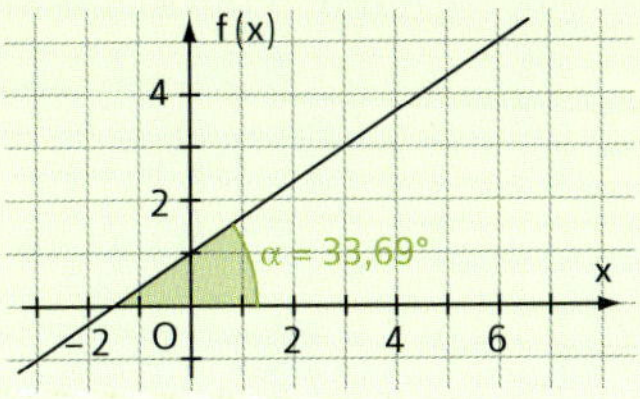

Für eine lineare Funktion mit negativer Steigung, beispielsweise $k = -\frac{2}{3}$, erhältst du den Winkel $\alpha = 146{,}31°$.

Das Berechnen des Steigungswinkels α lernst du im Abschnitt *Tangens* im Kapitel *Trigonometrie*.

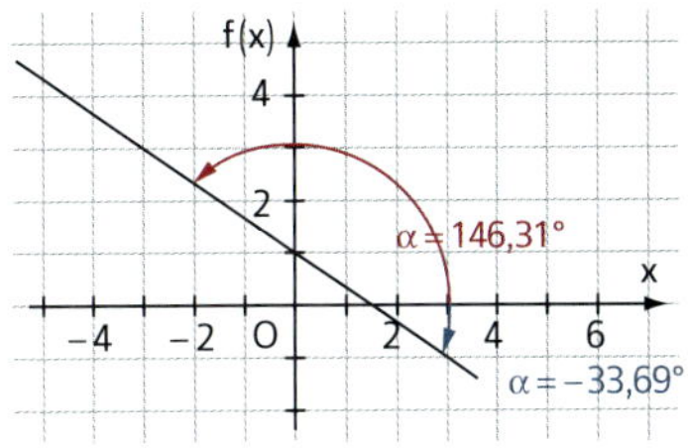

GK 349 Bestimme grafisch den Steigungswinkel, den der Graph der linearen Funktion f mit der x-Achse einschließt.

a) $f(x) = \frac{4}{5}x + 3$

b) $f(x) = 3x - 2$

Die **Steigung** oder das **Gefälle** einer Straße wird meist in Prozent angegeben.

▷ *Beispiel:*
Ein Verkehrsschild zeigt an, dass die Straße eine Steigung von 12 % hat. Welchen Wert nimmt die Steigung k einer linearen Funktion f mit $f(x) = kx + d$ an, wenn diese den Verlauf der Straße beschreibt?

Lösung:
Eine Steigung von 12 % bedeutet, dass auf 100 m waagrechte Entfernung (Δx) der Höhenunterschied (Δy) 12 m beträgt.

$\Delta y : \Delta x = 12 : 100$

$\frac{\Delta y}{\Delta x} = \frac{12\,m}{100\,m} \Rightarrow k = \frac{12}{100} = 0{,}12$

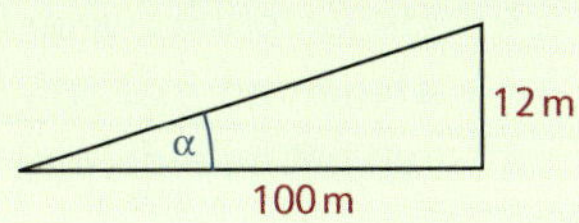

GK 350 Ermittle grafisch den Steigungswinkel für die gegebene Steigung bzw. das gegebene Gefälle.

a) Steigung von 15 %

b) Gefälle von 75 %

351 Ergänze in der Mindmap zum Thema *Lineare Funktionen* die neuen Begriffe.

Der Kehrwert der Steigung k

Wenn die Graphen zweier linearer Funktionen f_1 und f_2 normal aufeinander stehen, existiert zwischen den Steigungen k_1 und k_2 ein einfacher Zusammenhang.

▷ *Beispiel:*
Zeichne die Graphen der folgenden Funktionspaare mit einem Werkzeug deiner Wahl in je ein Koordinatensystem. Miss den Winkel, den die beiden Funktionsgraphen miteinander einschließen. Welcher Zusammenhang besteht zwischen den Steigungen der Funktionen und dem Winkel, den die Graphen miteinander einschließen? Formuliere mit Worten und Variablen.

(1) $f_1(x) = 3x + 4$
$f_2(x) = -\frac{1}{3}x - 3$

(2) $g_1(x) = -\frac{2}{3}x + 2$
$g_2(x) = \frac{3}{2}x - 3$

(3) $h_1(x) = \frac{1}{4}x - 2$
$h_2(x) = -4x + 3$

Lösung:

(1)

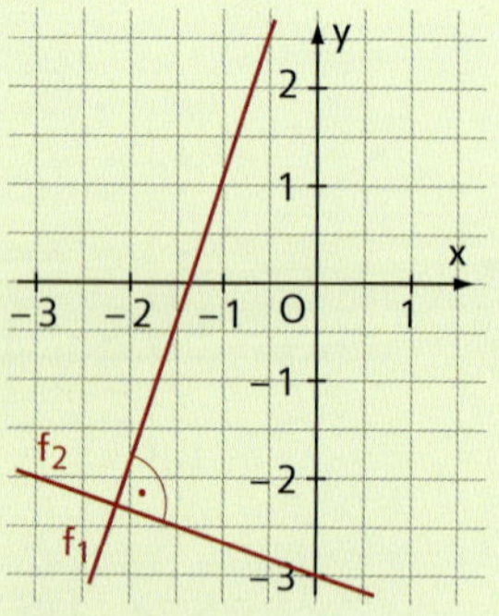

Die Graphen der Funktionen f_1 und f_2 stehen normal aufeinander.
Für f_1 ist die Steigung $k_1 = 3$, für f_2 ist die Steigung $k_2 = -\frac{1}{3}$.

k_2 ist der negative Kehrwert von k_1 (und umgekehrt).

(2)

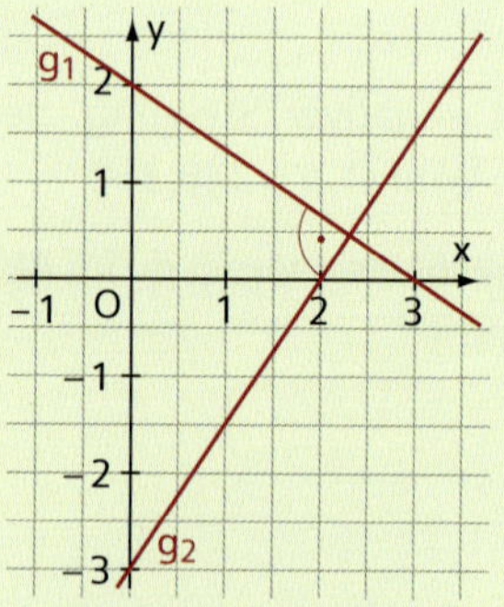

Die Graphen der Funktionen g_1 und g_2 stehen normal aufeinander.
Für g_1 ist die Steigung $k_1 = -\frac{2}{3}$, für f_2 ist die Steigung $k_2 = \frac{3}{2}$.

k_2 ist der negative Kehrwert von k_1 (und umgekehrt).

(3)

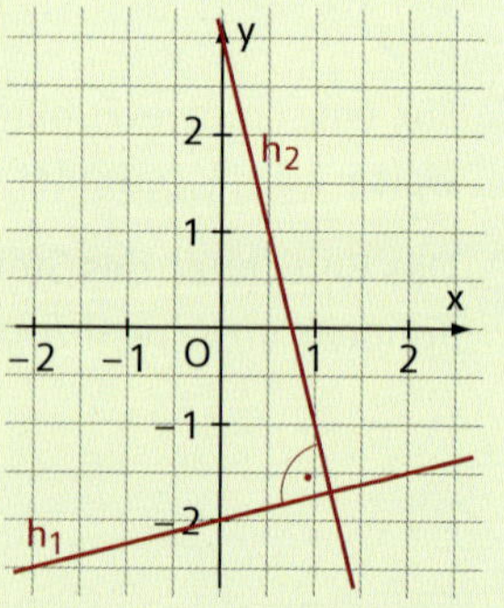

Die Graphen der Funktionen h_1 und h_2 stehen normal aufeinander.
Für h_1 ist die Steigung $k_1 = \frac{1}{4}$, für f_2 ist die Steigung $k_2 = -4$.

k_2 ist der negative Kehrwert von k_1 (und umgekehrt).

▷ **Zusammenfassung**
Die Graphen zweier linearer Funktionen f_1 und f_2 mit $f_1(x) = k_1 \cdot x + d_1$ und $f_2(x) = k_2 \cdot x + d_2$ **stehen normal aufeinander**, wenn die Steigung der einen gleich dem **Kehrwert** der anderen **mit geändertem Vorzeichen** ist.

352 Ergänze in der Mindmap (Aufgabe 223) zum Thema *Lineare Funktionen* die neuen Begriffe.

353 Zwei der drei linearen Funktionen stehen aufeinander normal. Welche sind das?

a) $f_1(x) = -3x + 2$
$f_2(x) = \frac{1}{3}x - 2$
$f_3(x) = 5x + 2$

b) $f_1(x) = \frac{2}{5}x + 7$
$f_2(x) = -\frac{5}{2}x - 4$
$f_3(x) = 2x + 4$

c) $f_1(x) = 4x - 6$
$f_2(x) = -\frac{1}{4}x + 3$
$f_3(x) = 8x - 1$

354 Zeichne den Graphen der linearen Funktion f mit $f(x) = -\frac{1}{2}x + 3$.

a) Zeichne eine lineare Funktion g, deren Graph normal auf den Graphen der Funktion f steht und durch den Ursprung geht. Gib die Funktionsgleichung von g an.

b) Zeichne eine lineare Funktion h, deren Graph normal auf den Graphen der Funktion f steht und durch den Punkt (1,5|0) geht. Gib die Funktionsgleichung von h an.

355 Ergänze deine Formelsammlung.

Aufgaben

GK **356** Lies aus dem Graphen der linearen Funktionen f mit $f(x) = k \cdot x + d$ die Steigung k und f(0) ab.

a)
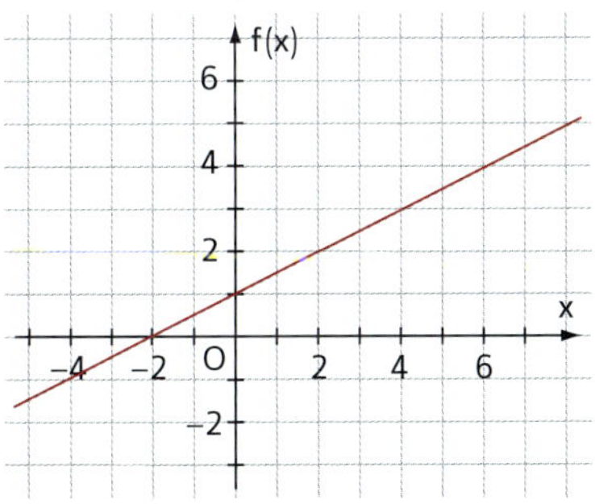

b)
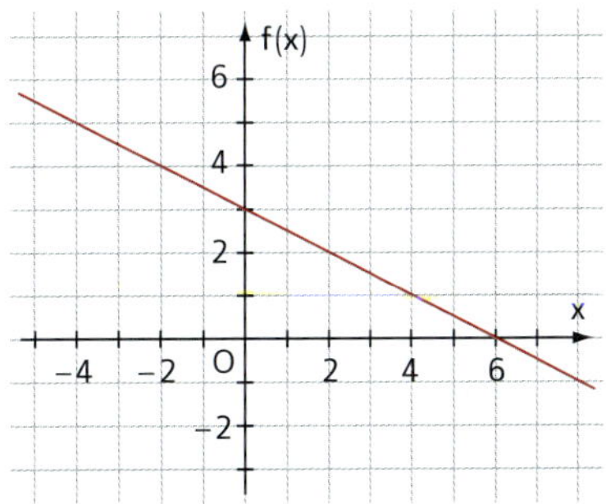

c)
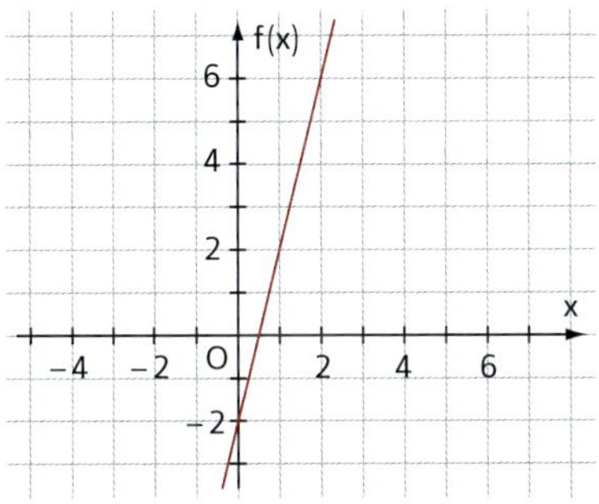

d)
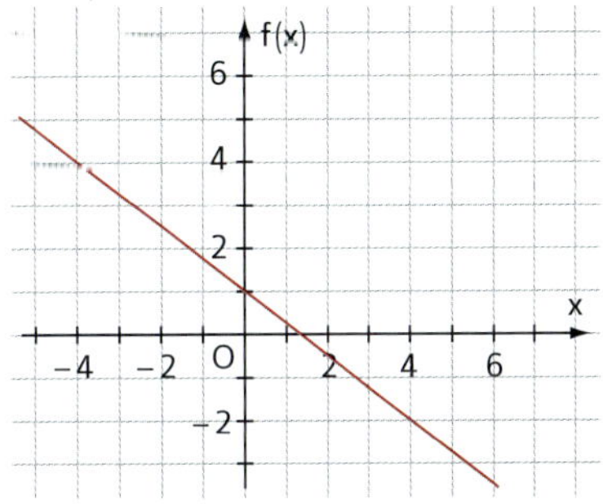

e)
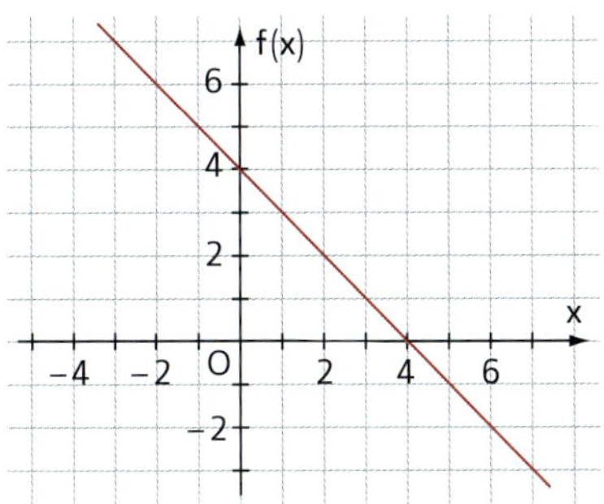

f)
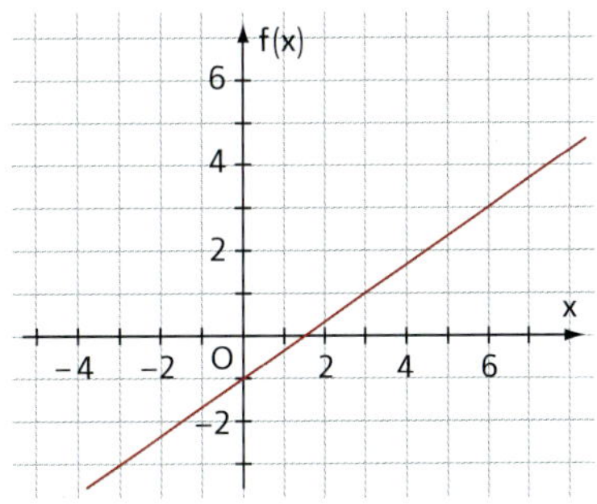

GK **357** Lies aus dem Graphen der linearen Funktion k und d ab. Gib an, ob die Funktion fallend, steigend oder konstant ist.

a)
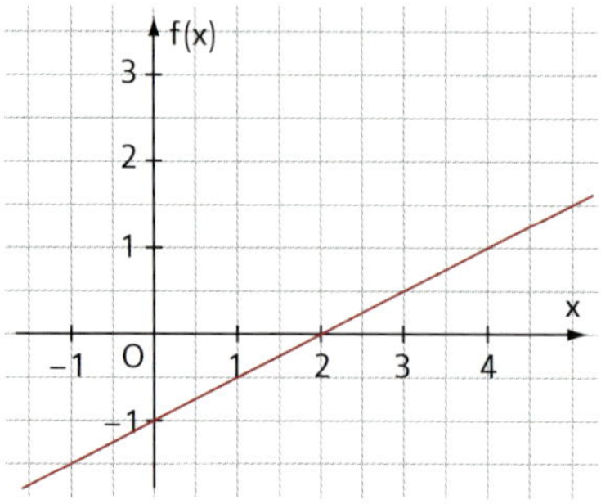

b)
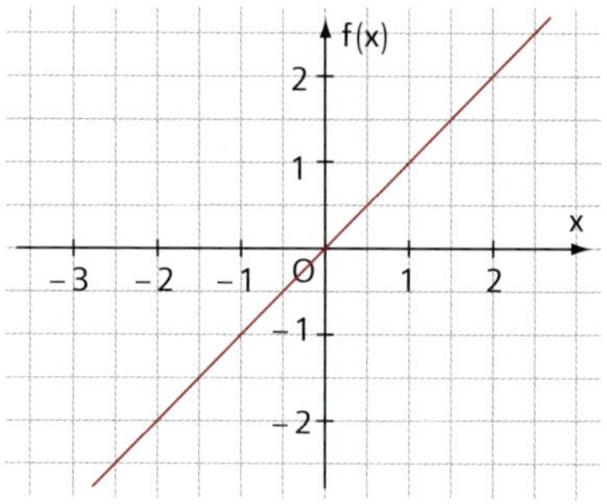

c)
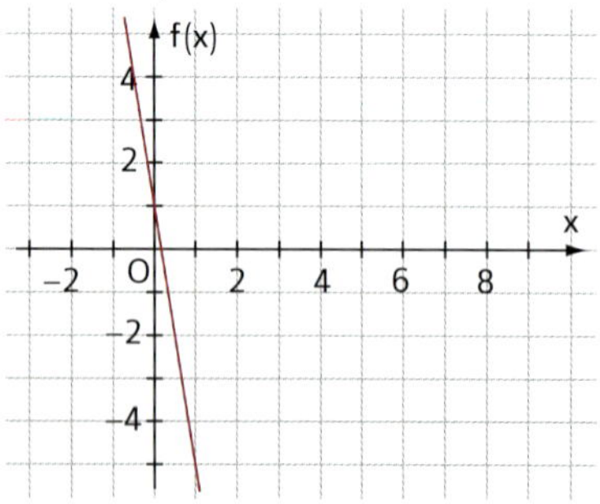

d)
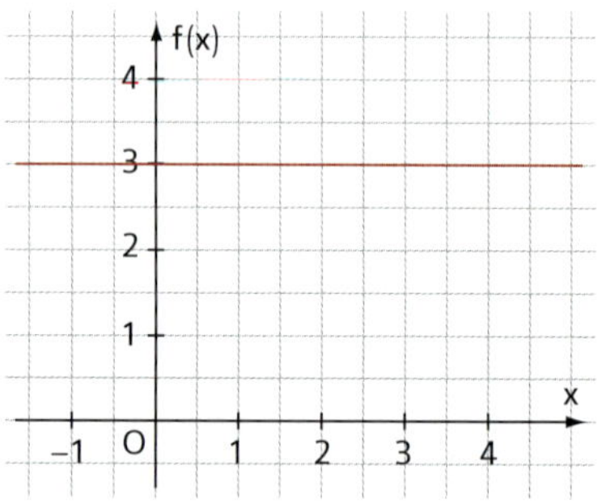

GK **358** Der Graph einer linearen Funktion f geht durch den Punkt A und hat die Steigung k. Zeichne den Graphen mithilfe eines Steigungsdreiecks.

a) $A(-2|3)$, $k = -2$ b) $A(1|1)$, $k = 0{,}5$ c) $A(0|0)$, $k = -4$ d) $A(-3|-4)$, $k = -0{,}8$

GK **359** Welche der folgenden linearen Funktionen sind nicht steigend? Kreuze an.

☐ $f(x) = -3x + 5$ ☐ $f(x) = x - 3{,}5$ ☐ $f(x) = -0{,}5x - 1$ ☐ $f(x) = 3x - 7$

GK **360** Welche der folgenden linearen Funktionen sind nicht fallend? Kreuze an.

☐ $f(x) = 4x + 3$ ☐ $f(x) = 2x - 3$ ☐ $f(x) = -x + 2{,}5$ ☐ $f(x) = 17$

GK **361** Welche der folgenden linearen Funktionen sind nicht konstant? Kreuze an.

☐ $f(x) = 2x$ ☐ $f(x) = 2$ ☐ $f(x) = -7x$ ☐ $f(x) = -7$

GK **362** Eine Radfahrerin fährt mit gleichbleibender Geschwindigkeit von 23 km/h. Gib die funktionale Abhängigkeit zwischen dem zurückgelegten Weg und der Zeit
(1) in Form einer Tabelle,
(2) in Form einer Funktionsgleichung
an. Zeichne den Graphen der Funktion und gib an, ob er steigend, fallend oder konstant ist.

GK **363** Ordne den funktionalen Abhängigkeiten die Begriffe steigend, fallend oder konstant zu.

a) Einer Menge wird ihr Preis zugeordnet.
b) Der Zeit eines Wanderers wird der zurückgelegte Weg zugeordnet.
c) Der Anzahl der telefonierten Minuten wird ein Preis zugeordnet.
d) Der Zeit wird die verbleibende Menge eines zu entleerenden Behälters zugeordnet.
e) Der Zeit einer Läuferin wird die Menge der verbrannten Kilojoule (kJ) zugeordnet.
f) Der Zeit eines Kletterers wird die Höhe zugeordnet.

GK 364 Die Abbildung zeigt den Graphen einer linearen Funktion f mit $f(x) = kx + d$. Ergänze die x- und y-Achse so, dass die gegebenen Bedingungen erfüllt sind.

a) $f(0) < 0$ und $k = 2$

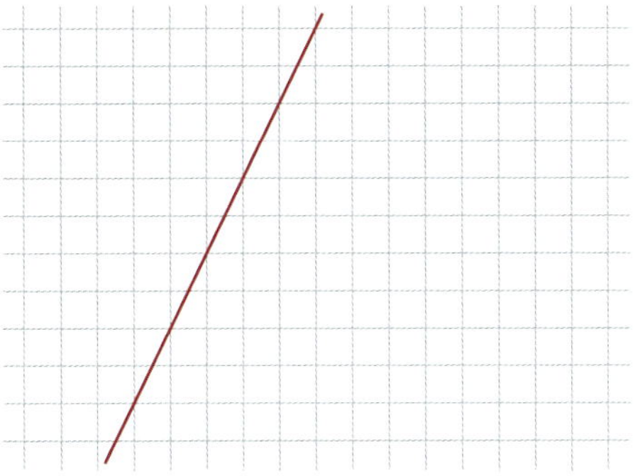

b) $k = -3$ und $d > 0$

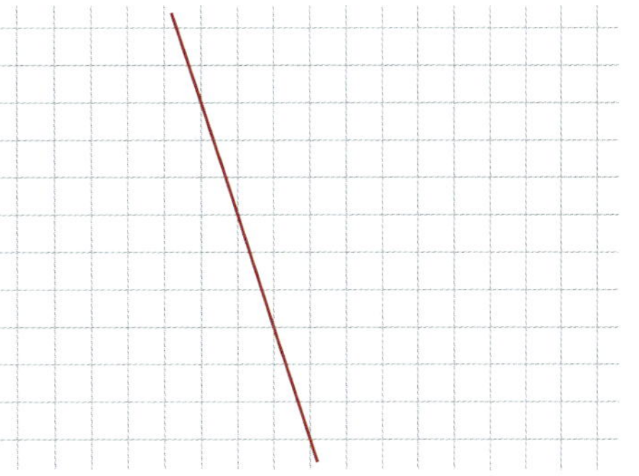

GK 365 Kreuze an.

	steigend	fallend
Beim Joggen verbrennt eine 60 kg schwere Person etwa 34 Kilojoule (kJ) pro Minute. Entsteht beim Zeichnen der funktionalen Abhängigkeit zwischen der Zeit und dem Energieverbrauch pro Minute eine steigende oder fallende Gerade?	☐	☐
Simona lädt aus dem Internet Bilder herunter. Entsteht beim Zeichnen der funktionalen Abhängigkeit zwischen verstrichener Zeit und Downloadmenge eine steigende oder fallende Gerade?	☐	☐
Leo lädt aus dem Internet einen Film herunter. Entsteht beim Zeichnen der funktionalen Abhängigkeit zwischen verstrichener Zeit und verbleibender Downloadmenge eine steigende oder fallende Gerade?	☐	☐

GK 366 Zeichne die gegebene lineare Funktion f mit $f(x) = kx + d$ und zeige durch Wahl zweier Argumente, die sich um 1 unterscheiden, dass $f(x+1) = f(x) + k$ gilt.

a) $f(x) = x + 4$ b) $f(x) = 2x$ c) $f(x) = -x + 3$
d) $f(x) = -0{,}75x - 2$ e) $f(x) = 3{,}5x - 2$ f) $f(x) = -\frac{1}{5}x + 1$

GK 367 Zeige anhand selbstgewählter Wertepaare, dass für die lineare Funktion f mit $f(x) = kx + d$ gilt: $f(x+h) = f(x) + kh$ mit $h \neq 0$.

a) $f(x) = x - 3$ b) $f(x) = 3x + 2$ c) $f(x) = -2x - 1$
d) $f(x) = \frac{1}{2}x + 4$ e) $f(x) = -\frac{3}{4}x - 1$ f) $f(x) = -\frac{2}{3}x - \frac{3}{4}$

GK 368 Vom Graphen einer linearen Funktion f mit $f(x) = kx + d$ sind zwei Punkte gegeben. Gib die Termdarstellung der linearen Funktion f an und überprüfe dein Ergebnis mit einem elektronischen Tool deiner Wahl.

a) $(-2|7)$, $(4|2)$ b) $(-2|1)$, $(1|2)$ c) $(-3|4)$, $(5|4)$
d) $(0|2)$, $(4|0)$ e) $(-3|-5)$, $(3|-3)$ f) $(-2|3)$, $(2|-4)$

GK **369** Von einer linearen Funktion g mit $g(x) = kx + d$ sind zwei Punkte $(x_1|g(x_1))$ und $(x_2|g(x_2))$ gegeben.

(1) Berechne k und d. Gib die Funktionsgleichung an.
(2) Zeichne den Graphen der Funktion.
(3) Ermittle die Funktionsgleichung einer Funktion h so, dass der Graph von h parallel zum Graphen der Funktion g ist. Zeichne die Funktion h.
(4) Überprüfe deine Ergebnisse mit einem elektronischen Tool.

a) $(-2|0)$, $(2|2)$ b) $(1|5)$, $(4|1)$ c) $(2|2)$, $(3|1)$
d) $(-6|2)$, $(-2|3)$ e) $(-4|4)$, $(4|-3)$ f) $(1|8)$, $(10|5)$

GK **370** Lies aus dem Graphen der linearen Funktion f mit $f(x) = kx + d$ den Wert der Parameter k und d ab. Gib eine lineare Funktion an, deren Graph zum Graphen der Funktion f parallel ist und durch den Ursprung geht.

a)
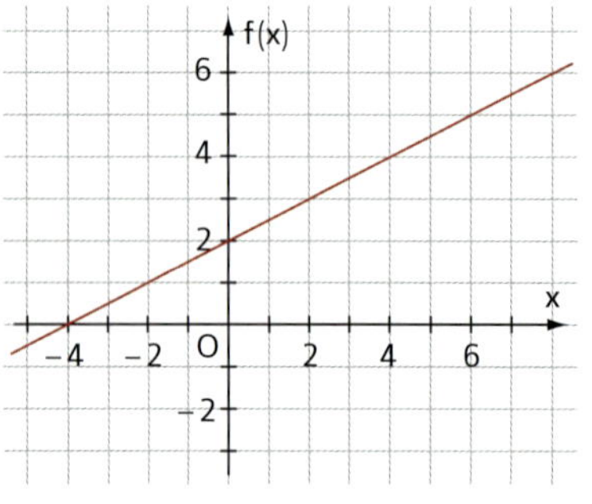

b)
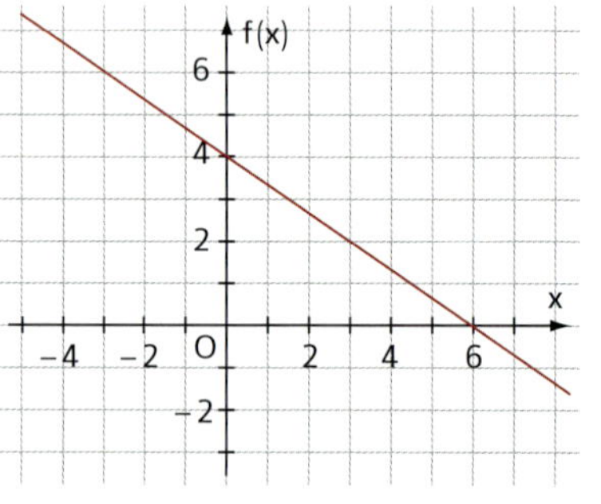

c)
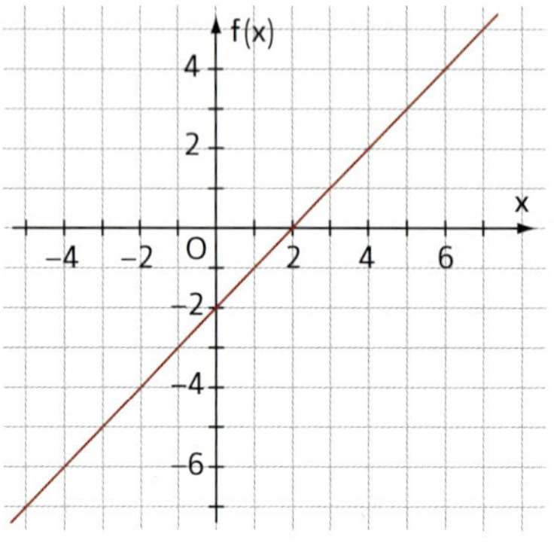

d)
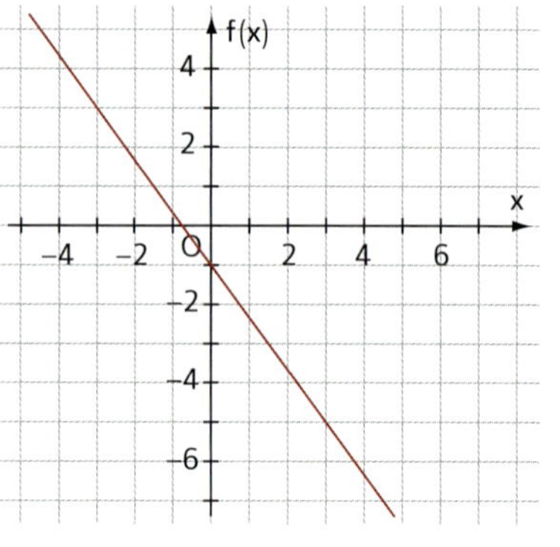

GK **371** Ermittle grafisch den Winkel, den der Graph der linearen Funktion f mit der x-Achse einschließt.

a) $f(x) = -\frac{1}{2}x$ b) $f(x) = \frac{3}{4}x - 1$ c) $f(x) = -2x + 3$ d) $f(x) = 7x + 15$

GK **372** Ein Mountainbiker überwindet auf einer Strecke mit einer horizontalen Entfernung von 200 m einen Höhenunterschied von 70 m. Gib die Steigung der Strecke in Prozentschreibweise an.

GK **373** Eine Seilbahn legt bei der Talfahrt eine horizontale Entfernung von 1,5 km zurück und überwindet einen Höhenunterschied von 300 m. Gib das Gefälle in Prozentschreibweise an.

GK **374** Ermittle grafisch den Steigungswinkel für die gegebene Steigung bzw. das gegebene Gefälle.

a) Gefälle von 25 %
b) Steigung von 70 %
c) Steigung von 30 %
d) Gefälle von 45 %

GK **375** Von einer linearen Funktion g mit $g(x) = kx + d$ sind zwei Punkte $(x_1|g(x_1))$ und $(x_2|g(x_2))$ gegeben.

(1) Berechne k und d. Gib die Funktionsgleichung an.
(2) Zeichne den Graphen der Funktion.
(3) Ermittle die Funktionsgleichung einer Funktion h so, dass der Graph von h normal auf den Graphen der Funktion g steht und durch den Ursprung geht. Zeichne die Funktion h.
(4) Ermittle die Funktionsgleichung einer Funktion n so, dass der Graph von n normal auf den Graphen der Funktion g steht und durch den Punkt $P(6|2)$ geht. Zeichne die Funktion n.
(5) Überprüfe deine Ergebnisse mit einem elektronischen Tool.

a) $(1|2)$, $(7|4)$
b) $(7|4)$, $(1|5)$
c) $(-6|3)$, $(-4|4)$
d) $(-4|-4)$, $(2|-6)$
e) $(0|-7)$, $(5|-4)$
f) $(2|-2)$, $(4|0)$

Typ-2-Aufgaben

GK **376** Eine Sanduhr wird so aufgestellt, dass der obere Behälter ganz voll ist und der Sand langsam abrinnt.

a) Entsteht beim Zeichnen der funktionalen Abhängigkeit zwischen verstrichener Zeit und verbleibendem Sand im oberen Behälter eine steigende oder fallende Gerade?
Gib an, welche Bedeutung die Parameter k und d in diesem Kontext haben.
b) Entsteht beim Zeichnen der funktionalen Abhängigkeit zwischen verstrichener Zeit und Menge des Sandes im unteren Behälter eine steigende oder fallende Gerade?
Gib an, welche Bedeutung die Parameter k und d in diesem Kontext haben.

GK **377** Bei der Gründung einer neuen Firma werden 120 000 € in die Renovierung des Geschäftslokals investiert. Die monatliche Miete beträgt 2500 € und für die Produktion werden pro Stück Ware Kosten von 7,5 € veranschlagt. Im Verkauf kostet die Ware 23 €. Pro Monat können 1500 Stück produziert werden. Die Firma produziert und verkauft an 30 Tagen pro Monat.

a) Für die Renovierung des Geschäftslokals erhielt die Firma von einem Förderer einen zinsenlosen Kredit, der mit 24 gleichgroßen Raten zurückbezahlt werden muss. Modelliere diese Rückzahlung mit einer linearen Funktion. Welche Bedeutung hat der Parameter k bei dieser linearen Funktion?
b) Gib die Kostenfunktion K für diese Firma an, welche die monatlichen Kosten unter Berücksichtigung der Kreditrückzahlungen beschreibt. Zeichne den Graphen und berechne, wie hoch die Kosten bei maximaler Produktion sind.
c) Ermittle grafisch und rechnerisch, wie viele Stück Ware diese Firma verkaufen muss, damit die monatlichen Kosten gedeckt sind.

GK **378** Die Abbildung zeigt die Graphen einer Kostenfunktion K und der Erlösfunktion E eines Betriebes. x entspricht dabei der Anzahl der produzierten und verkauften Mengeneinheiten (ME) pro Tag. 1 ME entspricht einer Verpackungseinheit von 1000 Stück.

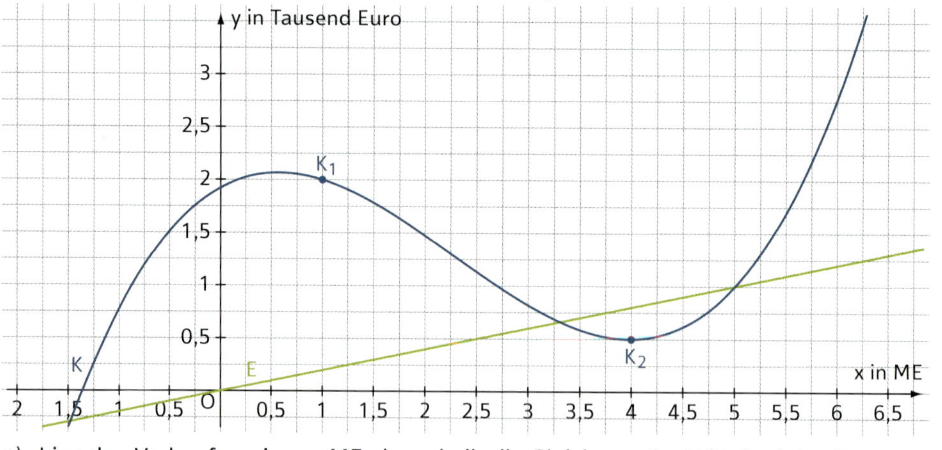

a) Lies den Verkaufspreis pro ME ab und gib die Gleichung der Erlösfunktion E an.

b) Bei einer Produktion von 1 bis 4 ME nehmen die Produktionskosten ab. Ermittle um wie viel die Produktionskosten in diesem Bereich pro ME durchschnittlich abnehmen.

6.3 Nullstellen linearer Funktionen

Du hast den Begriff Nullstelle bereits im Abschnitt *Elementare Eigenschaften von Funktionen* kennen gelernt und Nullstellen verschiedener Funktionen grafisch und rechnerisch ermittelt. Die Nullstellen linearer Funktionen sind sehr einfach zu berechnen.

Du erwirbst folgende Grundkompetenz:

GK Eigenschaften von Funktionen erkennen und benennen: Schnittpunkte mit den Achsen (FA-R 1.5)

Neues Wissen

Du weißt bereits, dass die Schnittpunkte mit den Achsen markante Stellen einer Funktion sind. Für lineare Funktionen f mit $f(x) = kx + d$ hat der Schnittpunkt mit der y-Achse stets die Koordinaten $(0|f(0)) = (0|d)$. Ein Schnittpunkt N einer linearen Funktion f mit der x-Achse an der Stelle x hat die Koordinaten $(x|0)$.

Definition: Nullstelle

Eine Stelle x, an der der Funktionswert 0 ist, heißt **Nullstelle** der Funktion f. Es gilt: $f(x) = 0$.

Nullstellen sind in der grafischen Darstellung die Schnittpunkte der Graphen mit der x-Achse.

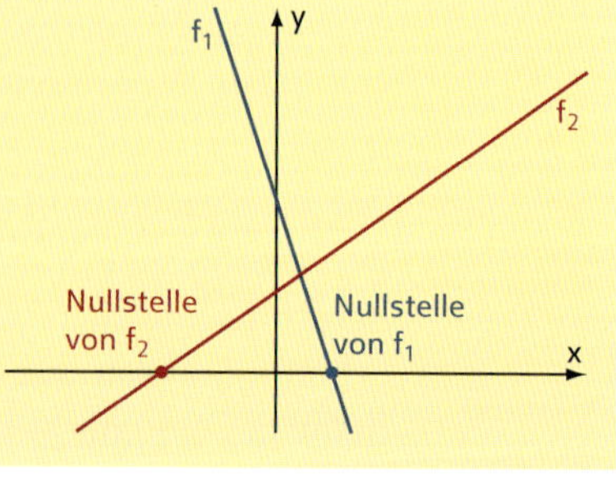

▷ *Beispiel:*
Ermittle die Nullstelle der linearen Funktion f mit $f(x) = 3x + 4$ rechnerisch und grafisch.

Lösung:
Zur rechnerischen Ermittlung der Nullstelle wird f(x) gleich null gesetzt.

$3x + 4 = 0 \quad |-4$

$3x = -4 \quad |:3$

$x = -\frac{4}{3} \Rightarrow N(-\frac{4}{3}|0)$

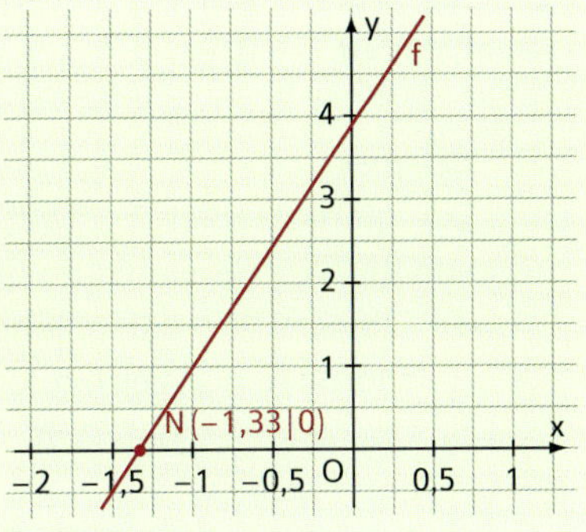

GK **379** Berechne die Nullstelle der linearen Funktion f. Überprüfe mittels Zeichnung.
(1) $f(x) = -12x + 2$ (2) $f(x) = 30x - 20$ (3) $f(x) = 100x + 0,5$

380 Ergänze in der Mindmap zum Thema *Lineare Funktionen* (siehe Aufgabe 223) die neuen Begriffe.

Aufgaben

GK **381** Berechne die Nullstelle der linearen Funktion f. Überprüfe mittels Zeichnung.
a) $f(x) = -2x + 3$ b) $f(x) = 5x - 2,5$ c) $f(x) = \frac{1}{3}x - 7$ d) $f(x) = 5$

GK **382** Beschreibe den Sachverhalt mittels einer linearen Funktion und ermittle rechnerisch und grafisch die Nullstelle. Deute die Nullstelle im Zusammenhang mit dem gegebenen Sachverhalt.
(1) Ein Handybetreiber bietet einen Tarif mit 1000 freien SMS. Pro Tag werden 27 SMS verschickt.
(2) Ein U-Boot befindet sich in einer Tiefe von 600 m unter dem Meeresspiegel und gewinnt beim Auftauchen pro Minute 70 m an Höhe.

6.4 Direkte Proportionalität

Du erwirbst folgende Grundkompetenz:
GK Direkte Proportionalität als lineare Funktion vom Typ $f(x) = k \cdot x$ beschreiben (FA-R 2.6)

Neues Wissen

Ist eine Größe ein Vielfaches der anderen Größe, so spricht man von **direkter Proportionalität**.

▷ **Definition:** Eine Größe y heißt **direkt proportional** zu x, wenn es eine Konstante $k \in \mathbb{R}$ gibt, sodass $\mathbf{y = k \cdot x}$ gilt.
Den Faktor **k** nennt man **Proportionalitätsfaktor**.

Beachte, dass es sich bei diesen Funktionen um lineare Funktionen handelt, bei denen der Achsenabschnitt $d = 0$ ist.

▷ *Beispiel:*

Ein Internetanbieter garantiert seinen Kunden eine konstante Downloadgeschwindigkeit von 8 MBit/s (Megabit pro Sekunde). D(x) beschreibt die Downloadmenge für x Sekunden.

a) Gib eine Termdarstellung der Funktion D an, die jeder Zeit x die Downloadmenge D(x) zuordnet, und zeichne den Graphen der Funktion.

b) Überprüfe rechnerisch, ob dem a-Fachen der Zeit das a-Fache der Downloadmenge entspricht.

c) Zeige, dass für zwei unterschiedliche Zeitspannen x_1 und x_2 gilt:
$D(x_1 + x_2) = D(x_1) + D(x_2)$.
Erkläre die Bedeutung des Ausdrucks $D(x_1 + x_2) = D(x_1) + D(x_2)$.

Lösung:

a) Da die Downloadmenge pro Sekunde 8 MBit beträgt, lautet die Termdarstellung der Funktion D: $D(x) = 8 \cdot x$.
Der Graph der Funktion ist eine Gerade durch den Ursprung.

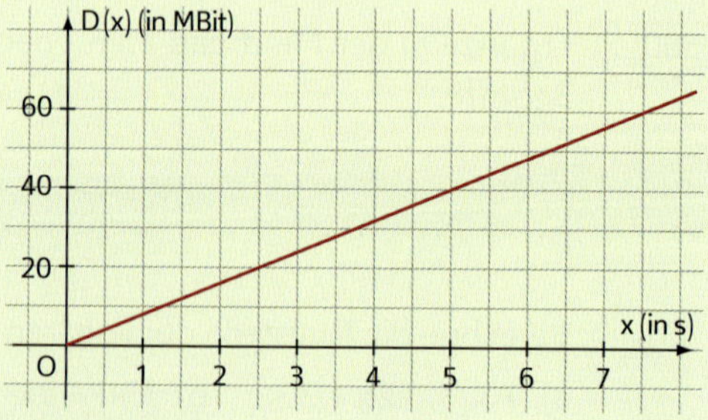

b) $D(2 \cdot x) = 8 \cdot (2 \cdot x) = 2 \cdot (8 \cdot x) = 2 \cdot D(x)$ Der doppelten Downloadmenge entspricht die doppelte Zeit.

$D(3 \cdot x) = 8 \cdot (3 \cdot x) = 3 \cdot (8 \cdot x) = 3 \cdot D(x)$ Der dreifachen Downloadmenge entspricht die dreifache Zeit.

$D(a \cdot x) = 8 \cdot (a \cdot x) = a \cdot (8 \cdot x) = a \cdot D(x)$ Der a-fachen Downloadmenge entspricht die a-fache Zeit.

Die Downloadzeit in Sekunden ist also direkt proportional zur Downloadmenge in MBit.

c) Wenn x_1 und x_2 zwei unterschiedliche Zeitspannen sind, dann ist für $D(x) = 8 \cdot x$ der Ausdruck $D(x_1 + x_2) = D(x_1) + D(x_2)$ gleich:
$D(x_1 + x_2) = 8 \cdot (x_1 + x_2) = 8 \cdot (x_1) + 8 \cdot (x_2) = D(x_1) + D(x_2)$.
Der Ausdruck $D(x_1 + x_2) = D(x_1) + D(x_2)$ besagt, dass der Funktionswert einer Summe von zwei Argumenten gleich der Summe der beiden einzelnen Funktionswerte ist.

▷ Für Funktionen, die eine direkte Proportionalität beschreiben, gilt:

- Die Funktionswerte sind direkt proportional zu ihren Argumenten: $f(a \cdot x) = a \cdot f(x)$
- Der Funktionswert einer Summe von zwei Argumenten ist gleich der Summe der beiden einzelnen Funktionswerte: $f(x_1 + x_2) = f(x_1) + f(x_2)$
- Der Graph einer solchen Funktion ist immer eine Gerade, die durch den Ursprung geht (Ursprungsgerade).

GK **383** Ein Internetanbieter garantiert seinen Kunden eine konstante Downloadgeschwindigkeit von 64 MBit/s. D(x) beschreibt die Downloadmenge für x Sekunden.

a) Gib die Termdarstellung der Funktion D an, die jeder Zeit x die Downloadmenge D(x) zuordnet. Zeichne den Graphen der Funktion.

b) Zeige, dass der dreifachen, vierfachen, k-fachen Downloadmenge die dreifache, vierfache, k-fache Zeit entspricht.

c) Zeige für zwei konkrete Argumente x_1 und x_2, dass $D(x_1 + x_2) = D(x_1) + D(x_2)$ gilt.

GK **384** Aus einem Rohr strömt Wasser mit konstanter Durchflussmenge. Sie beträgt 120 Liter pro Minute. Es sei V(t) die Wassermenge, die in t Minuten aus dem Rohr fließt.

a) Gib die Termdarstellung der Funktion V(t) an. Zeichne den Graphen der Funktion.

b) Zeige, dass $V(10) = V(2) + V(8)$ gilt, und erkläre die Bedeutung.

c) Gib eine sinnvolle Definitionsmenge an. Wie wirkt sie sich auf den Graphen aus?

385 Ergänze in der Mindmap die neuen Begriffe zum Thema *Direkte Proportionalität*.

GK **386** Überlege, ob die Größen in einem direkt proportionalen Verhältnis stehen. Kreuze an. Gib gegebenenfalls die Funktionsgleichung an und zeichne den Graphen der Funktion.

- ☐ Seitenlänge und Umfang eines gleichseitigen Dreiecks.
- ☐ Seitenlänge und Umfang eines Quadrats.
- ☐ Seitenlänge und Diagonale eines Quadrats.
- ☐ Radius und Umfang eines Kreises.
- ☐ Radius und Flächeninhalt eines Kreises.
- ☐ Durchmesser und Umfang eines Kreises.

GK **387** (1) Ergänze folgende Tabellen so, dass ein direkt proportionales Verhältnis entsteht.
(2) Gib den Proportionalitätsfaktor an.
(3) Gib die Funktionsgleichung an.
(4) Zeichne den Graphen der Funktion.

a)

x	–1	0	1	2	3
y			4		

b)

x	–3	0	3	5	9
y	6				

Aufgaben

GK **388** Die Funktionswerte der Funktion f sind zu den Argumenten direkt proportional. Gegeben ist ein Funktionswert von f.
(1) Gib die Funktionsgleichung an.
(2) Zeichne den Graphen.
(3) Berechne jeweils f(2,5) und f(5).

a) $f(1) = 4$ b) $f(1{,}5) = 3$ c) $f(3) = 1{,}5$

d) $f(0{,}5) = 4$ e) $f(2{,}4) = 7{,}2$ f) $f(30) = 120$

GK **389** Die Kosten $K(x)$ einer Ware sind direkt proportional zur Warenmenge x.

a) $K(5) = 35$. Berechne $K(0)$, $K(3)$ und $K(10)$.
b) $K(2) = 25$. Berechne $K(0)$, $K(1)$ und $K(20)$.
c) $K(m) = n$. Drücke $K(1)$, $K(2m)$ und $K(5m)$ durch m und n aus.
d) $K(p) = q$. Drücke $K(1)$, $K(p+1)$ und $K(p-1)$ durch p und q aus.
e) $K(7) = 3{,}5$. Zeige, dass $K(14) = 2 \cdot K(7)$ ist.
f) $K(10) = 45$. Berechne $K(1)$, $K(15)$ und $K(55)$.

GK **390** Der Graph einer Funktion f enthält die folgenden zwei Punkte A und B.

(1) Überprüfe, ob eine direkte Proportionalität vorliegt.
(2) Ändere sonst eine Koordinate des Punktes B so, dass eine direkte Proportionalität vorliegt.
(3) Gib die Funktionsgleichung an und zeichne den Graphen mit einem elektronischen Tool deiner Wahl.

a) $A(2|4)$, $B(4|6)$
b) $A(1|3)$, $B(-3|-9)$
c) $A(-2|1)$, $B(2|-1)$
d) $A(3|5)$, $B(4|10)$

GK **391** Welche der hier abgebildeten Graphen stellen eine direkte Proportionalität dar? Begründe und gib deren Funktionsgleichung an.

a)

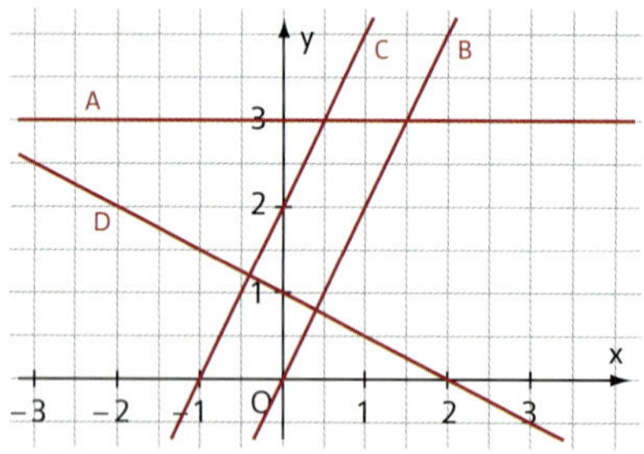

b)

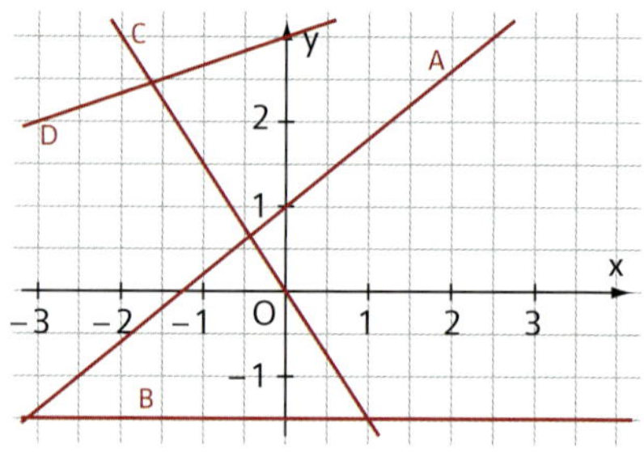

GK **392** Welche der folgenden Sachverhalte können mit einer direkt proportionalen Funktion beschrieben werden? Kreuze an. Gib gegebenenfalls deren Funktionsgleichung an und zeichne ihren Graphen.

- ☐ Eine Stromgesellschaft bietet einen Tarif mit einer Grundgebühr von 7 € und einer Verbrauchergebühr von 11 Cent pro Kilowattstunde an.
- ☐ Der Seitenlänge eines Quadrats wird der Flächeninhalt zugeordnet.
- ☐ Die Entwicklung eines Farbfotos kostet je Stück 27 Cent.
- ☐ Bei Starkregen steigt der Wasserpegel eines Auffanggefäßes mit $1\,m^2$ Grundfläche um 3 cm pro Stunde.

Typ-2-Aufgaben

GK **393** Die Belastung m einer Feder steht zur Federdehnung $D(m)$ in direkt proportionalem Verhältnis. Es gilt: $D(m) = 0{,}04 \cdot m$ (m in g, $D(m)$ in cm)

a) Erstelle eine Wertetabelle für m gleich 0, 5, 10, 15 und 20 g und zeichne den Funktionsgraphen.
b) Ermittle grafisch und rechnerisch die Federdehnung für 12 g.
c) Zeige, dass dem Doppelten von m das Doppelte von $D(m)$ entspricht, und interpretiere diesen Sachverhalt im Zusammenhang mit der Feder.

GK 394 Die Masse m eines Körpers ist direkt proportional zum Volumen des Körpers. Der Proportionalitätsfaktor ist ρ (die Dichte des Körpers).

a) Wird durch $m(V) = \rho \cdot V$ eine direkte Proportionalität beschrieben? Begründe.

b) Erläutere, welche Bedeutung $m(1)$ hat. Und erkläre die Bedeutung $m(V_1 + V_2) = m(V_1) + m(V_2)$ im Zusammenhang mit der Masse eines Körpers.

c) Für Stahl ist die Dichte $\rho = 7800\,\text{kg/m}^3$, für Kork ist die Dichte $\rho = 240\,\text{kg/m}^3$. Zeichne mit einem elektronischen Tool deiner Wahl die Graphen der Funktion m für Stahl und Kork in ein Koordinatensystem.
Gib an, um welchen Faktor sich das Gewicht eines Körpers bei gleichbleibendem Volumen verändert, wenn er aus Stahl bzw. aus Kork ist.

6.5 Abschnittweise definierte lineare Funktionen

Bisher hast du mit Funktionen gearbeitet, die mit einem Funktionsterm im gesamten Definitionsbereich beschrieben werden konnten. Nun lernst du Funktionen kennen, deren Definitionsbereich in einzelne Abschnitte unterteilt ist und die für jeden diesen Definitionsbereiche unterschiedliche Funktionsterme haben.

Neues Wissen

Nicht immer können Funktionen mit nur einem Term dargestellt werden. In manchen Fällen setzt sich eine Funktion aus mehreren Abschnitten zusammen. Dabei können Graphen auftreten, die Ecken oder Sprünge haben.

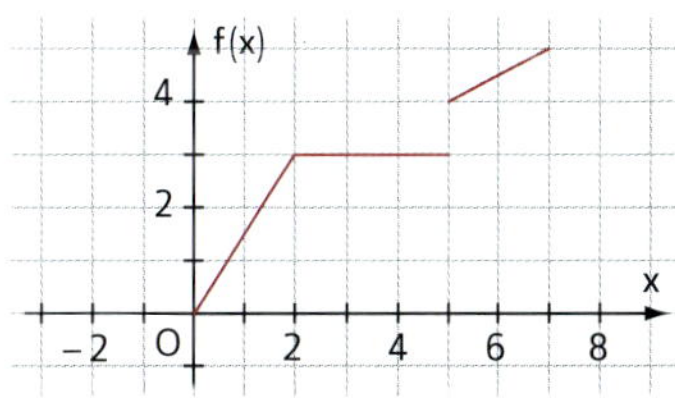

Abschnittweise definierte Funktionen sind dadurch gekennzeichnet, dass sich die einzelnen Funktionsterme auf bestimmte Bereiche der Definitionsmenge beziehen.

Beispiel:
Zeichne den Graphen der Funktion f mit $f(x) = \begin{cases} -3 & \text{für } x < 0 \\ 0 & \text{für } x = 0 \\ x + 1 & \text{für } x > 0 \end{cases}$

Lösung:
Zum Zeichnen solcher Funktionen liest du am besten die einzelnen Zeilen und stellst sie schrittweise grafisch dar.

Beachte die Bedeutung der Relationszeichen:
Gilt $x > a$ bzw. $x < a$ für $a \in \mathbb{R}$, ist an der Stelle a kein Funktionswert definiert. Das wird in der Zeichnung mit einem nicht gefüllten Punkt ∘ deutlich gemacht.

Beim Ermitteln des Funktionsterms einer abschnittweise definierten Funktion gehst du genau umgekehrt vor.

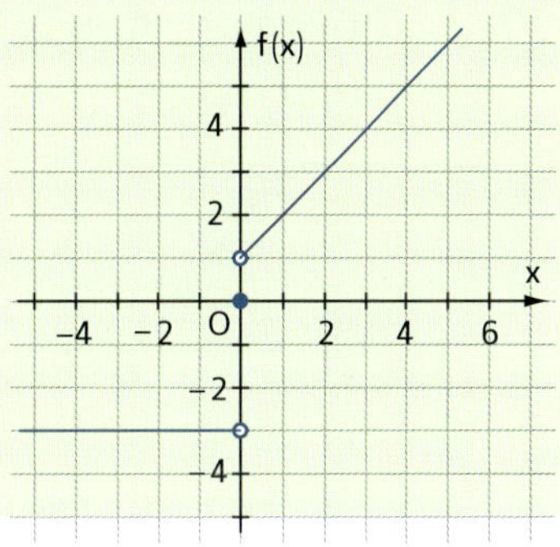

Technologie-Tipp: Graphen abschnittweise definierter Funktionen

395 Zeichne den Graphen der Funktion f.

(1) $f(x) = \begin{cases} 2x - 1 & \text{für } x < 0 \\ 1 & \text{für } x = 0 \\ 2x & \text{für } x > 0 \end{cases}$ (2) $f(x) = \begin{cases} 3 & \text{für } x < 0 \\ 0 & \text{für } x = 0 \\ -3 & \text{für } x > 0 \end{cases}$

Aufgaben

396 Ein Verein legt den monatlichen Mitgliedsbeitrag fest:
- Wer unter 1000 Euro pro Monat verdient, bezahlt keinen Mitgliedsbeitrag.
- Wer 1000 Euro oder mehr, aber weniger als 2000 Euro pro Monat verdient, zahlt 20 Euro.
- Wer 2000 Euro oder mehr als 2000 Euro pro Monat verdient, zahlt 30 Euro.

a) Erstelle eine Wertetabelle des Mitgliedsbeitrags als Funktion des Einkommens.
b) Stelle den Mitgliedsbeitrag als Funktion des Einkommens grafisch dar.

397 Der Preis für ein Kilogramm Farbe beträgt 20 Euro. Werden mindestens 10 Kilogramm gekauft, so wird ein Rabatt von 10 Euro abgezogen. Stelle den Preis als Funktion der gekauften Menge dar:
a) in einer (sinnvollen) Wertetabelle, b) grafisch.

398 Sei die Funktion f: $[0;\,2] \in \mathbb{R}$ durch folgende Zuordnungsvorschrift definiert:
$f(x) = \begin{cases} x, & \text{falls } 0 \le x \le 1 \\ 1 - x, & \text{falls } 1 < x \le 2 \end{cases}$
a) Zeichne den Graphen der Funktion. b) Berechne $f(0)$, $f\left(\frac{1}{2}\right)$, $f(1)$, $f\left(\frac{3}{2}\right)$, und $f(2)$.

399 Zeichne den Graphen der Funktion f: $\mathbb{R} \to \mathbb{R}$.
a) $f(x) = \begin{cases} |x| & \text{für } -3 \le x \le 3 \\ -1 & \text{sonst} \end{cases}$ b) $f(x) = \begin{cases} x^2 & \text{für } -2 \le x \le 2 \\ -2 & \text{sonst} \end{cases}$

400 Zeichne den Graphen der Funktion.
a) Theta-Funktion Θ: $\mathbb{R} \mapsto \mathbb{R}$ $\Theta(x) = \begin{cases} 0 & \text{falls } x < 0 \\ 1 & \text{sonst} \end{cases}$
Berechne weiters $g(-1)$ und $g(1)$, wenn $g(x) = \Theta(-x)$.
b) Signumfunktion sgn: $\mathbb{R} \mapsto \mathbb{R}$ mit $\operatorname{sgn}(x) = \begin{cases} -1 & \text{für } x < 0 \\ 0 & \text{für } x = 0 \\ 1 & \text{für } x > 0 \end{cases}$
c) Die sogenannte Integerfunktion ordnet jedem Argument den ganzzahligen Anteil des Arguments als Funktionswert zu.

401 Gib die abschnittweise Termdarstellung der durch den Graphen definierten Funktion an.
a)
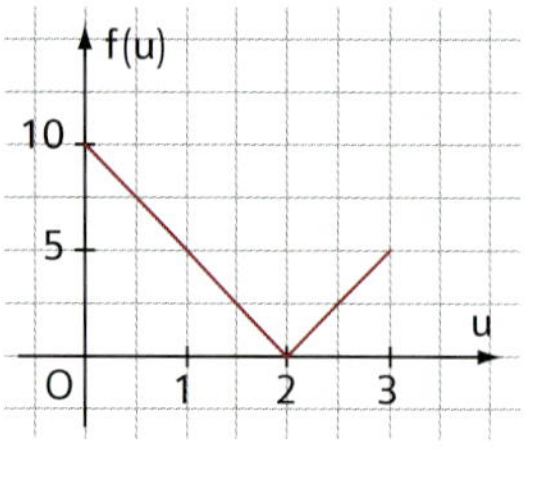

b)
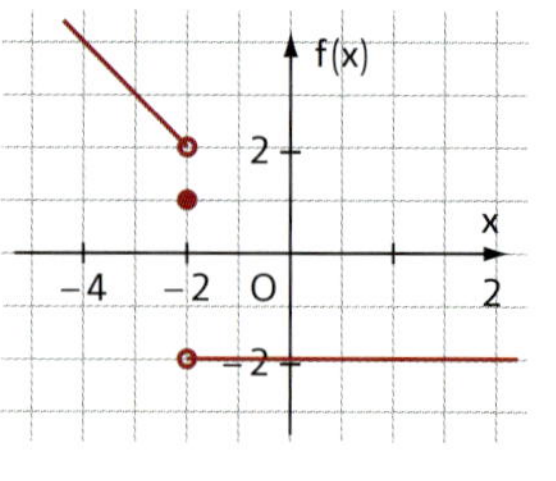

402 Wo besitzt die Funktion g: $[0;1] \mapsto \mathbb{R}$ ihr Maximum? Welchen Wert besitzt sie dort?
$g(z) = \begin{cases} 1 + z & \text{falls } z < \frac{1}{2} \\ 2 - z & \text{sonst} \end{cases}$

7 Indirekte Proportionalität

In diesem Abschnitt vertiefst du dein Wissen über indirekte Proportionalität:
- Indirekt proportionale Funktionen erkennen
- Mithilfe von Wertetabelle, Zuordnungsvorschrift und Graph darstellen

Du erwirbst folgende Grundkompetenzen:

GK Indirekte Proportionalität als Funktion vom Typ $f(x) = \frac{a}{x}$ beschreiben (FA-R 3.4)

GK Verbal, tabellarisch, grafisch oder durch eine Gleichung (Formel) gegebene Zusammenhänge als Funktionen vom Typ $f(x) = a \cdot x^z$ mit $z \in \mathbb{Z}$ erkennen bzw. betrachten; zwischen diesen Darstellungsformen wechseln (FA-R 3.1)

Neues Wissen

Beispiel:
Ein Quadrat mit dem Flächeninhalt 1 m^2 soll in ein Rechteck mit gleichem Flächeninhalt umgewandelt werden.

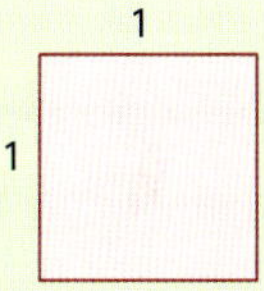

Lösung:
Wird für die erste Seitenlänge 2 m gewählt, so muss die zweite Seitenlänge 0,5 m betragen, damit der Flächeninhalt des Rechtecks 1 m^2 beträgt.

Die zweite Seitenlänge hängt von der Wahl der ersten Seitenlänge ab.
Diese Aufgabe soll nun mithilfe einer Funktion beschrieben werden.

Formel zur Berechnung des Flächeninhalts:	Flächeninhalt = Länge · Breite
Die frei wählbare Seitenlange wird mit x bezeichnet und die zweite, davon abhängige Seitenlänge mit y.	$A = x \cdot y$
Für $A = 1\,m^2$ ergibt sich:	$1 = x \cdot y$
Um die abhängige Seitenlänge y als Funktion von x darstellen zu können, wird y ausgedrückt:	$y = \frac{1}{x}$
Für x kann ein beliebiger positiver Wert gewählt werden. Für y ergeben sich ebenfalls positive Werte.	$x \in \mathbb{R}^+$ und $y \in \mathbb{R}^+$

Die Seitenlänge y ist indirekt proportional zur Seitenlänge x.
Das Ausgangsproblem (Quadrat → Rechteck) hat unendlich viele Lösungen. Es lässt sich durch eine Funktion $f\colon \mathbb{R}^+ \to \mathbb{R}^+$ mit $f(x) = \frac{1}{x}$ beschreiben.
Als Definitions- und Zielmenge ist nur $\mathbb{R}^+$ geeignet.

Tabelle

x	2	3	4	5	$\frac{1}{2}$	$\frac{1}{3}$	$\frac{1}{4}$	…
f(x)	$\frac{1}{2}$	$\frac{1}{3}$	$\frac{1}{4}$	$\frac{1}{5}$	2	3	4	…

Graph der Funktion

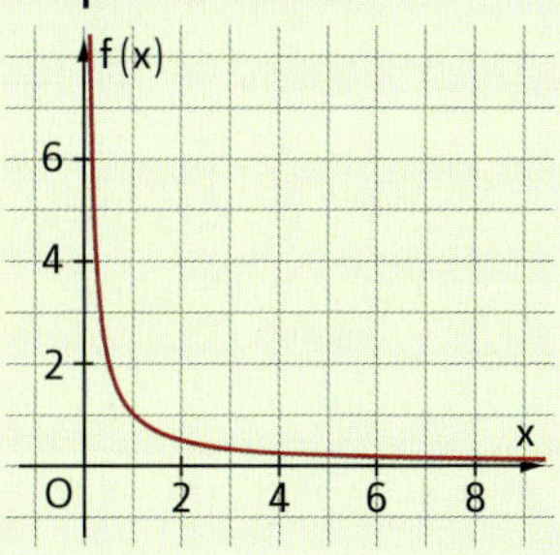

GK **403** Ein Quadrat mit dem Flächeninhalt $4\,m^2$ soll in ein Rechteck mit gleichem Flächeninhalt umgewandelt werden. Eine Funktion f beschreibt dabei die Abhängigkeit der zweiten Rechteckseite von der ersten.
(1) Gib eine Wertetabelle, Zuordnungsvorschrift, Definitions- und Zielmenge für f an.
(2) Zeichne den Graphen der Funktion.

Diese Funktionen gehören einem gemeinsamen Funktionstyp an.

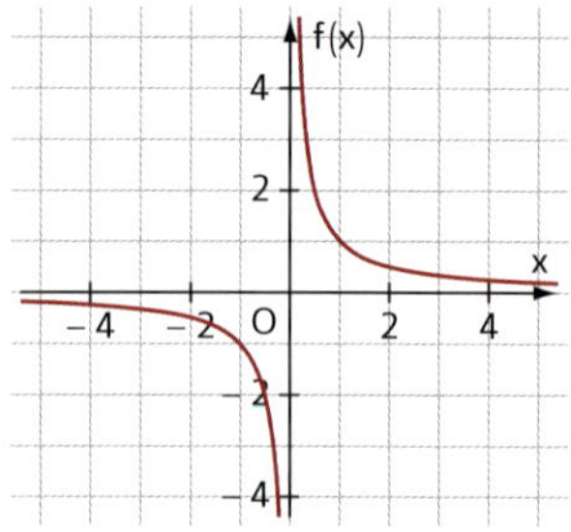

Die Funktion f mit $f(x)=\frac{1}{x}$ ist für $x=0$ nicht definiert.
Als Definitionsmenge ergibt sich daher $D=\mathbb{R}\setminus\{0\}$.
Der Graph von $f(x)=\frac{1}{x}$ besteht aus zwei Teilen bzw. Ästen. Er nähert sich der 1. und der 2. Achse, erreicht sie aber nie. Solche Geraden werden **Asymptoten**[1] des Graphen genannt. Graphen dieser Form heißen **Hyperbel**.
Gleiches gilt für Funktionen f mit $f(x)=\frac{k}{x}$: Die Definitionsmenge ist $D=\mathbb{R}\setminus\{0\}$. 1. und 2. Achse sind Asymptoten des Graphen. Der Graph ist eine Hyperbel.

GK **404** Vergleiche indirekt proportionale Funktionen mit unterschiedlichem k. Gib jeweils die Definitionsmenge an. Erstelle eine Wertetabelle für $x=-4; -2; -1; -0{,}5; 0{,}5; 1; 2; 4$ und zeichne den entsprechenden Graphen.
(1) $f(x)=\frac{1}{x}$ (2) $g(x)=\frac{2}{x}$ (3) $h(x)=\frac{3}{x}$

Definition

Eine Größe **y heißt indirekt proportional zu x**, wenn es eine Konstante $k \neq 0$ gibt, sodass $y=\frac{k}{x}$ gilt. Den Faktor k nennt man **Proportionalitätsfaktor**.

Eine reelle Funktion $f\colon A \to \mathbb{R}$ für $A \subseteq \mathbb{R}\setminus\{0\}$ mit $f(x)=\frac{k}{x}$ und $k \neq 0$ wird **indirekt proportionale Funktion** genannt. Die Funktionswerte f(x) sind indirekt proportional zu den Argumenten x.

Eine weitere Eigenschaft wird anhand der Wertetabelle für $f(x)=\frac{1}{x}$ deutlich.

		$\cdot 2$		$\cdot 2$		$\cdot 2$		$\cdot 2$	
x	1		2		4		8		16
f(x)	1		$\frac{1}{2}$		$\frac{1}{4}$		$\frac{1}{8}$		$\frac{1}{16}$
		$\cdot\frac{1}{2}$		$\cdot\frac{1}{2}$		$\cdot\frac{1}{2}$		$\cdot\frac{1}{2}$	

Diese Eigenschaft gilt für alle indirekt proportionalen Funktionen.

Wird ein Argument x mit v multipliziert, so wird der entsprechende Funktionswert f(x) durch v dividiert – und umgekehrt: $\mathbf{f(v\cdot x)=\frac{1}{v}\cdot f(x)}$

[1] *Asymptote* (griechisch) – nicht zusammenfallend

Beispiel:

Zeige $f(v \cdot x) = \frac{1}{v} \cdot f(x)$ für die Funktion f mit $f(x) = \frac{2}{x}$ für $x = 1$ und $v = 0{,}2$ bzw. $v = -4$.

Lösung:

	$x_1 = 1$	$f(x_1) = f(1) = 2$	
$v = 0{,}2$	$x_2 = 0{,}2 \cdot 1 = 0{,}2$	$f(0{,}2 \cdot 1) = f(0{,}2) = 10$ ✓	$\frac{1}{0{,}2} \cdot f(1) = \frac{1}{0{,}2} \cdot 2 = 10$ ✓
$v = -4$	$x_3 = (-4) \cdot 1 = (-4)$	$f(-4 \cdot 1) = f(-4) = -\frac{1}{2}$ ✓	$\frac{1}{-4} \cdot f(1) = \frac{1}{-4} \cdot 2 = -\frac{1}{2}$ ✓

GK **405** Arbeitet mit einem geeigneten elektronischen Tool.

(1) Gebt den Proportionalitätsfaktor k an.

(2) Zeichnet die Funktionen. Wie wirkt sich der Proportionalitätsfaktor k auf den Graphen aus? Vergleicht dabei mit der Funktion $f: x \mapsto \frac{1}{x}$.

(3) Legt Wertetabellen für x = 1, 2, 3, 4 und 5 an. Überprüft jeweils den Zusammenhang $f(v \cdot x) = \frac{1}{v} \cdot f(x)$ für $x = 1$ und $x = 5$.

$f_1(x) = \frac{1}{x}$ $f_2(x) = \frac{5}{x}$ $f_3(x) = \frac{0{,}2}{x}$ $f_4(x) = \frac{1}{2x}$ $f_5(x) = -\frac{1}{x}$

Beispiel:

Das Volumen eines Zylinders beträgt π. Wie kann die Höhe des Zylinders in Abhängigkeit vom gewählten Radius bestimmt werden?

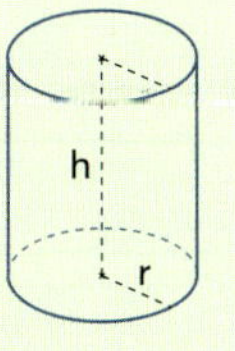

Lösung: Für das Volumen eines Zylinders gilt: $V = r^2 \cdot \pi \cdot h$

Für $r = 1$ muss auch $h = 1$ sein, damit das Volumen π beträgt.

Für $r = 2$ muss $h = \frac{1}{4}$ sein, damit das Volumen π beträgt.

Die Abhängigkeit der Höhe h vom Radius kannst du durch h(r) ausdrücken.

Ersetzt du in der Volumsformel des Zylinders nun V durch 1 π und h durch h(r),

so ergibt sich: $1\pi = r^2 \cdot \pi \cdot h(r)$

Durch Kürzen von π erhältst du: $1 = r^2 \cdot h(r)$

Umformen führt zu: $h(r) = \frac{1}{r^2}$

Die Abhängigkeit der Höhe h eines Zylinders mit Volumen π vom Radius r lässt sich mit $h(r) = \frac{1}{r^2}$ beschreiben. Als Definitions- und Zielmenge ist nur $\mathbb{R}^+$ geeignet.

Tabelle

r	$\frac{1}{4}$	$\frac{1}{3}$	$\frac{1}{2}$	1	2	3	4	…
h(r)	16	9	4	1	$\frac{1}{4}$	$\frac{1}{9}$	$\frac{1}{16}$	…

Graph der Funktion

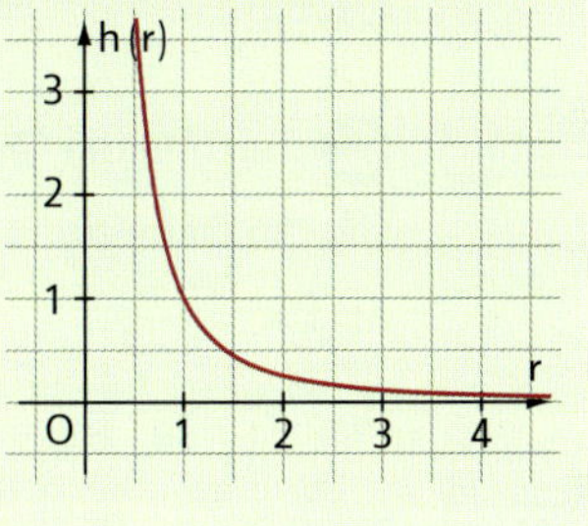

GK **406** Das Volumen eines Zylinders beträgt 3π. Beschreibe die Abhängigkeit der Höhe vom Radius mittels Zuordnungsvorschrift, Wertetabelle und Graph. Gib Definitions- und Zielmenge an.

Die Funktion f mit $f(x) = \frac{1}{x^2}$ ist für $x = 0$ nicht definiert.

Als Definitionsmenge ergibt sich daher $D = \mathbb{R} \setminus \{0\}$.

Der Graph von $f(x) = \frac{1}{x^2}$ besteht aus zwei Teilen bzw. Ästen, die **symmetrisch** zur 2. Achse sind. Der Graph der Funktion nähert sich der 1. und 2. Achse, erreicht sie aber nie. 1. und 2. Achse sind **Asymptoten** des Graphen. Gleiches gilt für alle Funktionen f mit $f(x) = \frac{k}{x^2}$.

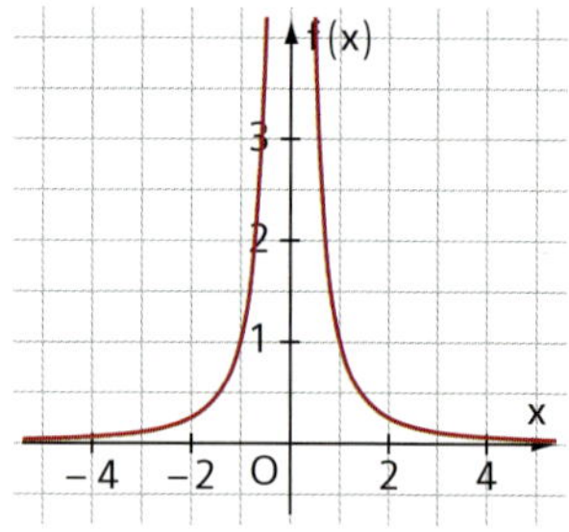

407 Untersuche mit dem dynamischen Arbeitsblatt www Indirektes Verhältnis einen indirekt proportionalen Zusammenhang.

GK **408** Untersuche, ob die beiden Größen zueinander direkt proportional, indirekt proportional oder nicht proportional sind. Begründe. Gib, wenn möglich, einen Funktionsterm an.

(1)	
v (km/h)	s (km)
0	0
10	5
20	10
30	15
40	30
s(v) =	

(2)	
t (h)	v (km/h)
1	120
2	60
3	40
4	30
5	24
v(t) =	

(3)	
s (km)	t (min)
1	3
2	6
3	9
4	12
5	15
t(s) =	

(4)	
t (s)	s (m)
0	0
1	1
2	4
3	9
4	16
s(t) =	

Aufgaben

GK **409** Zeichne die Graphen der Funktionen mit einem elektronischen Tool. Wie wirken sich die Änderungen im Zähler bzw. im Nenner im Vergleich zu $f(x) = \frac{1}{x}$ auf den Verlauf des Graphen aus? Bei welchen Funktionen liegt indirekte Proportionalität vor?

a) $f(x) = \frac{1}{x}$, $g(x) = \frac{2}{x}$, $h(x) = \frac{5}{x}$

b) $f(x) = \frac{1}{x}$, $g(x) = \frac{1}{3x}$, $h(x) = \frac{1}{5x}$

c) $f(x) = \frac{1}{x}$, $g(x) = \frac{1}{x-3}$, $h(x) = \frac{1}{x+3}$

d) $f(x) = \frac{1}{x}$, $g(x) = \frac{1}{x+4}$, $h(x) = \frac{1}{x-4}$

GK **410** Zeichne die Graphen der Funktionen mit einem elektronischen Tool. Beschreibe, wie der Verlauf des Graphen mit dem Exponenten von x zusammenhängt.

$f_1(x) = \frac{1}{x}$ $f_2(x) = \frac{1}{x^2}$ $f_3(x) = \frac{1}{x^3}$ $f_4(x) = \frac{1}{x^4}$ $f_5(x) = \frac{1}{x^5}$

GK **411** Zeichne die Graphen der Funktionen mit einem elektronischen Tool.
Gib die Definitions- und Zielmenge an. In welchem Bereich steigt/fällt die Funktion?

a) $f(x) = \frac{1}{x-1}$

b) $f(x) = \frac{1}{x+2}$

c) $f(x) = \frac{1}{2x+2}$

d) $f(x) = \frac{1}{3x-6}$

e) $f(x) = \frac{1}{x^2}$

f) $f(x) = \frac{1}{x^8}$

GK **412** Ein Prisma mit quadratischer Grundfläche hat ein Volumen von $12\,m^3$. Beschreibe mittels Wertetabelle, Funktionsgleichung und Graph, wie sich die Höhe h in Abhängigkeit von der Grundkante a ändert.

Typ-2-Aufgaben

GK **413** Die Fahrzeit t eines Radfahrers ist indirekt proportional zur (annähernd konstanten) Geschwindigkeit v für eine bestimmte Strecke s.

a) Gib die Funktion t in Abhängigkeit von v für $s = 52\,km$ in Termdarstellung an.
b) Erstelle eine Tabelle für die Geschwindigkeit v im Intervall [5; 30].
c) Was bedeutet t(5) und t(20)?
d) Zeichne den Graphen der Funktion.
e) Wie schnell muss der Radfahrer fahren, wenn er die Strecke von 52 km in 1,5 Stunden zurücklegen will?

GK **414** Bearbeite die Aufgabe: www Zahnkränze eines Rennrades.

GK **415** Isaac Newton formulierte 1687 ein wichtiges Grundgesetz der Mechanik: $F = m \cdot a$ (m Masse eines Körpers in kg, F Kraft in Newton N, a Beschleunigung in $\frac{m}{s^2}$).

a) Zeichne den Graphen der Funktion F(a) für $m = 10\,kg$ und $0\,m/s^2 \le a \le 10\,m/s^2$ in ein geeignetes Koordinatensystem. Zeichne den Graphen der Funktion m(a) für $F = 100\,N$ und $0\,m/s^2 < a \le 10\,m/s^2$ in ein zweites Koordinatensystem. Gib die Wachstumseigenschaften der beiden Funktionen mit einem geeigneten Intervall an.
b) Newton formulierte den Zusammenhang etwa so: *Die Beschleunigung ist direkt proportional zur wirkenden Kraft*. Begründe diese Aussage mithilfe der Formel $F = m \cdot a$ für eine konstante Masse m. Um welchen Funktionstyp handelt es sich bei $F(a) = m \cdot a$?
c) Welcher Zusammenhang liegt bei konstanter Kraft F vor, wenn m(a) betrachtet wird? Bei gleichbleibendem Kraftaufwand F kann bei einer bestimmten Beschleunigung a_1 ein Körper mit der Masse m_1 bewegt werden. Wie muss die Masse verändert werden, wenn mit gleicher Kraft F doppelt so große Beschleunigung erzielt werden soll?
d) Sicherheitsgurte sollen Autofahrer beim Aufprall auf ein Hindernis schützen. Wenn ein Auto auf einer Strecke von 40 cm von 72 km/h bis zum Stillstand abgebremst wird, tritt eine (Brems-)Beschleunigung a von $500\,m/s^2$ auf. Berechne die Bremskraft, die auf einen Autofahrer mit 80 kg Körpermasse wirkt. Stützt sich der Autofahrer am Lenkrad ab, kann er höchstens eine Kraft von 500 N einsetzen. Würde diese Kraft ausreichen, um sich beim Unfall auch ohne Sicherheitsgurt zu schützen?
e) Kreuze jene Aussagen an, die mit der Formel $F = m \cdot a$ übereinstimmen.

Wird zehnfache Kraft aufgewendet, so verzehnfacht sich bei gleicher Masse die Beschleunigung.	☐
Je größer die Masse ist, desto größer wird bei gleicher Kraft die Beschleunigung.	☐
Abbildung 1 stellt den Graphen einer Funktion F(m) dar.	☐
Abbildung 1 stellt den Graphen einer Funktion a(F) dar.	☐
Abbildung 2 stellt den Graphen einer Funktion m(F) dar.	☐
Abbildung 2 stellt den Graphen einer Funktion a(m) dar.	☐

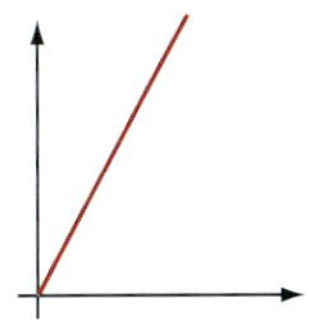
Abb. 1

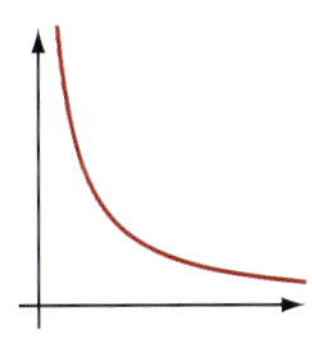
Abb. 2

8 Quadratische Funktionen

Du erwirbst folgende Grundkompetenzen:

- GK Eigenschaften von Funktionen erkennen, benennen, im Kontext deuten und zum Erstellen von Funktionsgraphen einsetzen: Monotonie, lokale Extrema (Maximum, Minimum), Achsensymmetrie, Schnittpunkte mit den Achsen (FA-R 1.5)
- GK Verbal, tabellarisch, grafisch oder durch eine Gleichung (Formel) gegebene Zusammenhänge als Funktionen vom Typ $f(x) = a \cdot x^2$ bzw. $f(x) = a \cdot x^2 + b$ erkennen bzw. betrachten; zwischen diesen Darstellungsformen wechseln (FA-R 3.1)
- GK Typische Verläufe von Graphen in Abhängigkeit vom Grad der Polynomfunktion (er)kennen (FA-R 4.1)
- GK Zwischen tabellarischen und grafischen Darstellungen von Zusammenhängen des Typs $f(x) = a \cdot x^2 + b \cdot x + c$ wechseln (FA-R 4.2)

Vorwissen

416 In der Mindmap findet ihr wichtiges zu Thema *Quadrieren*. Überprüft jede der Aussagen anhand konkreter Zahlen.

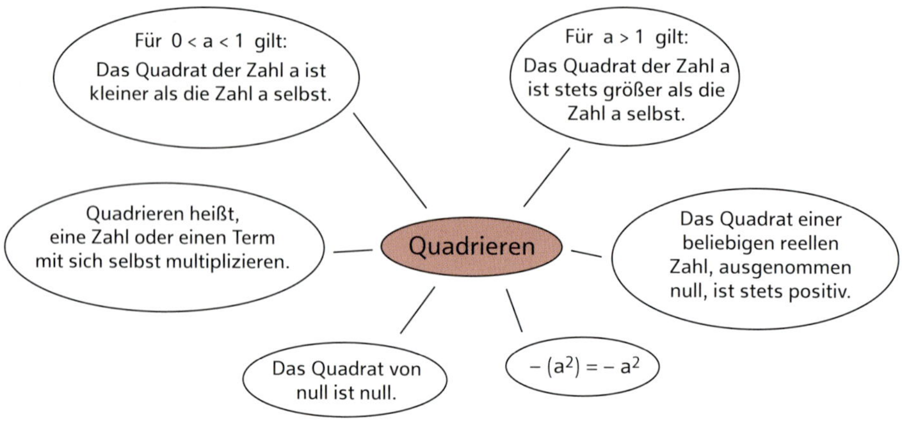

417 In diesem Abschnitt wirst du mit den mathematischen Begriffen Graph, Parabel und Scheitel arbeiten. Welche der folgenden Worterklärungen oder abgeleiteten Begriffe lassen sich einem dieser drei Begriffe zuordnen?

symmetrische geometrische Figur | gravieren | Darstellung einer Funktion | Kuppe | Handschriftenkunde | einzelnes Schriftzeichen | lehrhafte Erzählung | Parabelflug | Haarscheitel | Adelstitel | Schaubild | Parabolspiegel | Gleichnis | Scheitelpunkt des Hochwassers | Scheitel eines Winkels | Wurfparabel | Schutzhülle für ein Schwert | vom Scheitel bis zur Sohle

Neues Wissen

Beispiel:

Gegeben ist die Funktion (1) f mit $f(x) = x^2 - 2x + 2$, (2) g mit $g(x) = -x^2 - 2x + 3$.

a) Erstelle eine Wertetabelle und zeichne den Graphen der Funktion.
b) Ermittle die Symmetrieachse des Graphen.
c) Markiere den Tiefpunkt bzw. Hochpunkt des Graphen. Lies die Koordinaten ab.
d) Zeichne soweit vorhanden die Nullstellen ein. Lies die Koordinaten ab.

Lösung:

(1) a)

x	f(x)
−3	17
−2	10
−1	5
0	2
1	1
2	2
3	5

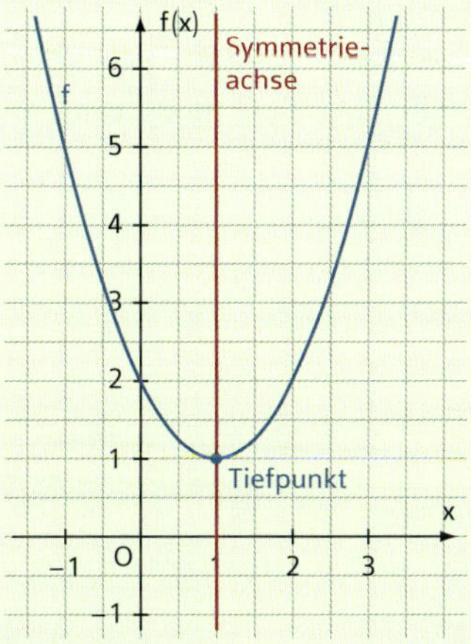

b) Symmetrieachse: $x = 1$
c) Tiefpunkt $T(1|1)$
d) Es gibt keine Nullstellen.

(2) a)

x	g(x)
−3	0
−2	3
−1	4
0	3
1	0
2	−5
3	−12

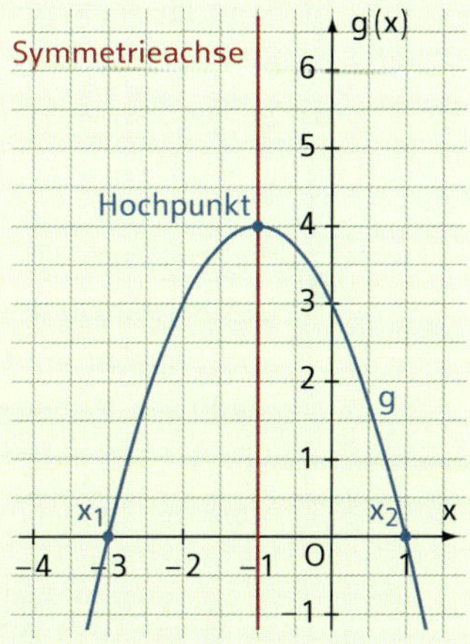

b) Symmetrieachse: $x = -1$
c) Hochpunkt: $(-1|4)$
d) Nullstellen: $x_1 = -3$ und $x_2 = 1$

Definition

Eine reelle Funktion f: $\mathbb{R} \rightarrow \mathbb{R}$ der Form $f(x) = a \cdot x^2 + b \cdot x + c$ heißt **quadratische Funktion** oder auch **Polynomfunktion 2. Grades**. Dabei sind die Koeffizienten a, b und c reelle Zahlen mit $a \neq 0$. Der Graph einer quadratischen Funktion ist eine Kurve, die eine zur y-Achse parallele Symmetrieachse besitzt. Diese Kurve wird **Parabel** genannt.

Der **Scheitelpunkt** (oder nur **Scheitel**) der Parabel ist der Schnittpunkt der Parabel mit ihrer Symmetrieachse. Wenn der Scheitelpunkt der tiefste Punkt der Parabel ist, wird er **Tiefpunkt** genannt. Wenn er der höchste Punkt der Parabel ist, wird er **Hochpunkt** genannt.

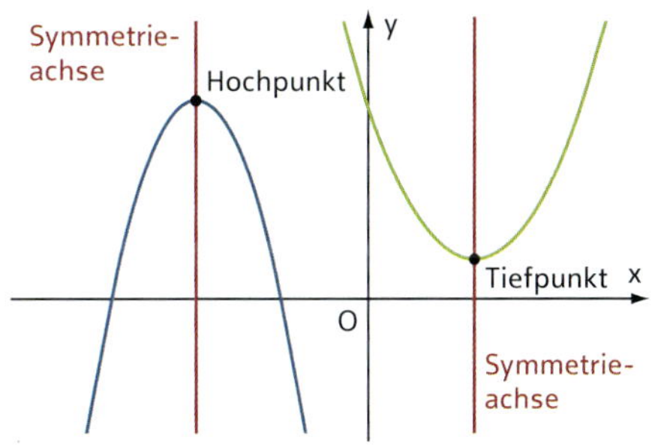

Eine Stelle x, an der der Funktionswert 0 ist, heißt Nullstelle der Funktion f. Für eine **Nullstelle** x gilt $f(x) = 0$. Der Graph einer quadratischen Funktion kann höchstens zwei Nullstellen haben.

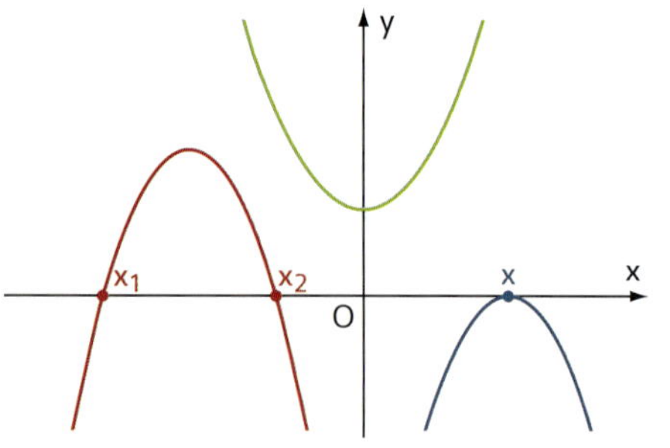

GK **418** Gegeben ist eine quadratische Funktion

(1) f mit $f(x) = 0{,}25x^2 - 0{,}5x + 4{,}25$ (2) g mit $g(x) = 0{,}5x^2 + 4x + 8$.

a) Erstelle eine Wertetabelle und zeichne den Graphen der Funktion.
b) Ermittle die Symmetrieachse des Graphen.
c) Markiere den Tiefpunkt bzw. Hochpunkt des Graphen. Lies deren Koordinaten ab.
d) Zeichne soweit vorhanden die Nullstellen ein. Lies deren Koordinaten ab.

GK **419** (1) Zeichne die Symmetrieachsen der drei Parabeln ein. Gib jeweils die Koordinaten des Schnittpunktes von Symmetrieachse und Parabel an. Gib an, ob der Scheitelpunkt ein Tiefpunkt oder ein Hochpunkt ist.

(2) Markiere (soweit vorhanden) die Nullstellen der Parabeln. Gib die Koordinaten der Nullstellen an. Wie weit liegen die Nullstellen von der Symmetrieachse entfernt? Was fällt dir auf?

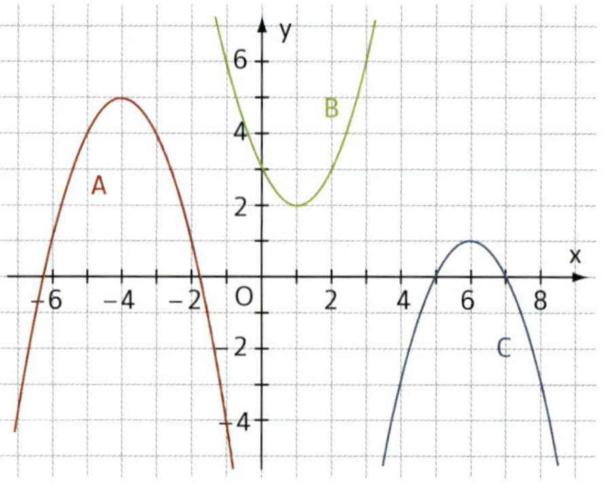

(3) In welchen Bereichen sind die Parabeln fallend, in welchen steigend?

GK **420** Welche quadratische Funktion gehört zu welcher Parabel? Berechne dazu an geeigneten Stellen die Funktionswerte.

$f(x) = x^2 + 1$

$g(x) = x^2 - 12x + 36$

$h(x) = 1 - 4x - x^2$

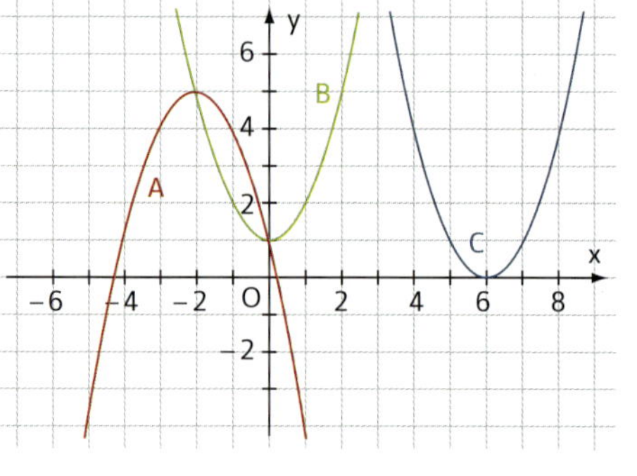

GK **421** Ordne zu. Mehrfachantworten sind möglich.

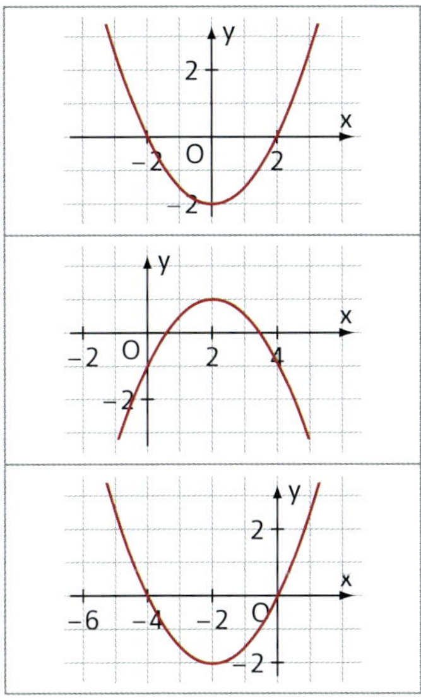

A	Der Scheitelpunkt ist ein Hochpunkt.
B	Die y-Achse ist Symmetrieachse.
C	Die Parabel hat eine einzige Nullstelle.
D	$x = -2$ ist Symmetrieachse.
E	Die Parabel hat zwei Nullstellen.
F	$y = 2$ ist Symmetrieachse.
G	$x = 2$ ist Symmetrieachse.
H	Der Scheitelpunkt ist ein Tiefpunkt.

Funktionen mit $f(x) = a \cdot x^2$

GK **422** Der einfachste Fall einer quadratischen Funktion ist $f(x) = x^2$.
Ergänze für diese Funktion die Wertetabelle.

x	-3	-2	-1	$-0,5$	$-0,25$	0	$0,25$	$0,5$	1	2	3
$f(x) = x^2$											

Zeichne den Graphen und die Symmetrieachse dieser Funktion.

a) Für welche Stelle x gilt: $f(x) = 0$?
b) Gib die Koordinaten des Scheitels an.
c) Ist der Scheitelpunkt ein Tiefpunkt oder ein Hochpunkt?
d) In welchem Bereich fällt die Funktion und in welchem Bereich steigt sie?

Zusammenfassung

Der Graph der einfachsten quadratischen Funktion f mit $f(x) = x^2$ wird auch **Grundparabel** genannt.

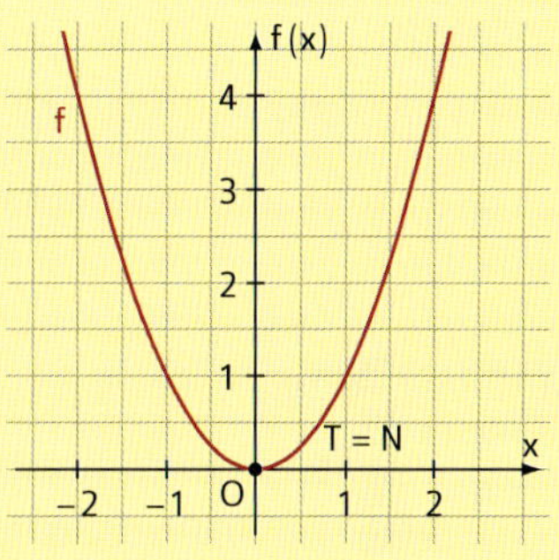

- Diese Parabel berührt die x-Achse an der Stelle $x = 0$.
- $x = 0$ ist die **einzige Nullstelle** der (Grund-)Parabel. Der Punkt N an der Nullstelle hat die Koordinaten $(0|0)$.
- Die Parabel $f(x) = x^2$ ist nach **oben offen**, weil für alle $x \neq 0$ gilt: $f(x) > 0$.
- Die **Symmetrieachse** der Parabel ist die y-Achse und der Scheitelpunkt liegt im Ursprung $(0|0)$.
- Der Scheitel ist ein **Tiefpunkt T**. An der Stelle der x-Koordinate des Scheitels liegt die (einzige) Nullstelle und die Funktionswerte erreichen dort ihr **Minimum**.

Die Grundparabel ist im Bereich $]-\infty; 0]$ fallend und im Bereich $[0; \infty[$ steigend.

GK **423** (1) Erstellt im Bereich [–5; 5] eine Wertetabelle für die quadratische Funktion f mit $f(x) = 0{,}25x^2$ und zeichnet den Graphen der Funktion. Welche Eigenschaften könnt ihr erkennen? Ordnet den Satzanfängen der linken Spalte die richtigen Fortsetzungen der rechten Spalte zu.

Der Graph der Funktion ist	
Der Scheitel liegt	
Der Scheitelpunkt ist	
Der Definitionsbereich ist	
Die Zielmenge ist	
Der Graph ist symmetrisch	
Für $x > 0$ ist die Funktion	
Für $x < 0$ ist die Funktion	
$x = 0$ ist	

A	im Koordinatenursprung.
B	eine Parabel.
C	$\mathbb{R}$.
D	ein Tiefpunkt.
E	fallend.
F	$\mathbb{R}_0^+$.
G	steigend.
H	bezüglich der y-Achse.
I	die einzige Nullstelle.
J	ein Hochpunkt.
K	bezüglich der x-Achse.
L	eine Gerade.
M	$\mathbb{R}_0^-$.

(2) Erstellt auch für die quadratische Funktion f mit $f(x) = -0{,}25x^2$ im Bereich [–5; 5] eine Wertetabelle und zeichnet den Graphen. Vergleicht die beiden Parabeln. Welche Eigenschaften haben sie gemeinsam und wo liegen die Unterschiede?

Ist der Koeffizient a einer quadratischen Funktion f mit $f(x) = a \cdot x^2$ eine **negative** reelle Zahl, so ist die Parabel nach **unten offen**, weil $f(0) = 0$ ist und für alle $x \neq 0$ gilt: $f(x) < 0$
Der Scheitel liegt wieder im Ursprung $(0|0)$ und ist ein **Hochpunkt H**.

H ist auch der Berührpunkt N der Parabel mit der x-Achse. Die x-Koordinate des Hochpunkts ist zugleich die einzige Nullstelle.

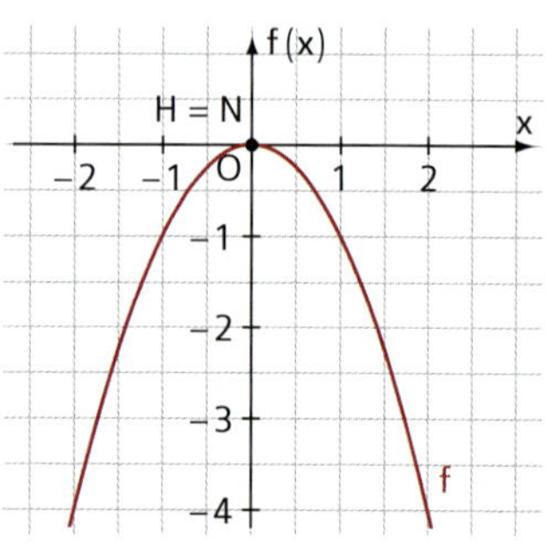

GK **424** Wie verändert sich der Graph der Funktion f mit $f(x) = a \cdot x^2$, wenn der Koeffizient a verändert wird? Bearbeitet dazu das dynamische Arbeitsblatt
www Graph der Funktion f mit $f(x) = a \cdot x^2$

GK **425** (1) Welcher Graph passt zu welchem Funktionsterm? Kreuzt an.

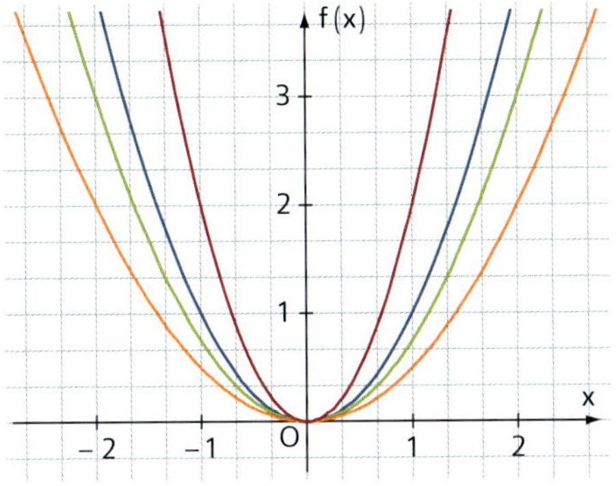

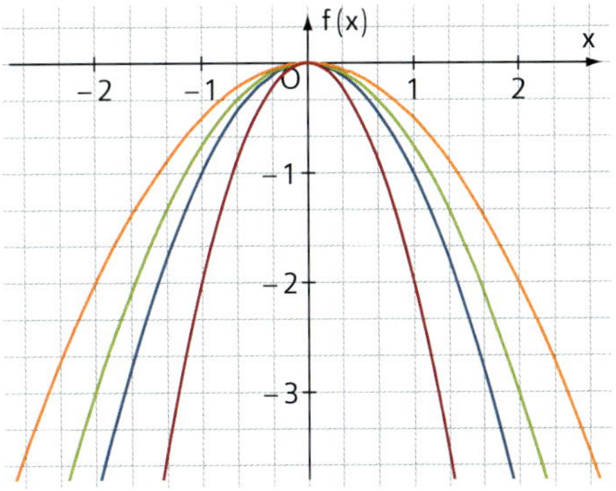

$f(x) = a \cdot x^2$	rot	blau	grün	orange
$f(x) = x^2$				
$f(x) = 0{,}75x^2$				
$f(x) = 0{,}5x^2$				
$f(x) = 2x^2$				

$f(x) = a \cdot x^2$	rot	blau	grün	orange
$f(x) = -x^2$				
$f(x) = -0{,}75x^2$				
$f(x) = -0{,}5x^2$				
$f(x) = -2x^2$				

(2) Für welche Werte von a ist der Graph breiter bzw. schmäler als die Grundparabel?
(3) Wie wirkt sich ein negatives Vorzeichen auf die Lage der Parabel aus?
(4) Wie sieht der Graph für $a = 0$ aus?
(5) Formuliert allgemein für beliebige Werte a aus der Menge der positiven bzw. negativen reellen Zahlen Form und Lage der Parabel im Vergleich zur Grundparabel.

Zusammenfassung

Der Graph einer quadratischen Funktion f mit $\mathbf{f(x) = a \cdot x^2}$ für $a \in \mathbb{R} \setminus \{0\}$ ist eine **Parabel** mit dem Scheitelpunkt S im Ursprung.

- Für $\mathbf{a > 0}$ ist die Parabel nach **oben offen**. Der Scheitelpunkt S ist ein **Tiefpunkt**. Die Funktion ist im Bereich $\mathbb{R}^-$ fallend und im Bereich $\mathbb{R}^+$ steigend. Die **einzige Nullstelle** befindet sich im Scheitelpunkt. Es gilt: $T = N = (0|0)$.
- Für $\mathbf{a < 0}$ ist die Parabel nach **unten offen**. Der Scheitelpunkt S ist ein **Hochpunkt**. Die Funktion ist im Bereich $\mathbb{R}^-$ steigend und im Bereich $\mathbb{R}^+$ fallend. Die **einzige Nullstelle** befindet sich im Scheitelpunkt. Es gilt: $\mathbf{H = N = (0|0)}$.
- Je größer der Wert für $|a|$ ist, desto schmäler wird die Parabel.
- Je kleiner der Wert für $|a|$ ist, desto breiter wird die Parabel.

Funktionen mit $f(x) = a \cdot x^2 + b$

GK **426** Die Punkte $A(-2|2)$, $B(0|0)$ und $C(2|2)$ liegen am Graphen der Funktion f mit $f(x) = \frac{1}{2}x^2$. Zeige rechnerisch, dass die Punkte $A_1(-2|5)$, $B_1(0|3)$ und $C_1(2|5)$ am Graphen der Funktion g mit $g(x) = \frac{1}{2}x^2 + 3$ liegen.

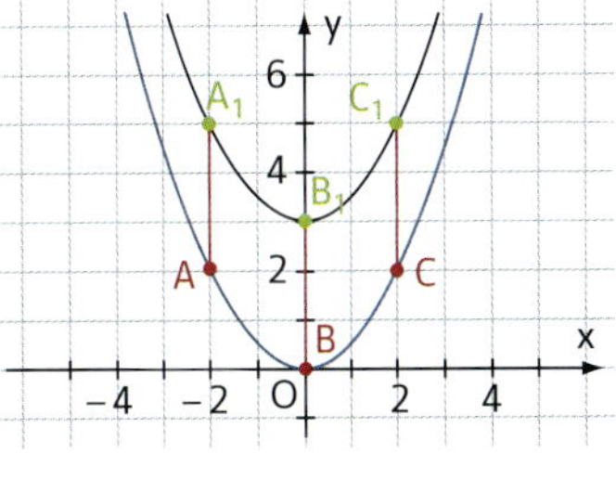

GK 427

(1) Ordnet die Funktionsgleichungen den gezeichneten Graphen richtig zu. Gebt die Koordinaten und die Art (Hochpunkt bzw. Tiefpunkt) der Scheitelpunkte an. Vergleicht die y-Koordinate des Scheitelpunkts mit dem Funktionsterm. Was fällt euch auf?

$f_1(x) = x^2 + 2$ $\qquad$ $f_2(x) = \frac{1}{4}x^2 - 4$

$f_3(x) = -\frac{1}{2}x^2 + 3$ $\qquad$ $f_4(x) = -x^2$

$f_5(x) = -\frac{1}{4}x^2 - 2$

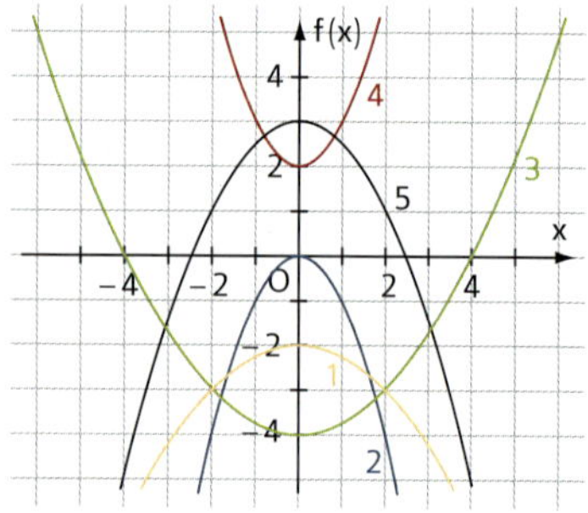

(2) Ergänzt den Text:

Gegeben ist die Funktion f mit $f(x) = a \cdot x^2 + b$. Die Funktion ist symmetrisch bezüglich der __❶__. Der Graph der Funktion ist eine __❷__.

Ist $a > 0$, dann ist $f(0) = b$ und für alle $x \neq 0$ gilt: $f(x) > b$. Der Scheitelpunkt S der Funktion hat daher die Koordinaten __❸__. Der Scheitelpunkt ist ein __❹__.

Ist $a < 0$, dann ist $f(0) = b$ und für alle $x \neq 0$ gilt: $f(x) < b$. Der Scheitelpunkt S der Funktion hat daher die Koordinaten __❺__. Der Scheitelpunkt ist ein __❻__.

Die Funktion f mit $f(x) = a \cdot x^2 + b$ kann höchstens __❼__ Nullstellen haben.

❶	
x-Achse	☐
y-Achse	☐

❷	
Gerade	☐
Parabel	☐

❸	
(0|b)	☐
(b|0)	☐

❹	
Hochpunkt	☐
Tiefpunkt	☐

❺	
(0|b)	☐
(b|0)	☐

❻	
Hochpunkt	☐
Tiefpunkt	☐

❼	
2	☐
3	☐

Zusammenfassung

Der Graph einer quadratischen Funktion f mit $f(x) = a \cdot x^2 + b$ mit $a \neq 0$ ist eine **Parabel**, die durch **Verschiebung der Parabel** $f(x) = a \cdot x^2$ **entlang der y-Achse um den Wert b** entsteht. Die **y-Achse ist Symmetrieachse.**

- Ist **$a > 0$**, ist die Parabel nach **oben offen**, weil $f(0) = b$ und für alle $x \neq 0$ gilt: $f(x) > b$.
  Der Scheitelpunkt hat die Koordinaten **(0|b)** und ist ein **Tiefpunkt**.
  Die Funktion ist im Bereich $\mathbb{R}^-$ fallend und im Bereich $\mathbb{R}^+$ steigend.
- Ist **$a < 0$**, ist die Parabel nach **unten offen**, weil $f(0) = b$ und für alle $x \neq 0$ gilt: $f(x) < b$.
  Der Scheitelpunkt hat die Koordinaten **(0|b)** und ist ein **Hochpunkt**.
  Die Funktion ist im Bereich $\mathbb{R}^-$ steigend und im Bereich $\mathbb{R}^+$ fallend.

Funktionen mit $f(x) = a \cdot (x + m)^2 + n$

GK **428** (1) Erstellt für die Funktionen f, g und h Wertetabellen im Bereich $[-4; 4]$ und ordnet ihnen einen Graphen zu. Wie hängen diese drei Funktionen zusammen?

$f(x) = 2x^2 + 1$	
$g(x) = 2 \cdot (x + 3)^2 + 1$	
$h(x) = 2 \cdot (x - 3)^2 + 1$	

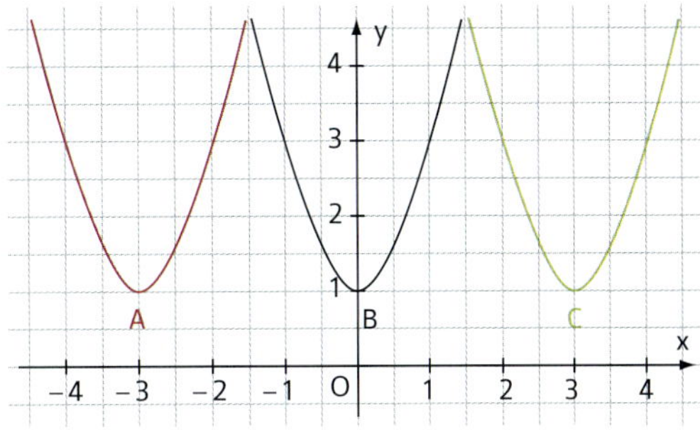

(2) Verschiebt gedanklich die Parabel A in den Scheitelpunkt $S(-3|2)$. Gebt einen Funktionsterm für diese verschobene Parabel an.
Verschiebt nun die Parabel C in den Scheitelpunkt $S(2|1)$. Gebt einen Funktionsterm an.

(3) Was könnt ihr über die Lage und Art des Scheitelpunkts der Funktion f mit $f(x) = a \cdot (x + m)^2 + n$ aussagen?

Zusammenfassung

Der Graph einer quadratischen Funktion mit dem Funktionsterm $f(x) = a \cdot (x + m)^2 + n$, $a \in \mathbb{R} \setminus \{0\}$, ist eine Parabel mit dem Scheitelpunkt $S(-m|n)$.

- Ist $a > 0$, ist die Parabel nach **oben offen**. Der Scheitelpunkt ist ein **Tiefpunkt**.
- Ist $a < 0$, ist die Parabel nach **unten offen**. Der Scheitelpunkt ist ein **Hochpunkt**.

GK **429** Gib die Lage und Art des Scheitelpunkts der Funktion f an. Überlege, wie viele Nullstellen die Funktion f hat.

a) $f(x) = 5 \cdot (x - 2)^2 + 1$
b) $f(x) = -3 \cdot (x - 1)^2 + 2$
c) $f(x) = 2 \cdot (x - 1)^2 - 3$
d) $f(x) = -0{,}5 \cdot (x - 2)^2 - 1$
e) $f(x) = 5 \cdot (x + 2)^2 + 1$
f) $f(x) = -2 \cdot (x + 5)^2 - 1$

GK **430** Gib die Anzahl der Nullstellen an.

	Anzahl der Nullstellen
Der Scheitelpunkt einer quadratischen Funktion liegt im 3. Quadranten, der Graph der Funktion ist nach oben offen.	
Der Scheitelpunkt einer quadratischen Funktion liegt im 1. Quadranten, der Graph der Funktion ist nach oben offen.	
Der Scheitelpunkt einer quadratischen Funktion liegt im 2. Quadranten, der Graph der Funktion ist nach unten offen.	
Der Scheitelpunkt einer quadratischen Funktion liegt im 4. Quadranten, der Graph der Funktion ist nach oben offen.	
Der Scheitelpunkt einer quadratischen Funktion liegt auf der positiven y-Achse, der Graph der Funktion ist nach oben offen.	
Der Scheitelpunkt einer quadratischen Funktion liegt auf der x-Achse, der Graph der Funktion ist nach unten offen.	

Nur selten sind Funktionen in der Form $f(x) = a \cdot (x+m)^2 + n,\ a \in \mathbb{R} \setminus \{0\}$, gegeben, sodass der Scheitelpunkt einfach abzulesen ist.
Durch geeignetes Umformen (**Herausheben und Ergänzen auf ein vollständiges Quadrat**) kannst du jede quadratische Funktion der Form $f(x) = a \cdot x^2 + b \cdot x + c$ in die Form $f(x) = a \cdot (x+m)^2 + n$ bringen, den Scheitelpunkt ablesen und das ungefähre Aussehen des Graphen angeben.

▷ *Beispiel:*
Forme die Funktion f mit $f(x) = 2x^2 + 6x + 2$ in die Schreibweise $f(x) = a \cdot (x+m)^2 + n$ um und lies daraus die Koordinaten des Scheitels ab:

Lösung:

Schritt 1:	Hebe 2 aus den ersten beiden Gliedern heraus.	$f(x) = 2x^2 + 6x + 2$ $f(x) = 2(x^2 + 3x) + 2$
Schritt 2:	Ergänze $(x^2 + 3x)$ auf ein vollständiges Quadrat und subtrahiere die mit 2 multiplizierte Ergänzung.	$f(x) = 2(x^2 + 3x + 2{,}25) - 4{,}5 + 2$
Schritt 3:	Wende die binomische Formel $a^2 + 2ab + b^2 = (a+b)^2$ an und fasse zusammen.	$f(x) = 2 \cdot (x + 1{,}5)^2 - 2{,}5$
Schritt 4:	Lies den Scheitelpunkt und das Aussehen des Graphen ab.	$S(-1{,}5 \mid -2{,}5)$ S ist ein Tiefpunkt, weil $a = 2$ und $2 > 0$ gilt. Deshalb ist die Parabel nach oben offen.

Allgemein kannst du für eine beliebige quadratische Funktion den Scheitelpunkt auf folgende (ähnliche) Weise bestimmen:

$f(x) = a \cdot x^2 + b \cdot x + c$

Schritt 1: $f(x) = a \cdot \left(x^2 + \frac{b}{a}x\right) + c$

Schritt 2: $f(x) = a \cdot \left(x^2 + \frac{b}{a}x + \frac{b^2}{4a^2}\right) - \frac{b^2}{4a} + c$

Schritt 3: $f(x) = a \cdot \left(x + \frac{b}{2a}\right)^2 + \left(c - \frac{b^2}{4a}\right)$

$\Rightarrow S\left(-\frac{b}{2a} \middle| c - \frac{b^2}{4a}\right)$

Es genügt, wenn du dir merkst, dass die x-Koordinate des Scheitelpunkts $-\frac{b}{2a}$ ist. Durch Einsetzen dieses Wertes in den Funktionsterm kannst du die y-Koordinate berechnen.

GK **431** Gib die Art und die Koordinaten des Scheitelpunkts der Funktion an. Wie viele Nullstellen hat die Funktion?

a) $f(x) = 2x^2 - x + 2$ b) $f(x) = -2x^2 - 4x + 1$ c) $f(x) = 3x^2 + 3x + 1$

GK 432 Verwende für diese Aufgabe ein elektronisches Tool deiner Wahl.

Erstelle für die Funktion f eine Wertetabelle. Zeichne den Graphen der Funktion. Beschreibe die Definitionsmenge, die Zielmenge, die Lage und die Art (Hochpunkt oder Tiefpunkt) des Scheitelpunktes. Gib die Koordinaten des Scheitelpunktes und die Anzahl der Nullstellen an. In welchem Bereich fällt bzw. steigt die Funktion?

a) $f(x) = -1{,}5x^2$
b) $f(x) = 4x^2$
c) $f(x) = -0{,}35x^2 + 0{,}2$
d) $f(x) = \frac{5}{2}x^2 - 5$
e) $f(x) = -(x - 0{,}8)^2 - 0{,}6$
f) $f(x) = 2(x - 5)^2 + 1{,}5$
g) $f(x) = 10x^2 - 3x + 2$

In der Architektur werden manchmal parabelähnliche Formen für Brücken oder Gebäude verwendet.
Die Schnittlinien dieser Formen können annähernd mit einer quadratischen Funktion modelliert werden, wenn einige Messdaten bekannt sind.

▷ *Beispiel:* Der Querschnitt der Fuldabrücke in Guntershausen kann annähernd mit einer Parabel beschrieben werden. Die Brücke ist 19,5 m hoch und 100 Meter lang. Gib die Funktionsgleichung der Querschnittlinie an.

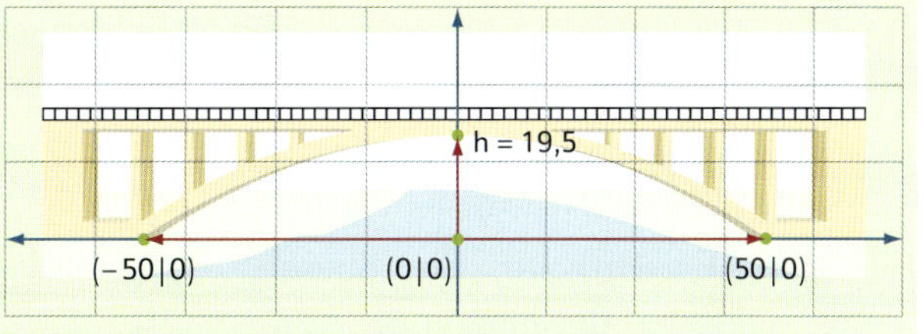

Lösung: Nimm an, dass die Fundamente der Brücke auf der x-Achse liegen, der Scheitelpunkt ein Hochpunkt ist und auf der y-Achse liegt. Die Parabel wird so durch eine quadratischen Funktion der Form $f(x) = a \cdot x^2 + b$ mit $a < 0$ beschrieben.
Da die Brücke 19,5 m hoch ist, gilt: $S = (0|19{,}5)$.
$f(0) = 19{,}5 \Rightarrow a \cdot 0^2 + b \Rightarrow b = 19{,}5$

Die y-Achse ist die Symmetrieachse, die Brücke ist 100 Meter breit, daher sind $x_1 = -50$ und $x_2 = 50$ die beiden Nullstellen der Parabel.
$0 = a \cdot 50^2 + 19{,}5$
$0 = a \cdot 2500 + 19{,}5 \Rightarrow a = -\frac{19{,}5}{2500} = -0{,}0078$
$f(x) = -0{,}0078x^2 + 19{,}5$

Kostentheorie
Die Wirtschaftsmathematik beschäftigt sich unter anderem mit der Analyse von Kosten, Erlös und Gewinn, Angebot und Nachfrage. Mittels mathematischer Funktionen wird versucht, Kosten-, Erlös- und Gewinnsituationen darzustellen und die Auswirkungen von Veränderungen zu interpretieren.

▷ **Definition:**
Stellt x die produzierte und zu verkaufende Menge eines Produkts dar, so gibt die **Kostenfunktion K mit K: $x \mapsto K(x)$** die Kosten in Abhängigkeit von x an.

Die **Preisfunktion p mit p: $x \mapsto p(x)$** gibt den Preis in Abhängigkeit von der (nachgefragten) Menge x an. Für den Preis einer Ware gibt es eine Obergrenze, bei der niemand mehr bereit ist, die Ware zu kaufen. Dieser Preis $p(0)$ wird **Maximalpreis** genannt.
Ab einer bestimmten Stückzahl x dagegen ist der Markt mit einer Ware so übersättigt, dass niemand die Ware mehr kaufen würde, auch dann nicht, wenn sie theoretisch nichts mehr kosten würde. Diese Stückzahl wird **Sättigungsmenge** genannt und wird mit $p(x) = 0$ berechnet.

Die Einnahmen eines Betriebes durch den Verkauf eines Produkts werden Erlös genannt. Die **Erlösfunktion E mit E: $x \mapsto E(x)$** ergibt sich aus dem Verkaufspreis mal verkaufter Menge x: $E(x) = p(x) \cdot x$

Der Gewinn (bzw. Verlust) ergibt sich aus dem Unterschied zwischen Erlös und Kosten. Die **Gewinnfunktion G mit G: $x \mapsto G(x)$** ermittelt mit $G(x) = E(x) - K(x)$ den Gewinn (bzw. Verlust) in Abhängigkeit von der verkauften Menge x.
Gilt $E(x) = K(x)$, ist also $G(x) = 0$, so wird weder ein Gewinn noch ein Verlust erwirtschaftet.

Die untere Nullstelle von $G(x)$ wird **Gewinnschwelle** oder **Break-even-Point**, die obere Nullstelle **Gewinngrenze** genannt.
Zwischen Gewinnschwelle und Gewinngrenze wird Gewinn erzielt.

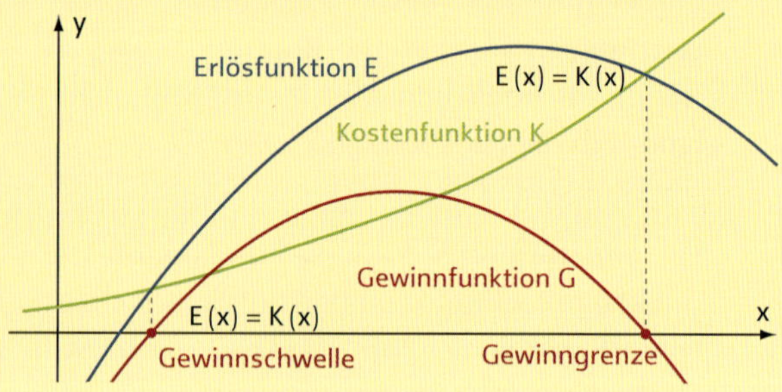

GK **433** (1) Für ein bestimmtes Produkt wird eine lineare Preisfunktion p angegeben: $p(x) = 69 - 0{,}02x$.
a) Gib einen sinnvollen Definitionsbereich für p an.
b) Bestimme den Maximalpreis.
c) Bestimme die Sättigungsmenge.
d) Ermittle die Erlösfunktion E.

(2) Die Kostenfunktion K wird mit $K(x) = 0{,}005x^2 + 8x + 1100$ angegeben.
a) Für welche Produktionsmenge x sind die Kosten am höchsten?
b) Ermittle die Gewinnfunktion G.
c) Für welche Menge x ist der Gewinn am größten?
d) Zeichne den Graphen der Gewinnfunktion. Lies aus der Grafik die Gewinnschwelle und die Gewinngrenze ab.

(3) Die Durchschnittskosten k (Gesamtkosten pro Produktionseinheit) werden mit der Formel $k(x) = \frac{K(x)}{x}$ bestimmt. Berechne die Durchschnittskosten für 1000 und für 2000 Stück.

Aufgaben

Funktionen mit $f(x) = a \cdot x^2$

GK 434 Ordne die Funktionen den gezeichneten Graphen richtig zu und ergänze die Tabelle.

Funktionsterm	Farbe	im Bereich		Scheitelpunkt		Enthält den Punkt
		fallend	steigend	H	T	
$f(x) = x^2$	rot	$\mathbb{R}^-$	$\mathbb{R}^+$		✓	B
$g(x) = -x^2$						
$h(x) = -2x^2$						
$u(x) = 2x^2$						
$v(x) = -0{,}5x^2$						
$w(x) = 0{,}5x^2$						
$a(x) = -5x^2$						
$b(x) = 5x^2$						

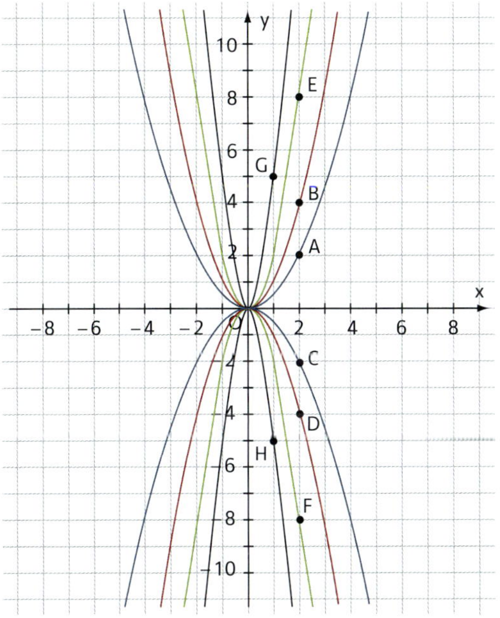

GK 435 Die Schnittlinie (dargestellt mit roter Linie in der Abbildung) des unteren Teils eines Pokalkelches ist bis zu einer Höhe von 5 cm annähernd parabelförmig. Der obere Teil des Kelches ist zylinderförmig mit einem Durchmesser von 12 cm und einer Höhe von 6 cm.

a) Gib die Funktionsgleichung der Schnittlinie an. Nimm dabei an, dass der Scheitelpunkt der Schnittparabel im Ursprung liegt.

b) Wie viel Liter Flüssigkeit fasst der Kelch, wenn der zylindrische Teil 70,6 % des Gesamtvolumens ausmacht?

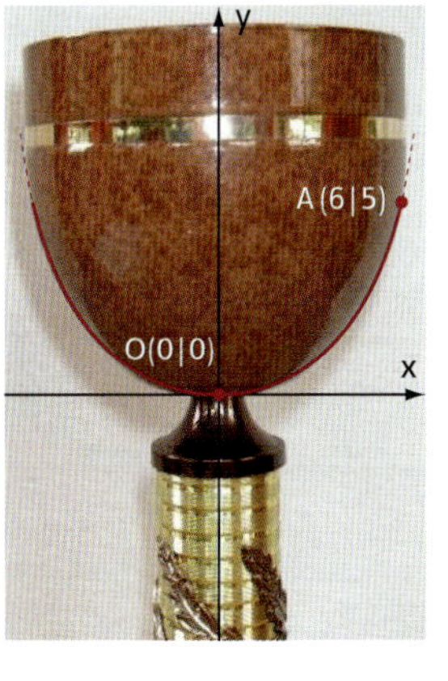

Funktionen mit $f(x) = a \cdot x^2 + b$

GK **436** Bearbeite das dynamische Arbeitsblatt www Graph der Funktion f mit $f(x) = x^2 + b$.

GK **437** Gib die Koordinaten und die Art des Scheitelpunktes (Hochpunkt oder Tiefpunkt) sowie die Anzahl der Nullstellen der quadratischen Funktion an. Begründe deine Aussagen.

a) $u(x) = \frac{1}{3}x^2 + 3$ b) $v(x) = -2x^2 - 2$ c) $w(x) = -x^2 + 4$

d) $u(t) = 5t^2 - 0{,}5$ e) $v(s) = -2{,}5s^2 - 0{,}5$ f) $w(a) = 100a^2 - 350$

GK **438** Ein aus der Ruhelage frei fallender Körper hat nach der Zeit t den Weg $s(t) = \frac{g}{2} \cdot t^2$, t in Sekunden und s(t) in Meter, zurücklegt. Dabei ist $g = 9{,}81\,m/s^2$ die Erdbeschleunigung.

a) Erstelle eine Tabelle im Intervall [0 s, 12 s], die für jede Sekunde den Fallweg angibt.
b) Zeichne den Graphen der Funktion $s\colon t \mapsto s(t)$
c) Wie lange braucht ein Körper, um 100 m zu fallen?
d) Eine Fallschirmspringerin springt aus 2500 m ab und öffnet nach 10 Sekunden ihren Fallschirm. Wie viele Meter stürzt sie im freien Fall?

Funktionen mit $f(x) = a \cdot (x + m)^2 + n$

GK **439** Bearbeite das dynamische Arbeitsblatt www Graph der Funktion f mit $f(x) = (x + m)^2 + n$.

GK **440** (1) Lies aus dem Funktionsterm die Koordinaten des Scheitelpunkts ab.
(2) Gib für a) bis f) an, ob der Scheitelpunkt ein Hochpunkt oder ein Tiefpunkt ist. Begründe.
(3) Gib an, wie viele Nullstellen die Funktion hat. Begründe.

a) $f(x) = (x - 1)^2 + 5$ b) $h(r) = r^2 - 1{,}5$

c) $g(s) = (s + 3{,}4)^2 + 3{,}4$ d) $V(x) = (x + 1)^2 - 3$

e) $U(t) = t^2 + 2{,}7$ f) $f(a) = (a + 44)^2 - 25$

g) $A(x) = (x - m)^2 + 4$ h) $h(t) = (t - p)^2 - q$

GK **441** Wie viele Nullstellen hat eine quadratische Funktion,
a) wenn der Tiefpunkt die Koordinaten $T(-3|-3)$ hat,
b) wenn der Hochpunkt die Koordinaten $H(-2|1)$ hat,
c) wenn der Hochpunkt die Koordinaten $H(3|6)$ hat,
d) wenn der Tiefpunkt die Koordinaten $T(-1|8)$ hat?

GK **442** Eine Parabel ist durch die Termdarstellung einer Funktion gegeben. Ermittle die Koordinaten ihres Scheitels, ohne den Funktionsgraphen zu zeichnen.
Gib an, ob der Scheitel ein Hochpunkt oder ein Tiefpunkt ist. In welchem Bereich ist die Funktion steigend, in welchem fallend?

a) $f(x) = x^2 - 4x + 5$ b) $h(x) = x^2 - 10x + 24$

c) $g(x) = -\frac{1}{3}x^2 + 6$ d) $u(x) = -\frac{1}{2}x^2 + x + 3{,}5$

Typ-2-Aufgaben

443 Die Wurfbahn (Höhe) eines Körpers, der mit einer Abfluggeschwindigkeit von 40 m/s lotrecht nach oben geworfen wird, folgt der Funktion h mit $h(t) = -5t^2 + 40t$ (t in Sekunden, h(t) in Meter).

a) Gib eine zur Aufgabe passende Definitionsmenge an. Erstelle eine Wertetabelle, aus der die Höhe nach jeder vollen Sekunde abgelesen werden kann, und zeichne den Graphen der Wurfbahn.

b) Kreuze die zutreffende(n) Aussage(n) an.

- ☐ Der Körper befindet sich nach zwei Sekunden und nach sechs Sekunden in 60 m Höhe.
- ☐ Nach 5 Sekunden befindet sich der Körper in derselben Höhe wie zu Beginn des Wurfes.
- ☐ Der Körper erreicht eine maximale Höhe von 80 m.
- ☐ Der Körper befindet sich nach 2,5 Sekunden in einer Höhe von 31,25 m.
- ☐ Der Körper befindet sich nach 4 Sekunden in der maximalen Höhe.

444 An einer Mauer soll ein rechteckiger Platz durch einen Zaun abgetrennt werden. Es stehen 50 m Zaun zur Verfügung. Die Seiten, die an die Mauer angrenzen, werden mit x bezeichnet.

a) Lege für x einen sinnvollen Definitionsbereich fest. Gib an, wie lange x sein muss, wenn ein Quadrat eingezäunt werden soll.

b) Beschreibe den Flächeninhalt des eingezäunten Platzes abhängig von der Seite x mithilfe einer quadratischen Funktion A(x). Erstelle eine Wertetabelle und zeichne den Graphen der Funktion.

c) Kreuze die zutreffende(n) Aussage(n) an.

- ☐ Ist die Seite x 10 m lang, so ist die Seite, die parallel zur Mauer läuft, 30 m lang.
- ☐ Ist die Seite x 12,5 m lang, entsteht ein Platz mit dem größtmöglichen Flächeninhalt.
- ☐ Der maximal erreichbare Flächeninhalt ist 312,5 m^2.
- ☐ Das Rechteck mit dem größten Flächeninhalt ist ein Quadrat.
- ☐ Für $x = 25$ m entsteht ein Rechteck mit dem größten Flächeninhalt.

445 Die quadratischen Funktionen $V(r) = 13\pi \cdot r^2$ bzw. $O(r) = 2\pi r^2 + 26\pi r$ beschreiben das Volumen bzw. die Oberfläche einer zylindrischen Getränkedose in Abhängigkeit vom Radius.

a) Zeichne die Graphen der beiden Funktionen. Erstelle Wertetabellen für $0 < r \leq 4$ (r in cm) mit Schrittweite 0,2. Gib das Volumen und die Oberfläche mit $r = 2$ cm an.

b) Berechne das Volumen und die Oberfläche einer Getränkedose, deren Durchmesser 7 cm misst. Gib an, wie sich ein Produktionsfehler, der den Durchmesser um 4 mm erhöht, prozentuell auf das Volumen bzw. auf die Oberfläche der Dose auswirkt.

446 Eine Werferin wirft einen Ball in einen Basketballkorb. Die Wurfbahn des Balles wird annähernd von der quadratischen Funktion
$f(x) = -0{,}2426x^2 + 3{,}46$ beschrieben.

a) Erstelle eine Wertetabelle und zeichne den Graphen der Wurfbahn. Welche maximale Höhe erreicht der Ball?
b) Die Werferin ist 1,80 m groß und der Basketballkorb ist in einer Höhe von 3,05 m angebracht. Wie weit (waagrechte Entfernung) steht die Werferin vom Basketballkorb entfernt?

447 Ein PKW fährt auf der Landstraße mit einer Geschwindigkeit von $v_0 = 100\,km/h$. Als er vor sich auf der Fahrbahn ein Reh sieht, führt er eine Vollbremsung durch. Er bringt das Auto mit einer Bremsverzögerung von $a = 7\,m/s^2$ noch rechtzeitig zum Stillstand.
a) Berechne, wie lange die Schnellbremsung dauert. Verwende dazu die Funktionsgleichung $v(t) = v_0 - a \cdot t$. (Beachte, dass du mit einheitlichen Größen rechnen musst.)
b) Zeichne den Graphen der Weg-Zeit-Funktion $s(t) = v_0 \cdot t - \frac{a}{2} \cdot t^2$, die den Bremsweg beschreibt. Ermittle, wie lange der Bremsweg in diesem Kontext ist.

448 Für ein bestimmtes Produkt x wird eine lineare Preisfunktion p mit $p(x) = -0{,}05x + 500$ angegeben:
a) Ermittle den Höchstpreis und die Sättigungsmenge. Gib einen sinnvollen Definitionsbereich für p an.
b) Erstelle die Erlösfunktion E. Welcher Erlös wird bei einer Produktion von 5000 bzw. 10000 Stück erzielt?

449 Für ein bestimmtes Produkt ist die lineare Preisfunktion p mit $p(x) = 300 - 0{,}07x$ angegeben.
a) Bei welchem Preis in Euro (Maximalpreis) werden alle Käufer abgeschreckt? Das heißt, es wird kein einziges Stück verkauft. Bei welcher Stückzahl müsste das Produkt theoretisch verschenkt werden, ist der Preis also null?
Welcher Definitionsbereich ergibt sich dadurch für die Stückzahlen?
b) Ermittle die Erlösfunktion E und zeichne den Graphen der Funktion. Lies aus der Grafik ab, für welche Stückzahl der Erlös null ist.
Bei welcher Stückzahl ist der Erlös am größten? Wie groß ist er dann? Zu welchem Preis muss das Produkt verkauft werden?

9 Schnittpunkte von Graphen

Anhand von Anwendungsbeispielen übst du, Grafiken richtig zu lesen und Schnittpunkte korrekt zu interpretieren. Eine Grafik ist ein Modell und gibt nur über die dargestellten Größen Auskunft.

Du erwirbst folgende Grundkompetenzen:
- GK Aus Graphen von Funktionen Werte(paare) ermitteln und im Kontext deuten (FA-R 1.4)
- GK Schnittpunkte zweier Funktionsgraphen grafisch ermitteln und im Kontext interpretieren (FA-R 1.6)

Neues Wissen

GK **450** Die Schwestern Lisa und Jana fahren von ihrer Wohnung mit dem Fahrrad zum Bahnhof, der 4 km entfernt ist.
(1) Wann beginnt die Zeitmessung?
(2) Von wo aus wird der Weg s gemessen?
(3) Wie viele Minuten nach Lisa bricht Jana auf?
(4) Wer fährt schneller? Woran erkennst du das?
(5) Wer erreicht zuerst den Bahnhof?
(6) Lies die Koordinaten des Schnittpunktes in der Grafik ab. Welche Bedeutung hat er für Lisa und Jana?

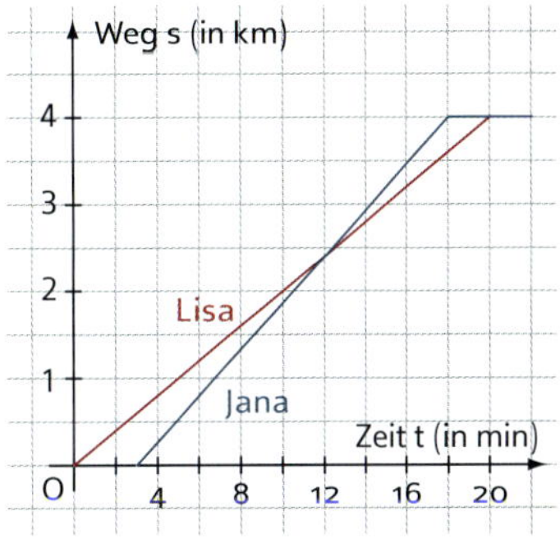

GK **451** Ein Brunnen wird nachts mit einem Lichtstrahl schräg von unten beleuchtet. Das Wasser spritzt in hohem Bogen aus einer Düse.
Formuliere Fragen, die mithilfe der grafischen Darstellung beantwortet werden können. Gehe dabei auch auf die Schnittpunkte der beiden Graphen ein. Tausche sie anschließend mit einer Partnerin oder einem Partner aus und beantworte ihre bzw. seine Fragen.

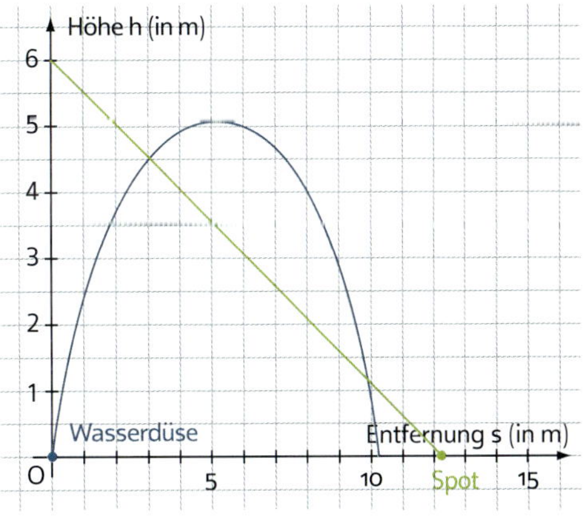

GK **452** Schnittpunkte in der grafischen Darstellung müssen nicht immer auch Schnittpunkte in der Realität bedeuten. Erklärt dies am folgenden Beispiel.
In zwei Becken wird der Wasserstand im Laufe eines Tages gemessen und aufgezeichnet. Verfasst zum Diagramm rechts einen kurzen Text, der auch die Situation im Schnittpunkt der Graphen beschreibt.

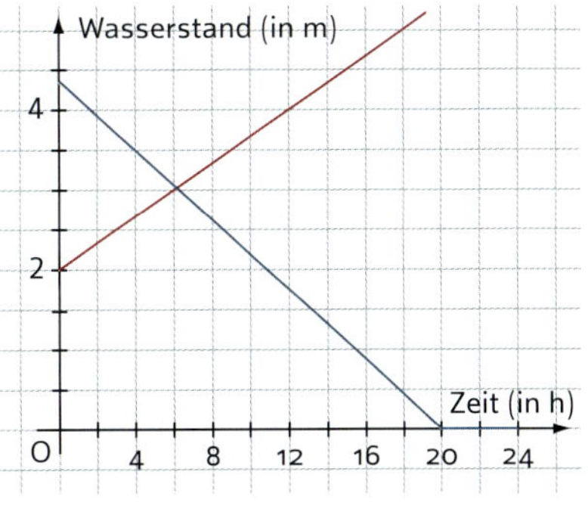

Typ-2-Aufgaben

GK **453** Auf einem Flughafen gibt es zwei Start- und Landebahnen.

a) Entnimm der grafischen Darstellung die ungefähren Koordinaten jenes Punktes, in dem die beiden Start- und Landebahnen einander schneiden und gib seine Lage in Bezug auf den Tower an. Wann kann es zu einem Zusammenstoß der beiden Flugzeuge kommen?

b) Gib Gleichungen für die beiden Geraden an.

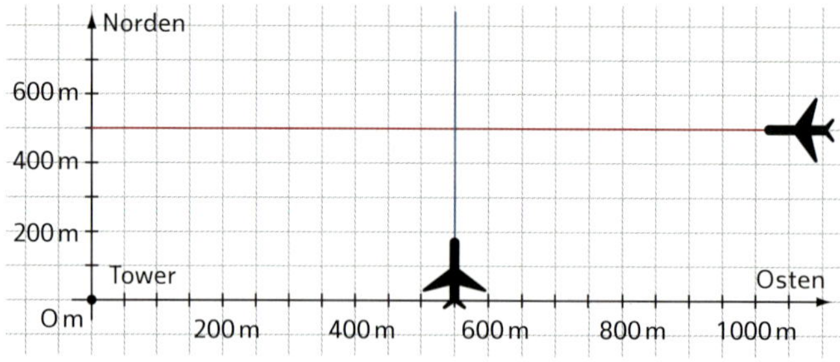

GK **454** Aus unterschiedlicher Höhe werden zwei Papierflieger gestartet.

a) Stelle zu dem Diagramm drei geeignete Fragen und formuliere die entsprechenden Antworten.

b) Begründe, warum die Schnittpunkte der beiden Flugbahnen nicht unbedingt einen Zusammenstoß der Flieger bedeuten.

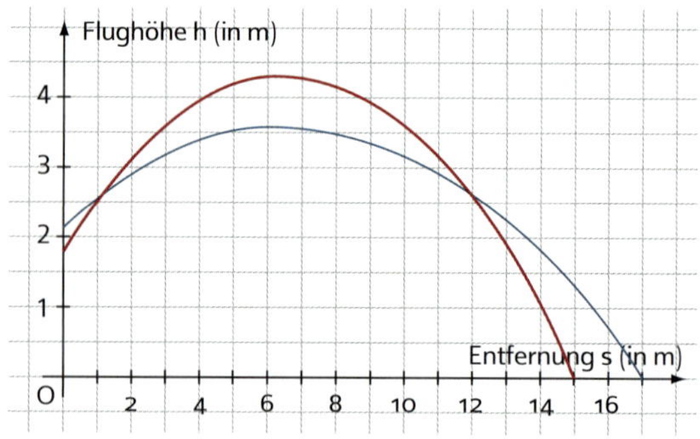

GK **455** Zwei verschiedene Wanderwege führen vom Parkplatz im Tal (in 500 m Seehöhe) zu einer Berghütte in 1500 m Seehöhe. Welche Bedeutung hat der Schnittpunkt in der Grafik? Behaupte nur, was du der Grafik tatsächlich entnehmen kannst. Erkläre, warum aus der Darstellung nicht abgelesen werden kann, dass die beiden Wege einander im Schnittpunkt kreuzen.

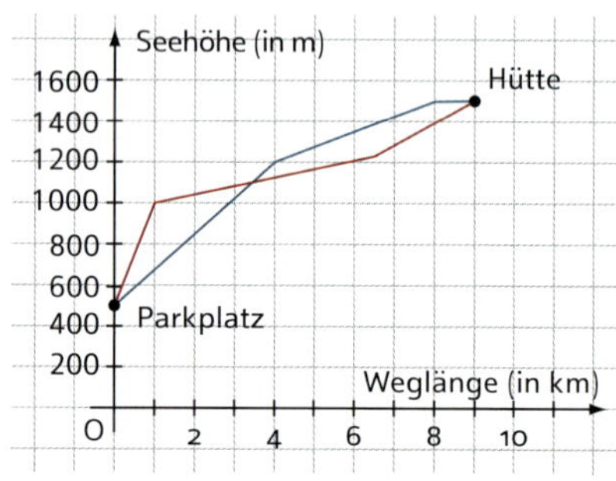

GK **456** Die Grafik zeigt den Verlauf des Aufsprunghanges h einer Skisprungschanze und der Flugbahn f eines Springers ab dem Schanzentisch.

a) Welche Bedeutung hat der Schnittpunkt in der Grafik? Warum hat der Teil des Graphen f nach dem Schnittpunkt in der Realität keine Bedeutung?

b) Formuliert drei Fragen zur Flugbahn bzw. zum Verlauf des Hanges, deren Antworten aus der Grafik abgelesen werden können.

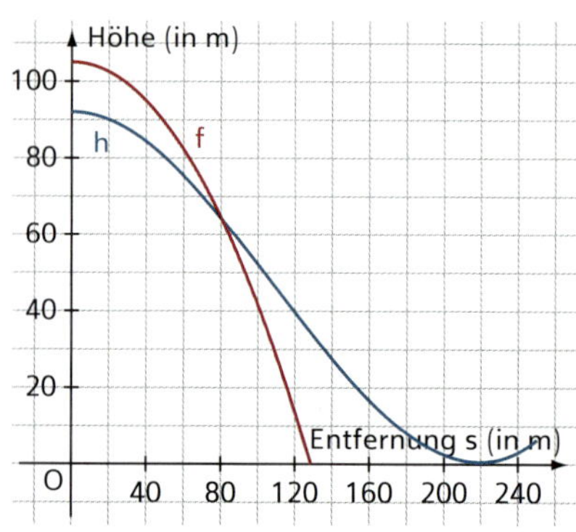

10 Funktionen mit den natürlichen Zahlen als Definitionsmenge

Bei bestimmten anwendungsorientierten Aufgabenstellungen ist es sinnvoll, nur natürliche Zahlen als Definitionsmenge der Funktion zuzulassen.

Du erwirbst folgende Grundkompetenz:
GK Funktionen als mathematische Modelle verstehen und damit verständig arbeiten (FA-R 1.7)

Vorwissen

GK **457** Untersuche, ob die Definitionsmenge auf die natürlichen Zahlen beschränkt ist. Löse die konkrete Fragestellung.

(1) Wie hoch sind die Gesprächsgebühren für x Minuten Gesprächszeit, wenn pro Minute 7 Cent verrechnet werden? Wie viel zahlt Simon für 40,5 Minuten?

(2) Wie viele Kartons werden benötigt, wenn x Tafeln Schokolade in Kartons zu je 10 Stück verpackt werden sollen? Wie viele Kartons sind für 88 Tafeln notwendig?

(3) Wie viele Personen können um x € in einem Restaurant essen, wenn pro Person ein Fixbetrag von 9,50 € verlangt wird? Wie viele Personen kann Lukas um 46,50 € einladen?

Neues Wissen

Arbeit nach der Lernmethode Gruppenpuzzle (bis Aufgabe 461)

Hinweise zur Lernmethode findest du unter www Lernmethode Gruppenpuzzle.
Bearbeite in Einzelarbeit Text A, B oder C in Aufgabe 458. Bildet danach Mischgruppen so, dass A, B und C mindestens einmal in der Gruppe vertreten sind. Löst die Aufgaben 459 bis 461.

GK **458** **A: Kinokassa**

Beim Anstellen vor einer Kinokassa benötigen 5 Personen etwa 1 m^2 Platz. Wie hängt der Platzbedarf vor der Kinokassa von der Personenanzahl ab? Gib einen entsprechenden Funktionsterm an und stelle den Zusammenhang grafisch dar. Überlege dir eine sinnvolle Definitionsmenge und berücksichtige diese in der Darstellung.

B: Herstellungskosten

Für CD-Hüllen aus Karton betragen die Herstellungskosten 0,20 € pro Stück. Wie hängen die Kosten von der Anzahl der produzierten Hüllen ab? Gib einen entsprechenden Funktionsterm an und stelle den Zusammenhang grafisch dar. Überlege dir eine sinnvolle Definitionsmenge und berücksichtige diese in der Darstellung.

C: Lampen

Seit 2009 müssen EU-weit Glühlampen durch energiesparende Modelle ersetzt werden. In der Tabelle wird die Leistung (in Watt) von Glühlampen und LED-Lampen bei gleicher Helligkeit verglichen. Gib einen Funktionsterm an, der der Leistung der Glühlampe ungefähr die Leistung der LED-Lampe zuordnet. Überlege eine sinnvolle Definitionsmenge. Stelle den Zusammenhang grafisch dar und berücksichtige dabei die gewählte Definitionsmenge.

Glühlampe	25 W	40 W	60 W	75 W	100 W
LED-Lampe	5 W	7 W	11 W	15 W	20 W

GK **459** Besprecht in der Mischgruppe A, B und C von Aufgabe 458. Vergleicht die Funktionsterme und die grafischen Darstellungen. Was stimmt überein? Wodurch unterscheiden sie sich?

GK **460** Jede der folgenden Aussagen trifft auf A, B oder C aus Aufgabe 458 besonders gut zu. Entscheidet euch gemeinsam und formuliert eine Begründung.

(1) Es gibt nur einige wenige sinnvolle Punkte in der grafischen Darstellung.
(2) Es gibt eine sehr große Anzahl sinnvoller Punkte in der grafischen Darstellung, sodass die dargestellten Punkte als Gerade erscheinen.
(3) Es ist nicht sinnvoll, f(1000) zu bestimmen.
(4) Je nach gewähltem Ausschnitt sind in der grafischen Darstellung einzelne Punkte oder eine Gerade erkennbar.
(5) Der Funktionsterm gilt nur näherungsweise.
(6) Der Wert an der Stelle $x = 0$ hat eine sinnvolle praktische Bedeutung.

GK **461** Welche Grafik passt (sinnvoll) zu A, B bzw. C aus Aufgabe 458? Ergänzt die fehlenden Beschriftungen.

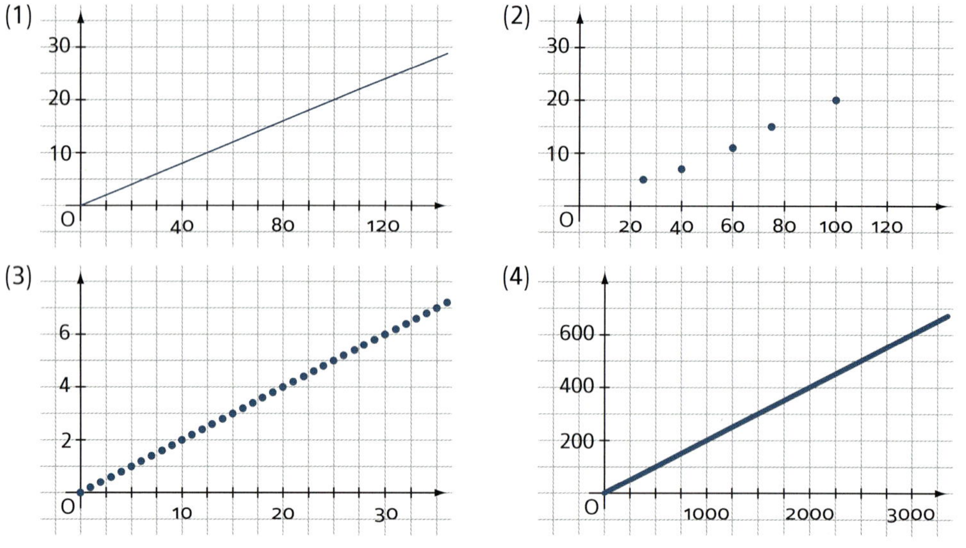

Um hervorzuheben, dass eine Funktion die natürlichen Zahlen als Definitionsmenge besitzt, wird das Argument gerne mit n und die Funktionswerte mit f(n) bezeichnet. Die Funktionsterme zu den Zusammenhängen A, B und C lauten in dieser Schreibweise:

$f(n) = \frac{1}{5}n$, $f(n) = 0{,}2 \cdot n$ und $f(n) \approx \frac{1}{5}n$

GK **462** Wähle eine geeignete Definitionsmenge und gib einen Funktionsterm an.

(1) Ein Fahrrad benötigt $1{,}5\,m^2$ Stellfläche. Ordne die Anzahl der Fahrräder dem entsprechenden Flächenbedarf zu.
(2) Ein PKW benötigt je nach Aufstellung mindestens $8{,}34\,m^2$ Stellfläche ($2{,}3\,m \times 4{,}8\,m$). Ordne der Größe einer vorhandenen Fläche die maximale Anzahl an Parkplätzen zu.

Technologie-Tipp: Grafische Darstellung von Punktgraphen

Aufgaben

GK **463** Für natürliche Zahlen ist die Funktion f mit $f(n) = n^2 - n + 5$ definiert. Lege eine Tabelle für n von 0 bis 10 an und stelle die Funktion grafisch dar. Für welches n gilt: $f(n) = 161$?

GK **464** Gibt es natürliche Zahlen n, für die n^2 als Funktionswert auftritt? Begründe deine Antwort.
a) $f(n) = (n-1) \cdot (n+1)$ b) $f(n) = (n-1) \cdot (n+2)$ c) $f(n) = (n-1) \cdot (n+3)$

GK **465** In der kontrollierten Freilandhaltung wird jedem Huhn eine Fläche von $10\,m^2$ zugestanden. Gib einen Funktionsterm für den Flächenbedarf in Abhängigkeit von der Zahl der Hühner an. Stelle den Zusammenhang für Betriebe bis 1000 Hühner grafisch dar. Wie viele Hühner können in einem Garten mit $315\,m^2$ artgerecht gehalten werden?

Typ-2-Aufgaben

GK **466** Die erforderlichen Breiten für Notausgänge sind gesetzlich geregelt (Bundesgesetzblatt Nr. 47/1997). Für Gebäude mit mehr als 120 Personen errechnet sich die Gesamtbreite aller Notausgänge auf folgende Weise: 1,2 m müssen für höchstens 120 Personen zur Verfügung stehen. Dieser Wert erhöht sich für je weitere 10 Personen um 0,1 m.
a) Gib einen Funktionsterm für den Zusammenhang Personenzahl–Gesamtbreite aller Notausgänge ab 120 Personen an. Kann der Funktionsterm für jede beliebige Personenzahl angewendet werden, um die Breite von Notausgängen zu berechnen? Begründe.
b) Stelle den Zusammenhang grafisch dar. Entnimm der Grafik, wie viele Personen höchstens einen Notausgang der Breite 1,8 m benützen dürfen. Zeichne ein, wie du abliest.

GK **467** Für die Entwicklung einer neuen Maschine wurden 100 000 € investiert. Bei der Produktion fallen Fixkosten von 50 000 € an. Die Herstellung einer Maschine kostet weitere 12 000 €.
a) Gib einen Term der Funktion $K: x \mapsto K(x)$ für die Entwicklungs- und Herstellungskosten von x Maschinen an. Der Firma stehen 250 000 € aus einem Bankkredit zur Verfügung. Wie viele Maschinen können mit diesem Kredit finanziert werden?
b) Der Preis einer Maschine ist 24 000 €. Gib einen Funktionsterm für die Erlösfunktion E an. Stehen die Stückzahl und der Erlös in einem direkten Verhältnis? Begründe.
c) Zeichne die Kostenfunktion K und die Erlösfunktion E in einem geeigneten Bereich. Berechne, ab wie viel Stück die Firma Gewinn macht. Gib an, wie der Wert grafisch ermittelt werden kann.

Kompetenzcheck

1 Die Grafik zeigt die Anzahl der Schülerinnen und Schüler an öffentlichen und privaten Schulen in Österreich in den Jahren 1923/24 bis 2010/11.

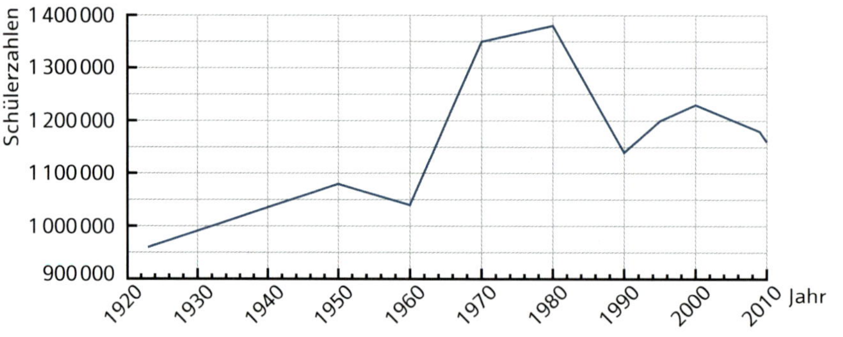

a) Wie viele Schüler/innen besuchten in den Jahren 1964 und 1985 die Schulen?
b) In welchem Schuljahr gab es die größte Anzahl von Schülerinnen und Schülern?
c) In welchen Schuljahren besuchten 1,32 Millionen Jugendliche die Schulen?
d) Gib drei Jahrzehnte an, in denen die Schülerzahlen ständig gestiegen sind.

2 Eine reelle Funktion $f: D \to \mathbb{R}$ kann in einem Koordinatensystem als Graph dargestellt werden. Kreuze die Abbildungen an, die den Graphen einer möglichen Funktion f zeigen.

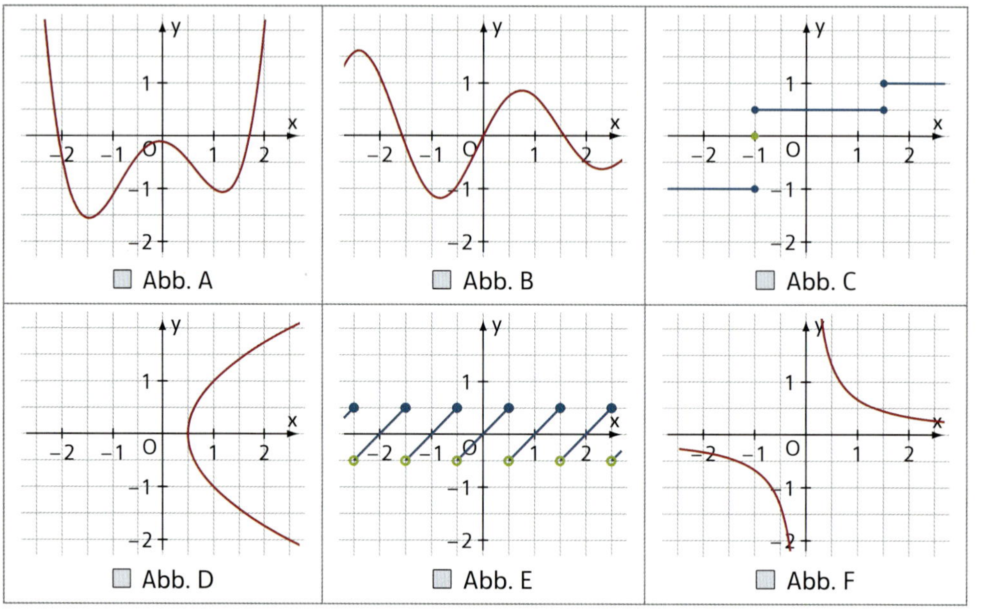

☐ Abb. A ☐ Abb. B ☐ Abb. C ☐ Abb. D ☐ Abb. E ☐ Abb. F

3 Gegeben ist die Funktion f mit $f(x) = \frac{1}{4}x - \frac{1}{x}$. Vervollständige die folgenden Sätze:

Die größtmögliche Definitionsmenge der Funktion f ist D = ________________.

Die Zielmenge von f ist Z = ________________.

Der Funktionswert an der Stelle 10 beträgt ________________.

Zeige, dass $f(2) = 0$ und $f(-2) = 0$ gilt: ________________.

Eine Stelle s, an der $f(s) = 0$ gilt, heißt ________________.

4 Bei einem 400-m-Lauf treten Lukas, Phillip und Sarah gegeneinander an.

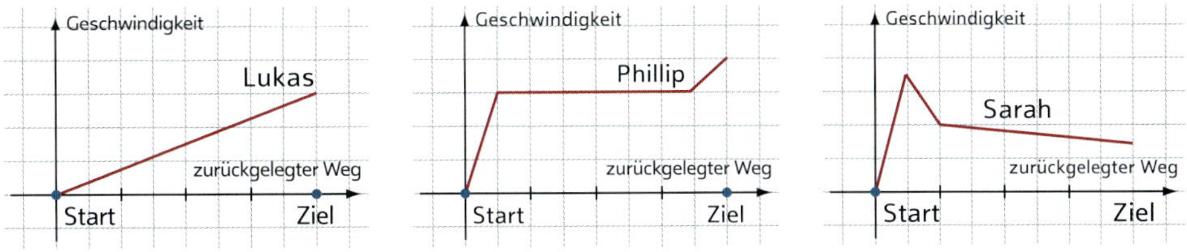

Beantworte die Fragen und begründe anhand der Diagramme.

a) Wer ist 50 m nach dem Start Erster?

b) Wer ist beim Überqueren der Ziellinie am schnellsten, wer am langsamsten?

c) Wer gewinnt den 400-m-Lauf?

5 Drei Fahrzeuge fahren zur selben Zeit von einer Raststation an einer Autobahn los. Der Weg, den die Autos zurücklegen, wird in einer Tabelle angegeben. Welche(s) der Fahrzeuge fährt mit konstanter Geschwindigkeit? Begründe deine Entscheidung.

Fahrzeug 1	
Zeit t (min)	Weg s (km)
15	20
30	45
45	75
60	90

Fahrzeug 2	
Zeit t (min)	Weg s (km)
10	18
20	36
30	54
40	72

Fahrzeug 3	
Zeit t (min)	Weg s (km)
5	10
10	20
15	30
25	40

6 a) Zeichne den Graphen der Funktion f mit $f(x) = -1{,}5x + 2$ ein. Ergänze die Tabelle.

x	f(x)
−3	
−2	
0	
1	
	−1

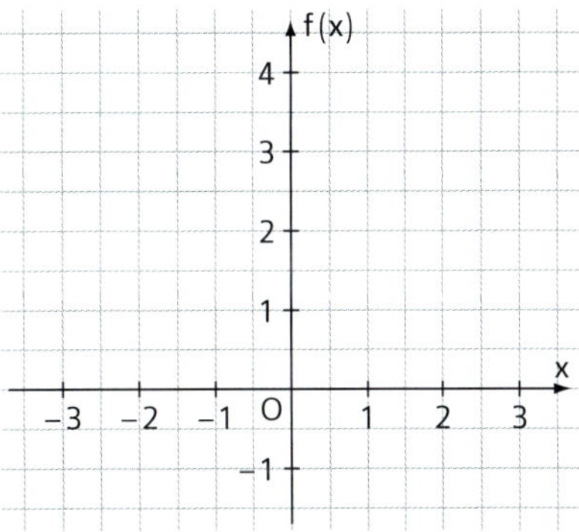

b) Welche geometrische Bedeutung haben die Parameter der Funktion f? Zeichne die beiden Werte entsprechend ihrer Bedeutung in die Grafik ein.

c) Berechne die Nullstelle der Funktion und zeichne sie ein.

d) Triff eine Aussage zu den Wachstumseigenschaften der Funktion und begründe sie.

e) Berechne den Differenzenquotienten im Intervall $[x_1; x_2]$ für $x_1 = -1$ und $x_2 = 2$.

7 Ordne jedem Graphen einer linearen Funktion den entsprechenden Ausdruck zu.

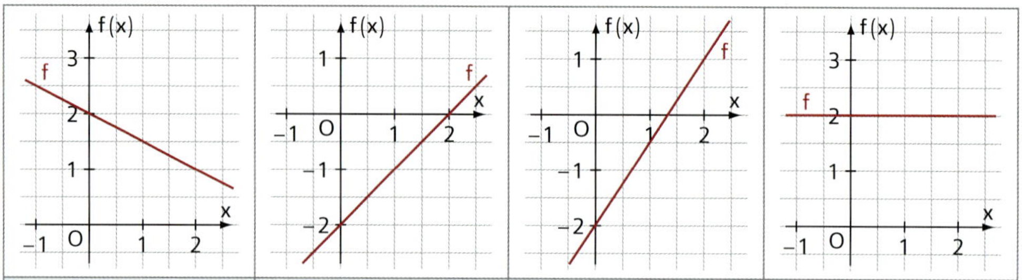

A	B	C	D	E	F
$\frac{f(x_2) - f(x_1)}{x_2 - x_1} = 0$ und $d = 2$	$d = 2$ und $f(x + h) = f(x) - 0{,}5 \cdot h$	$f(0) = -2$ und $f(2) = 0$	$d = -2$ und $f(x + 1) = f(x) + 0{,}5$	$\frac{f(x_2) - f(x_1)}{x_2 - x_1} = \frac{3}{2}$ und $d = 2$	$f(0) = -2$ und $k = \frac{3}{2}$

8 Gegeben ist eine lineare Funktion f mit $f(x) = kx + d$. Wie müssen die Parameter k und d gewählt werden, damit der Graph durch den 1., 3. und 4. Quadranten verläuft?

☐ $k > 0$ und $d = 0$	☐ $k = 0$ und $d > 0$	☐ $k = 0$ und $d < 0$
☐ $k < 0$ und $d = 0$	☐ $k > 0$ und $d < 0$	☐ $k < 0$ und $d > 0$

9 Ist der angegebene Zusammenhang durch eine lineare Gleichung beschreibbar? Wenn ja, gib einen geeigneten Funktionsterm an. Wenn nein, gib eine Begründung an.

a) Der Preis P von x Rosen bei einem Einzelpreis von p €
b) Die Stromkosten K für x kWh bei einer Grundgebühr von G € und s € je kWh
c) Der Umfang u eines Quadrates mit der Seitenlänge a
d) Die Oberfläche O eines Würfels mit der Seitenlänge a
e) Das Volumen V eines Würfels mit der Seitenlänge a
f) Die Anzahl A der getankten Liter Benzin in Abhängigkeit von b, wenn man fixe G € zur Verfügung hat und 1 Liter Benzin b € kostet

10 Durch welchen Funktionsterm wird der Graph richtig angegeben? Kreuze den richtigen Funktionsterm an.

a)

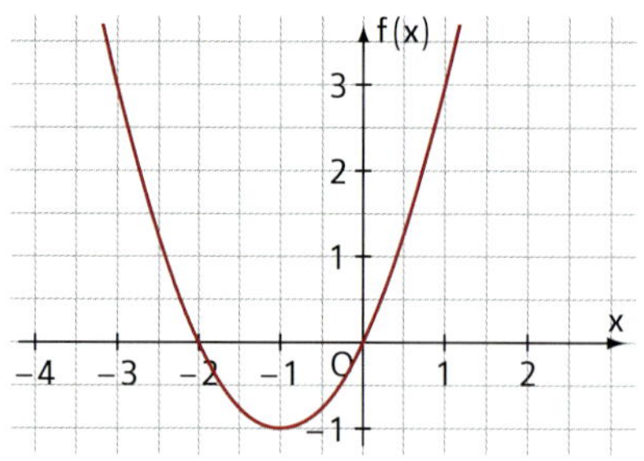

☐ $f_1(x) = x^2 - 3x + 1$
☐ $f_2(x) = 2x^2 - 3x + 1$
☐ $f_3(x) = x^2 - 1$
☐ $f_4(x) = -x^2 - 2x$
☐ $f_5(x) = x^2 + 2x$

b)

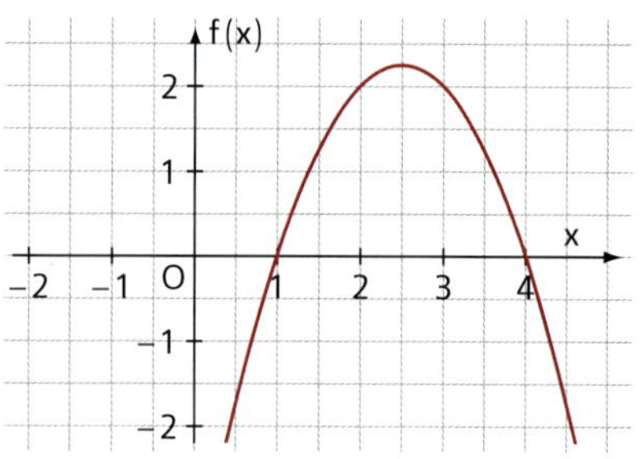

☐ $f_1(x) = 3x^2 - 2x + 1$
☐ $f_2(x) = -x^2 + 5x - 4$
☐ $f_3(x) = x^2 - 3x + 1$
☐ $f_4(x) = -x^2 - 4x$
☐ $f_5(x) = x^2 + x - 2$

11 Gegeben ist die Formel $a = \frac{b \cdot c^2}{2d^2}$.

(1) b und d sind konstant, b, $d > 0$, $a = f(c)$: Welcher der dargestellten Funktionsgraphen stellt die Funktion f(c) dar? Begründe deine Entscheidung.

(2) b und c sind konstant, b, $c > 0$, $d \neq 0$, $a = f(d)$: Welcher der dargestellten Funktionsgraphen stellt die Funktion f(d) dar? Begründe deine Entscheidung.

(3) c und d sind konstant, c, $d > 0$, $a = f(b)$: Welcher der dargestellten Funktionsgraphen stellt die Funktion f(b) dar? Begründe deine Entscheidung.

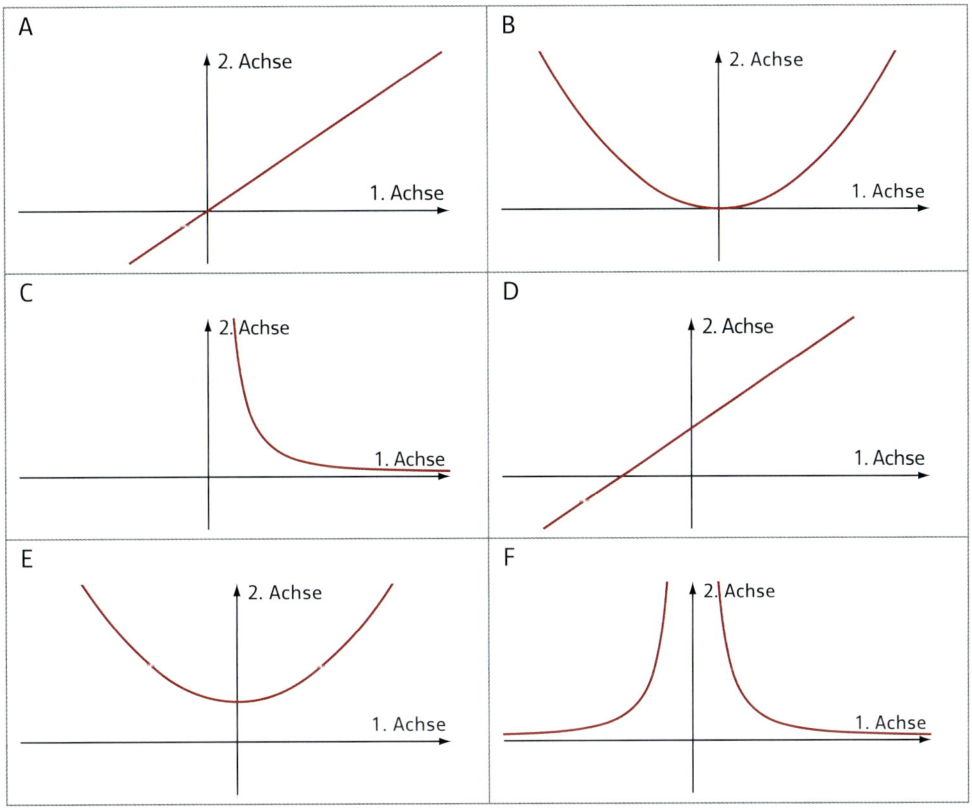

12 Ordne den abgebildeten Funktionsgraphen die passende Funktionsgleichung zu.

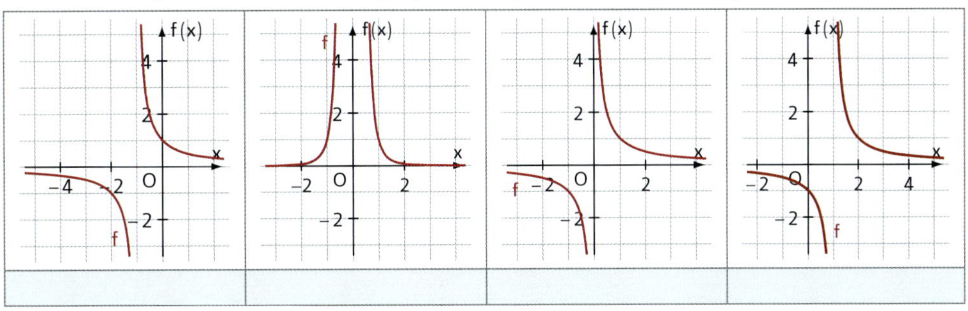

A	B	C	D	E	F
$f(x) = \frac{1}{x}$	$f(x) = \frac{1}{x-1}$	$f(x) = \frac{1}{2x-1}$	$f(x) = \frac{1}{x-2}$	$f(x) = \frac{1}{x+1}$	$f(x) = \frac{1}{x^4}$

13 Kreuze die zutreffenden Aussagen über die Nullstellen einer quadratischen Funktion f mit $f(x) = a \cdot x^2 + b$ $(a \neq 0;\ a, b \in \mathbb{R})$ an.

- ☐ (A) Ist $a > 0$ und $b > 0$, dann hat die Funktion f genau zwei verschiedene reelle Nullstellen.
- ☐ (B) Ist $a < 0$ und $b > 0$, dann hat die Funktion f genau zwei verschiedene reelle Nullstellen.
- ☐ (C) Ist $b = 0$, dann hat die Funktion f genau eine reelle Nullstelle.
- ☐ (D) Ist $a < 0$ und $b < 0$, dann hat die Funktion f genau zwei verschiedene reelle Nullstellen.
- ☐ (E) Ist $a > 0$ und $b < 0$, dann hat die Funktion f genau zwei verschiedene reelle Nullstellen.

14 Das Volumen eines Zylinders wird mit der Formel $V = r^2 \cdot \pi \cdot h$ berechnet.
Welche Funktion passt zu den gegebenen Eigenschaften? Ordne richtig zu.

Die Funktion ist quadratisch und h konstant.	
Die Funktion ist linear. Die Höhe des Zylinders ist unabhängige Variable.	
V ist konstant und r die unabhängige Variable.	

A	$h(r) = \frac{V}{r^2 \cdot \pi}$
B	$h(V) = \frac{V}{r^2 \pi}$
C	$r(V) = \sqrt{\frac{V}{h \cdot \pi}}$
D	$V(r) = r^2 \cdot \pi \cdot h$
E	$V(h) = r^2 \cdot \pi \cdot h$

15 Die Abbildung zeigt den Graphen einer quadratischen Funktion. Kreuze die zutreffende(n) Aussage(n) an.

a)

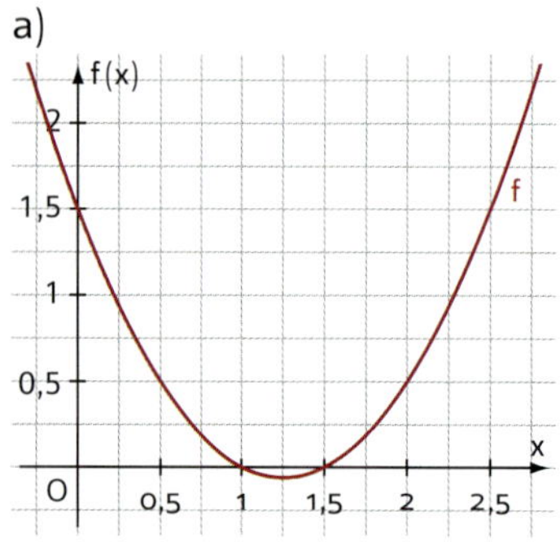

- ☐ An der Stelle $x = 1{,}25$ hat f ein Minimum.
- ☐ $f(x) = (x + 1) \cdot (x + 1{,}5)$
- ☐ Für $1 < x < 1{,}5$ gilt: $f(x) > 0$.
- ☐ $f(x) = (x - 1) \cdot (x - 1{,}5)$
- ☐ Für $x < 0{,}5$ und $x > 2$ gilt: $f(x) \geq 2$.

b)

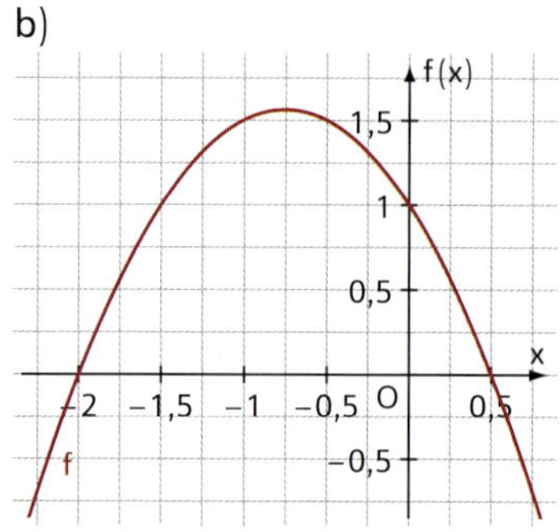

- ☐ $f(x) \geq 1$ für $x \in [-1{,}5; 0]$
- ☐ $f(0) = 1$
- ☐ $f(x) = -(x + 0{,}5) \cdot (x - 2)$
- ☐ $f(x) = -(x + 2) \cdot (x - 0{,}5)$
- ☐ $f(-0{,}25) = f(-1{,}25)$

Typ-2-Aufgaben

GK **468** Die Grafik zeigt die Entwicklung des weltweiten CO_2-Ausstoßes von 1990 bis 2011.

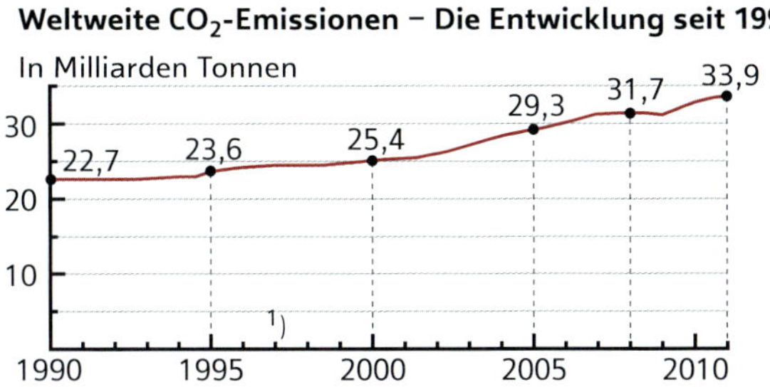

[1]) Klimagipfel Kyoto 1997: Industriestaaten vereinbaren, den Ausstoß von Treibhausgasen zu reduzieren.

a) Die Entwicklung des CO_2-Ausstoßes zwischen 2000 und 2008 lässt sich näherungsweise mit einer linearen Funktion A beschreiben. Nimm an, dass sich der CO_2-Ausstoß auch nach 2008 gemäß der linearen Funktion A entwickelt hätte. Wie groß wäre dann der CO_2-Ausstoß im Jahr 2020?

b) 2013 wurden mit 35,1 Milliarden Tonnen weltweit rund 670 Millionen Tonnen mehr CO_2 ausgestoßen als im Jahr davor. Für das Jahr 2040 werden 45,5 Milliarden Tonnen Kohlendioxid-Emissionen prognostiziert. Gib für die Entwicklung des CO_2-Ausstoßes von 2012 bis 2013 eine lineare Funktion an und prognostiziere unter der Voraussetzung, dass dieser Entwicklungstrend anhält, einen Wert für 2040. Vergleiche diesen Wert mit der oben angeführten Prognose.
Quelle: http://orf.at/stories/2153083/2153099/. Veröffentlicht am 27.11.2012.

GK **469** Die Stromrechnung (inkl. 20% Umsatzsteuer) einer vierköpfigen Familie für ein Jahr (365 Tage) beträgt 906,24€. Davon sind 465,69€ variable Kosten (hängen vom Stromverbrauch der Familie ab), der Rest sind Fixkosten (Entgeld für Systemnutzung und Messleistung, Abgaben, Zuschläge und Förderbeiträge).

a) Wie hoch sind die Fixkosten? Berechne die Höhe der Umsatzsteuer, die jeweils in den variablen Kosten, den Fixkosten und der gesamten Stromrechnung enthalten ist.

b) Die Familie hat in diesem Jahr 4846,2 kWh Strom verbraucht. Gib eine Termdarstellung der Funktion K an, die dem Verbrauch x (in kWh) die Gesamtstromkosten K(x) (in Euro, inkl. 20% Umsatzsteuer) zuordnet.
Erstelle eine Wertetabelle im Bereich [0 kWh; 5000 kWh] mit Schrittweite 500. Zeichne den Graphen der Funktion. Um wie viel Prozent wird die Stromrechnung dieser Familie (inkl. 20% Umsatzsteuer) gesenkt, wenn der Stromverbrauch um 50% verringert wird?

GK **470** Einem Rechteck mit den Seitenlängen 50 m und 80 m wird ein Viereck wie abgebildet eingeschrieben.

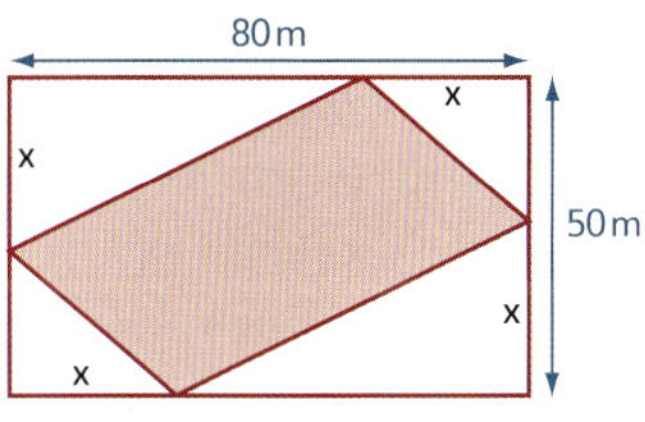

a) Begründe, warum das Viereck ein Parallelogramm sein muss.

b) Gib einen Definitionsbereich für die eingezeichnete Länge x an und berechne die Flächeninhalte der Parallelogramme, wenn $x = 10\,m$; $20\,m$; $30\,m$ bzw. $40\,m$ ist.

c) Welche der folgenden Funktionsgleichungen beschreibt die Funktion für den Flächeninhalt des Parallelogramms in Abhängigkeit von der Länge x? Kreuze an.

- ☐ $A(x) = 4000 - x \cdot (50 + x) - x \cdot (80 - x)$
- ☐ $A(x) = 4000 - x \cdot (50 - x) + x \cdot (80 - x)$
- ☐ $A(x) = 4000 - x \cdot (50 - x) - x \cdot (80 - x)$
- ☐ $A(x) = 4000 + x \cdot (50 - x) + x \cdot (80 - x)$
- ☐ $A(x) = 4000 - x \cdot (x - 50) - x \cdot (x - 60)$
- ☐ $A(x) = 4000 + x \cdot (50 - x) - x \cdot (80 - x)$

Zeichne anschließend den Graphen der Funktion und lies aus der Grafik ab, für welches x der Flächeninhalt des Parallelogramms am kleinsten ist.

GK **471** Die Fliehkraft ist eine Trägheitskraft, die eine Person wahrnimmt, wenn sie beispielsweise auf einem Karussell sitzt und sich dieses dreht. Wird eine Person oder ein Gegenstand mit konstanter Geschwindigkeit kreisförmig um einen Mittelpunkt gedreht, so wirkt die zum Kreismittelpunkt gerichtete Zentripetalkraft. Für sie gilt: $F_Z = m \cdot \frac{v^2}{r}$ (F in Newton, Masse m in kg, Geschwindigkeit v in m/s, Radius r in m). Für die Fliehkraft gilt die folgende Formel: $F = m \cdot a$ (F in Newton, m in kg, Beschleunigung a in m/s^2).

a) Gib an, welche Funktionstypen und Graphen entstehen, wenn in F_Z
   (1) m und r konstant sind,
   (2) v und r konstant sind,
   (3) m und v konstant sind.
   Gib an, wie sich die Zentripetalkraft bei konstantem m und v verändert, wenn der Radius r verdoppelt wird, und begründe.

b) Ein Tennisball mit einem Gewicht von 60g wird an einer 1 Meter langen Schnur befestigt, wovon etwa 20cm zum Halten der Schnur benötigt werden.
   Wie groß ist die Kraft, die auf eine Person wirkt, die diesen Tennisball kreisförmig um sich mit einer konstanten Geschwindigkeit von 2,5m/s dreht? Wie groß ist die Beschleunigung des Tennisballs bei dieser Drehung?

c) Begründe, warum für die Fliehkraft $c \cdot F(a) = F(a \cdot c)$ für $c > 0$ gilt und erkläre diesen Sachverhalt im Kontext.

GK **472** Gegeben sind die beiden Funktionen f und g mit $f(x) = x^2 + 3x$ und $g(x) = x^2 - 2$.

a) Zeichne die Graphen der Funktionen f und g in ein Koordinatensystem und bestimme deren Scheitelpunkte.

b) Ermittle die Differenz der Funktionswerte f(x) und g(x) für $x = 5, 6, 7$ und 8. Gib eine Funktion d(x) an, welche die Differenz der Funktionswerte f(x) und g(x) beschreibt.

c) Ermittle grafisch, für welche x die Funktionswerte von f und g kleiner als 1 sind. Gib jene Gleichungen an, mit denen rechnerisch der Bereich ermittelt werden kann, für den gilt, dass die Funktionswerte von f und g kleiner als 1 sind.

d) Gib die Funktionsgleichung von f mithilfe von Linearfaktoren an und erkläre, welcher Zusammenhang zwischen den Nullstellen von f und den Linearfaktoren besteht.

e) Welchen Winkel schließt eine Gerade durch die Punkte $P(0|f(0))$ und $R(2|g(2))$ mit der x-Achse ein?

Gleichungen

1 Gleichungen

Kompetenzbereich: Gleichungen und Gleichungssysteme (AG)

Aufstellen, Lösen und Interpretieren von Gleichungen ist ein zentraler Punkt der Mathematik.

Du erwirbst folgende Grundkompetenz:
GK Wissen über algebraische Begriffe angemessen einsetzen: Variable, Terme, Gleichungen, Lösbarkeit (AG-R 1.2)

Vorwissen

GK 473 Überprüfe, ob die angegebenen Werte Lösungen der Gleichung sind.
(1) $65 - 8t = 17$; $t = 6$ (2) $24 - u^2 = 20$; $u = 2$; $u = -2$ (3) $y = x \cdot (x - 2)$; $y = 0$ und $x = 2$

Neues Wissen

Was ist eine Gleichung?

Die Fragestellung: „Wie viel muss zu 3 addiert werden, um 10 zu erhalten?" kann z. B. von Platzhaltern für die noch zu bestimmende Zahl angeschrieben werden.

$3 + ? = 10$ oder $3 + \square = 10$ oder $3 + \ldots = 10$

Die moderne und dir vertraute Schreibweise ist eine Gleichung:

$3 + x = 10$

Die Bezeichnung der Variablen (Unbekannten) mit x geht auf die Zeit der arabischen Hochblüte in der Rechenkunst unter al-Chwarizmi[1] zurück.

▷ Eine **Gleichung** ist eine Aussage darüber, ob zwei Terme T_1 und T_2 gleich sind. Die beiden Terme werden durch das Gleichheitszeichen in Beziehung gesetzt.

$T_1 = T_2$

In einer Gleichung mit einer Variablen soll die Variable so bestimmt werden, dass die Gleichung zu einer wahren Aussage führt.

▷ *Beispiel:*
Überprüfe, ob die Zahlen 7 und 5 Lösungen der Gleichung $3 + x = 10$ sind.

Lösung:
Für $x = 7$ führt die Gleichung zu einer wahren Aussage: $3 + 7 = 10$.
7 ist eine, in diesem Fall die einzige Lösung dieser Gleichung.
Für $x = 5$ führt die Gleichung zu einer falschen Aussage: $3 + 5 \neq 10$.
5 ist keine Lösung dieser Gleichung.

[1] al-Chwarizmi lebte um 800 n. Chr. in Bagdad. Auf ihn gehen auch die Bezeichnungen Algorithmus und Algebra zurück.

▷ Unter dem **Lösen einer Gleichung** versteht man das Bestimmen der Variablen in der Art, dass die Gleichung zu einer wahren Aussage führt.

Um festzulegen, welche Werte für die Variable überhaupt in Betracht kommen, muss eine **Grundmenge G** angegeben werden. In vielen Fällen wird als Grundmenge die Menge der reellen Zahlen verwendet, manchmal auch die Menge der natürlichen, ganzen oder rationalen Zahlen bzw. eine Teilmenge davon.
Die **Definitionsmenge D** nimmt jene Zahlen aus der Grundmenge aus, für die die Gleichung oder ein Teilausdruck der Gleichung nicht definiert ist.

▷ *Beispiel:*
Löse die Gleichung $\frac{8}{x-3} = 4$ für $G = \mathbb{R}$

Lösung:
Für x können alle reellen Zahlen eingesetzt werden außer 3, da sonst der Nenner den Wert 0 hätte. Die Definitionsmenge ist daher $D = \mathbb{R}\backslash\{3\}$.

Deckt sich die Definitionsmenge mit der Grundmenge, weil keine Werte ausgenommen werden, so wird die Definitionsmenge meist nicht gesondert angegeben.

▷ Alle Zahlen aus der Definitionsmenge, die beim Einsetzen für die Variable zu einer wahren Aussage führen, heißen **Lösungen** der Gleichung.
Die Menge aller Lösungen einer Gleichung heißt **Lösungsmenge L**.
Gleichungen, für die keine Lösungen existieren, haben als Lösungsmenge die leere Menge.

▷ *Beispiel:*
Löse die Gleichung $3 + 2x = 10$ für die Grundmenge
(1) $G = \mathbb{R}$, (2) $G = \mathbb{N}$, (3) $G = \mathbb{Z}$.

Lösung:
$3 + 2x = 10$
$x = \frac{7}{2}$ (1) $L = \left\{\frac{7}{2}\right\}$ (2) $L = \{\,\}$ (3) $L = \{\,\}$

▷ Eine Gleichung kann **keine, eine, mehrere** oder **unendlich viele Lösungen** haben.
Die Lösungsmenge hängt immer auch von der Grundmenge ab.

▷ *Beispiel:*
Löse die Gleichung für die Grundmenge $G = \mathbb{R}$: $4x + 5 = 10 + 4x - 5$

Lösung:
Die rechte Seite der Gleichung wird vereinfacht: $4x + 5 = 5 + 4x$
Nun steht auf beiden Seiten der Gleichung derselbe Term. Das heißt, jedes beliebige x aus der Grundmenge führt zu einer wahren Aussage.
Die Lösungsmenge besteht aus allen reellen Zahlen: $L = \mathbb{R}$.

Hat eine Gleichung mit der Variablen x zwei oder mehr Lösungen, so werden diese Lösungen nummeriert und mit x_1, x_2, x_3 ... bezeichnet.
Die Bezeichnung der Variablen in einer Gleichung mit x ist weit verbreitet, aber nicht zwingend. Es kann jeder beliebige Buchstabe als Variable verwendet werden.

Gleichungen werden oft auch nach der Anzahl von Variablen unterschieden.
- Gleichung mit einer Variablen (hier x): z. B. $3x + 5 = 7 - x$
- Gleichung mit zwei Variablen (hier a und b): z. B. $2a + 4b = 5$
- Gleichung mit drei oder mehreren Variablen (hier u, v und w): z. B. $u - 3v + 5w = 7$

Aufgaben

GK **474** Wie lautet die Lösung der Gleichung $3x + 4(2x - 3) = 9x + 3 - x$? Kreuze an.

☐ $x = -1$ ☐ $x = 3{,}5$ ☐ $x - 5$ ☐ $x = 7$ ☐ $x = 1{,}5$

GK **475** Überprüfe, ob der gegebene Wert eine Lösung der Gleichung ist.

a) $9x + 2 \cdot (x - 1) = 4x + 16$; $x = 3{,}5$ b) $3 \cdot (4x - 5) + 1{,}5x - 24{,}5 = -19{,}25$; $x = 1{,}5$

GK **476** Ordne den Gleichungen die entsprechende Definitionsmenge zu.

$\frac{6}{x-3} = 4x$	
$\frac{4x-1}{x+5} = 2 + x$	
$\frac{-2}{x-1} = 3x$	
$\frac{3-x}{2x+1} = 5x$	

A	$D = \mathbb{R}\setminus\{5\}$
B	$D = \mathbb{R}\setminus\{-\frac{1}{2}\}$
C	$D = \mathbb{R}\setminus\{1\}$
D	$D = \mathbb{R}\setminus\{3\}$
E	$D = \mathbb{R}\setminus\{-5\}$

GK **477** Welche der Gleichungen hat für $G = \mathbb{R}$ die leere Menge als Lösungsmenge?

☐ $4x = x + 2x - x$ ☐ $5y - 7 = 3 \cdot (2y - 5) - y$ ☐ $(4z - 3) \cdot 3 + 5z = 14z + 3z$

GK **478** Welche der Gleichungen hat für $G = \mathbb{R}$ als Lösungsmenge $L = \mathbb{R}$?

☐ $3x + 5x - 2 = 10x - 2 - 2x$ ☐ $4 \cdot (a - 3) = 9a - 12$ ☐ $y + y + y = 3y$

2 Gleichungen lösen

Um Gleichungen zu lösen, können verschiedene Methoden angewandt werden:
- Du kannst durch (systematisches) Suchen und Einsetzen eine Lösung finden.
- Du kannst die Gleichungen grafisch lösen.
- Du kannst eine Gleichung auf geeignete Weise mehrmals umformen, bis du die Lösung der Gleichung erhältst.

Du erwirbst folgende Grundkompetenzen:
- GK Schnittpunkte zweier Funktionsgraphen grafisch und rechnerisch ermitteln und im Kontext interpretieren (FA-R 1.6)
- GK Gleichungen umformen und lösen (AG-R 2.2, AG-R 2.3)
- GK Zwischen tabellarischen und grafischen Darstellungen funktionaler Zusammenhänge wechseln (FA-R 1.3)
- GK Eigenschaften von Funktionen erkennen: Schnittpunkte mit den Achsen (FA-R 1.5)

Vorwissen

GK **479** Ordne den Gleichungen durch Probieren alle möglichen Lösungen zu.

Gleichung	
$3x+6=0$	
$(3x)^2=36$	
$\sqrt{11+x}=3$	
$x^2-2x=0$	
$x=x+1$	
$\lvert x\rvert^2=x^2$	
$x-2y=10$	
$y=3x-35$	

	Lösung(en)
A	$x=2$
B	$x=0$
C	$x=-2$
D	Es gibt keine Lösung.
E	Jede reelle Zahl ist Lösung.
F	$x=12$ und $y=1$
G	$x=10$ und $y=-5$
H	Es gibt unendlich viele Lösungen.

Neues Wissen

Gleichungen grafisch lösen

Arbeit nach der Lernmethode Mehrstufiges Verfahren (bis Aufgabe 483)

Hinweise zur Vorgangsweise findest du unter www Lernmethode Mehrstufiges Verfahren.

Die Aufgaben 480 bis 483 können im mehrstufigen Verfahren (Einzel-, Partner/-innen-, Gruppenarbeit und Präsentation) bearbeitet werden. Die Verwendung eines elektronischen Tools ist hilfreich.

GK **480** Beim Lösen von Gleichungen mit einer Variablen können verschiedene Lösungsfälle auftreten. Gib jeweils die Lösungsmenge an.

a) Löse die Gleichung $10x - 5 = 0$ für $G = \mathbb{N}$ und $G = \mathbb{R}$.
b) Zeige für $G = \mathbb{R}$, dass $10x - 5 = 5 \cdot (2x - 1)$ auf eine wahre Aussage führt.
c) Zeige für $G = \mathbb{R}$, dass $10x - 5 = 5 \cdot (2x - 3)$ auf eine falsche Aussage führt.

Vergleiche anschließend deine Ergebnisse mit einer Mitschülerin oder einem Mitschüler.

GK **481** Die Gleichung $x^3 - 3x^2 - 6x + 8 = 0$ hat im Intervall $[-3, 5]$ drei ganzzahlige Lösungen.

a) Legt für die Funktion $f(x) = x^3 - 3x^2 - 6x + 8$ im Intervall $[-3, 5]$ eine Tabelle für alle ganzzahligen Argumente (x-Werte) an.
Kennzeichnet die Lösungen der Gleichung $x^3 - 3x^2 - 6x + 8 = 0$ in der Tabelle.
b) Zeichnet den Graphen der Funktion f mit $f(x) = x^3 - 3x^2 - 6x + 8$.
Markiert die Lösungen der Gleichung $x^3 - 3x^2 - 6x + 8 = 0$.
Wie werden diese Stellen einer Funktion bezeichnet?
Vergleicht anschließend mit einer anderen Zweiergruppe eure Ergebnisse.

GK **482** Die Gleichung $x^2 + 2x - 3 = -0{,}5x + 3$ besitzt im Intervall $[-5; 3]$ zwei reelle Lösungen x_1 und x_2. Um diese Gleichung zu lösen, gibt es zwei Strategien. Untersucht in Partnerarbeit jeweils eine der nachfolgend erklärten Vorgangsweisen *Strategie Nullstellen* bzw. *Strategie Schnittpunkte* und erklärt sie anschließend den anderen Gruppenmitgliedern.

(1) *Strategie Nullstellen*
Die Gleichung wird auf die Form $f(x) = 0$ gebracht.
- Gebt die Umformungsschritte an: $x^2 + 2{,}5x - 6 = 0$
- Ergänzt die Tabelle 1 und kennzeichnet die Lösungen der Gleichung in der Tabelle.
- In Abb. 1 entsprechen die Lösungen der Gleichung den Nullstellen der Funktion.
- Zeichnet die Lösungen x_1 und x_2 der Gleichung in Abb. 1 ein und beschriftet sie.

x	f(x)
−5	6,5
−4	
−3	
−2	
−1	
0	−6
1	
2	
3	10,5

Tabelle 1

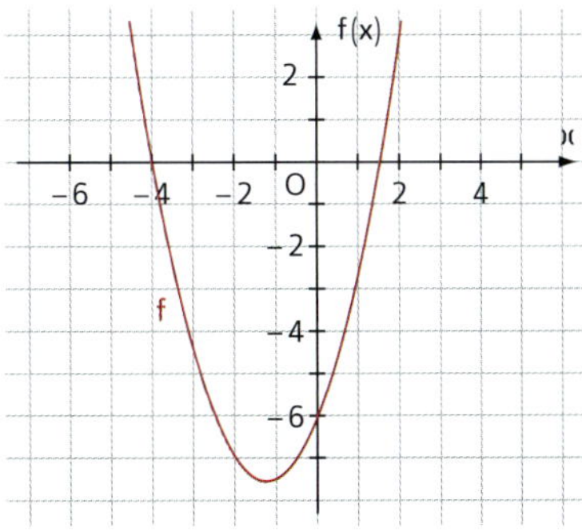

Abb. 1

(2) *Strategie Schnittpunkte* (siehe *Funktionen, 9 Schnittpunkte von Graphen)*
Die linke Seite der Gleichung wird als Funktion f_1 betrachtet, die rechte Seite der Gleichung als Funktion f_2. Die Gleichung hat die Form $f_1(x) = f_2(x)$, also
$x^2 + 2x - 3 = -0{,}5x + 3$.
- Ergänzt in der Tabelle 2 die fehlenden Werte. Ein Wert x löst genau dann die Gleichung, wenn die Funktionswerte der beiden Funktionen dort (ungefähr) gleich sind.
- Kennzeichnet die Lösungen der Gleichung in der Tabelle 2.
- In der Abb. 2 entsprechen die Lösungen der Gleichung den x-Koordinaten der Schnittpunkte.

– Beschriftet die Lösungen x_1 und x_2 der Gleichung in der Abb. 2.

x	$f_1(x)$	$f_2(x)$
–5	12	5,5
–4		5
–3	0	
–2		4
–1	–4	
0		3
1	0	
2		2
3	12	1,5

Tabelle 2

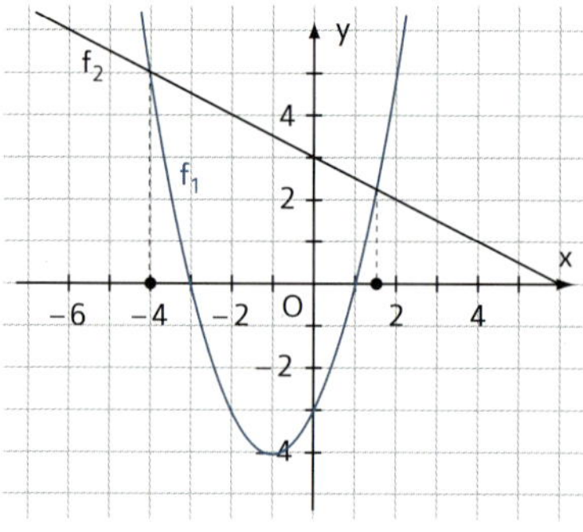

Abb. 2

GK **483** Die Gleichung $0{,}5x^3 - 1 = (x + 1)^2 - 4$ hat im Intervall $[-3; 3]$ drei reelle Zahlen x_1, x_2 und x_3 als Lösungen. Beachtet, dass die Gleichung die Form $f_1(x) = f_2(x)$ hat. Ermittelt auf eine beliebige Art (systematisches Probieren, Tabelle oder Graph) die Lösungen auf eine Dezimalstelle genau. Wendet eine der beiden Strategien *Nullstellen* oder *Schnittpunkte* an. Bereitet für die gewählte Strategie eine Gruppenpräsentation vor. Jedes Gruppenmitglied muss einen Beitrag zur Präsentation leisten.

Zusammenfassung

Beim **Lösen von Gleichungen** können folgende Fälle auftreten:

(1) Es gibt genau eine Lösung x_1: $L = \{x_1\}$

(2) Es gibt mehrere Lösungen der Gleichung: $L = \{x_1, x_2, ...\}$

(3) Das Lösen der Gleichung führt zu einer wahren Aussage. Alle Zahlen der Definitionsmenge sind daher Lösung der Gleichung: $L = D$

(4) Das Lösen der Gleichung führt zu einer falschen Aussage. Es gibt daher keine Zahl, die Lösung der Gleichung ist: $L = \{\,\}$

Zusammenhang zwischen den **Lösungen einer Gleichung** und der **grafischen Darstellung**:

(1) Die reellen Lösungen der Gleichung $f(x) = 0$ entsprechen den Nullstellen der zugehörigen Funktion f.

(2) Die reellen Lösungen der Gleichung $f_1(x) = f_2(x)$ entsprechen den x-Koordinaten der Schnittpunkte der beiden zugehörigen Funktionsgraphen f_1 und f_2.

Strategie Nullstellen

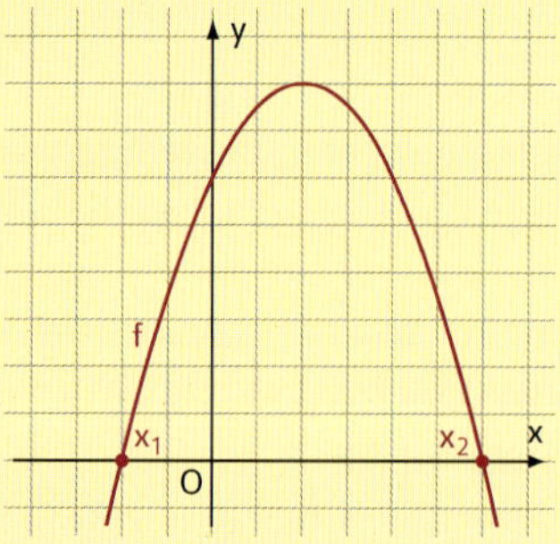

Strategie Schnittpunkte

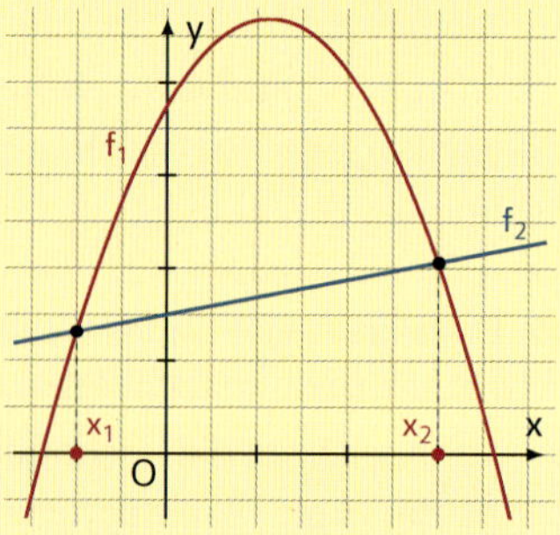

484 Stelle die folgende Zusammenfassung in einer Mindmap *Gleichungen lösen* dar.

Technologie-Tipp: Schnittpunkte grafisch ermitteln

Gleichungen rechnerisch lösen

Bei der rechnerischen Lösungsmethode durch Äquivalenzumformungen nimmt man auf *beiden* Seiten der Gleichung *dieselbe* mathematische Umformung vor. Gelegentlich müssen davor noch Klammern ausmultipliziert oder Terme zusammengefasst werden.

Beispiel:
Löse die Gleichung $4 + 3 \cdot (2x - 5) = 7x - 1 - 3x$ für $G = \mathbb{R}$.

Lösung:

	Äquivalenzumformungen
$4 + 3 \cdot (2x - 5) = 7x - 1 - 3x$	| Klammer ausmultiplizieren
$4 + 6x - 15 = 7x - 1 - 3x$	| Zahlen und Variable zusammenfassen
$6x - 11 = 4x - 1$	$\| +11, -4$
$2x = 10$	$\| :2$
$x = 5$	

Man sagt: $x = 5$ ist äquivalent zur gegebenen Gleichung. Die einzige Lösung ist deshalb 5. Die Lösungsmenge ist $L = \{5\}$.

Definition

Gleichungen mit der gleichen Lösungsmenge heißen **äquivalent** (gleichwertig). Umformungen, die auf äquivalente Gleichungen führen, heißen **Äquivalenzumformungen**.

Du hast im Abschnitt *2.3 Formeln und Gleichungen umformen* bereits gelernt, welche Umformungen Äquivalenzumformungen sind.

485 Beschreibt mit eigenen Worten, welche Umformungen zu äquivalenten Gleichungen führen. Gebt einige Beispiele für Äquivalenzumformungen bei einer selbst gewählten Gleichung an.

GK 486 Löse $3y + 2 = y + 8$. Begründe, dass die erhaltene Lösung die *einzige* Lösung ist.

Neben den bekannten Äquivalenzumformungen gibt es auch einige Umformungen, die nur auf den ersten Blick Äquivalenzumformungen sind.

Beispiel:
$G = \mathbb{R}$: $x = 2 \quad |^2$ (quadrieren)
$x^2 = 4$
Die erste Gleichung hat die Lösungsmenge $L = \{2\}$, die zweite Gleichung hat die Lösungsmenge $L = \{-2; 2\}$, wie du durch Einsetzen überprüfen kannst.
Die Lösungsmenge hat sich durch das Quadrieren geändert.

▷ Das **Quadrieren** auf beiden Seiten einer Gleichung ist **keine Äquivalenzumformung**.

Beispiel:
G = ℝ: $x^2 = 9 \quad | \sqrt{}$
$x = 3$
Die erste Gleichung hat die Lösungsmenge $L = \{-3; 3\}$, die zweite Gleichung hat die Lösungsmenge $L = \{3\}$. Die Lösungsmenge hat sich durch das Wurzelziehen geändert.

▷ Das **Wurzelziehen** auf beiden Seiten einer Gleichung ist **keine Äquivalenzumformung**.

▷ Wenn beide Seiten einer Gleichung mit einem Term, der die Variable enthält, multipliziert werden, musst du immer sicherstellen, nicht mit 0 zu multiplizieren.

▷ *Beispiel 1:*
Die Gleichung $\frac{x}{x-2} = \frac{2}{x-2}$ ist für G = ℝ zu lösen.

Lösung:
Es ist naheliegend, mit dem Nenner zu multiplizieren: $\frac{x}{x-2} = \frac{2}{x-2} \quad | \cdot (x-2)$
Aber Achtung: Diese Umformung ist nur dann eine Äquivalenzumformung, wenn $x \neq 2$ ist.
Das Einsetzen von $x = 2$ ergibt im Nenner 0. Daher lautet die Definitionsmenge: $D = \mathbb{R}\backslash\{2\}$.
Jetzt ist die Mulitplikation mit (x – 2) eine Äquivalenzumformung:

$$\frac{x}{x-2} = \frac{2}{x-2} \quad | \cdot (x-2)$$
$$x = 2 \qquad \text{Daraus folgt: } L = \{\ \}, \text{ weil } 2 \notin D.$$

Beispiel 2:
Die Gleichung $\frac{x}{x-2} = \frac{3}{x-2}$ ist für G = ℝ zu lösen.

Lösung:
Es ist naheliegend, mit dem Nenner zu multiplizieren.

$$\frac{x}{x-2} = \frac{3}{x-2} \quad | \cdot (x-2)$$

Analog zu Beispiel 1 ist $D = \mathbb{R}\backslash\{2\}$.

$$\frac{x}{x-2} = \frac{3}{x-2} \quad | \cdot (x-2)$$
$$x = 3$$

Daraus folgt: Die (einzige) Lösung der gegebenen Gleichung ist $x = 3$. $L = \{3\}$

GK **487** Löse die Gleichung $\frac{x+2}{x-3} = \frac{6}{x-3}$ für G = ℝ.

Tipp: Zum Überprüfen der Lösung einer Gleichung kannst du die **Probe** machen. Setze jede Lösung in die gegebene Gleichung ein und zeige, dass sie auf eine wahre Aussage führt.

Technologie-Tipp: Gleichungen lösen

Aufgaben

Gleichungen grafisch lösen

GK **488** Löse die Gleichung grafisch und gib die Lösungsmenge für $G = \mathbb{R}$ an. Überprüfe die Richtigkeit der Lösung(en) durch Einsetzen.

a) $x^2 - 4 = 0$
b) $3x = 3x + 1$
c) $5x + 2 = 2x - 7$
d) $2x - 4 = 2 \cdot (x - 2)$
e) $3 \cdot (x + 6) = 12$
f) $x^2 = 16$
g) $4 \cdot (x + 10) = 4 \cdot (x - 1)$
h) $(10x - 15) : 5 = 2 \cdot (x - 1{,}5)$

GK **489** Löse die Gleichung grafisch und gib die Lösungsmenge für (1) $G = \mathbb{N}$, (2) $G = \mathbb{Z}$, (3) $G = \mathbb{Q}$, (4) $G = \mathbb{R}$ an. Überprüfe die Richtigkeit der Lösung(en) durch Einsetzen.

a) $2x - 1 = -9$
b) $2x + 12 = 33$
c) $5x - 30 - 70$
d) $3x - 12\pi$

GK **490** Die Gleichung hat ganzzahlige Lösungen im Intervall $[-10, 10]$. Lege eine Tabelle an und ermittle die Lösungen.

a) $5x^3 - 10x^2 = 0$
b) $x^2 - 7x - 30 = 0$
c) $x^3 + 10x^2 - 25x - 250 = 0$

GK **491** Die Gleichung hat ganzzahlige Lösungen im Intervall $[-10, 10]$. Lege mit einem elektronischen Tool eine entsprechende Tabelle für die linke und rechte Seite der Gleichung an und ermittle die Lösungen.

a) $x^2 + 4x = 45$
b) $x^2 = -7 + 8x$
c) $x^3 = -x^2$
d) $x^3 + 64 = 4x^2 + 16x$

GK **492** Fertige eine Skizze an und ermittle grafisch die Lösungen der Gleichung. Kontrolliere mit Technologie.

a) $x^2 - 5x + 5{,}25 = 0$
b) $9x^2 + 98 = 63x$
c) $2x^3 + 5x^2 + x = 1$

GK **493** Fertige eine Skizze an und ermittle grafisch die Lösungen der Gleichung. Kontrolliere mit Technologie.

a) $x^2 - 4x - 16{,}25 = 0$
b) $x^2 - 10x + 1{,}96 = 0$
c) $x^3 + 10x^2 - 5x - 2 = 0$

GK **494** Ermittle grafisch die Lösungen der Gleichung. Verwende ein elektronisches Tool. Fertige eine Skizze an.

a) $x^2 + 2x - 1 = 3x + 1$
b) $-7x + 50 = 24x - 30$
c) $x + 2{,}5 = 2{,}5x^2 + 5x - 1{,}5$

Gleichungen rechnerisch lösen

GK **495** Löse die Gleichung $u - 2u^3 + 5 = 2 \cdot (1 - u^3)$ für $G = \mathbb{R}$. Begründe, dass die erhaltene Lösung die einzige Lösung ist.

496 Welche Lösungsmenge hat die Gleichung $2x + 3(x - 1)(x + 1) - 15x = 4 + 3x(x - 5)$ für $G = \mathbb{R}$? Kreuze die richtige Antwort an.

☐ $L = \{\}$ ☐ $L = \{2\}$ ☐ $L = \{-3{,}5\}$ ☐ $L = \{3{,}5\}$ ☐ $L = \mathbb{R}$

497 Wenn eine Gleichung keine Lösung besitzt, dann führen Äquivalenzumformungen immer zu einer ___❶___ Aussage. In diesem Fall ist die Lösungsmenge ___❷___.

❶	
wahren	☐
allgemeinen	☐
falschen	☐

❷	
die Definitionsmenge D	☐
eine Menge mit genau einem Element	☐
die leere Menge	☐

GK **498** Gegeben ist die Gleichung $\sqrt{x} = -5$ für $G = \mathbb{R}$.

$\sqrt{x} = -5 \quad |^2$ (quadrieren)
$x = 25$
$L = \{25\}$

Ist das Ergebnis korrekt? Wenn nein, wo liegt der Fehler und wie lautet die Lösungsmenge?

Tipp: Mache die Probe!

GK **499** Zu welchen beiden Gleichungen ist $3u^2 - u = u^2 + 3 + 2u$ äquivalent?

(1) $2u^2 - 3 = u^2 + 3u$ (2) $3u^2 - 3u = u^2 + 2$ (3) $2u^2 - 3u - 3 = 0$
(4) $-3u - 1 = -2u^2$ (5) $-3u = -2u^2 + 3$

500 Gib eine Definitionsmenge an und löse die Gleichung für $G = \mathbb{R}$ mit einem CAS. Interpretiere das Ergebnis, das vom CAS ausgegeben wird.

a) $\frac{2r+3}{r+9} = \frac{r-6}{r+9}$ b) $\frac{2z+3}{z+1} = \frac{z-6}{z+1}$ c) $\frac{2(u^2+u+1)}{u+2} = \frac{2u^2-2}{u+2}$

501 Gegeben ist die Gleichung $3 \cdot \frac{x}{x+4} - 1 = \frac{5}{x+4}$ mit $G = \mathbb{R}$.
Kreuze die beiden richtigen Aussagen an.

- ☐ Für die Definitionsmenge gilt: $D = \mathbb{R}\setminus\{4\}$.
- ☐ Die Lösung der Gleichung ist $x = 0$.
- ☐ Eine Bruchgleichung dieser Art hat als Lösungsmenge immer die leere Menge.
- ☐ Die einzige Lösung der Gleichung ist $x = 4{,}5$.
- ☐ Die Definitionsmenge ist $D = \mathbb{R}\setminus\{-4\}$.

GK **502** Löse die Gleichung für $G = \mathbb{R}$. Achte auf einen gemeinsamen Nenner. Kontrolliere deine Umformungsschritte mit einem CAS. Gib die Definitionsmenge D an.

a) $\frac{2x}{x+3} + 1 = \frac{5}{x+3}$ b) $\frac{2a}{a+3} - 2 = \frac{5}{a+3}$ c) $\frac{3b+4}{b-4} - 1 = \frac{2}{b-4}$
d) $\frac{3y+4}{y-4} - 1 = \frac{2y}{y-4}$ e) $\frac{x^2+7x+1}{x+3} - x = \frac{x}{x+3}$ f) $\frac{x^2+4x+1}{x+3} - x = \frac{x}{x+3}$

GK **503** (1) Löse die Gleichung $14 + 15x - 35 - 9x = 2 \cdot (x+1) + 8x - 37$ für $G = \mathbb{R}$.
(2) Jemand hat die Gleichung auf folgende Art gelöst. Dabei ist es zu einem überraschenden Ergebnis gekommen:

$14 + 15x - 35 - 9x = 2 \cdot (x+1) + 8x - 37$ | Ausmultiplizieren und Zusammenfassen
$6x - 21 = 10x - 35$ | Herausheben
$3 \cdot (2x - 7) = 5 \cdot (2x - 7)$ | $: (2x - 7)$
$3 = 5$

An welcher Stelle ist beim Lösen der Gleichung ein Fehler passiert? Begründe, warum der Rechenschritt nicht zulässig ist.

3 Lineare Gleichungen

Im folgenden Abschnitt lernst du Gleichungen des Typs $a \cdot x + b = 0$ genauer kennen.

Du erwirbst folgende Grundkompetenz:

GK Lineare Gleichungen aufstellen, interpretieren, umformen/lösen und im Kontext deuten (AG-R 2.2)

Vorwissen

GK **504** Welche Gleichungen sind für $G = \mathbb{R}$ äquivalent?

$5x - 1 = 0$	
$x^2 + 5x + 1 = x^2$	
$x = 5$	

A	$5x = -1$
B	$5x + 4 = 5$
C	$5x = 25$
D	$x^2 = 25$
E	$x = 0{,}25$

Neues Wissen

Beim einfachsten Typ von Gleichungen tritt die Variable nur in der ersten Potenz auf.

Definition

Eine Gleichung der Form $a \cdot x + b = 0$ mit $a, b \in \mathbb{R}$ und $a \neq 0$ heißt **lineare Gleichung** mit einer Variablen x.
a·x wird als **lineares Glied** und **b** als **konstantes Glied** bezeichnet.

Beispiel:
Bringe die Gleichung $3x - 8 = 9x - 12$ auf die Form $a \cdot x + b = 0$. Lies den Wert von a bzw. b ab. Löse die Gleichung in $\mathbb{R}$ und gib die Lösungsmenge an.

Lösung:

Äquivalenzumformungen führen auf eine Gleichung der Form $a \cdot x + b = 0$.	$3x - 8 = 9x - 12 \quad \vert -9x$ $-6x - 8 = -12 \quad \vert +12$ $-6x + 4 = 0 \quad \Rightarrow a = -6$ und $b = 4$
Unterschiedliche Äquivalenzumformungen können auf andere äquivalente Gleichungen mit anderem a und b führen.	z. B.: $6x - 4 = 0 \quad \Rightarrow a = 6$ und $b = -4$ $-3x + 2 = 0 \quad \Rightarrow a = -3$ und $b = 2$
Lösung und Lösungsmenge sind jedoch in allen Fällen gleich.	$-6x + 4 = 0 \quad \vert -4$ $-6x = -4 \quad \vert :(-6)$ $x = \frac{2}{3} \quad \Rightarrow L = \{\frac{2}{3}\}$

Arbeit nach der Lernmethode Mehrstufiges Verfahren (bis Aufgabe 510)

Die Aufgaben 505 bis 510 sind im mehrstufigen Verfahren (Einzelarbeit – Partner/-innenarbeit – Gruppenarbeit und Präsentation) zu bearbeiten.

Hinweise zur Vorgangsweise findest du unter www Lernmethode Mehrstufiges Verfahren.

GK **505** Bringe die Gleichung auf die Form $a \cdot x + b = 0$. Lies den Wert von a bzw. b ab. Löse die Gleichungen in $\mathbb{R}$ und gib jeweils die Lösungsmenge an.

(1) $3{,}5x = -17{,}5$
(2) $10 - 8x = 2x + 10$
(3) $6x + 8 = 2 \cdot (3x + 4)$
(4) $3 \cdot (6 - 4x) = 15 - 12x$

GK **506** Die Konstanten a und b einer Gleichung $a \cdot x + b = 0$ sind im Allgemeinen reelle Zahlen.

(1) Drückt in der Gleichung $a \cdot x + b = 0$ die Variable x durch a und b aus.
(2) Welche Bedingung muss a und/oder b erfüllen, damit eine Gleichung der Form $a \cdot x + b = 0$ stets genau eine Lösung in $\mathbb{R}$ besitzt?

GK **507** Gegeben ist die Gleichung $7x + 1 = 4{,}5x + 2$.

(1) Bringt die Gleichung auf die Form $a \cdot x + b = 0$. Gebt zwei verschiedene äquivalente Gleichungen an.
(2) Die linke Seite der beiden Gleichungen aus (1) kann als Funktion f mit $f(x) = a \cdot x + b$ aufgefasst werden. Stellt die entsprechenden Funktionen der beiden Gleichungen grafisch dar.
(3) Welche Bedeutung haben a und b in der Geradengleichung? Beschriftet die entsprechenden Strecken in der Zeichnung mit a und b.
(4) Löst die beiden Gleichungen aus (1). Zeigt, dass die Lösung in der Form $x = -\frac{b}{a}$ dargestellt werden kann. Beschriftet die entsprechende Stelle in der Grafik.

508 Fasst eure Ergebnisse aus den Aufgaben 506 und 507 zusammen und verallgemeinert sie.

Da die Gleichung $a \cdot x + b = 0$ mithilfe einer Geraden grafisch gelöst werden kann, ist es nun einsichtig, warum solche Gleichungen als **lineare Gleichungen** bezeichnet werden. Aus den vorangegangenen Aufgaben ergeben sich folgende Zusammenhänge.

Satz

Jede lineare Gleichung besitzt in $\mathbb{R}$ genau eine Lösung der Form $x = -\frac{b}{a}$.

Eine lineare Gleichung der Form $a \cdot x + b = 0$ lässt sich grafisch lösen, indem die Nullstelle der Funktion f mit $f(x) = a \cdot x + b$ ermittelt wird.
Die entsprechende Gerade hat die Steigung a und schneidet die y-Achse im Punkt $P(0|b)$.
Die Nullstelle der Funktion f entspricht der Lösung $x = -\frac{b}{a}$ der Gleichung.

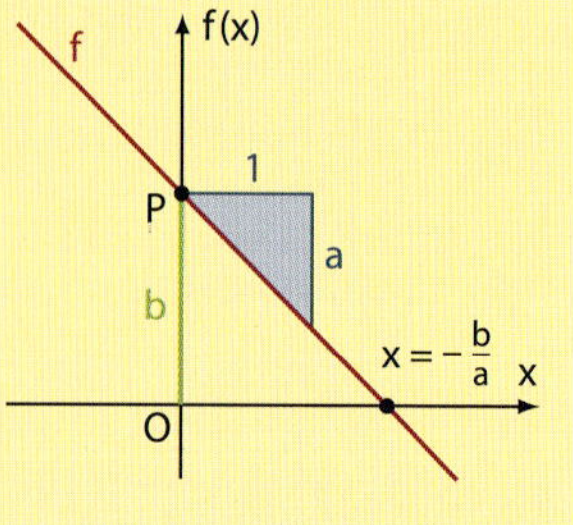

GK **509** Bei einem Schulfest werden Getränke in 0,2-Liter-Gläsern und 0,3-Liter-Gläsern ausgegeben. Jede Person erhält genau ein Getränk. K Personen nehmen ein kleines Glas, G Personen ein großes. Es gelten zwei Zusammenhänge:

$K + G = 160$ und $0{,}2K + 0{,}3G = 42$

(1) Interpretiere die beiden Gleichungen.

(2) Drücke K aus der ersten Gleichung aus und ersetze in der zweiten Gleichung K durch den entsprechenden Term. Ermittle zunächst, wie viele große Gläser ausgeschenkt wurden. Bestimme dann die Anzahl der kleinen Gläser.

(3) Für den zweiten Zusammenhang wird versehentlich $0{,}2K + 0{,}3G = 52$ notiert. Macht dieser Angabefehler bei Beantwortung von (1) und (2) einen Unterschied?

510 Gestaltet auf einem Plakat eine Zusammenfassung zu linearen Gleichungen. Verknüpft mit wichtigen Begriffen aus dem Abschnitt *Lineare Funktionen*. Verwendet nur Stichworte und Zeichnungen.

Aufgaben

GK **511** Löse die Gleichung der Form $a \cdot x + b = 0$ rechnerisch und grafisch. Vergleiche deine Lösung mit dem Wert $-\frac{b}{a}$. Zeichne a und b sowie die Lösung der Gleichung in der grafischen Darstellung ein.

a) $5x - 15 = 0$ b) $-2{,}5x - 5 = 0$ c) $3x - 7 = 0$ d) $2x + 9 = 0$

e) $0{,}5x = 0$ f) $0{,}8x - 8 = 0$ g) $-3x + \sqrt{2} = 0$ h) $0{,}5\pi x - 6 = 0$

512 Öffne das dynamische Arbeitsblatt www Lineare Gleichungen und löse lineare Gleichungen mithilfe linearer Funktionen. Dokumentiere deine Antworten.

GK **513** Löse die Gleichung rechnerisch und ermittle grafisch eine näherungsweise Lösung (durch eine händische Zeichnung oder mit einem elektronischen Tool).

a) $2{,}5x + 14 = -3x + 1$ b) $0{,}9x - 6 = 2 - 4{,}2x$

c) $100 - 5x = 40 - 3x$ d) $2x - 8 = 15$

GK **514** Löse die Gleichung und überprüfe die Lösung durch Einsetzen.

a) $5 \cdot (3x - 4) + 7 = 20x - 25$ b) $(15 - 35w) \cdot 9 = 16 - 3 \cdot (14w + 8)$

c) $2 \cdot (3y - 1) - 8 \cdot (y + 2) = 10y - (6y - 2) : 2$ d) $(5z + 2) \cdot 3 - (7 - 8z) = 10 \cdot (z + 9)$

GK **515** (1) Zeige: Die Gleichung ist zu einer linearen Gleichung der Form $a \cdot x + b = 0$ äquivalent.

(2) Berechne die Lösung und überprüfe sie durch Einsetzen.

(3) Arbeite mit einem CAS: Löse die Gleichung schrittweise. Überprüfe die Lösung durch Einsetzen.

a) $(x - 2) \cdot (3x + 25) + 4x^2 = 7x^2 - 29x + 30$ b) $(2y + 5) \cdot (2y - 5) = (2y - 3)^2$

c) $(25 - 3z) \cdot (2z + 4) + 15z^2 = (3z + 4)^2$ d) $(6x + 1) \cdot (6x - 1) = (4 - 7x)^2 - 13 \cdot (x^2 + 1)$

GK **516** Gib die Lösungsmenge für $G = \mathbb{R}$ an.

a) $3x + 7 = 3x + 15$ b) $10 - 5x = 5 \cdot (2 - x)$

c) $(10x - 1) \cdot 2{,}5 = 4 \cdot (5x - 3) + 5x + 9{,}5$ d) $10 \cdot (10x - 9) + 62 = (8x - 4) \cdot 7 + 44x$

GK **517** Ermittle die Lösung für $G = \mathbb{R}$ und mache die Probe.

a) $\frac{x}{2} + \frac{x}{3} + \frac{x}{4} = x - 10$
b) $\frac{3x}{5} + \frac{1}{4} = \frac{13x}{20} - \frac{3}{2}$
c) $\frac{10 - 3x}{7} - 5 = \frac{8x + 2}{21}$
d) $\frac{9 - x}{5} - \frac{2x + 4}{3} = \frac{7x - 6}{10}$

518 Ermittle die Lösungsmenge für $G = \mathbb{R}$ und mache gegebenenfalls die Probe.

a) $\frac{2x - 4}{3} - \frac{x + 1}{6} = \frac{x - 3}{2}$
b) $\frac{2x - 3}{3} - \frac{5 - 2x}{6} = \frac{3x + 2}{4} - \frac{3 - x}{4}$
c) $x + 2 = -\frac{x + 2}{2}$
d) $x \cdot (x + 1) + (x + 2)(x - 1) = 2 \cdot (x^2 + x - 1)$

519 Löse die Gleichung schrittweise mit einem CAS. Gib die Lösungsmenge für $G = \mathbb{R}$ an.

a) $\frac{5}{x - 4} = \frac{4}{x - 5}$
b) $\frac{2}{x + 2} = \frac{2}{x}$
c) $\frac{x}{x - 1} = \frac{x + 2}{x - 3}$
d) $\frac{5}{x - 2} + \frac{x}{x + 2} = \frac{x^2 + 16}{x^2 - 4}$
e) $\frac{x^2 - 4}{x} + \frac{1}{x} = x - \frac{3}{x}$
f) $\frac{x}{x - 1} + \frac{x + 2}{x + 1} = \frac{2 \cdot (x^2 + x - 1)}{x^2 - 1}$

GK **520** Kreuze jene Aussage(n) an, die auf die Gleichung $a \cdot x + b = 0$ mit $a \neq 0$ zutreffen.

- ☐ Wenn a und b den gleichen Wert ungleich null haben, gilt $x = 1$.
- ☐ Wird b verdoppelt, verdoppelt sich x.
- ☐ Werden a und b um 1 erhöht, bleibt x unverändert.
- ☐ Wird a halbiert, halbiert sich x.
- ☐ Werden a und b mit der gleichen Zahl multipliziert, bleibt x unverändert.
- ☐ Keine der obigen Aussagen trifft zu.

GK **521** (1) Löse die Gleichung nach der in der Klammer angegebenen Variablen.
(2) Gib den Term einer geeigneten linearen Funktion an, mit der die Gleichung grafisch gelöst werden kann.
(3) Skizziere die Funktion. Zeichne ein Steigungsdreieck, den Abschnitt auf der y-Achse und die Lösung der Gleichung in der Skizze ein und beschrifte diese passend.

a) $s \cdot x + t = 0$ mit $s \neq 0$ (x)
b) $a \cdot x + 5 = 2$ mit $a < 0$ (x)
c) $a \cdot z + b = 0$ mit $a > 0,\ b < 0$ (z)
d) $4k + m = 6k$ mit $m < 0$ (k)
e) $v \cdot t + 3e = e$ mit $v < 0,\ e > 0$ (t)
f) $g \cdot u = 3h$ mit $g < 0,\ h > 0$ (u)

GK **522** Es ist H die Anzahl der Betten in Hotels und Gasthöfen eines Fremdenverkehrsortes und P die Anzahl der Betten in Privatpensionen.
Der Fremdenverkehrsobmann behauptet, es gibt genau dreimal so viele Betten in Hotels und Gasthöfen wie in Privatpensionen.
Die Bürgermeisterin notiert: $H = P + 105$.
Ist es möglich, dass beide Aussagen wahr sind? Falls ja: Gib jeweils die Anzahl der Betten an. Falls nein: Begründe, warum dies nicht möglich ist.

523 Ein Sechseck hat denselben Umfang wie ein Quadrat. Die Seitenlänge des Quadrats ist um 5 cm länger als die des Sechsecks.
(1) Kreuze die geeignete Gleichung an, mit der die Aufgabe gelöst werden kann.
☐ $4s = 6 \cdot (s + 5)$ ☐ $6s = 4 \cdot (s + 5)$ ☐ $6s = 4 \cdot 5$
(2) Berechne die Seitenlängen und den Umfang der beiden Figuren. Überprüfe dein Ergebnis auf geeignete Weise.
(3) Nimm nun an, dass die Seitenlänge des Sechsecks um 5 cm länger als die des Quadrates ist. Wie verändert sich dadurch die Beantwortung der Fragen?

524 Ein Rechteck hat denselben Flächeninhalt wie ein Quadrat. Die Länge dieses Rechtecks ist um 4 cm größer als die Seitenlänge des Quadrats, die Breite dieses Rechtecks um 2 cm kürzer als die des Quadrats. Berechne die Seitenlängen des Quadrats und des Rechtecks. Überprüfe dein Ergebnis auf geeignete Weise.

525 1 Liter Milch enthält 3,6 % Fett. Mit wie viel Liter Wasser müssen 5 Liter Milch verdünnt werden, damit der Fettgehalt auf 2 % sinkt?

(1) Kreuze die geeignete Gleichung an, mit der die Aufgabe gelöst werden kann.

☐ $5 \cdot 0{,}036 = x \cdot 0{,}02$ ☐ $5 \cdot 0{,}036 = (5 - x) \cdot 0{,}02$ ☐ $5 \cdot 0{,}036 = (5 + x) \cdot 0{,}02$

(2) Löse die Gleichung und beantworte die Frage.

(3) Wie hoch ist der Fettgehalt, wenn 5 Liter Milch mit 5 Liter Wasser verdünnt werden?

526 Aus 800 ml einer 15-prozentigen Salzlösung soll eine 12-prozentige Lösung hergestellt werden. Nimm dabei an, dass das Gesamtvolumen zweier Flüssigkeiten beim Mischen konstant bleibt. Wie viel Wasser muss hinzugefügt werden?

527 In einer Blasmusikkapelle mit 50 Mitgliedern beträgt der Anteil der Blechbläser 20 %. Wie viele Musikerinnen und Musiker mit Blechblasinstrumenten müssen aufgenommen werden, damit sich der Anteil auf etwa 30 % erhöht?

528 Ein Zeuge behauptet: Unter meinen 40 Gästen hatte ich exakt doppelt so viele Männer wie Frauen. 11 der Gäste waren Kinder. Ist der Zeuge glaubwürdig?

529 Eine Skihütte beherbergte in den Monaten Dezember bis März Gäste. Im Dezember waren es halb so viele Gäste wie im Jänner. Im Februar freute sich der Wirt über doppelt so viele Gäste wie im Jänner. Im März kamen um 50 Gäste mehr als im Dezember.

a) In den vier Monaten wurden insgesamt 402 Gäste gezählt. Ermittle die Gästezahlen für jeden Monat.

b) In den vier Monaten wurden insgesamt 500 Gäste gezählt. Ermittle sinnvolle Gästezahlen für jeden Monat.

4 Quadratische Gleichungen

In diesem Abschnitt lernst du Verfahren kennen, wie du quadratische Gleichungen grafisch und rechnerisch lösen kannst.

Du erwirbst folgende Grundkompetenzen:
- GK Quadratische Gleichungen in einer Variablen umformen/lösen, über Lösungsfälle Bescheid wissen, Lösungen und Lösungsfälle (auch geometrisch) deuten (AG-R 2.3)
- GK Aus einer quadratischen Funktionsgleichung Argumentwerte ermitteln (FA-R 4.3)

Vorwissen

GK **530** Schlage im Abschnitt *Quadratische Funktionen* nach. Du hast drei Typen von Funktionsgleichungen kennen gelernt. Schreibe sie auf. Skizziere jeweils einen typischen Graphen.

GK **531** König Artus überreicht dem treuen Ritter Lancelot ein 200 m langes Seil. Lancelot soll sich damit ein rechteckiges Grundstück abstecken, welches er danach sein Eigen nennen darf. Gib die quadratische Funktion an, die einer Rechteckseite x den Flächeninhalt des Rechtecks A(x) zuordnet.

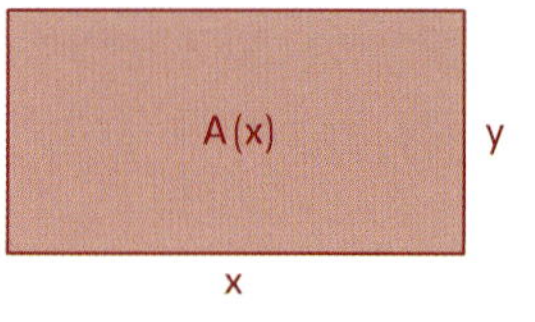

Erstelle eine Wertetabelle und zeichne den Graphen der Funktion für $0 \leq x \leq 100$.
Wie lange muss die Rechteckseite x sein, damit Lancelot $475\,m^2$ Grund besitzt? Erstelle dazu eine Wertetabelle für $1 \leq x \leq 6$ mit Schrittweite 1.
Wie muss Lancelot die Rechteckseite x wählen, damit der Flächeninhalt so groß wie möglich ist?

GK **532** Gib passend zum folgenden Text eine Gleichung an und löse sie durch systematisches Einsetzen. Verwende dazu ein elektronisches Tool.
a) Gib zwei aufeinanderfolgende ganze Zahlen an, deren Produkt 210 ist.
b) Wird eine ganze Zahl um 2 vergrößert, so vervierfacht sich ihr Quadrat. Wie heißt die Zahl?

Neues Wissen

Definition

Eine Gleichung der Form $ax^2 + bx + c = 0$ $(a, b, c \in \mathbb{R},\ a \neq 0)$
heißt **allgemeine quadratische Gleichung** oder (algebraische) Gleichung 2. Grades.

Eine Gleichung der Form $x^2 + px + q = 0$ $(p, q \in \mathbb{R})$
heißt **normierte quadratische Gleichung.**
Der Koeffizient von x^2 hat bei dieser Gleichung den Wert 1.

Allgemeine und normierte quadratische Gleichungen können durch Äquivalenzumformungen immer in die andere Form umgewandelt werden. Die Lösungsmenge bleibt dadurch unverändert.

Beispiel:

$$:2\left(\begin{array}{l} 2x^2 + 6x + 8 = 0 \\ x^2 + 3x + 4 = 0 \end{array}\right)\cdot 2$$

ist eine allgemeine quadratische Gleichung.
ist eine normierte quadratische Gleichung.

Grafisches Lösen quadratischer Gleichungen

Eine quadratische Gleichung $ax^2 + bx + c = 0$ kannst du näherungsweise mit der Strategie *Nullstellen* (siehe Kapitel *Funktionen, Elementare Eigenschaften von Funktionen* und Abschnitt *Gleichungen lösen*) lösen. Zeichne dazu den Graphen der Funktion $f(x) = ax^2 + bx + c$ und lies die Nullstellen ab. Je nach Lage der Parabel kannst du erkennen, ob die quadratische Gleichung eine Lösung, zwei Lösungen oder keine Lösung besitzt.

GK **533** Zeichne die Graphen der quadratischen Funktionen und gib ihre Nullstellen an. Wie viele Nullstellen hat die Funktion?

(1) $f_1(x) = x^2 + x - 2$ (2) $f_2(x) = x^2 - 6x + 9$ (3) $f_3(x) = x^2 - 2x + 2$

GK **534** Bestimmt von der gegebenen Funktion die Koordinaten des Scheitelpunktes. Ist er ein Tiefpunkt oder ein Hochpunkt? Wie viele Nullstellen hat die Funktion? Begründet eure Antwort, ohne den Graphen der Funktion zu zeichnen.

a) $f(x) = 3\cdot(x-4)^2 + 2$ b) $g(x) = -(x+2)^2 + 1$

Zusammenfassung

Eine quadratische Funktion kann folgende Anzahl von Nullstellen haben:

zwei Nullstellen

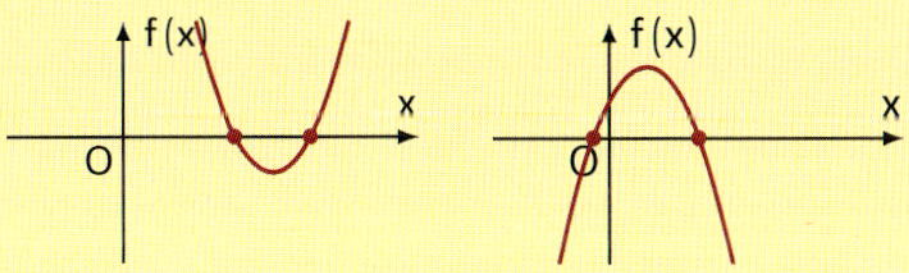

Der Graph schneidet die x-Achse zweimal.

eine Nullstelle

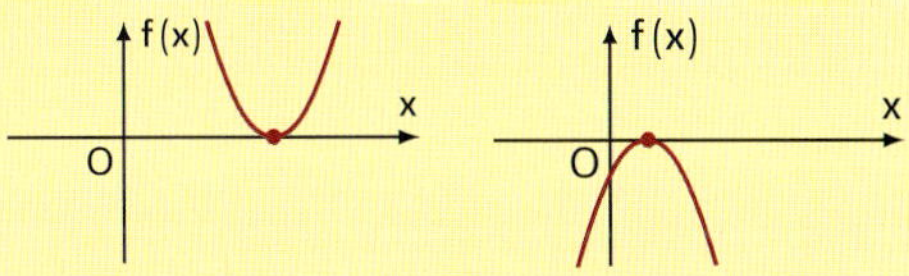

Der Graph berührt die x-Achse.

keine Nullstelle

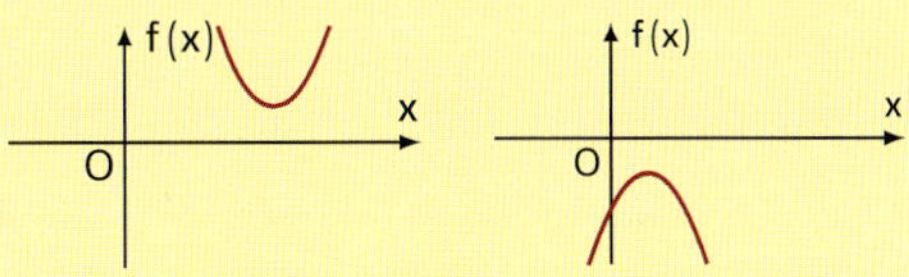

Der Graph schneidet die x-Achse nicht.

Algebraisches Lösen quadratischer Gleichungen

Quadratische Gleichungen können in unterschiedlichen Formen auftreten:

(1) $a\cdot x^2 + c = 0$ (2) $a\cdot x^2 + b\cdot x = 0$ (3) $x^2 + p\cdot x + q = 0$ (4) $a\cdot x^2 + b\cdot x + c = 0$

Für jeden dieser Fälle gibt es eine geeignete Lösungsstrategie.

Quadratische Gleichungen der Form $a \cdot x^2 + c = 0$

▷ *Beispiel:*
Löse die Gleichung $3x^2 - 75 = 0$.

Lösung:

$3x^2 - 75 = 0$	$\mid :3$	Dividiere beide Seiten der Gleichung durch 3.
$x^2 - 25 = 0$	$\mid +25$	Addiere 25.
$x^2 = 25$	$\mid \sqrt{}$	Ziehe die Wurzel. Beachte, dass sowohl 5 als auch −5 beim Quadrieren 25 ergeben. **Wurzelziehen auf beiden Seiten der Gleichung** ist keine Äquivalenzumformung, daher müssen beide Lösungen berücksichtigt werden.

$x_1 = 5$; $x_2 = -5$ sind die Lösungen der quadratischen Gleichung.

▷ **Satz**

Die Gleichung
- $x^2 = m \ (m \in \mathbb{R}^+)$ hat für $G = \mathbb{R}$ die beiden Lösungen $x_1 = \sqrt{m}$ und $x_2 = -\sqrt{m}$,
- $x^2 = 0$ hat für $G = \mathbb{R}$ die Lösung $x = 0$,
- $x^2 = -m \ (m \in \mathbb{R}^+)$ hat für $G = \mathbb{R}$ keine Lösung.

Die Gleichung $3x^2 - 75 = 0$ kann auch auf eine zweite Art gelöst werden. Dazu benötigst du folgenden Satz.

▷ **Satz (Produkt-Null-Satz)**

Ein Produkt zweier (oder mehrerer) Faktoren ist genau dann null, wenn mindestens einer der Faktoren null ist.

$A \cdot B = 0 \Leftrightarrow A = 0 \lor B = 0$

▷ *Alternativer Lösungsweg:*

$3x^2 - 75 = 0$	$\mid :3$	Dividiere wieder beide Seiten der Gleichung durch 3.
$x^2 - 25 = 0$		Zerlege jetzt den Term $x^2 - 25$ in ein Produkt zweier Binome. Erinnere dich dabei an die Formel $a^2 - b^2 = (a - b)(a + b)$ (*Terme und Formeln, Aufstellen und Interpretieren von Formeln*)

$(x - 5) \cdot (x + 5) = 0$

Faktoren

$(x - 5 = 0) \lor (x + 5 = 0)$ Entweder ist $x - 5 = 0$ oder $x + 5 = 0$.

Daraus folgt: $x_1 = 5$ und $x_2 = -5$ sind die Lösungen der quadratischen Gleichung $3x^2 - 75 = 0$.

GK **535** Ermittle die Lösungen der quadratischen Gleichung für $G = \mathbb{R}$.

a) $5x^2 - 8 = 0$ b) $4x^2 - 16 = 0$ c) $3x^2 = 300$ d) $0{,}25x^2 - 25 = 0$

Quadratische Gleichungen der Form $a \cdot x^2 + b \cdot x = 0$

Gleichungen der Form $a \cdot x^2 + b \cdot x = 0$ kannst du durch Herausheben von x in ein Produkt umformen und den Produkt-Null-Satz anwenden.

▷ *Beispiel:*
Löse die Gleichung $3x^2 + 5x = 0$.

Lösung:

$3x^2 + 5x = 0$	Hebe x heraus.
$x \cdot (3x + 5) = 0$ (Faktoren)	Da ein Produkt zweier Faktoren genau dann null ist, wenn mindestens einer der beiden Faktoren null ist, hast du eine Lösung gefunden.
$(x = 0) \lor (3x + 5 = 0)$	Die erste Lösung ist 0 und die zweite Lösung erhältst du aus der Gleichung $3x + 5 = 0$.

$x_1 = 0$ und $x_2 = -\frac{5}{3}$ sind die Lösungen der quadratischen Gleichung $3x^2 + 5x = 0$.

GK **536** Elisabeth und Sebastian lösen die Gleichung $12x^2 + 9x = 0$.
Elisabeth wählt die grafische Methode und findet zwei Lösungen. Sebastian wählt die algebraische Methode und findet eine Lösung. Was stimmt hier nicht?

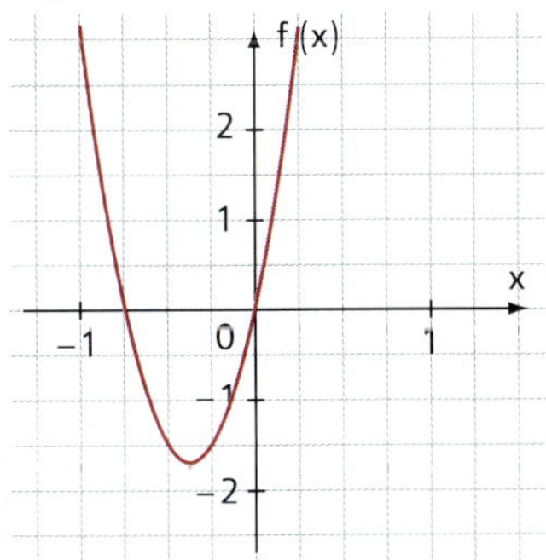

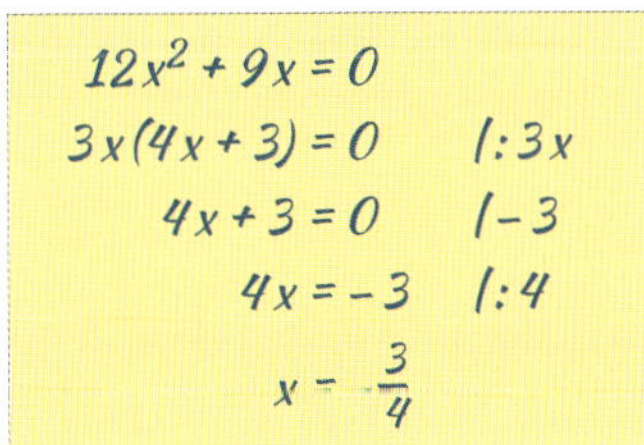

▷ *Beachte:*

Beidseitiges Dividieren durch die Variable x ist keine Äquivalenzumformung. Dividierst du durch x, wird aus der quadratischen Gleichung $a \cdot x^2 + b \cdot x = 0$ eine lineare Gleichung mit nur mehr einer Lösung. Die zweite Lösung $x = 0$ geht verloren.

GK **537** Löse die Gleichung für $G = \mathbb{R}$.

a) $15x^2 - 4{,}5x = 0$ b) $x^2 + 50x = 0$ c) $5000x^2 - 1240x = 0$

Normierte quadratische Gleichungen der Form $x^2 + p \cdot x + q = 0$

Um die **normierte quadratische Gleichung** $x^2 + p \cdot x + q = 0$ zu lösen, gibt es eine **Lösungsformel**. Diese Formel kannst du mit der Methode des Ergänzens auf ein vollständiges Quadrat herleiten.

Herleitung der Lösungsformel

Gegeben ist die Gleichung Subtrahiere q.	$x^2 + px + q = 0 \quad (p, q \in \mathbb{R})$ $x^2 + px = -q$
Ergänze die linke Seite zu einem vollständigen Quadrat, indem du auf beiden Seiten der Gleichung $\left(\frac{p}{2}\right)^2$ addierst.	$x^2 + px + \left(\frac{p}{2}\right)^2 = \left(\frac{p}{2}\right)^2 - q$ $\left(x + \frac{p}{2}\right)^2 = \left(\frac{p}{2}\right)^2 - q$

Ziehst du die Wurzel, erhältst du zwei Lösungsfälle.

1. Fall:

$x + \frac{p}{2} = +\sqrt{\left(\frac{p}{2}\right)^2 - q}$

$x_1 = -\frac{p}{2} + \sqrt{\left(\frac{p}{2}\right)^2 - q}$

2. Fall:

$x + \frac{p}{2} = -\sqrt{\left(\frac{p}{2}\right)^2 - q}$

$x_2 = -\frac{p}{2} - \sqrt{\left(\frac{p}{2}\right)^2 - q}$

▷ Die **Lösungen** der **normierten quadratischen Gleichung** $\mathbf{x^2 + px + q = 0}$ $(p, q \in \mathbb{R})$ werden mit

$$x_1 = -\frac{p}{2} + \sqrt{\left(\frac{p}{2}\right)^2 - q} \quad \text{und} \quad x_2 = -\frac{p}{2} - \sqrt{\left(\frac{p}{2}\right)^2 - q}$$

berechnet.

Oft wird die Kurzschreibweise $x_{1,2} = -\frac{p}{2} \pm \sqrt{\left(\frac{p}{2}\right)^2 - q}$ für die Lösungen verwendet.

▷ *Beispiel:*

Löse die Gleichung $x^2 - 8x + 15 = 0$ für $G = \mathbb{R}$.

Lösung:

$p = -8; \; q = 15$

$\Rightarrow x_{1,2} = -\frac{p}{2} \pm \sqrt{\left(\frac{p}{2}\right)^2 - q} = -\frac{-8}{2} \pm \sqrt{\left(\frac{-8}{2}\right)^2 - 15} = 4 \pm \sqrt{16 - 15} = 4 \pm 1$

$x_1 = 5; \; x_2 = 3 \qquad L = \{5; 3\}$

GK **538** Löse die Gleichung für $G = \mathbb{R}$.

a) $x^2 - x - 6 = 0$ b) $x^2 - 2{,}5x - 6 = 0$ c) $x^2 + 2{,}5x - 12{,}5 = 0$

Quadratische Gleichungen der Form $a \cdot x^2 + b \cdot x + c = 0$

Liegt eine quadratische Gleichung in der allgemeinen Form $ax^2 + bx + c = 0$ vor, kannst du folgendermaßen vorgehen, um eine Lösungsformel herzuleiten.

Gegeben sei die y Gleichung $ax^2 + bx + c = 0$	$ax^2 + bx + c = 0$ $(a, b, c \in \mathbb{R},\ a \neq 0)$
Dividiere die Gleichung durch a.	$x^2 + \frac{b}{a}x + \frac{c}{a} = 0$
Die Gleichung wird vereinfacht, wenn für $\frac{b}{a} = p$ und für $\frac{c}{a} = q$ gesetzt wird.	$x^2 + px + q = 0$
Nun kannst du die Lösungsformel für die normierte quadratische Gleichung anwenden.	$x_{1,2} = -\frac{p}{2} \pm \sqrt{\left(\frac{p}{2}\right)^2 - q}$
Setze für $p = \frac{b}{a}$ und für $q = \frac{c}{a}$ ein.	$= -\frac{b}{2a} \pm \sqrt{\left(\frac{b}{2a}\right)^2 - \frac{c}{a}}$
Quadriere den Klammerausdruck und bringe die beiden Brüche unter der Wurzel auf den gemeinsamen Nenner $4a^2$.	$= -\frac{b}{2a} \pm \sqrt{\frac{b^2}{4a^2} - \frac{c}{a}} = -\frac{b}{2a} \pm \sqrt{\frac{b^2 - 4ac}{4a^2}}$
Vereinfache durch Wurzelziehen den Nenner des zweiten Ausdrucks und bringe die beiden Brüche auf den gemeinsamen Nenner 2a.	$= -\frac{b}{2a} \pm \frac{\sqrt{b^2 - 4ac}}{2a} = \frac{-b \pm \sqrt{b^2 - 4ac}}{2a}$

▷ Die **Lösungen** der **allgemeinen quadratischen Gleichung** $\mathbf{ax^2 + bx + c = 0}$ $(a, b, c \in \mathbb{R};\ a \neq 0)$ werden mit

$$x_1 = \frac{-b + \sqrt{b^2 - 4ac}}{2a} \quad \text{und} \quad x_2 = \frac{-b - \sqrt{b^2 - 4ac}}{2a}$$

berechnet.

Oft wird die Kurzschreibweise $x_{1,2} = \frac{-b \pm \sqrt{b^2 - 4ac}}{2a}$ für die Lösungen verwendet.

Bemerkung: Die Lösungsformel der allgemeinen quadratischen Gleichung umfasst auch die Lösungsformel der normierten quadratischen Gleichung. Dann gilt $a = 1$, $b = p$ und $c = q$.

▷ *Beispiel:*

Löse die Gleichung $2x^2 - 11x + 14 = 0$ für $G = \mathbb{R}$.

Lösung:

$a = 2;\ b = -11;\ c = 14$

$$\Rightarrow x_{1,2} = \frac{-b \pm \sqrt{b^2 - 4ac}}{2a} = \frac{-(-11) \pm \sqrt{(-11)^2 - 4 \cdot 2 \cdot 14}}{2 \cdot 2} = \frac{11 \pm \sqrt{121 - 112}}{4} = \frac{11 \pm \sqrt{9}}{4} = \frac{11 \pm 3}{4}$$

$x_1 = 3{,}5;\ x_2 = 2$ $\qquad$ $L = \{3{,}5;\ 2\}$

GK **539** Löse die Gleichung für $G = \mathbb{R}$.

a) $2x^2 - 7x + 5 = 0$ $\qquad$ b) $4x^2 + 4x - 15 = 0$ $\qquad$ c) $3x^2 - 11{,}25x - 18{,}75 = 0$

▷ **Definition**

Der Ausdruck $\left(\frac{p}{2}\right)^2 - q$ bzw. $\mathbf{b^2 - 4ac}$ unter der Wurzel heißt **Diskriminante** und wird mit **D** bezeichnet.

▷ **Satz**

Ist **D > 0**, so hat die quadratische Gleichung zwei reelle Lösungen.
Ist **D = 0**, so hat die quadratische Gleichung eine reelle Lösung, auch Doppellösung genannt.
Ist **D < 0**, so hat die quadratische Gleichung keine Lösung aus den reellen Zahlen.

GK **540** Finde in der gegebenen Gleichung einen geeigneten Wert oder eine geeignete Wertemenge für den Koeffizienten q bzw. c, sodass
(1) die Diskriminante $D > 0$, (2) die Diskriminante $D = 0$, (3) die Diskriminante $D < 0$ ist.
a) $x^2 - 6x + q = 0$ b) $4x^2 - 20x + c = 0$

Zusammenhang zwischen algebraischem und grafischem Lösen einer Gleichung

▷ *Beispiel:*
Zeichne die Graphen der Funktionen und lies die Nullstellen ab.
Berechne weiters die Nullstellen, indem du die entsprechende quadratische Gleichung mit einer Lösungsformel für $G = \mathbb{R}$ löst.
Welchen Wert nimmt die Diskriminante jeweils an?
(1) $f_1(x) = x^2 - 4x + 3$ (2) $f_2(x) = x^2 - 4x + 4 = 0$ (3) $f_3(x) = x^2 - 4x + 5$

Lösung:
Grafisches Lösen

(1) $f_1(x) = x^2 - 4x + 3$

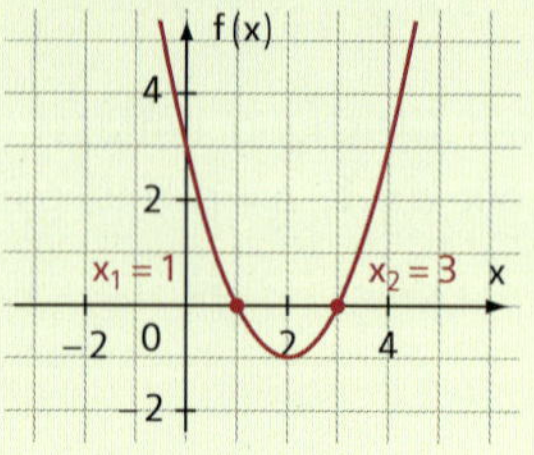

zwei Nullstellen

(2) $f_2(x) = x^2 - 4x + 4$

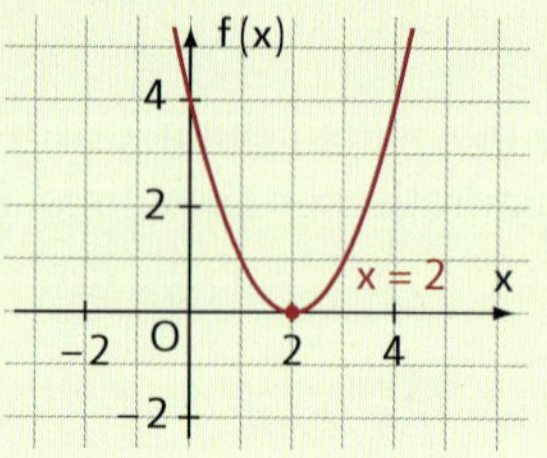

(genau) eine Nullstelle

(3) $f_3(x) = x^2 - 4x + 5$

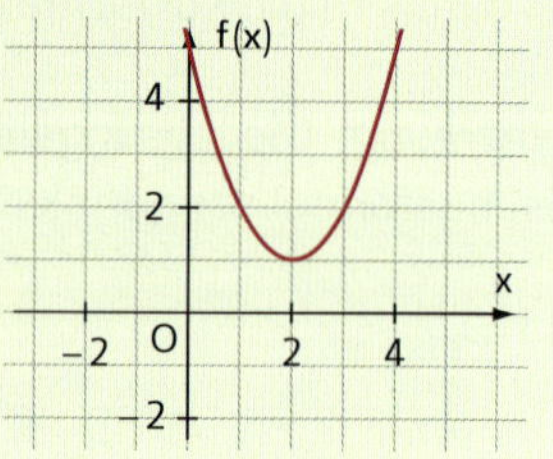

keine Nullstelle

Algebraisches Lösen

(1)
$x^2 - 4x + 3 = 0$
$p = -4;\ q = 3$
$x_{1,2} = \frac{4}{2} \pm \sqrt{\left(\frac{-4}{2}\right)^2 - 3}$
$= 2 \pm \sqrt{1}$
$= 2 \pm 1$

Diskriminante $D > 0$
$x_1 = 1;\ x_2 = 3$
$L = \{1; 3\}$

Die Gleichung hat **zwei Lösungen.**

(2)
$x^2 - 4x + 4 = 0$
$p = -4;\ q = 4$
$x_{1,2} = \frac{4}{2} \pm \sqrt{\left(\frac{-4}{2}\right)^2 - 4}$
$= 2 \pm \sqrt{0}$
$= 2$

Diskriminante $D = 0$
$x = 2$
$L = \{2\}$

Die Gleichung hat **(genau) eine Lösung.**

(3)
$x^2 - 4x + 5 = 0$
$p = -4;\ q = 5$
$x_{1,2} = \frac{4}{2} \pm \sqrt{\left(\frac{-4}{2}\right)^2 - 5}$
$= 2 \pm \sqrt{-1}$

Diskriminante $D < 0$

$L = \{\ \}$

Die Gleichung hat **keine Lösung.**

GK **541** Ordne die Graphen den entsprechenden Bedingungen für die Anzahl der Nullstellen zu.

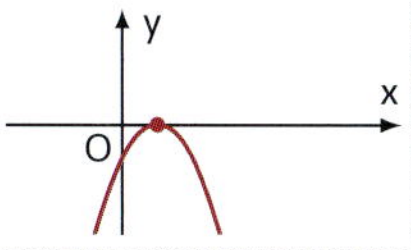	A
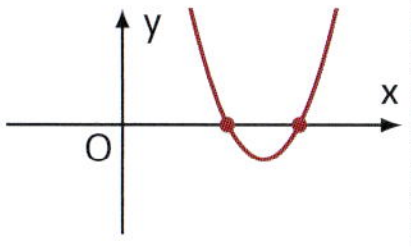	B
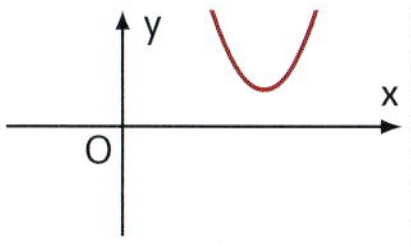	C

	a) Gleichung $x^2 + px + q = 0$
	$\left(\frac{p}{2}\right)^2 - q > 0$
	$\frac{p^2}{4} < -q$ mit $q \in \mathbb{R}^*$
	$\left(\frac{p}{2}\right)^2 = q$
	$\left(\frac{p}{2}\right)^2 < q$
	$\left(\frac{p}{2}\right)^2 = -q^2$

	b) Gleichung $ax^2 + bx + c = 0$
	$b^2 - 4ac = 0$
	$b^2 < 4ac$
	$b^2 = -4(ac)^2$
	$2b^2 < 0$
	$b^2 - 4ac > 0$

GK **542** Ordne die Lösungsmethode der entsprechenden Gleichung zu.

Lösen mit der Lösungsformel für die normierte quadratische Gleichung.	
Lösen durch Herausheben von x.	
Lösen mit der Lösungsformel für die allgemeine quadratische Gleichung.	
Lösen durch Umformen und Wurzelziehen.	

A	$3x^2 = 8x$
B	$5x^2 - 80 = 0$
C	$x^2 - 5x + 4 = 0$
D	$6x^2 - 2x + 5 = 0$

GK **543** Löse rechnerisch die Gleichung für $G = \mathbb{R}$.

a) $2{,}5x^2 - 15x = 0$ b) $x^2 - 10x + 21 = 0$ c) $7x^2 - 85{,}75 = 0$ d) $3x^2 - 7x + 4 = 0$

Oft ergeben sich quadratische Gleichungen aus Problemstellungen in Textaufgaben.

▷ *Beispiel:*
In einer Firma wird eine Belohnung an verdiente Mitarbeiter und Mitarbeiterinnen in der Höhe von insgesamt €9600 ausbezahlt, wobei die Firmenleitung aber nicht bekanntgibt, an wie viele Mitarbeiter diese Prämie ausbezahlt wird. Als allerdings eine Mitarbeiterin die Firma verlässt, wird die Prämie um €40 erhöht.
Wie viele Mitarbeiterinnen bzw. Mitarbeiter erhalten nun eine Prämie?

Lösung:
Ursprünglich erhält jede der x Person eine Prämie von $\frac{9600}{x}$€. Nach Verlassen der Mitarbeiterin reduziert sich die Anzahl der Personen auf x – 1 und nun erhält jeder $\frac{9600}{x-1}$€.

Dies führt auf die Gleichung $\frac{9600}{x} = \frac{9600}{x-1} - 40$

$$9600 \cdot (x-1) = 9600x - 40x \cdot (x-1)$$
$$40x^2 - 40x - 9600 = 0$$
$$x_1 = 16;\ x_2 = -15$$

Die zweite Lösung ist negativ, sodass nur die erste Lösung in Frage kommt.

Ursprünglich bekamen 16 Mitarbeiter und Mitarbeiterinnen eine Prämie, nach dem Ausscheiden der Kollegin sind es nun 15.

Technologie-Tipp: Quadratische Gleichungen lösen

Aufgaben

GK **544** Löse die Gleichung für $G = \mathbb{R}$ (1) rechnerisch, (2) mit einem elektronischen Tool.
a) $3x^2 - 18{,}75 = 0$ b) $x^2 - 6{,}25 = 0$ c) $1{,}5x^2 - 37{,}5 = 0$ d) $50x^2 - 2450 = 0$

GK **545** Löse die Gleichung für $G = \mathbb{R}$ (1) rechnerisch, (2) mit einem elektronischen Tool.
a) $x^2 + 8x = 0$ b) $x^2 - 3x = 0$ c) $15x^2 + 345x = 0$ d) $x \cdot (23x - 2{,}7) = 0$

GK **546** Löse die Gleichung für $G = \mathbb{R}$ (1) rechnerisch, (2) mit einem elektronischen Tool.
a) $x^2 - 3x - 10 = 0$ b) $2x^2 - 8x + 2 = 0$ c) $x^2 + 4x - 45 = 0$
d) $3x^2 - 45x + 150 = 0$ e) $6x - 1 = x^2$ f) $0{,}5x^2 = 7 + 2x$

GK **547** Löse die Gleichung für $G = \mathbb{R}$ (1) rechnerisch, (2) mit einem elektronischen Tool.
a) $2x^2 + 7x + 6 = 0$ b) $5x^2 - 8x + 3 = 0$ c) $8x^2 - 7x - 1 = 0$
d) $0{,}5x^2 + x = 24$ e) $\frac{2}{3}x^2 - 1{,}6x = 1{,}2$ f) $5000x^2 - 4250x = 2023$

GK **548** Löse die quadratischen Gleichungen grafisch. Verwende ein elektronisches Tool deiner Wahl. Gib die Anzahl der Lösungen an.
a) (1) $x^2 - 3 = 0$ (2) $x^2 + 3 = 0$ (3) $x^2 = 0$
b) (1) $x^2 - 4x + 3 = 0$ (2) $-x^2 - 4x + 3 = 0$ (3) $-x^2 - 4x - 4 = 0$
c) (1) $4x^2 - 8x + 3 = 0$ (2) $4x^2 - 8x + 4 = 0$ (3) $4x^2 - 8x + 5 = 0$

GK **549** Begründe deine Antwort. Wie viele Nullstellen hat eine quadratische Funktion,
a) wenn der Tiefpunkt die Koordinaten $T(-3|-3)$ hat,
b) wenn der Hochpunkt die Koordinaten $H(-2|1)$ hat,
c) wenn der Hochpunkt die Koordinaten $H(3|6)$ hat,
d) wenn der Tiefpunkt die Koordinaten $T(-1|8)$ hat?

GK **550** Zeichne die Graphen der gegebenen quadratischen Funktionen. Ermittle die Nullstellen grafisch und rechnerisch. Vergleiche deine Ergebnisse.
a) (1) $f(x) = x^2 - 4x$ (2) $f(x) = x^2 - 4$
b) (1) $f(x) = x^2 - 18x$ (2) $f(x) = x^2 - 18$
c) (1) $f(x) = x^2 + 9x$ (2) $f(x) = x^2 + 9$

551 (GK) Ordne die Funktionen jenen Gleichungen zu, die sich zum Berechnen der entsprechenden Nullstellen eignen.

	$x^2 - 3x = 0$		$-x^2 + 1 = 0$		$(x-2)^2 - 1 = 0$		$x(x+2) = 0$
A	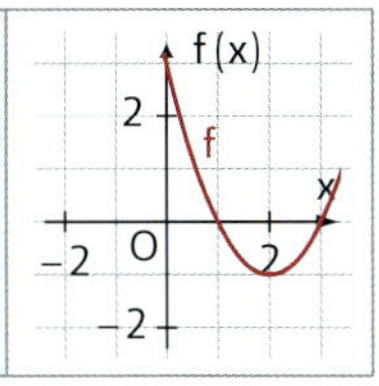	B	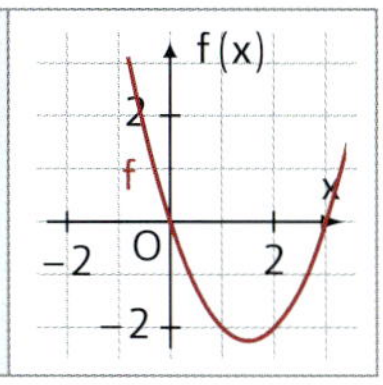	C	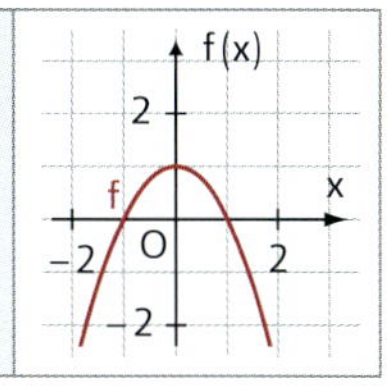	D	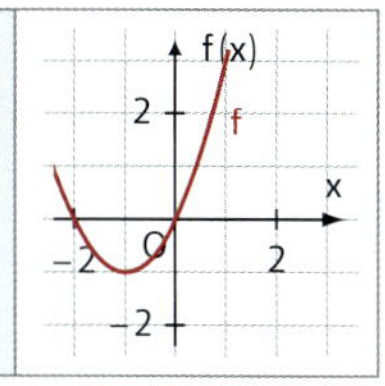

552 (GK) Löse die Gleichung für $G = \mathbb{R}$ und arbeite (1) händisch, (2) mit einem elektronischen Tool.

a) $3x^2 + 4 - 3x = 5 - x^2$
b) $12 - 5x + 2x^2 + 2x = -2x^2 - 3 + 3x^2$
c) $5x + 3x^2 + 7 - 2x = 4 + 5x^2 + 3 - 2x^2 + 3x$
d) $2x^2 + 4x - 4x^2 = 5x^2 - 1 + 10x$

553 (GK) Löse die Gleichung für $G = \mathbb{R}$ und arbeite (1) händisch, (2) mit einem elektronischen Tool.

a) $(x-3) \cdot (2x+5) = 2x - 13$
b) $4x - 5 = (3x - 1) \cdot (x + 2)$
c) $x \cdot (5 - x) + 3x^2 = 2x^2 - 4x \cdot (x - 1)$
d) $(2x - 3) \cdot x + 4x^2 = 5 - x \cdot (3 - x)$

554 (GK) Löse die Gleichung für $G = \mathbb{R}$. Runde das Ergebnis auf 2 Dezimalstellen.
Arbeite (1) händisch, (2) mit einem elektronischen Tool.

a) $(4 - x) \cdot (12 + 3x) - x^2 = x \cdot (x - 3)$
b) $3x^2 - (x - 4) \cdot (2x - 1) = x \cdot (2 - x) + 3$
c) $(2x - 3) \cdot x - 4x^2 + 1 = 4x \cdot (2 - x) + x^2$
d) $x^2 - (4x - 1) \cdot (3 - x) = (3x - 1) \cdot x$

555 (GK) Löse die Gleichung für $G = \mathbb{R}$ mit einem elektronischen Tool und interpretiere das Ergebnis.

a) $3 + 2x^2 = 9x + x^2 - 9 - 2x$
b) $11x + 3 + 2x^2 = 5 + 8x + (2x - 1) \cdot (x + 2)$
c) $(x - 2) \cdot (x + 4) = -9$
d) $12 + 3x^2 - 14 - 2x = 10 + 2 \cdot (x^2 - x) + x^2$

556 Zeige durch Einsetzen, dass die allgemeine quadratische Gleichung $ax^2 + bx + c = 0$ mit $a \neq 0$ die Lösungen $x_1 = \frac{-b + \sqrt{b^2 - 4ac}}{2a}$ und $x_2 = \frac{-b - \sqrt{b^2 - 4ac}}{2a}$ besitzt.

557 Tante Sophie möchte auf ihrem Grundstück ein Schwimmbecken bauen. Sie verspricht ihrem Neffen Niki jeden Sommer freien Badezugang, wenn er ihr beim Planen und Bauen behilflich ist. Niki soll berechnen:
Das Grundstück ist rechteckig, 40 m lang und 32 m breit. Das Schwimmbecken soll überall von einem gleich breiten Grünstreifen umgeben sein. Die Fläche des Grünstreifens soll 70 % der Fläche des Grundstücks betragen. Wie breit muss der Grünstreifen werden?

558 Zwei Städte sind 468 km voneinander entfernt. Von beiden Orten starten gleichzeitig in entgegengesetzter Richtung zwei Flugzeuge, von denen eines eine um
54 km/h geringere Geschwindigkeit hat als das andere. Das langsamere der beiden Flugzeuge kommt um 36 Minuten später an als das schnellere. Mit welchen Geschwindigkeiten fliegen die beiden Flugzeuge?

559 Der Flächeninhalt eines Rechtecks beträgt $468\,m^2$. Die Länge ist um 10 m länger als die Breite. Berechne den Umfang des Rechtecks.

Typ-2-Aufgaben

560 Eine Strecke wird im *Goldenen Schnitt* geteilt, wenn folgende Proportion erfüllt ist:
Der kleinere Teil der Strecke verhält sich zum größeren Teil wie der größere Teil zur gesamten Strecke.
Zur Vereinfachung wird der kürzere Teil der Strecke mit 1 angenommen.

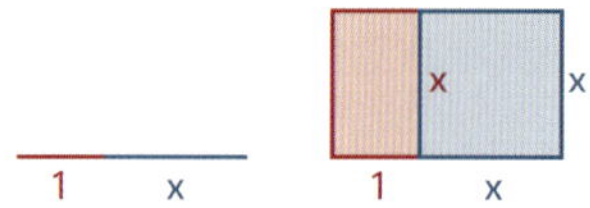

Die Proportion lautet dann: $\frac{1}{x} = \frac{x}{x+1}$
Berechne die positive Lösung dieser Gleichung als Näherungswert für den Goldenen Schnitt.

561

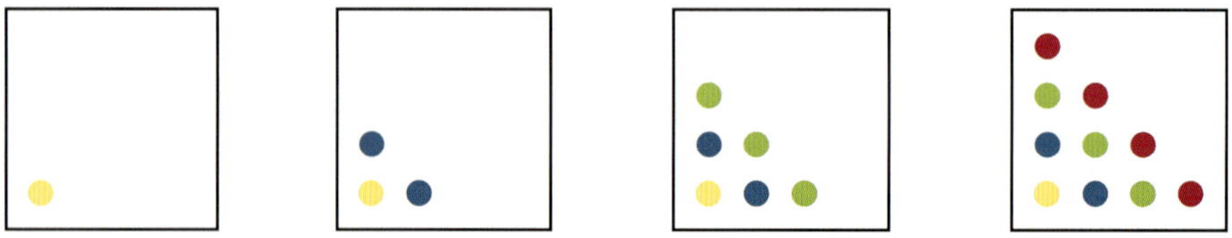

n = 1 n = 2 n = 3 n = 4

Die Gesamtanzahl A der aufgelegten Steine kann mit der Formel $A = \frac{n \cdot (n+1)}{2}$ berechnet werden (rechne nach). Wie groß ist die Zahl n, wenn jemand 351 Steine auflegt?

GK **562** Wird ein Körper mit einer Anfangsgeschwindigkeit von 55 m/s lotrecht nach oben geschossen, so ist seine Höhe $s(t)$ zum Zeitpunkt t durch die Funktion $s(t) = 55t - \frac{g}{2}t^2$ mit $g \approx 9{,}81\,m/s^2$ (g...Erdbeschleunigung, t in Sekunden, $s(t)$ in Meter) gegeben.
(1) Zu welchen Zeitpunkten ist der Körper in einer Höhe von
a) 5 m; b) 15 m; c) 25 m über dem Boden?
(2) Wann schlägt der Körper wieder am Boden auf? Welche besondere Bedeutung hat diese Stelle der Funktion s?

GK **563** Beim Kugelstoßen kann die Flugbahn der Kugel näherungsweise durch die Funktion $f(x) = -\frac{g}{2 \cdot (0{,}7\,v_0)^2}x^2 + x + h$ beschrieben werden. Dabei steht g für die Erdbeschleunigung von $9{,}81\,m/s^2$, v_0 für die Abwurfgeschwindigkeit und h für die Höhe des Abwurfs.

(1) Berechne die Wurfweite des Siegers bei einem Kugelstoßwettbewerb für Jugendliche unter 15, wenn $v_0 = 10{,}5\,m/s$ und $h = 1{,}7\,m$ sind.
(2) Wird in der Realität die Flugbahn einer Kugel dem Graphen einer quadratischen Funktion exakt entsprechen?
Unter welchen (außermathematischen) Annahmen bzw. Vereinfachungen ist die Beschreibung der Flugbahn mit der gegebenen Funktion f möglich?

Kosten- und Preistheorie

GK 564 **Preisfunktion**

Der Preis und die Nachfrage nach einer Ware hängen zusammen. Die Preisfunktion $p: x \mapsto p(x)$ gibt den Preis in Abhängigkeit von der nachgefragten Menge x an.
Jener Preis (in Geldeinheiten GE), bei dem alle Kunden abgeschreckt werden, die nachgefragte Menge also 0 ist $(x = 0)$, wird **Maximalpreis** genannt.
Die **Sättigungsmenge** dagegen ist jene Menge x, die nur erreicht werden kann, wenn ein Produkt praktisch verschenkt werden muss, der erzielte Preis also null ist $(p(x) = 0)$.
Für ein bestimmtes Produkt wird eine quadratische Preisfunktion angegeben:
$p(x) = -0{,}001\,x^2 + 2x + 3000$.

(1) Bestimme den Maximalpreis und die Sättigungsmenge.
(2) Gib einen sinnvollen Definitionsbereich für p an und zeichne die Funktion p.
(3) Ermittle, bei welcher Stückzahl der höchste Preis erzielt werden kann. Wie hoch ist er?

GK 565 **Erlösfunktion**

Unter dem **Erlös** oder Umsatz eines Betriebes versteht man die erzielten Einnahmen bei einer bestimmten Stückzahl. Dazu muss die verkaufte Menge x mit dem entsprechenden Verkaufspreis p eines einzelnen Produkts multipliziert werden: $E(x) = p(x) \cdot x$.
Für ein bestimmtes Produkt ist die Preisfunktion linear: $p(x) = 500 - 0{,}2x$.

(1) Bei welchem Preis (Maximalpreis) werden alle Käufer abgeschreckt? Das heißt, es wird kein einziges Stück verkauft.
(2) Bei welcher Stückzahl muss das Produkt verschenkt werden, ist der Preis also 0 (Sättigungsmenge)? Welcher Definitionsbereich ergibt sich dadurch für die Stückzahlen?
(3) Ermittle die Erlösfunktion $E(x)$.
Für welche Stückzahlen beträgt der Erlös null? Bei welcher Stückzahl ist der Erlös am größten? Wie groß ist er dann? Zu welchem Preis muss das Produkt verkauft werden?

GK 566 **Gewinnfunktion**

Der **Gewinn** eines Betriebes ergibt sich als Differenz von Einnahmen E (Erlös) und Kosten K in Abhängigkeit von der verkauften Menge x. $G(x) = E(x) - K(x)$.
Ein Betrieb befindet sich in der Gewinnzone, wenn $G(x)$ positiv ist. Die Gewinnzone wird von den Nullstellen der Gewinnfunktion begrenzt, also jenen Produktionsmengen, bei denen der Gewinn null ist. Diese Stellen heißen Gewinnschwellen (Break-even-Points).
Die Gewinnfunktion eines Betriebes für ein bestimmtes Produkt wird durch
$G(x) = -x^2 + 1250x - 250\,000$ beschrieben.

(1) Berechne die Gewinnschwellen und gib an, für welche Produktionsmengen der Betrieb Gewinn macht.
(2) Für welche Produktionsmenge ist der Gewinn am größten? Wie groß ist dort der Gewinn?
(3) Berechne $G(0)$ und interpretiere den Wert.

5 Quadratische Gleichungen mit Parametern

Im folgenden Abschnitt wird untersucht, wie die Lösungen quadratischer Gleichungen von deren Koeffizienten abhängen.

Du erwirbst folgende Grundkompetenz:
GK Quadratische Gleichungen in einer Variablen umformen/lösen, über Lösungsfälle Bescheid wissen, Lösungen und Lösungsfälle deuten (AG-R 2.3)

Vorwissen

GK **567** Gegeben sind quadratische Gleichungen der Form $ax^2 + bx + c = 0$ mit $a \neq 0$; $a, b, c \in \mathbb{R}$
Kreuze die zutreffenden Aussagen an.
- ☐ Jede dieser quadratischen Gleichungen hat maximal zwei reelle Lösungen.
- ☐ Es gibt quadratische Gleichungen dieser Form, die keine reelle Lösung besitzen.
- ☐ Die Anzahl der reellen Lösungen einer quadratischen Gleichung dieser Form lässt sich mithilfe der Diskriminante bestimmen.
- ☐ Jede dieser quadratischen Gleichungen hat genau zwei reelle Lösungen.
- ☐ Hat die Diskriminante den Wert null, so besitzt die quadratische Gleichung genau eine reelle Lösung.

GK **568** Ordne den quadratischen Gleichungen jeweils die passende Diskriminante D der Lösungsformel zu.

$t^2 + b \cdot t - 8 = 0$	
$s^2 + 7s + q = 0$	
$2x^2 - b \cdot x - 16 = 0$	
$8x^2 + a \cdot x - a = 0$	

A	$D = b^2 + 128$
B	$D = \left(\frac{b}{2}\right)^2 + 8$
C	$D = b^2 - 128$
D	$D = a^2 + 32a$
E	$D = 12{,}25 - q$
F	$D = a^2 - 32a$

Neues Wissen

In Gleichungen wie $x^2 + 3x + q = 0$ oder $a \cdot x^2 + 2x + 5 = 0$ ist x die Variable, nach der die Gleichung gelöst wird. Die Koeffizienten q bzw. a stehen dabei für unbestimmte, veränderbare Werte.

▷ Ein variabler Koeffizient in einer Gleichung heißt **Parameter bzw. Formvariable**.

Beim Lösen der quadratischen Gleichung kannst du den Parameter wie eine Zahl behandeln. Die Lösung ist allerdings keine Zahl, sondern ein Term, in dem der Parameter vorkommt.

▷ *Beispiel:*

Bestimme die Lösungen der quadratischen Gleichung für $G = \mathbb{R}$ in Abhängigkeit vom Parameter u.

a) Setze für u die Zahlen –2 bzw. 3 ein und berechne die jeweiligen Lösungswerte.

b) Welchen Wert muss der Parameter annehmen, damit die quadratische Gleichung genau eine Lösung hat? Gib in diesem Fall die Lösung an.

(1) $u \cdot x^2 - 4x + 2 = 0$ mit $u \neq 0$, (2) $3x^2 - u \cdot x + 2 = 0$

Lösung:

(1) $x_1 = \frac{4 + \sqrt{16 - 8u}}{2u} = \frac{2 + \sqrt{4 - 2u}}{u}$ $x_2 = \frac{4 - \sqrt{16 - 8u}}{2u} = \frac{2 - \sqrt{4 - 2u}}{u}$

a) Für $u = -2 \Rightarrow x_1 = -2{,}41$ $x_2 = 0{,}41$

Für $u = 3$ existiert keine reelle Lösung, da die Diskriminante $D = 4 - 2u = 4 - 6 = -2$ negativ ist.

b) Damit genau eine reelle Lösung existiert, muss die Diskriminante null sein.

$D = 4 - 2u = 0 \Rightarrow u = 2 \Rightarrow x = 1.$

(2) $x_{1,2} = \frac{-u \pm \sqrt{u^2 - 24}}{6}$

a) Für $u = -2$ existiert keine reelle Lösung, da die Diskriminante $D = u^2 - 24 = 4 - 24 = -20$ negativ ist.

$u = 3 \Rightarrow x_1 = 1{,}58$ $x_2 = 0{,}42$

b) Damit genau eine reelle Lösung existiert, muss die Diskriminante null sein.

$D = u^2 - 24 = 0$ → $u_1 = \sqrt{24} \Rightarrow x = \frac{\sqrt{6}}{3}$

$D = u^2 - 24 = 0$ → $u_2 = -\sqrt{24} \Rightarrow x = -\frac{\sqrt{6}}{3}$

Bei den folgenden Aufgaben ist es vorteilhaft, ein CAS einzusetzen.

GK **569** Bestimme die Lösungen der quadratischen Gleichungen für $G = \mathbb{R}$ in Abhängigkeit vom Parameter a.

Setze für a die Zahlen –1 bzw. 2 ein und berechne die jeweiligen Lösungswerte.

Welchen Wert muss der Parameter $a \in \mathbb{R}\setminus\{0\}$ haben, damit die quadratische Gleichung genau eine Lösung hat? Berechne diese Lösung.

(1) $x^2 - a \cdot x + 24 = 0$, (2) $x^2 - 10x + 2 \cdot a = 0$, (3) $a \cdot x^2 - a \cdot x + 4 = 0$

Technologie-Tipp: Quadratische Gleichungen mit Parametern

Aufgaben

GK **570** Welche Bedingung muss der Parameter erfüllen, damit die quadratische Gleichung genau eine reelle Lösung hat? Berechne diese Lösung.

a) $x^2 + p \cdot x - 8 = 0$ b) $x^2 + 7x + q = 0$ c) $2x^2 - b \cdot x + 16 = 0$

d) $a \cdot x^2 - 4x - 5 = 0$ $(a \neq 0)$ e) $3x^2 + 18x - c = 0$ f) $-a \cdot x^2 - 20x + 25 = 0$ $(a \neq 0)$

GK **571** Welche Bedingung muss der Parameter erfüllen, damit die quadratische Gleichung genau eine reelle Lösung hat? Berechne diese Lösung.

a) $a \cdot x^2 - a \cdot x - 9 = 0 \; (a \neq 0)$
b) $s \cdot x^2 - 2s \cdot x - 15 = 0 \; (s \neq 0)$
c) $k \cdot x^2 - 2{,}5k \cdot x - 12 = 0 \; (k \neq 0)$
d) $8x^2 + a \cdot x - a = 0$
e) $4x^2 - u \cdot x + u^2 = 0$
f) $2x^2 - 3m \cdot x + m^2 = 0$

GK **572** Begründe: Ist in der quadratischen Gleichung $x^2 - 3x + a = 0$ der Wert des Parameters a negativ, so hat die Gleichung zwei reelle Lösungen.

GK **573** Welcher Zusammenhang muss zwischen den Formvariablen s und t bestehen, damit der Graph der quadratischen Funktion $f(x) = x^2 + s \cdot x + t$ die x-Achse berührt?

GK **574** Für welche Werte von $a \in \mathbb{R}$ hat die quadratische Gleichung genau eine, zwei bzw. keine reelle Lösung?

(1) GK $2x^2 = a$
(2) GK $2x^2 + 2 = a$
(3) $2x^2 + x = a$

GK **575** Für welchen Wert von $a \in \mathbb{R}$ hat die quadratische Gleichung genau eine reelle Lösung?

(1) $(x - 4)^2 = a$
(2) $2 \cdot (x - 5)^2 = a$
(3) $(x - 3) \cdot (x + 3) = a$
(4) $(x - 3) \cdot (x + 2) = a$

GK **576** Von den Ecken einer rechteckigen Tischplatte (Maße in cm) werden vier kongruente gleichschenklige Dreiecke abgeschnitten. Die verbleibende Tischfläche soll a% kleiner als die Rechtecksfläche sein. Ergänze die Tabelle.
Welche Bedingungen müssen für den Parameter a bzw. für die Variable x erfüllt sein?

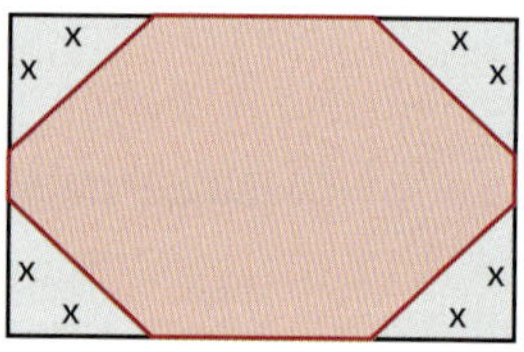

a%	Katheten x	verbleibende Tischfläche	Umfang der Tischplatte
10			
20			
30			
40			
50			
a			

577 Ein Rechteck, in dem sich die Seiten a und b wie $a : b = (a + b) : a$ verhalten, wird als goldenes Rechteck bezeichnet. Löse diese Gleichung nach a auf, betrachte b dabei als Parameter. Gib an, wie lang in einem goldenen Rechteck die Seite a sein muss, wenn b 20 cm, 50 cm bzw. 1 m lang ist.

Typ-2-Aufgabe

GK

578 **Der Goldene Schnitt**

Als Goldenen Schnitt versteht man die Teilung einer Strecke nach folgendem Prinzip:
Das Verhältnis der Länge a der größeren Teilstrecke zur kleineren Teilstrecke b entspricht dem Verhältnis der Länge der Gesamtstrecke $(a + b)$ zur Länge der Teilstrecke a.

a) Forme die Proportion $a : b = (a + b) : a$ in die entsprechende quadratische Gleichung um. Löse die quadratische Gleichung nach a.
   Zeige, dass für den Zahlenwert $\frac{a}{b}$ (für $a > b$) gilt: $\frac{a}{b} = \frac{1 + \sqrt{5}}{2} \approx 1{,}618$.

b) Erstelle eine Funktion b(a), die jeder Teilstrecke a eine Teilstrecke b (mit $a > b$) so zuordnet, dass sich die beiden Strecken a und b im Verhältnis des Goldenen Schnittes befinden.
   Zeichen diese Funktion im Intervall (0; 50].
   Erstelle eine Tabelle mit der Schrittweite 5, aus der die Längen von a und b und die Länge der Gesamtstrecke $a + b$ abgelesen werden kann.

c) Der Goldene Schnitt findet sich in der Natur und in der Kunst. Aber auch am Körper des Menschen finden sich Proportionen, die mit dem Goldenen Schnitt verbunden sind. Adolph Zeisig fand in der Mitte des 19. Jahrhunderts unter anderem heraus, dass am menschlichen Körper der Bauchnabel die Körpergröße als Goldenen Schnitt teilt.
   Berechne die Länge des Oberkörpers (vom Scheitel bis zum Bauchnabel), wenn die Körpergröße eines Mannes (vom Scheitel bis zur Sohle) 182 cm beträgt.

6 Die Satzgruppe von Vieta

François Viète (1540–1603) war ein berühmter französischer Mathematiker der Renaissance. Er latinisierte seinen Namen und nannte sich Franciscus Vieta.
Viète arbeitete als Jurist und Advokat und beschäftigte sich nebenberuflich mit der Mathematik. Trotzdem zählte er zu den wichtigsten Mathematikern seiner Zeit.

- 1579 bestimmte Viète unter Verwendung eines Polygons (Vielecks) mit $6 \cdot 2^{16}$ Seiten die Zahl π auf 9 Dezimalen genau.
- Für König Heinrich III. und König Heinrich IV. entschlüsselte Viète geheime Botschaften von politischen Gegnern.
- Er führte 1591 das Rechnen mit Variablen (Buchstaben) ein und benützte Symbole für Rechenoperationen, wie zum Beispiel + und –, die bis dahin nur mit den Wörtern *plus* und *minus* ausgedrückt wurden. Damit war die Voraussetzung für die weitere Entwicklung der Algebra geschaffen.

François Viète

Die Satzgruppe über die Zusammenhänge zwischen den Koeffizienten einer quadratischen Gleichung und deren Lösungen stammt von Viète und wurde nach ihm benannt.

Du erwirbst folgende Grundkompetenz:
O Den Satz von Vieta kennen und anwenden (AG-L 2.6)

Neues Wissen

Du weißt schon, dass die quadratische Gleichung der Form $x^2 + px + q = 0$ mit $p, q \in \mathbb{R}$, falls sie überhaupt in $\mathbb{R}$ lösbar ist, die Lösungen $x_1 = -\frac{p}{2} + \sqrt{\left(\frac{p}{2}\right)^2 - q}$ und $x_2 = -\frac{p}{2} - \sqrt{\left(\frac{p}{2}\right)^2 - q}$ hat.

Zwischen einer gegebenen Gleichung und ihren Lösungen bestehen folgende Zusammenhänge.

Satz (Satzgruppe von Vieta)

Sind x_1 und x_2 die beiden Lösungen (bzw. die Doppellösung) der Gleichung $x^2 + px + q = 0$, dann gilt:

(1) $x_1 + x_2 = -p$	Die Summe der beiden Lösungen ergibt den negativen Koeffizienten p.
(2) $x_1 \cdot x_2 = q$	Das Produkt der beiden Lösungen ergibt den Koeffizienten q.
(3) $x^2 + px + q = (x - x_1) \cdot (x - x_2)$	Der quadratische Term $x^2 + px + q$ wird in ein Produkt $(x - x_1) \cdot (x - x_2)$ zerlegt.

Bemerkung: $(x - x_1)$ und $(x - x_2)$ werden **Linearfaktoren** genannt, weil die Variable x in erster Potenz auftritt.

Beweis: Die beiden Lösungen der Gleichung lauten $x_1 = -\frac{p}{2} + \sqrt{\left(\frac{p}{2}\right)^2 - q}$ und $x_2 = -\frac{p}{2} - \sqrt{\left(\frac{p}{2}\right)^2 - q}$.
Zur Vereinfachung wird die Diskriminante $\left(\frac{p}{2}\right)^2 - q$ mit D abgekürzt.

(1) $x_1 + x_2 = -\frac{p}{2} + \sqrt{D} - \frac{p}{2} - \sqrt{D} = -\frac{p}{2} - \frac{p}{2} = -p$

(2) $x_1 \cdot x_2 = \left(-\frac{p}{2} + \sqrt{D}\right) \cdot \left(-\frac{p}{2} - \sqrt{D}\right) = -\left(\frac{p}{2}\right)^2 - (\sqrt{D})^2 = \frac{p2}{4} - D = \frac{p2}{4} - \left(\frac{p2}{4} - q\right) = q$

(3) $(x - x_1) \cdot (x - x_2) = x^2 - x \cdot x_1 - x \cdot x_2 + x_1 \cdot x_2 = x^2 - x \cdot (x_1 + x_2) + q = x^2 - x(-p) + q = x^2 + px + q$

Die Satzgruppe von Vieta kannst du anwenden, wenn
- du die beiden Lösungen einer Gleichung, aber nicht die Gleichung selbst kennst,
- du nur eine der beiden Lösungen und einen Koeffizienten der Gleichung kennst,
- du einen quadratischen Term als Produkt von Linearfaktoren angeben willst.

▷ *Beispiel:*
Gib zu den beiden Lösungen $x_1 = 2$ und $x_2 = \frac{1}{3}$
(1) eine normierte Gleichung,
(2) eine allgemeine Gleichung mit ganzzahligen Koeffizienten an.

Lösung:
(1) $(x - x_1) \cdot (x - x_2) = (x - 2) \cdot \left(x - \frac{1}{3}\right) = x^2 - 2x - \frac{1}{3}x + \frac{2}{3} = x^2 - \frac{7}{3}x + \frac{2}{3}$
Die normierte Gleichung lautet $x^2 - \frac{7}{3}x + \frac{2}{3} = 0$.

Alternativer Lösungsweg:
$x_1 + x_2 = 2 + \frac{1}{3} = \frac{7}{3} = -p \rightarrow p = -\frac{7}{3}$
$x_1 \cdot x_2 = 2 \cdot \frac{1}{3} = \frac{2}{3} = q$
Die normierte Gleichung lautet also auch $x^2 - \frac{7}{3}x + \frac{2}{3} = 0$.

(2) Zusätzlich zur Gleichung $x^2 - \frac{7}{3}x + \frac{2}{3} = 0$ hat beispielsweise auch das Dreifache der Gleichung, nämlich $3x^2 - 7x + 2 = 0$, und jedes andere Vielfache der Gleichung, z. B. $6x^2 - 14x + 4 = 0$, dieselben Lösungen x_1 und x_2.

▷ *Beachte:* Für die Zerlegung von quadratischen Termen der Form $ax^2 + bx + c$ in Linearfaktoren gilt: $\mathbf{ax^2 + bx + c = a \cdot (x - x_1) \cdot (x - x_2)}$

▷ *Beispiel:*
Zerlege $3x^2 + 2x - 5$ in ein Produkt von Linearfaktoren

Lösung:

Löse die Gleichung $3x^2 + 2x - 5 = 0$

$$x_1 = 1;\ x_2 = -\frac{5}{3} \Rightarrow 3 \cdot (x - 1) \cdot \left(x + \frac{5}{3}\right) = 3x^2 + 2x - 5$$

579 Finde eine quadratische Gleichung mit den gegebenen Lösungen.

a) $x_1 = 2;\ x_2 = -2$ b) $x_1 = 2{,}3;\ x_2 = -2{,}3$ c) $x_1 = \frac{1}{4};\ x_2 = -0{,}25$

d) $x_1 = 10;\ x_2 = -10$ e) $x_1 = 3{,}5;\ x_2 = -3{,}5$ f) $x_1 = 0{,}45;\ x_2 = -0{,}45$

Aufgaben

580 Gib eine quadratische Gleichung mit den angegebenen Lösungen an.
a) 3 und 5 b) 1 und -4 c) $-1{,}5$ und $1{,}25$ d) 8 und 2

581 Ordne den Lösungen die entsprechenden quadratischen Gleichungen mit ganzzahligen Koeffizienten zu.

$\frac{1}{2}$ und $\frac{1}{3}$	
$-\frac{3}{4}$ und $\frac{1}{2}$	
3,6 und $-2{,}7$	
$-\frac{4}{5}$ und $-\frac{1}{3}$	

A	$8x^2 + 2x - 3 = 0$
B	$15x^2 + 17x + 4 = 0$
C	$6x^2 - 5x + 1 = 0$
D	$50x^2 - 45x - 486 = 0$

GK **582** Zerlege in ein Produkt von Linearfaktoren.
a) $x^2 - 4x - 21$ b) $x^2 - 3x - 4$ c) $x^2 - 90{,}25$ d) $x^2 - 158{,}76$

GK **583** Zerlege mit einem CAS den quadratischen Term auf der linken Seite der Gleichung in Linearfaktoren. Lies aus diesem Produkt die Lösungen der Gleichung für $G = \mathbb{R}$ ab.
a) $x^2 - 3x - 10 = 0$ b) $x^2 + 4x - 7 = 0$ c) $x^2 - 8x + 16 = 0$
d) $x^2 - 2x + 8 = 0$ e) $3x^2 + \frac{9}{2}x - \frac{15}{2} = 0$ f) $5x^2 + 10x - \frac{25}{4} = 0$

GK **584** Zerlege in ein Produkt von Linearfaktoren.
a) $6x^2 + x - 15$ b) $2x^2 + x - 6$ c) $1{,}5x^2 + 3x - 52{,}5$ d) $-5x^2 + 15x - 10$

GK **585** Ordne den Linearfaktoren die entsprechenden quadratischen Terme zu.

$-4 \cdot (x - 0{,}5) \cdot (x + 2)$	
$2 \cdot (x - 3{,}5) \cdot (x + 5)$	
$(x - 5) \cdot (x + 7)$	
$12 \cdot (x + 1{,}5) \cdot (x - 1{,}5)$	

A	$12x^2 - 27$
B	$-4x^2 - 6x + 4$
C	$x^2 - 6x + 4$
D	$2x^2 - 3x - 35$
E	$2x^2 + 3x - 35$
F	$x^2 + 2x - 35$

586 Formuliere die drei Sätze von Vieta für die allgemeine quadratische Gleichung $ax^2 + bx + c = 0$ mit $a \neq 0$.

GK **587** Berechne den fehlenden Koeffizienten und die zweite Lösung der Gleichung $x^2 + px + q = 0$.
a) $p = -30;\ x_1 = 5$ b) $p = -1{,}5;\ x_1 = -2$ c) $p = 3{,}5;\ x_1 = -4$
d) $q = -3;\ x_1 = -\frac{5}{3}$ e) $q = -18;\ x_1 = 9$ f) $q = -1;\ x_1 = -5$

GK 588 Ordne den Gleichungen die entsprechenden Aussagen zu.

$x^2 + 3{,}5x + 1{,}5 = 0$	
$(x - 3) \cdot (x + 2) = 0$	
$x^2 + 2{,}5x = 12{,}5$	
$3{,}5x^2 - 0{,}1x = 0$	

A	$x_1 \cdot x_2 = 0$
B	$x_1 = 2{,}5$
C	$p = -1$
D	$x_1 \cdot x_2 = 25$
E	$x_1 = -0{,}5;\ x_2 = -3$
F	$x_2 = 2{,}1$

GK 589 Kreuze die beiden zutreffenden Aussagen an.

- ☐ Es gibt unendlich viele quadratische Gleichungen, die dieselben beiden Lösungen haben.
- ☐ Das Produkt der beiden Lösungen der Gleichung $x^2 + px + q = 0$ ist gleich dem Koeffizienten p.
- ☐ Die beiden Lösungen x_1 und x_2 legen eine quadratische Gleichung eindeutig fest.
- ☐ Wenn die beiden Lösungen einer normierten quadratischen Gleichung ganzzahlig sind, müssen auch die Koeffizienten der Gleichung ganzzahlig sein.
- ☐ Jeder quadratische Term kann in ein Produkt von zwei quadratischen Ausdrücken zerlegt werden.

GK 590 Quadratische Gleichungen mit nur einer (Doppel-)Lösung können immer in einer speziellen Form geschrieben werden. Wie sieht diese Form aus? Gib ein Beispiel an.

GK 591 Berechne den fehlenden Koeffizienten und die Lösungen der Gleichung $ax^2 + bx + c = 0$ mit $a \neq 0$.

a) $x_1 + x_2 = 3;\ a = 2;\ c = -80$

b) $x_1 + x_2 = 2;\ a = 4;\ c = -21$

c) $x_1 \cdot x_2 = -12,\ b = 12,\ c = 36$

d) $x_1 \cdot x_2 = -21,\ b = -8,\ c = -42$

592 Übe mit einem Spiel: www Satzgruppe von Vieta – Quartett.

593 Übe mit einem Spiel: www Satzgruppe von Vieta – Domino.

594 Zerlege Zähler und Nenner des Bruches in Linearfaktoren und kürze so weit wie möglich.

a) $\frac{x^2 - x - 6}{x^2 - 3x - 10}$

b) $\frac{-x^2 - 3x + 4}{x^2 - 1}$

c) $\frac{3x^2 + 5x + 2}{2x^2 - x - 3}$

Kompetenzcheck

1 Bei linearen Gleichungen mit $G = \mathbb{R}$ und der Variablen x können unterschiedliche Lösungsfälle auftreten. Ordne jeder Gleichung den entsprechenden Lösungsfall zu.

$8x + 2 = 0{,}5 \cdot (16x + 4)$	
$a \cdot x = b \cdot x$ mit $a, b \neq 0$	
$10x - 4 = 20x + 55$	
$r \cdot x + 10 = r \cdot x + 20$ mit $r \neq 0$	

A	Es gibt zwei Lösungen.
B	Es gibt genau eine Lösung.
C	Es gibt keine Lösung.
D	Es gibt unendlich viele Lösungen.
E	Es gibt entweder unendlich viele Lösungen oder genau eine Lösung.

2 Sarah zahlt in ihrem Tennisclub pro Monat einen fixen Mitgliedsbeitrag m und pro Stunde Platzmiete einen bestimmten Betrag p. Der Platz kann nur für ganze Stunden gemietet werden. Die Gleichung $30 + 10 \cdot t = 130$ beschreibt einen Zusammenhang von monatlichem Mitgliedsbeitrag und Platzmiete für den Monat Juli.

(1) Deute die drei Zahlenwerte 30, 10, 130 und die Variable t dieser Gleichung in Hinblick auf Sarahs Kosten im Juli.
(2) Gib eine sinnvolle Definitionsmenge an und begründe deine Wahl.
(3) Löse die Gleichung und formuliere eine Aussage zur Bedeutung der Lösung.
(4) Verändere die rechte Seite der Gleichung so, dass sich für die gewählte Definitionsmenge eine leere Lösungsmenge ergibt.

3 Gib jeweils eine quadratische Gleichung der Form $a \cdot x^2 + b \cdot x + c = 0$ mit $a \neq 0$ über der Grundmenge der reellen Zahlen an, die die angegebenen Lösungen hat.

a) Lösungen 3 und 5
b) Lösungen −7 und 7
c) Lösungen 0 und 2
d) nur die Lösung 1
e) keine Lösung
f) Lösungen 1 und 6

4 Die folgenden Graphen stellen die geometrische Lösung quadratischer Gleichungen der Form $a \cdot x^2 + b \cdot x + c = 0$ mit $a \neq 0$ mithilfe einer geeigneten Funktion f und ihrer Nullstellen dar. Welche Bedingung muss jeweils für die Diskriminante D gelten? Kreuze jeweils die zutreffende Aussage an.

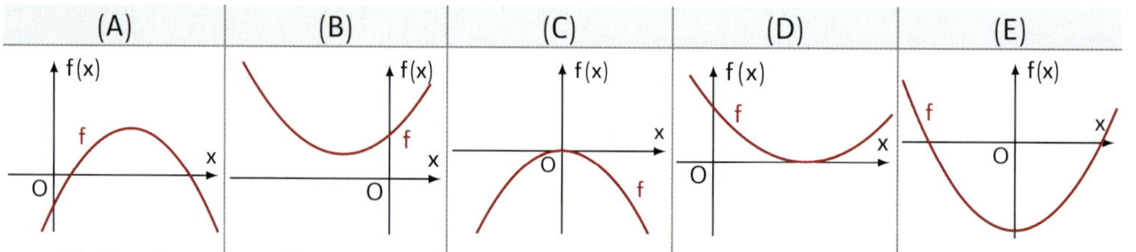

(A)	(B)	(C)	(D)	(E)
☐ $D > 0$	☐ $D > 0$	☐ $D > 0$	☐ $D > 0$	☐ $D > 0$
☐ $D = 0$	☐ $D = 0$	☐ $D = 0$	☐ $D = 0$	☐ $D = 0$
☐ $D < 0$	☐ $D < 0$	☐ $D < 0$	☐ $D < 0$	☐ $D < 0$

5 Für quadratische Gleichungen können unterschiedliche Lösungsmethoden angewendet werden. Ordne zu, welche Gleichung mit der gegebenen Lösungsmethode vorteilhaft gelöst werden kann. Jeder Gleichung ist eine Lösungsmethode zuzuordnen.

$x^2 = 25$	
$6x^2 + 5x = 0$	
$(x - 4)^2 = 100$	
$2 \cdot (x - 3) \cdot (x + 8) = 0$	
$2x^2 - 4x - 6 = 0$	

A	Wurzelziehen und positive und negative Lösung berücksichtigen
B	Zwei Faktoren gleich null setzen
C	x herausheben und beide Faktoren gleich null setzen
D	Lösungsformel für quadratische Gleichungen anwenden

6 Löse die gegebenen quadratischen Gleichungen schrittweise über $G = \mathbb{R}$. Dokumentiere die notwendigen Umformungsschritte. Gib die Lösungsmenge an.

a) $x^2 + 7x = 8$ b) $4x^2 - 20x + 9 = 0$ c) $3x^2 + 30x = -75$
d) $x^2 - 4x + 29 = 0$ e) $x^2 + 10x = 0$ f) $2x^2 - 200 = 0$

7 Das Lösen einer quadratischen Gleichung über $G = \mathbb{R}$ kann mithilfe einer geeigneten Funktion f geometrisch gedeutet werden. Gib einen passenden Funktionsterm an. Skizziere den Graphen der Funktion und markiere die Lösungen der quadratischen Funktion.

	(A)	(B)
Gleichung	$x^2 - x - 2 = 0$	$x^2 - 2x + 1 = 0$
Lösung(en)	$x_1 = \square$, $x_2 = \square$	$x_1 = \square$, $x_2 = \square$
Funktionsterm	$f(x) = \square$	$f(x) = \square$
Graph der Funktion	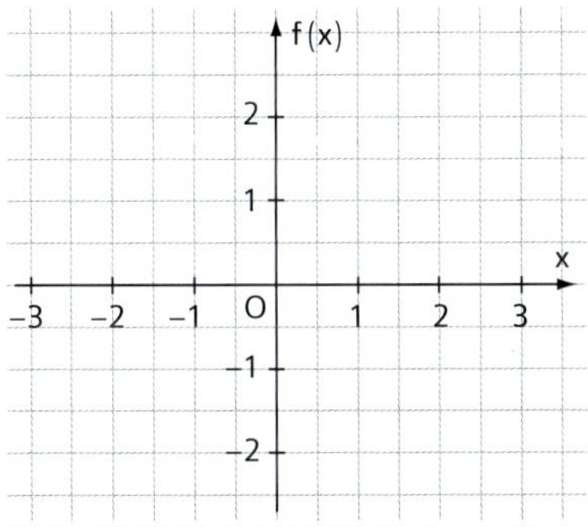	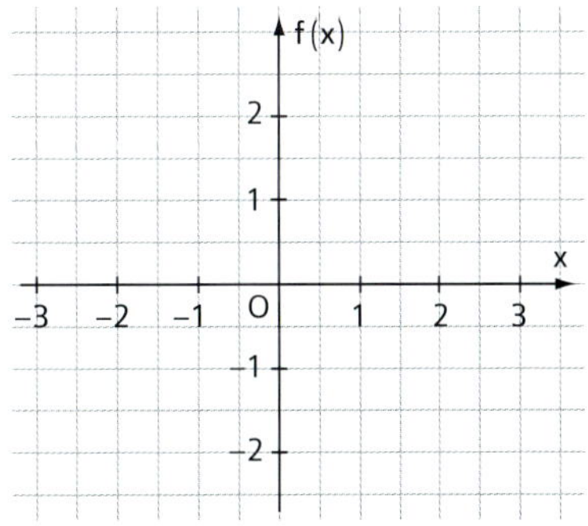
Geometrische Deutung		

8 Löse die Gleichung $2x^2 - 4tx + u = 0$ nach x. Welchen Zusammenhang müssen t und u erfüllen, damit die Gleichung a) zwei Lösungen, b) eine Lösung, c) keine Lösung hat?

9 Berechne den fehlenden Koeffizienten und die zweite Lösung der Gleichung $x^2 + px - 3 = 0$. $x_1 = -1{,}5$ ist eine Lösung der Gleichung.

10 Eine quadratische Gleichung hat zwei Lösungen: $x_1 = 0{,}5$ und $x_2 = -4$. Gib zwei quadratische Gleichungen an, die x_1 und x_2 als Lösung haben.

Typ-2-Aufgaben

GK 595 **Umrechnung von Celsiusgraden in Fahrenheitgrade**

Celsiusgrade (C) können mit der folgenden Formel in Fahrenheitgrade (F) umgerechnet werden:

$F = \frac{9}{5} \cdot C + 32$

a) Gibt es eine Temperatur, für die Celsiusgrade und Fahrenheitgrade den gleichen Zahlenwert haben? Wenn ja, ermittle den Wert. Wenn nein, begründe warum es keinen solchen Zahlenwert gibt.
Drücke C in der Formel aus.

b) Löse die Gleichung $0 = \frac{9}{5} \cdot C + 32$ und interpretiere die Lösung der Gleichung im gegebenen Kontext.
Fasse den Zusammenhang als Funktion F (C) auf und stelle den Graphen der Funktion im Koordinatensystem dar.
Welche Bedeutung hat die Lösung der Gleichung $0 = \frac{9}{5} \cdot C + 32$ geometrisch?

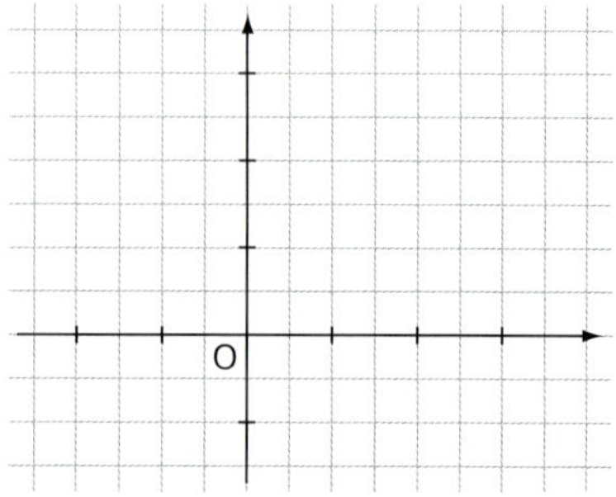

c) $F(C) = \frac{9}{5} \cdot C + 32$ stellt eine Funktion dar. Um welchen Funktionstyp handelt es sich?
Welche Bedeutung haben $\frac{9}{5}$ und 32 für diesen Funktionstyp?

GK 596 **Kinetische Energie**

Körper, die in Bewegung sind, besitzen kinetische Energie. Die kinetische Energie kann mit der Formel

$E_{kin} = \frac{1}{2} \cdot m \cdot v^2$ (Masse m in kg, Geschwindigkeit v in m/s)

berechnet werden. Sie wird in der Einheit Joule (J) angegeben.

a) Welche kinetische Energie besitzt eine Läuferin mit 50 kg, die mit 9 km/h unterwegs ist?
Mit welcher Geschwindigkeit müsste sie unterwegs sein, damit ihre kinetische Energie 400 J beträgt?

b) Welche Größe kann in der gegebenen Formel als Variable betrachtet werden,
(1) damit eine lineare Gleichung vorliegt,
(2) damit eine quadratische Gleichung vorliegt?

c) Welche der drei Größen E_{kin}, m und v stehen in direkt proportionalem Zusammenhang?
Zeige, dass dies allgemein für jedes Vielfache k gilt.

GK 597 **Progressiver Kostenverlauf**

Bei der Produktion eines Produktes fallen Fixkosten an und variable Kosten, die von der Stückzahl abhängen. Wird der Zusammenhang zwischen produzierter Stückzahl und den Kosten betrachtet, kann es in besonderen Fällen dazu kommen, dass bei höherer Stückzahl die Kosten pro Stück ansteigen. Ein solcher Kostenverlauf wird progressiv genannt.
Dies kann z.B. der Fall sein, wenn das Personal wegen der höheren Produktionsleistung Überstunden leisten muss, um die zusätzlichen Stück herzustellen. Die Kosten für die Überstunden der Mitarbeiterinnen und Mitarbeiter bei höherer Auslastung sind variable Kosten und erhöhen somit die Stückzahl.
Eine Firma kann im Normalbetrieb pro Woche 100 Stück eines Produktes herstellen.
Die Tabelle zeigt die gesamten Kosten in Abhängigkeit von der Stückzahl.

Stückzahl x	Kosten K(x)
0	€ 10000
100	€ 40000
120	€ 53200
140	€ 68800

a) Belege mit geeigneten Zahlen, dass ein progressiver Kostenverlauf vorliegt, also die Kosten pro Stück steigen.
Begründe, warum die Kosten K(x) nicht durch eine lineare Funktion beschrieben werden können.

b) Die Kosten K(x) können durch eine quadratische Funktion des Typs $K(x) = a \cdot x^2 + b$ berechnet werden. Ermittle passend zu den gegebenen Werten in der Tabelle die Parameter a und b.
Gib eine geeignete Gleichung an, mit der berechnet werden kann, bei welcher Stückzahl die Kosten etwa 50000€ betragen, und löse sie. Interpretiere die Lösung(en) der Gleichung.

c) Zeichne die gegebenen Werte der Kostenfunktion in das Koordinatensystem ein, skizziere den Graphen von K(x) und trage alle notwendigen Beschriftungen ein. Die Funktion des Graphen ist vom Typ $K(x) = a \cdot x^2 + b$. Zeichne in der Grafik ein, wo der Parameter b abgelesen werden kann.
Begründe, warum die Gleichung $a \cdot x^2 + b = 0$ im gegebenen Zusammenhang keine Lösung besitzt.

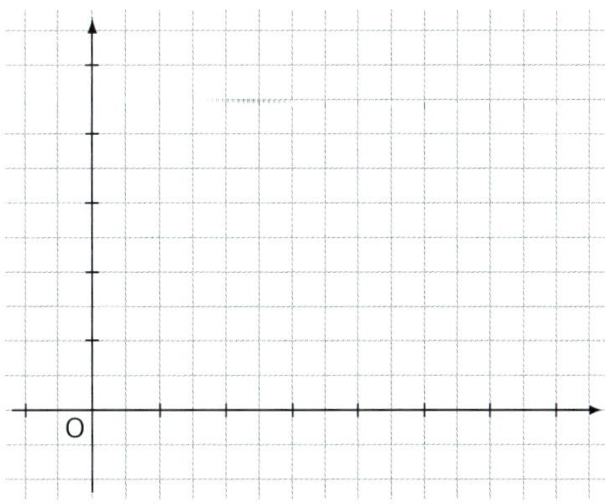

Lineare Gleichungssysteme mit zwei Variablen

Kompetenzbereich: Gleichungen und Gleichungssysteme (AG)

Das Lösen linearer Gleichungssysteme ist eine wichtige Grundfertigkeit in der Mathematik. Bei realen Aufgabenstellungen in der Medizin, den Naturwissenschaften, Wirtschaft und Technik müssen oft viele Gleichungen mit einer entsprechenden Anzahl von Variablen gelöst werden. Du lernst in diesem Kapitel zuerst das Lösen von linearen Gleichungssystemen mit zwei Variablen.

1 Eine lineare Gleichung mit zwei Variablen

Du erwirbst folgende Grundkompetenz:

GK Lineare Gleichungen aufstellen, interpretieren, umformen/lösen und die Lösung im Kontext deuten (AG-R 2.2)

Vorwissen

GK 598 Ordne den Gleichungen jene Äquivalenzumformung zu, die sofort zur Lösung führt.

$\frac{1}{2}c = 4$	
$2x = 4$	
$-2x = 4$	
$a - 2 = 4$	
$k + 2 = 4$	
$\frac{2}{x} = 1$	
$2 - x = 0$	

A	$:2$
B	$+x$
C	$\cdot 2$
D	$:(-2)$
E	$\cdot x$
F	$+2$
G	-2

Neues Wissen

Beispiel:

27 Schülerinnen und Schüler unternehmen mit 2 Begleitlehrerinnen einen Radausflug rund um den Neusiedler See. Beim Radverleih können Fahrräder und Tandems ausgeliehen werden.

Welche Möglichkeiten gibt es, die gesamte Gruppe auf Tandems und Fahrräder aufzuteilen?

Lösung:

Insgesamt müssen 29 Personen auf Fahrräder mit einem oder zwei Sitzen aufgeteilt werden.

Die Anzahl der Tandems wird mit x und die Anzahl der Fahrräder mit y bezeichnet.

Gesucht sind daher zwei natürliche Zahlen **x** und **y**, die die Gleichung $2 \cdot x + 1 \cdot y = 29$ erfüllen.

Folgende Zahlenpaare (x|y) erfüllen die Gleichung:
(0|29) ... 0 Tandems, 29 Fahrräder
(1|27) ... 1 Tandem, 27 Fahrräder
(2|25) ... 2 Tandems, 25 Fahrräder
(3|23); (4|21); (5|19); (6|17); (7|15); ... ; (14|1)

Die Gruppe kann auf 0 Tandems und 29 Fahrräder, 1 Tandem und 27 Fahrräder usw. aufgeteilt werden.

Die Lösungspaare der Gleichung $2x + y = 29$ aus dem obigen Beispiel kannst du in Form einer **Tabelle** anschreiben oder als **Punkte im Koordinatensystem** darstellen.

x	y
0	29
1	27
2	25
3	23
4	21
5	19
...	...

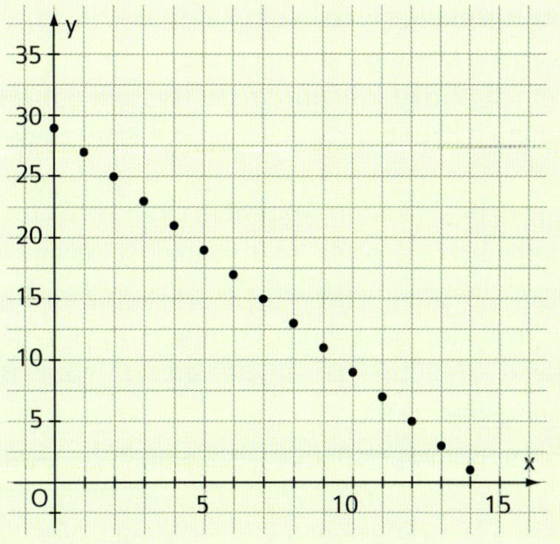

Das Ausgangsproblem führt zu einer linearen Gleichung mit zwei Variablen, deren Lösung aus vielen Zahlenpaaren bzw. Punkten im Koordinatensystem besteht.
Lösungsmenge: $L = \{(x|y) \mid 2x + y = 29 \text{ und } x, y \in \mathbb{N}\}$

Wenn man den inhaltlichen Zusammenhang der obigen Aufgabenstellung vernachlässigt und die lineare Gleichung $2x + y = 29$ mit $x, y \in \mathbb{R}$ betrachtet, kann man unendlich viele Lösungspaare angeben, die im Koordinatensystem auf einer Geraden liegen.

x	y
−1,5	32
0	29
2	25
3,5	22
5,5	18
8,5	12
...	...

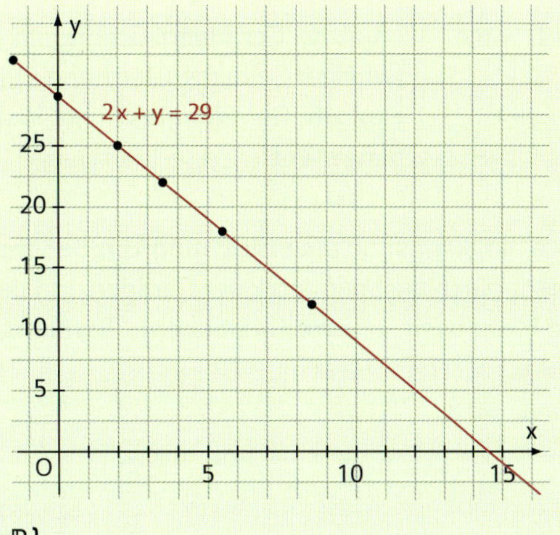

$L = \{(x|y) \mid 2x + y = 29 \text{ und } x, y \in \mathbb{R}\}$

▷ **Definition**

Eine **lineare Gleichung mit zwei Variablen x und y** hat im Allgemeinen die Form
$\mathbf{a \cdot x + b \cdot y = c}$.
Für a, b, c gilt: a, b, $c \in \mathbb{R}$ und a und b nicht zugleich null.

- Meist werden bei einer linearen Gleichung mit zwei Variablen die Variablen mit x und y bezeichnet, wobei $x \in \mathbb{R}$ und $y \in \mathbb{R}$ ist. Die Grundmenge G wird dann in der Form $G = \mathbb{R} \times \mathbb{R}$ angeschrieben.
- **Lineare Gleichungen mit zwei Variablen x und y** haben für $G = \mathbb{R} \times \mathbb{R}$ unendlich viele Lösungen.
- Die **Lösungsmenge** wird in der Form $\mathbf{L = \{(x|y) | a \cdot x + b \cdot y = c\}}$ angeschrieben.
- Jede **einzelne Lösung** der Gleichung $a \cdot x + b \cdot y = c$ wird als **Zahlenpaar** $\mathbf{(x|y)}$ angeschrieben und kann als **Punkt im Koordinatensystem** dargestellt werden.
- Alle Punkte (**Lösungspaare**) liegen auf einer **Geraden**.

GK **599** Ein Ferialpraktikant bekommt in einer Firma für unterschiedliche Tätigkeiten verschiedene Stundensätze bezahlt. Im Innendienst bekommt er € 7,40 und im Außendienst € 8,50 pro Stunde. Insgesamt beläuft sich sein Verdienst auf € 943,50.
Wie viele Stunden kann er im Innen- und im Außendienst gearbeitet haben?
Welche Grundmenge ist bei dieser Fragestellung sinnvoll? Gib die dazugehörende Lösungsmenge an.
Stelle eine entsprechende Gleichung auf und zeichne die zugehörige Gerade.

GK **600** Gib einige Lösungspaare und die Lösungsmenge der linearen Gleichung $4x - 2y = 6$ an.
Stelle die Lösungsmenge grafisch dar.

Eine lineare Gleichung mit zwei Variablen $a \cdot x + b \cdot y = c$ (mit a und b nicht zugleich null) kann, wie du bereits gesehen hast, als Gerade dargestellt werden. Aus dem Abschnitt *Lineare Funktionen* weißt du bereits, dass eine Gerade auch in der Form $y = k \cdot x + d$ angegeben wird.

▷ **Darstellungsform**

$a \cdot x + b \cdot y = c$	**Implizite Geradengleichung**, in der beide Variablen x und y gemeinsam auf einer Seite der Gleichung stehen
$y = k \cdot x + d$	**Explizite Geradengleichung**, in der die Variable y allein (explizit) auf einer Seite steht

Wenn $b \neq 0$ ist, kannst du eine Gleichung von der impliziten auf die explizite Form umwandeln. Du erhältst dadurch die Steigung k der Geraden und den Abschnitt d auf der y-Achse (siehe Kapitel *Lineare Funktionen, Lineare Funktionen – Termdarstellung, Wertetabelle und Graph*).

$a \cdot x + b \cdot y = c \quad | -a \cdot x$

$b \cdot y = c - a \cdot x \quad | :b$

$y = -\frac{a}{b}x + \frac{c}{b} \quad \Rightarrow \quad k = -\frac{a}{b} \text{ und } d = \frac{c}{b}$

GK **601** Forme die Geradengleichung in die jeweils andere Darstellungsform um.

(1) $3x + 7y = 5$ (2) $y = -\frac{2}{3}x + \frac{5}{2}$ (3) $4x - 5y = -1$

GK **602** Ordne den Gleichungen auf der linken Seite die entsprechende andere Darstellungsform zu.

$2x - 3y = 15$	
$y = 0{,}5x + 3$	
$4x + 0 \cdot y = -8$	
$y = -1$	

A	$0 \cdot x + y = -1$
B	nicht möglich
C	$y = \frac{2}{3}x - 5$
D	$y = \frac{3}{2}x - 5$
E	$x + y = -1$
F	$-0{,}5x + y = 3$

Geraden mit besonderer Lage

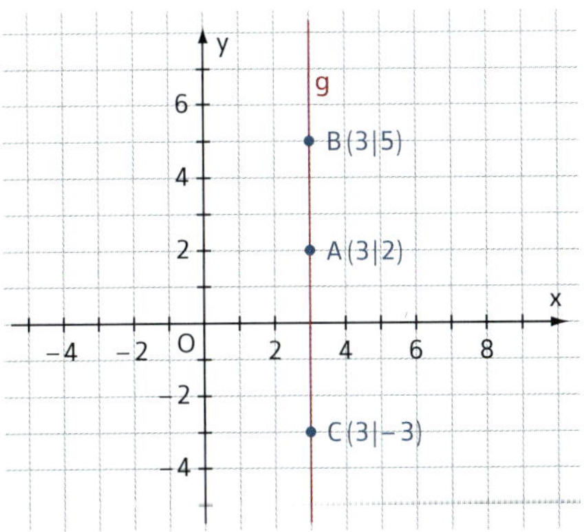

g: $x + 0 \cdot y = 3$

$x = 3$

Ist in der impliziten Darstellung $b = 0$, also $a \cdot x + 0 \cdot y = c$, liegt die entsprechende Gerade parallel zur y-Achse.

Geraden parallel zur y-Achse: $x = \frac{c}{a}$

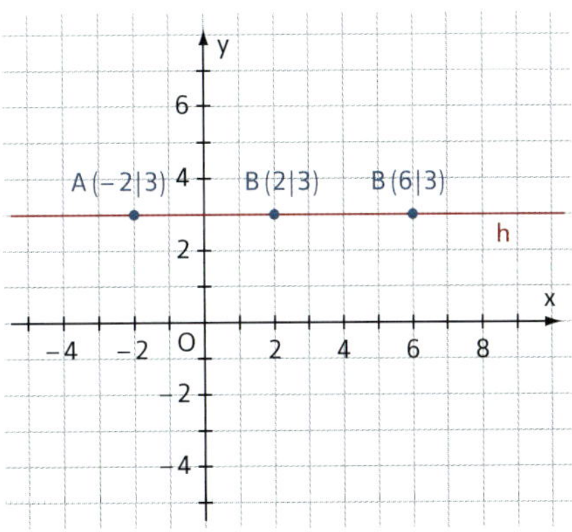

h: $0 \cdot x + y = 3$

$y = 3$

Ist in einer impliziten Darstellung $a = 0$, also $0 \cdot x + b \cdot y = c$, liegt die entsprechende Gerade parallel zur x-Achse.

Geraden parallel zur x-Achse: $y = \frac{c}{b}$

▷ Mit der **impliziten Geradengleichung** können Geraden angegeben werden, die parallel zur y-Achse sind. Mit der **expliziten Geradengleichung** ist das nicht möglich.

Der Graph einer linearen Funktion ist immer eine Gerade. Aber nicht jede Gerade ist Graph einer linearen Funktion: Bei Geraden parallel zur y-Achse ist die Zuordnung von x nach y nicht eindeutig.

Die beiden Koordinatenachsen sowie die 1. Mediane und 2. Mediane haben besonders einfache Geradengleichungen.

x-Achse: $y = 0$
y-Achse: $x = 0$
1. Mediane: $y = x$
2. Mediane: $y = -x$

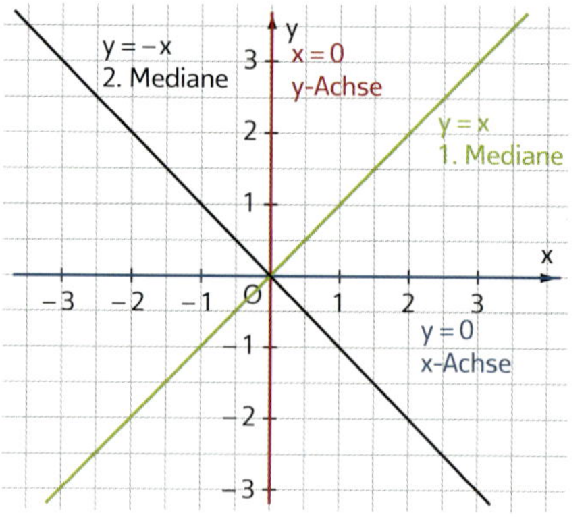

GK **603** a) Forme die impliziten Geradengleichungen in die explizite Darstellung um. Was fällt dir auf?
(1) $x + 2y = 2$ (2) $2x + 4y = 4$ (3) $-3x - 6y = -6$
b) Bearbeite das dynamische Arbeitsblatt www Implizite Geradengleichung und untersuche den Zusammenhang zwischen impliziter und expliziter Darstellung.

Eine Gerade kann durch beliebig viele verschiedene Geradengleichungen beschrieben werden.

Aufgaben

GK **604** Gib für die lineare Gleichung mit zwei Variablen fünf Lösungen und die gesamte Lösungsmenge für $G = \mathbb{R} \times \mathbb{R}$ an. Stelle alle Lösungen grafisch dar.
a) $3x - 2y = 8$ b) $-4x + 9y = 5$ c) $0{,}5x + 2y = 7$

GK **605** Gib für $G = \mathbb{R} \times \mathbb{R}$ die lineare Gleichung mit zwei Variablen fünf Lösungen und die gesamte Lösungsmenge an. Stelle alle Lösungen grafisch dar.
a) $0x - 1{,}5y = 3$ b) $0{,}3x + 0y = 0{,}6$ c) $0x + 14y = 42$

GK **606** Ein Rechteck hat den Umfang $u = 84\,\text{cm}$. Welche Längen können die Rechtecksseiten annehmen? Löse die Aufgabe rechnerisch und grafisch. Gib die Lösungsmenge für $G = \mathbb{R} \times \mathbb{R}$ an.

GK **607** Ein Kreisring hat den Umfang[1] $u = 112\,\text{cm}$. Wie lang können die beiden Radien sein? Löse die Aufgabe rechnerisch und grafisch. Gib die Lösungsmenge für $G = \mathbb{R} \times \mathbb{R}$ an.

GK **608** Gib die Geradengleichung in expliziter Form an, lies k und d ab und zeichne die Gerade.
a) $2x - y = -4$ b) $-3x + 4y = 8$ c) $4x + y = 3$

[1] $u = (r_1 + r_2) \cdot 2 \cdot \pi$

GK **609** Gib die Geradengleichung in expliziter Form an und ermittle grafisch den Steigungswinkel der Geraden.

a) $3x + 5y = 8$ b) $5x + y = 15$ c) $-2x + 3y = 6$

GK **610** Gib für die Geradengleichung drei ganzzahlige implizite Geradengleichungen an und überprüfe mit einem elektronischen Tool, ob damit wirklich dieselbe Gerade dargestellt wird.

a) $y = -\frac{1}{4}x + \frac{2}{3}$ b) $y = 2x - \frac{5}{6}$ c) $y = \frac{3}{7}x + 9$

GK **611** Setze in der dritten Spalte den Namen jener Geraden ein, die in der Grafik gezeigt wird und die zur entsprechenden Geradengleichung passt.

	Geradengleichung	Gerade (g_1 bis g_6)
(1)	$y = 2{,}5$	
(2)	$y = 2{,}5x$	
(3)	$x = 0$	
(4)	$y = x$	
(5)	$3x - y = 1$	
(6)	$y = 2x - 1$	
(7)	$x + y = 0$	
(8)	$x + 2y = -2$	

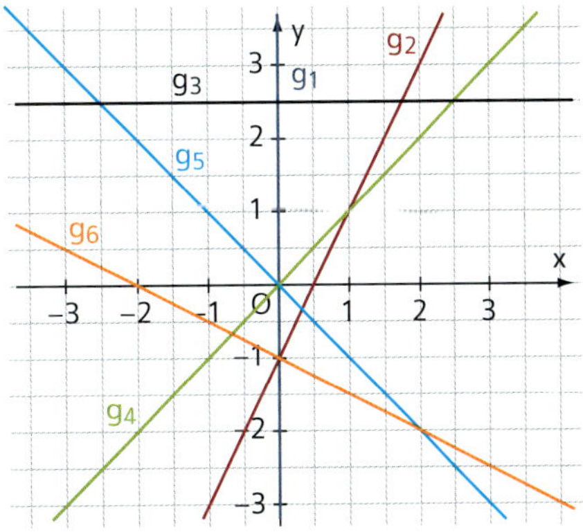

GK **612** a) 32 Schülerinnen fahren in ein Schikursquartier, welches 4-Bett-Zimmer und 6-Bett-Zimmer hat. Welche Aufteilungsmöglichkeiten gibt es, wenn alle Zimmer voll belegt sein sollen? Stelle für die Lösung dieses Problems eine lineare Gleichung mit zwei Variablen auf und löse diese Gleichung grafisch und rechnerisch.

b) Eine Schokoladenmanufaktur bietet ihre Pralinen in zwei verschiedenen Packungsgrößen an. An einen Kunden sollen 100 Stück geliefert werden. Die Aufteilung der Pralinen auf die beiden Packungsgrößen wird durch die lineare Gleichung $8x + 12y = 100$ beschrieben.

Welche Bedeutung haben die Zahlen 8, 12 und 100 sowie die Variablen x und y in dieser Gleichung? Wie viele Stück der beiden Packungsgrößen können verwendet werden, um 100 Pralinen darin zu verpacken? Löse die Aufgabe rechnerisch und grafisch (mit einem elektronischen Tool).

Typ-2-Aufgabe

GK **613** Die Kosten $K(x)$ für die Herstellung von x Stück eines Produktes betragen $K(x) = 12x + 150$. Die Einnahmen aus dem Verkauf lassen sich durch die Erlösfunktion $E(x) = 22x$ beschreiben.

a) Zeichne die beiden Funktionsgraphen in ein Diagramm und lies die Koordinaten des Schnittpunktes aus der grafischen Darstellung ab.
Ermittle die x- und y-Koordinate auch rechnerisch.

b) Welche Bedeutung hat der Schnittpunkt in Hinblick auf Kosten und Einnahmen?

c) Wie wirken sich Stückzahlen rechts vom Schnittpunkt für das Unternehmen aus?

2 Grafisches Lösen linearer Gleichungssysteme mit zwei Variablen

Das grafische Lösen linearer Gleichungssysteme mit zwei Variablen beruht auf der Tatsache, dass jede lineare Gleichung mit zwei Variablen als Gerade dargestellt werden kann. Daher kannst du die Lösung eines linearen Gleichungssystems aus der grafischen Darstellung ablesen.

Du erwirbst folgende Grundkompetenz:

GK Lineare Gleichungssysteme in zwei Variablen umformen und lösen, über Lösungsfälle Bescheid wissen, Lösungen und Lösungsfälle geometrisch deuten (AG-R 2.5)

Neues Wissen

Wenn zwei lineare Gleichungen gegeben sind und beide Gleichungen gleichzeitig erfüllt werden sollen, wird von einem linearen Gleichungssystem gesprochen.

▷ Ein **lineares Gleichungssystem mit zwei Variablen** wird in folgender Form angeschrieben.
I: $a_1 \cdot x + b_1 \cdot y = c_1$
II: $a_2 \cdot x + b_2 \cdot y = c_2$
In jeder der beiden Gleichungen muss mindestens einer der beiden Koeffizienten a_1 oder b_1 bzw. a_2 oder b_2 ungleich 0 sein. Im Allgemeinen ist die Grundmenge $G = \mathbb{R} \times \mathbb{R}$.
Ein **Zahlenpaar** $(x|y) \in \mathbb{R} \times \mathbb{R}$ heißt **Lösung** des linearen Gleichungssystems, wenn x und y beide Gleichungen erfüllen.

Grafisches Lösen linearer Gleichungssysteme mit zwei Variablen

▷ *Beispiel:*
Löse das Gleichungssystem für $G = \mathbb{R} \times \mathbb{R}$ grafisch: I: $2x + 3y = 4$
II: $-x + \quad y = 0{,}5$
Überprüfe die Lösung (das Lösungspaar) durch Einsetzen in die gegebenen Gleichungen.

Lösung:
Die Gleichungen werden in expliziter Form $(y = kx + d)$ angeschrieben.

I: $2x + 3y = 4$ $\quad\Rightarrow\quad$ I: $y = -\frac{2}{3}x + \frac{4}{3}$
II: $-x + \quad y = 0{,}5$ $\quad\quad\quad\;\;$ II: $y = \quad x + 0{,}5$

Beide Geraden werden in ein Koordinatensystem gezeichnet.
Die Koordinaten des Schnittpunkts S(0,5|1) führen zur gesuchten Lösung: **L = {(0,5|1)}**
Zur Kontrolle werden die Werte für x und y in beide lineare Gleichungen eingesetzt.

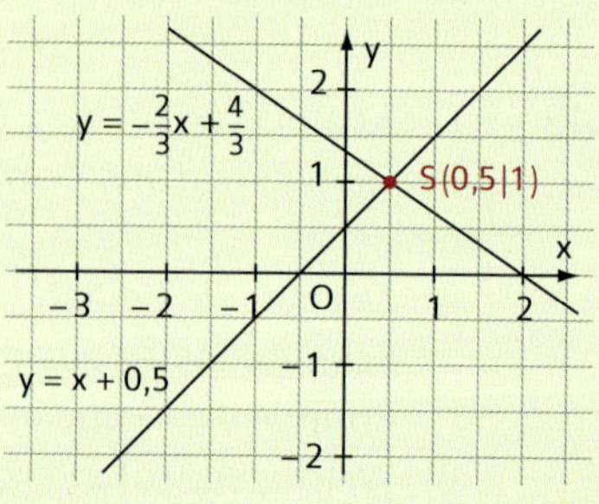

Probe:
I: $2 \cdot 0{,}5 + 3 \cdot 1 = 4$ $\quad\Rightarrow\quad$ I: $4 = 4$
II: $-0{,}5 + 1 \quad = 0{,}5$ $\quad\quad\quad$ II: $0{,}5 = 0{,}5$

Technologie-Tipp: Grafisches Lösen linearer Gleichungssysteme mit zwei Variablen

GK 614 Löse das Gleichungssystem grafisch und führe die Probe durch.

a) I: $x + 2y = 16$
II: $x + y = 11$

b) I: $3x + 2y = -1$
II: $2x - y = 4$

Lösungsfälle linearer Gleichungssysteme

Lineare Gleichungssysteme mit zwei Variablen können entweder **keine Lösung**, **genau eine Lösung** oder **unendlich viele Lösungen** haben.

Grafisch bedeutet das, dass die zugehörigen Geraden entweder **parallel** sind, **einen Schnittpunkt** haben oder **identisch** (zusammenfallend) sind.

Bei genauer Betrachtung des linearen Gleichungssystems kannst du sofort feststellen, welcher Lösungsfall vorliegt.
Betrachte die folgenden linearen Gleichungssysteme. Vergleiche, wie sich die Werte a_1 zu a_2, b_1 zu b_2 und c_1 zu c_2 verhalten.

I: $2x + y = 2$
II: $x - 2y = -4$

$a_1 : a_2 \neq b_1 : b_2$

I: $2x + y = 2$
II: $2x + y = 4$

$a_1 : a_2 = b_1 : b_2 \neq c_1 : c_2$

I: $2x + y = 2$
II: $x + \frac{1}{2}y = 1$

$a_1 : a_2 = b_1 : b_2 = c_1 : c_2$

Noch deutlicher werden die Gemeinsamkeiten oder Unterschiede, wenn die linearen Gleichungen in expliziter Form angeschrieben werden.

I: $y = -2x + 2$
II: $y = \frac{1}{2}x + 2$

$k_1 \neq k_2$

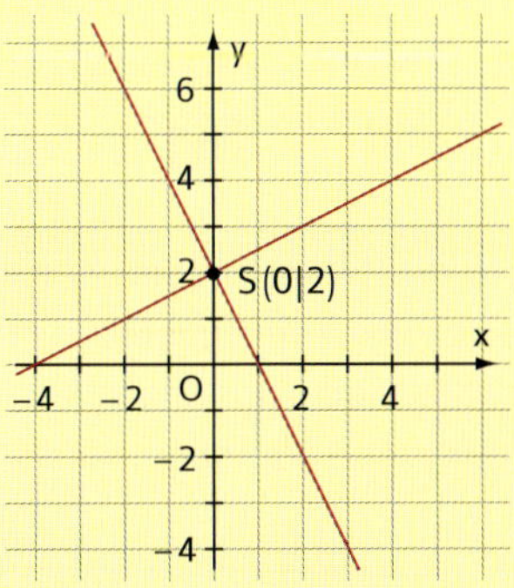

Genau eine Lösung
$L = \{(0|2)\}$

Schneidend

I: $y = -2x + 2$
II: $y = -2x + 4$

$k_1 = k_2$ und $d_1 \neq d_2$

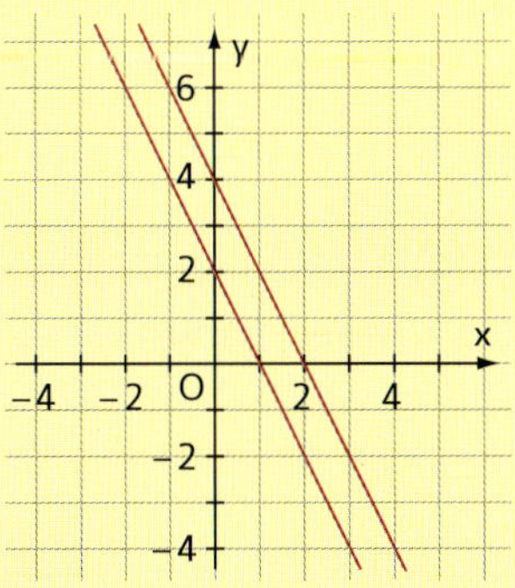

Keine Lösung
$L = \{\ \}$

Parallel

I: $y = -2x + 2$
II: $y = -2x + 2$

$k_1 = k_2$ und $d_1 = d_2$

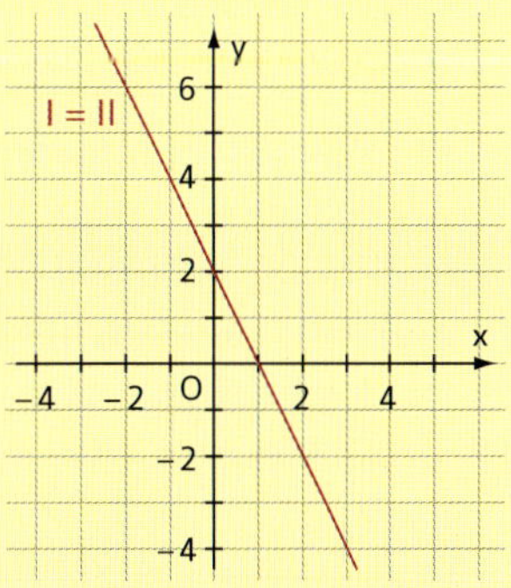

Unendlich viele Lösungen
$L = \{(x|y) \mid y = -2x + 2\}$

Identisch

Mit dem dynamischen Arbeitsblatt www Lineares Gleichungssystem kannst du lineare Gleichungssysteme und ihre Lösung grafisch darstellen.

GK **615** Welcher Lösungsfall liegt vor? Ermittle grafisch die Lösungsmenge.

a) I: $x + 4y = 2$
II: $2x + y = 4$

b) I: $3x - y = 2$
II: $x - \frac{1}{3}y = 2$

c) I: $0{,}5x - 3{,}6y = 8{,}2$
II: $1{,}5x - 10{,}8y = 24{,}6$

Aufgaben

GK **616** Löse das Gleichungssystem grafisch und führe die Probe durch.

a) I: $y = 2$
II: $2x - y = -4$

b) I: $x = 2{,}5$
II: $4x - 3y = 4$

c) I: $3x - 4y = 8$
II: $3x + 4y = 16$

d) I: $x + y = 2$
II: $x - y = 0$

e) I: $-x + 3y = -3$
II: $3y = 4{,}5 + 3{,}5x$

f) I: $3x + 2y = 7$
II: $2x - 5y = -27$

g) I: $x = -3$
II: $5x - 4y = 5$

h) I: $x + y = 4$
II: $y = -1{,}5$

i) I: $x = -2y - 5$
II: $7x = 5 + 2y$

GK **617** Welcher Lösungsfall liegt vor? Ermittle grafisch die Lösungsmenge.

a) I: $5x + 2y = 2{,}5$
II: $-2{,}5x - y = -1{,}25$

b) I: $2x - 3y = 9$
II: $2x + 3y = 9$

c) I: $0{,}2x + 0{,}3y = 0{,}1$
II: $2x + 3y = 2$

Daniel Kehlmann erzählt in seinem Roman *Die Vermessung der Welt* (Rowohlt 2006) die Lebensgeschichte von **Alexander von Humboldt** und **Carl Friedrich Gauß**.

„Am nächsten Morgen klopfte jemand an seine Tür. Ein Junge stand draußen, sah mit aufmerksamen Augen zu ihm auf und fragte, ob er mitfliegen dürfe. Mitfahren, sagte Pilâtre. Mit dem Ballon fahre man. (...)
Das sei sonst nicht seine Art, sagte der Junge und wischte sich die Nase mit dem Handrücken ab. Aber sein Name sei Gauß, er sei nicht unbekannt, und in Kürze werde er so große Entdeckungen machen wie Isaac Newton. Das sage er nicht aus Eitelkeit, sondern weil die Zeit knapp und es nötig sei, daß er an dem Flug teilnehme." (Seite 64)

Und so erhielt Gauß die Erlaubnis, an der Ballonfahrt teilzunehmen.
„So sieht Gott die Welt, sagte Pilâtre.
Er wollte antworten, aber er hatte keine Stimme mehr.
Mit welcher Kraft die Luft sie schüttelte! Und die Sonne – warum so viel heller hier oben? Seine Augen taten weh, aber er konnte sie nicht schließen. Und der Raum selbst: eine Gerade von jedem Punkt zu jedem, von diesem Dach zu dieser Wolke, zur Sonne, zum Dach zurück. Aus Punkten Linien, aus Linien Flächen und aus Flächen Körper, doch damit war es nicht getan. Seine feine Biegung, von hier oben war sie fast zu sehen." (Seite 66)

Das Ende der Ballonfahrt wird folgendermaßen beschrieben:
„Sie krachten in das Holzgestell eines Heustapels, ein Seil riß, der Korb kippte, Gauß rollte in eine Lehmpfütze, Pilâtre fiel unglücklich, verstauchte sich den Arm und stieß, als er den Riß in der Pergamenthaut sah, so unselige Flüche aus, daß der von seinem Haus herbeilaufende Bauer stehenblieb und drohend seinen Spaten aufhob. Atemlos kamen die Assistenten und falteten den zerknitterten Ballon zusammen. Pilâtre hielt sich den Arm und gab Gauß einen schmerzhaft festen Klaps.
Er wisse es jetzt, sagte Gauß.
Na was denn?
Daß alle parallelen Linien einander berührten. (Seite 67)

3 Algebraisches Lösen linearer Gleichungssysteme mit zwei Variablen

In diesem Abschnitt lernst du drei verschiedene Verfahren kennen, um lineare Gleichungssysteme mit zwei Variablen rechnerisch zu lösen.

Du erwirbst folgende Grundkompetenz:

GK Lineare Gleichungssysteme in zwei Variablen aufstellen, interpretieren, umformen und lösen, über Lösungsfälle Bescheid wissen, Lösungen und Lösungsfälle (auch geometrisch) deuten (AG-R 2.5)

Neues Wissen

Das Lösen eines linearen Gleichungssystems mit zwei Variablen erfolgt stets in vier Schritten.

(1) Das Gleichungssystem so vereinfachen, dass nur eine Gleichung mit einer Variablen übrig bleibt
(2) Die lineare Gleichung lösen und die erste Variable ausdrücken
(3) Das Ergebnis für die entsprechende Variable in eine der beiden Ausgangsgleichungen einsetzen
(4) Die zweite Variable berechnen

Das Gleichsetzungsverfahren (Komparationsverfahren[1])

Ein lineares Gleichungssystem der Form:

I: $x = b_1 \cdot y + c_1$ oder I: $y = a_1 \cdot x + c_1$
II: $x = b_2 \cdot y + c_2$ II: $y = a_2 \cdot x + c_2$

lässt sich am schnellsten (einfachsten) mit dem Gleichsetzungsverfahren lösen.
Da die linken Seiten der Gleichungssysteme übereinstimmen, müssen auch die rechten Seiten übereinstimmen und können daher **gleichgesetzt** werden.

▷ *Beispiel:*
Löse das Gleichungssystem mit dem Gleichsetzungsverfahren und mache die Probe.
I: $y = 2x + 3$
II: $y = 3x + 1$

Lösung:
$G = \mathbb{R} \times \mathbb{R}$
I: $y = 2x + 3$
II: $y = 3x + 1$ $\Rightarrow$ $2x + 3 = 3x + 1$ $\Rightarrow$ $-x = -2$ $\Rightarrow$ $\mathbf{x = 2}$

Um y zu berechnen, wird der für x ermittelte Wert in eine der beiden Gleichungen des Gleichungssystems eingesetzt.
I: $y = 2x + 3$ $\Rightarrow$ $y = 2 \cdot 2 + 3$ $\Rightarrow$ $\mathbf{y = 7}$ $\quad L = \{(2|7)\}$

Probe:
Einsetzen der Lösung in die andere Gleichung
II: $7 = 3 \cdot 2 + 1$ $\Rightarrow$ II: $7 = 7$

[1] *comparare* (lat.) – gegenüberstellen, gleichstellen

Das Einsetzungsverfahren (Substitutionsverfahren[1])

Das Einsetzungsverfahren eignet sich besonders für Gleichungssysteme der Form

I: $a_1 \cdot x + b_1 \cdot y = c_1$
II: $y = a_2 \cdot x + c_2$

oder

I: $a_1 \cdot x + b_1 \cdot y = c_1$
II: $x = b_2 \cdot y + c_2$

▷ *Beispiel:*
Löse das Gleichungssystem mit dem Einsetzungsverfahren und mache die Probe.
I: $3x + 2x = 5$
II: $x = 2y - 1$

Lösung:
$G = \mathbb{R} \times \mathbb{R}$
I: $3x + 2y = 5$
II: $x = 2y - 1$
$\Rightarrow$ I: $3 \cdot (2y - 1) + 2y = 5 \Rightarrow$ I: $6y - 3 + 2y = 5 \Rightarrow 8y = 8 \Rightarrow \mathbf{y = 1}$

Um x zu berechnen, wird der für y ermittelte Wert in die zweite Gleichung eingesetzt.
II: $x = 2 \cdot 1 - 1 \Rightarrow \mathbf{x = 1}$ $\quad L = \{(1|1)\}$
Probe durch Einsetzen in I: $3 \cdot 1 + 2 \cdot 1 = 5 \Rightarrow$ I: $5 = 5$

Das Gauß'sche Eliminationsverfahren[2]

Das Eliminationsverfahren eignet sich besonders für Gleichungssysteme der Form
I: $a_1 \cdot x + b_1 \cdot y = c_1$
II: $a_2 \cdot x + b_2 \cdot y = c_2$

▷ *Beispiel:*
Löse das Gleichungssystem mit dem Eliminationsverfahren und mache die Probe.
I: $2x + 4y = 8$
II: $4x + 3y = 11$

Lösung:
$G = \mathbb{R} \times \mathbb{R}$

I: $2x + 4y = 8$
II: $4x + 3y = 11$

Eine der beiden Variablen x oder y soll eliminiert werden, also wegfallen, wenn die beiden Gleichungen addiert oder subtrahiert werden.

I: $2x + 4y = 8 \quad | \cdot (-2)$
II: $4x + 3y = 11$

Die erste Gleichung wird zum Beispiel mit (−2) multipliziert.

I: $-4x - 8y = -16$
II: $4x + 3y = 11$ } +

I + II: $-5y = -5 \quad | : (-5)$
$y = 1$

Die beiden Gleichungen werden addiert.
Die Gleichung wird gelöst.

I: $2x + 4 \cdot 1 = 8$
$x = 2$

Durch Einsetzen von $y = 1$ in eine der Ausgangsgleichungen wird der Wert der zweiten Variablen x bestimmt.

$L = \{(2|1)\}$

Probe durch Einsetzen in II: $4 \cdot 2 + 3 \cdot 1 = 11$

---
[1] *substituere* (lat.) – ersetzen
[2] *eliminieren* – beseitigen, entfernen

Textaufgaben und lineare Gleichungssysteme

▷ *Beispiel:*
Auf einer zum Teil unleserlich gewordenen Rechnung aus einer Kfz-Werkstätte kann die Kundin noch erkennen, dass ein Auspuff und ein Ölfilter verrechnet worden sind. Der Ölfilter kostet im Nettopreis 60% vom Auspuff. Außerdem kann die Kundin noch auf der Rechnung erkennen, dass beide Teile zusammen inklusive 20% MwSt. 460,80 € kosten. Rekonstruiere daraus den Preis für Ölfilter und Auspuff, den die Kundin zahlen muss.

Lösung:
x ... Preis des Ölfilters, y ... Preis des Auspuffs

I: $x = 0{,}60y$

II: $(x + y) \cdot 1{,}2 = 460{,}80$

Lösen mithilfe des Einsetzungsverfahrens

$(0{,}60y + y) \cdot 1{,}20 = 460{,}80$

$1{,}92y = 460{,}80$

$y = 240 \quad \Rightarrow \quad$ I: $x = 0{,}60 \cdot 240 = 144$

Preise mit MwSt.: $240 \cdot 1{,}20 = 288$; $144 \cdot 1{,}20 = 172{,}80$

Der Auspuff kostet inklusive MwSt. € 288 und der Ölfilter €172,80.

Technologie-Tipp: Algebraisches Lösen linearer Gleichungssysteme mit zwei Variablen

Aufgaben

GK **618** Überlege vor dem Lösen des Gleichungssystems, ob es keine, eine oder unendlich viele Lösungen gibt. Entscheide danach, welches Lösungsverfahren du anwenden möchtest, und löse das Gleichungssystem für $G = \mathbb{R} \times \mathbb{R}$.

a) I: $5x + 2y = 9$
II: $2x + 3y = 8$

b) I: $11x - y = 3$
II: $-3x + 2y = 13$

c) I: $5x - 14y = -2$
II: $8x + 2y = 9$

d) I: $4x = 8 + y$
II: $4x - 5y = -8$

e) I: $y = 2x + 7$
II: $y = 15x - 6$

f) I: $x - y = -1$
II: $y = 6x - 24$

g) I: $2x = -8y$
II: $6x + 4y = -5$

h) I: $x + y = 1$
II: $2x = -\frac{5}{2}y$

i) I: $2x - 3y = 2$
II: $9y = 6 + 3x$

GK **619** Löse das Gleichungssystem grafisch und rechnerisch für $G = \mathbb{R} \times \mathbb{R}$. Verwende ein geeignetes elektronisches Tool.

a) I: $y = -12 + 4x$
II: $y = -3x - 5$

b) I: $y = \frac{1}{3}x + 4$
II: $2y = 3x + 1$

c) I: $y = -x$
II: $x = -2y - 7$

d) I: $2x + y = 5$
II: $y = 3x + \frac{15}{2}$

e) I: $2x + y = 3$
II: $y = -2x + 4$

f) I: $-2x + y = 16$
II: $-x = -\frac{1}{2}y + 8$

GK **620** Löse das Gleichungssystem für $G = \mathbb{R} \times \mathbb{R}$. Berechne mit einem elektronischen Tool.

a) I: $15a = 15b - 4$
II: $10a = -6b - 8$

b) I: $3a - 2b + 3 = 0$
II: $-a + b + 2 = 0$

c) I: $2s + 9 = -10t$
II: $1{,}5s + 9 = -5t$

GK **621** Wähle a, b und c so, dass das Gleichungssystem (1) keine Lösung, (2) genau eine Lösung, (3) unendlich viele Lösungen hat. Prüfe deine Lösung mit einem CAS.

a) I: $4x + by = 3$
II: $x + 2y = c$

b) I: $5x + 5y = a$
II: $ax - 3y = 4$

c) I: $2x - 3y = 8$
II: $ax + by = 4$

GK **622** Löse das lineare Gleichungssystem für $G = \mathbb{R} \times \mathbb{R}$ rechnerisch.

a) I: $0{,}2x + 0{,}3y = 4$
II: $y = 0{,}4x + 8$

b) I: $\frac{1}{3}x - \frac{2}{4}y = \frac{3}{4}$
II: $2x + 6y = 9$

c) I: $\frac{2}{5}u + \frac{1}{8}v = 7$
II: $\frac{1}{3}u - \frac{1}{4}v = 3$

d) I: $\frac{1+u}{3} + \frac{v-3}{4} = \frac{11}{12}$
II: $\frac{2+u}{4} - \frac{2v-7}{5} = \frac{11}{20}$

e) I: $\frac{2a+1}{5} - \frac{3b}{5} = \frac{12}{5}$
II: $\frac{4a-2}{7} + \frac{b+1}{7} = 4$

f) I: $\frac{2x-1}{3} + \frac{2-y}{4} = \frac{7}{12}$
II: $\frac{3x+4}{7} + \frac{y}{2} = \frac{3}{2}$

GK **623** Bestimme den Koeffizienten a bzw. b so, dass das Gleichungssystem keine Lösung hat.

a) I: $6x + 9y = -5$
II: $2x + b \cdot y = -7$

b) I: $3x - 7y = 9$
II: $a \cdot x + \frac{7}{3}y = 9$

c) I: $-0{,}6x + b \cdot y = 5$
II: $2{,}4x - 6y = 3$

GK **624** Gegeben ist das lineare Gleichungssystem:
I: $10x + 12y = d$
I: $25x + 30y = 4$
Gib alle Werte für d $(d \in \mathbb{R})$ an, sodass das Gleichungssystem
(1) keine Lösung (2) genau eine Lösung (3) unendlich viele Lösungen hat.

GK **625** Die Summe zweier Zahlen ist 17. Das Doppelte der zweiten Zahl ist um 19 größer als die erste Zahl. Berechne die beiden Zahlen.
Verwende ein geeignetes elektronisches Tool.

GK **626** Die Differenz zweier Zahlen ist 18. Das Dreifache der kleineren Zahl ist gleich der größeren Zahl. Berechne die beiden Zahlen.
Verwende ein geeignetes elektronisches Tool.

GK **627** a) In einem gleichschenkligen Dreieck sind die Basiswinkel um 15° größer als der Winkel γ. Wie groß sind die drei Winkel?
b) In einem gleichschenkligen Dreieck ist γ ein Viertel so groß wie α. Berechne die drei Winkelgrößen.
Verwende ein geeignetes elektronisches Tool.

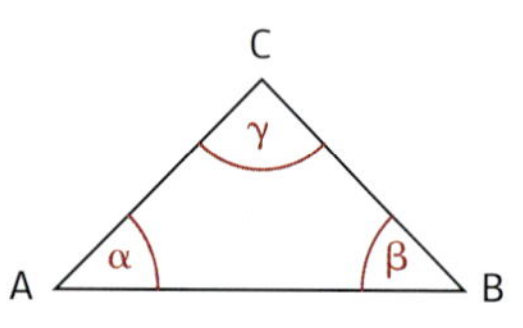

GK **628** Ein Autofahrer fährt auf der Bundesstraße von Amstetten nach St. Pölten mit gleichbleibender Geschwindigkeit von 100 km/h. Zur gleichen Zeit fährt ein LKW-Fahrer von St. Pölten nach Amstetten mit gleichbleibender Geschwindigkeit von 80 km/h auf derselben Bundesstraße. Wann und nach wie vielen Kilometern treffen die beiden Fahrzeuge einander, wenn die Entfernung Amstetten–St. Pölten 66 km beträgt? Löse rechnerisch und grafisch.
Verwende ein geeignetes elektronisches Tool.

GK **629** Ein Eilzug fährt ohne Zwischenstopp von Graz nach Bruck an der Mur mit gleichbleibender Geschwindigkeit von 72 km/h. Zur gleichen Zeit fährt ein Güterzug von Bruck an der Mur mit gleichbleibender Geschwindigkeit von 58 km/h nach Graz. Wann und nach wie vielen Kilometern treffen die beiden Fahrzeuge einander, wenn die Entfernung Graz–Bruck an der Mur 54 km beträgt? Löse rechnerisch und grafisch.
Verwende ein geeignetes elektronisches Tool.

GK **630** Herr Steinkogler bekommt in seiner Firma ein monatliches Grundgehalt von € 1600 und zusätzlich einen Anteil von 4 % vom Umsatz. Ein Kollege hat in den letzten Monaten einmal bei einem Umsatz von € 20000 ein Gehalt von € 2500 und ein anderes Mal bei einem Umsatz von € 35000 ein Gehalt von € 3500 erhalten. Das Gehalt dieses Kollegen setzt sich auch aus einem Grundgehalt und einem prozentuellen Anteil vom Umsatz zusammen.

a) Welcher der beiden Kollegen hat das höhere Grundgehalt?
b) Wer bezieht einen prozentuell höheren Anteil vom Umsatz?
c) Bei welchem Umsatz ist das Gehalt für beide Kollegen gleich?

GK **631** Eine Geschäftsfrau möchte sich für einige Tage ein Leihauto mieten.
Welche Grafik passt zu welcher Aussage? Mehrfachantworten sind möglich, eventuell passt keine Grafik zu einer Aussage.

	Grafik
Angebot B hat eine niedrigere Grundgebühr, dafür wird pro Tag eine höhere Miete verrechnet.	
Bei Angebot B wird eine Pauschale verrechnet und keine Gebühr pro Tag.	
Angebot A ist in den ersten Tagen günstiger, nach 5 Tagen sind die Kosten aber gleich hoch.	
Bei einer Dauer von mehr als 4 Tagen ist Angebot A günstiger.	
Angebot A ist im gesamten Zeitraum günstiger als Angebot B.	
Die beiden Angebote unterscheiden sich nur in der Bearbeitungspauschale, es werden aber pro Tag dieselben Gebühren berechnet.	

A

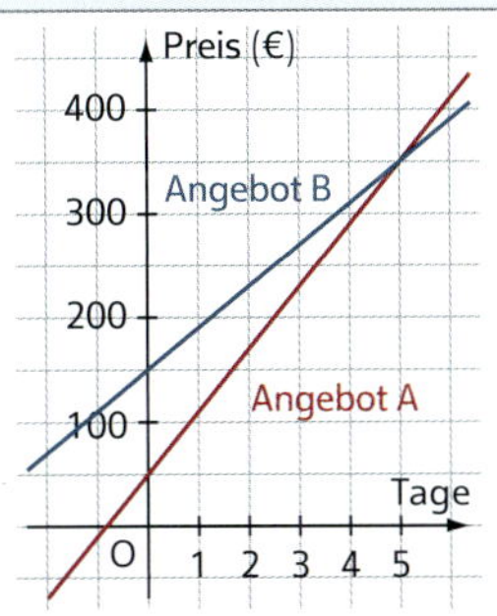

B

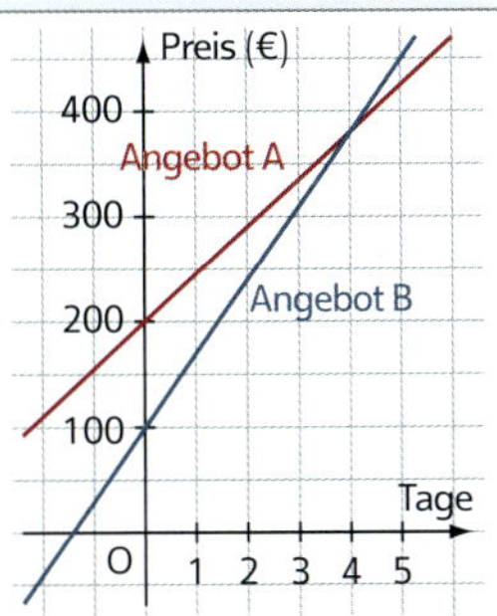

C

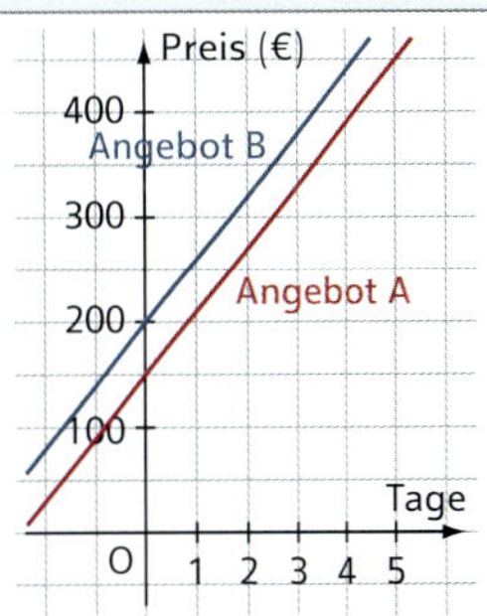

632 Die drei Geraden, die den gegebenen Gleichungen entsprechen, schließen ein Dreieck ein. Fasse je zwei Gleichungen zu einem linearen Gleichungssystem zusammen. Löse es rechnerisch und grafisch. Gib die Lösungen an.

a) a: $6x + y = 22$
b: $x - 2y = -5$
c: $4x + 5y = 6$

b) a: $-3x + 12y = -6$
b: $13x - 12y = -66$
c: $1{,}5x + 2y = 11$

c) a: $5y = x - 26$
b: $6x - 5y = 6$
c: $x = 6$

Kompetenzcheck

1 Löse das lineare Gleichungssystem für $G = \mathbb{R} \times \mathbb{R}$. Interpretiere das Ergebnis grafisch.

a) I: $2x + 3y = 5$
II: $y = \frac{2}{3}x - \frac{2}{3}$

b) I: $y = -\frac{3}{8}x$
II: $1{,}5x + 4y = 15$

c) I: $y = 2$
II: $y = -0{,}5x + 1{,}5$

2 Bestimme den Koeffizienten a bzw. b so, dass das Gleichungssystem keine Lösung hat.

a) I: $-x + 3y = 5$
II: $2x + b \cdot y = -7$

b) I: $2x + 5y = 14$
II: $a \cdot x - \frac{5}{2}y = 14$

c) I: $a \cdot x + 1{,}2y = 2$
II: $-1{,}5x - 6y = 3$

3 Gib alle Werte für c $(c \in \mathbb{R})$ an, sodass das lineare Gleichungssystem

(1) keine Lösung (2) genau eine Lösung (3) unendlich viele Lösungen hat.

I: $8x + 20y = c$ und II: $6x + 15y = 1$

4 Welche Grafik passt zu welcher Aussage? Ordne zu.

	Grafik
Ein Radfahrer, der von Bad Goisern gestartet ist, kann einen in Bad Ischl losgefahrenen langsameren Radfahrer erst nach Gmunden einholen.	
Zwei Radfahrerinnen begegnen einander 15 km von Bad Goisern entfernt.	
Zwei Radfahrerinnen starten in unterschiedlichen Orten, fahren aber mit derselben Geschwindigkeit in dieselbe Richtung.	
Zwei Radfahrer starten zur selben Zeit am selben Abfahrtsort.	
Zwei Radfahrer fahren mit derselben Geschwindigkeit aufeinander zu.	
Zwei Radfahrer begegnen einander erst nach mehr als einer Stunde.	

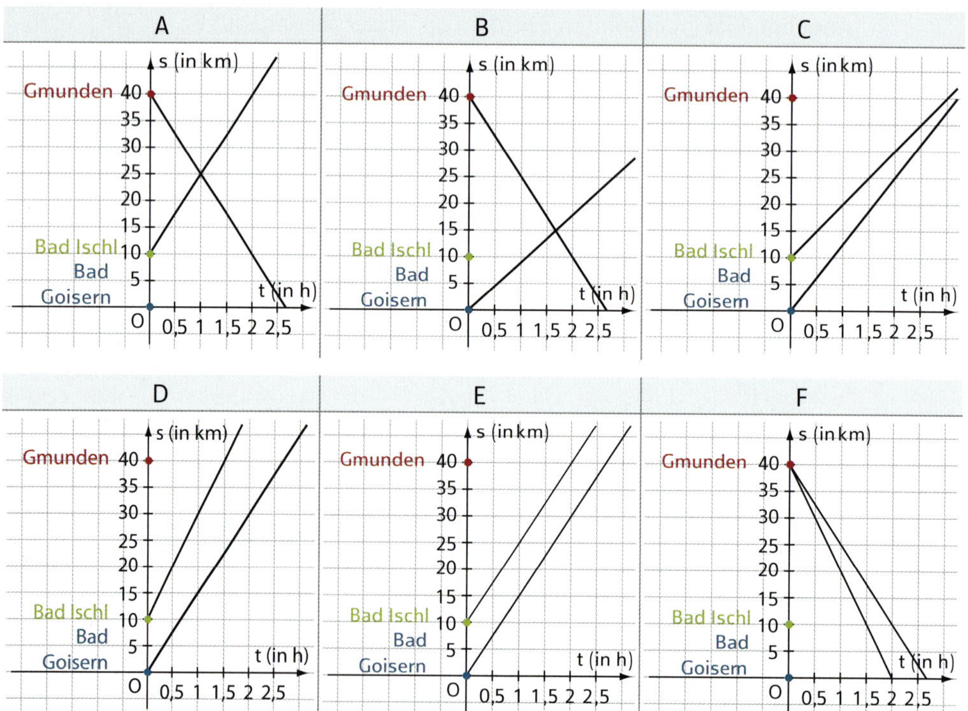

Trigonometrie

Kompetenzbereich: Trigonometrie (AG)

Trigonometrie ist jener Teilbereich der Geometrie, der sich mit Verhältnissen von Dreiecksseiten und Winkeln beschäftigt. Das Wort *Trigonometrie* setzt sich aus den griechischen Wörtern *trígonon* (Dreieck), *gonia* (Winkel) und *métron* (Maß) zusammen. Für die Berechnung von Seitenlängen im rechtwinkligen Dreieck kennst du den *Satz von Pythagoras* und den *Höhen-* und den *Kathetensatz*. Seitenlängen von stumpfwinkligen oder spitzwinkligen Dreiecken kannst du mittels Umkehraufgaben bestimmen. Die Größe von Winkeln ermittelst du mithilfe der Winkelsumme im Dreieck.

1 Sinus und Cosinus in rechtwinkligen Dreiecken

In diesem Abschnitt lernst du
- die Längen der Katheten und der Hypotenuse im rechtwinkligen Dreieck (später auch im allgemeinen Dreieck) zu berechnen, wenn nur eine Seitenlänge und (außer dem rechten Winkel) die Größe eines weiteren Winkels bekannt sind,
- fehlende Winkel zu berechnen, wenn die bisher bekannten Summenformeln nicht helfen.

Du erwirbst folgende Grundkompetenz:

GK Definitionen von *Sinus* und *Cosinus* im rechtwinkligen Dreieck kennen und zur Auflösung rechtwinkliger Dreiecke einsetzen (AG-R 4.1)

Vorwissen

633

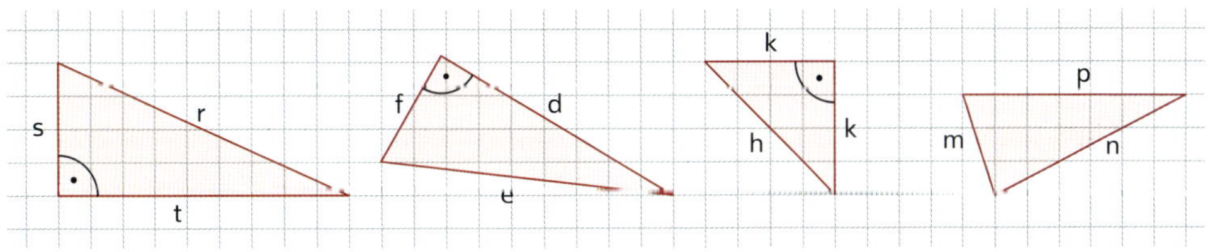

Kreuze passend zur Abbildung die richtige Bezeichnung für die Dreiecksseite an.

	d	e	f	h	k	m	n	p	r	s	t
Kathete											
Hypotenuse											

634 Ordne mithilfe der Abbildung den Verhältnissen der linken Seite jeweils das passende Verhältnis der rechten Seite zu, sodass korrekte Verhältnisgleichungen entstehen.

d : f =	
c : f =	
d : a =	
(b – e) : e =	

A	a : d
B	a : c
C	e : b
D	e : f
E	f : e
F	(a – d) : d

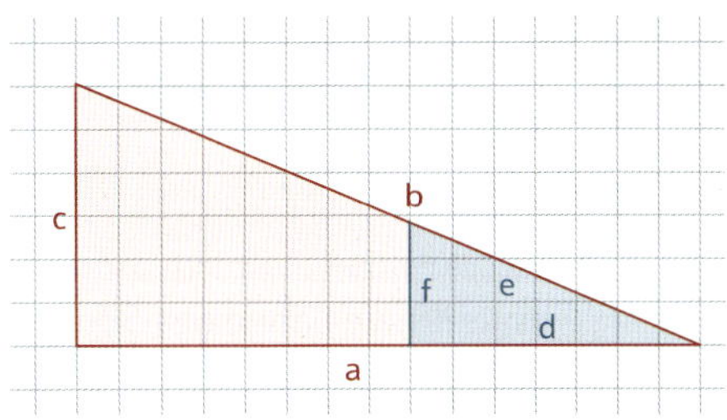

635 Löse die Gleichung.

a) $x:16 = 3:8$ b) $0{,}2:1 = 4:y \quad y \neq 0$ c) $\frac{25}{z} = \frac{35}{14} \quad z \neq 0$

In einem rechtwinkligen Dreieck wird die längste Seite als **Hypotenuse** bezeichnet. Die beiden kürzeren Seiten schließen den rechten Winkel ein. Sie heißen **Katheten**.

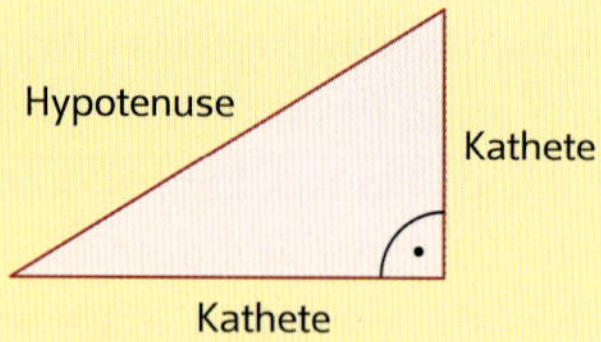

Stimmen zwei Dreiecke in allen drei Winkeln überein, so spricht man von ähnlichen Dreiecken. **Ähnliche Dreiecke** haben gleiche Seitenverhältnisse. So gilt etwa für die Längen in der nebenstehenden Abbildung:

$b:c = d:f \qquad b:a = d:e \qquad c:a = f:e$

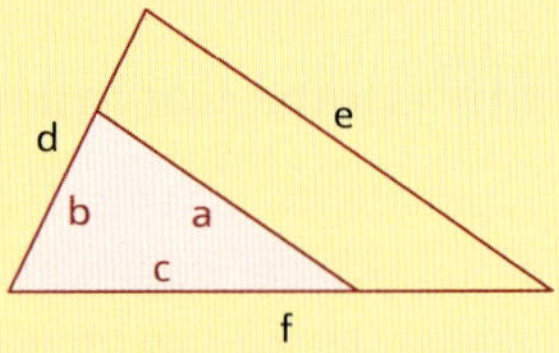

Für das Umwandeln von Gradangaben mit Minuten in Dezimalgrade gilt: $1' = \frac{1}{60}^\circ$

Beispiel: $2°\,24' = 2° + \frac{24°}{60} = 2{,}4°$

636 Ordne den Gradangaben der linken Spalte jeweils die passende Gradangabe der rechten Seite zu.

5° 30′	
5° 6′	
5° 12′	
5° 18′	

A	5,2°
B	5,1°
C	5,5°
D	5,4°
E	5,3°
F	5,6°

Neues Wissen

Ein Stab der Länge 1 wird so aufgestellt, dass er mit der Horizontalen den Winkel α einschließt. Die Sonne scheint *senkrecht* auf den Stab herab. Wie lang ist der Schatten?

Bei der grafischen Veranschaulichung entsteht ein rechtwinkliges Dreieck. Die Länge des Schattens kann mit den bisher bekannten Rechenoperationen *nicht* ermittelt werden. Diese Länge wird **Cosinus des Winkels** α genannt und mit **cos** α *(Cosinus alpha)* oder **cos** (α) *(Cosinus von alpha)* bezeichnet.

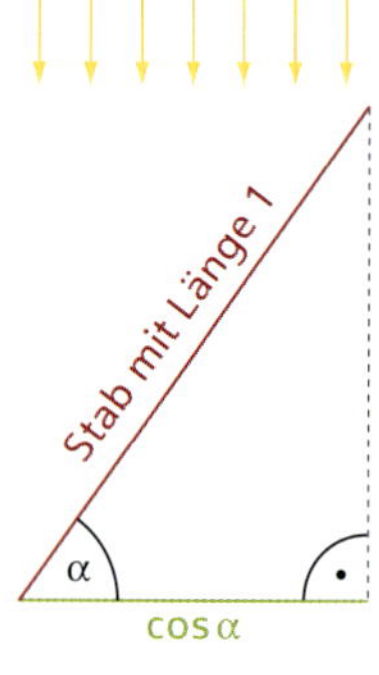

637 Zeichne einen Stab der Länge 1, der von der Horizontalen um den Winkel α aufgerichtet ist und miss die Länge des Schattens.

(1) a) $\alpha = 51°$ b) $\alpha = 39{,}5°$ c) $\alpha = 88°$

(2) Vergleicht eure Ergebnisse

Das Zeichnen und Abmessen der Schattenlänge bringt unterschiedliche und ungenaue Resultate hervor.
Analog zum vorigen Beispiel kann der Stab mit *horizontal* einfallendem Licht beleuchtet werden. Er wirft seinen Schatten auf eine senkrechte Wand.
Auch diese Schattenlänge lässt sich mit bisher bekannten mathematischen Methoden nicht berechnen.
Diese Länge wird **Sinus des Winkels** α genannt und mit **sin** α *(Sinus alpha)* oder **sin** (α) *(Sinus von alpha)* bezeichnet.

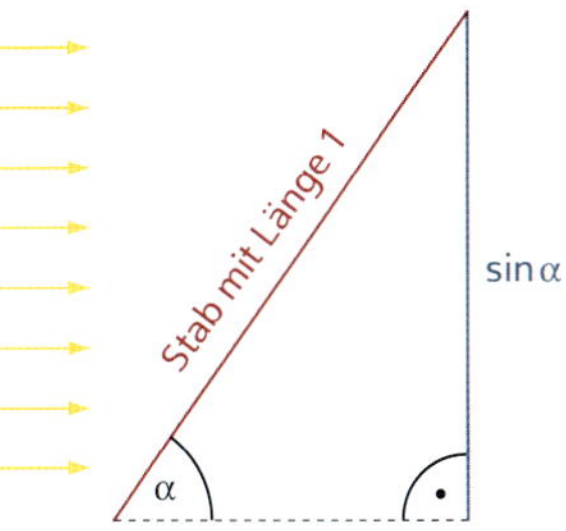

638 Der schiefe Turm von Pisa

a) Der schiefe Turm von Pisa ist 55,86 m hoch (Länge z) und ist um 4,45° (von der Senkrechten aus gemessen) geneigt. Fertige eine Zeichnung in geeignetem Maßstab an und beantworte die Fragen durch Abmessen der Längen.

(1) Wie lang ist die Strecke x?

(2) Um wie viel unterscheiden sich die Längen y und z?

b) Löse die Aufgabe mit einer dynamischen Geometriesoftware.

In einem **rechtwinkligen Dreieck**, dessen Hypotenuse die Länge 1 hat, sei α einer der beiden nicht-rechten Winkel.
Dann ist:
sin α die Länge der Kathete, die dem Winkel α **gegenüberliegt** (die **Gegenkathete**), und
cos α die Länge der Kathete, die dem Winkel α **anliegt** (die **Ankathete**).

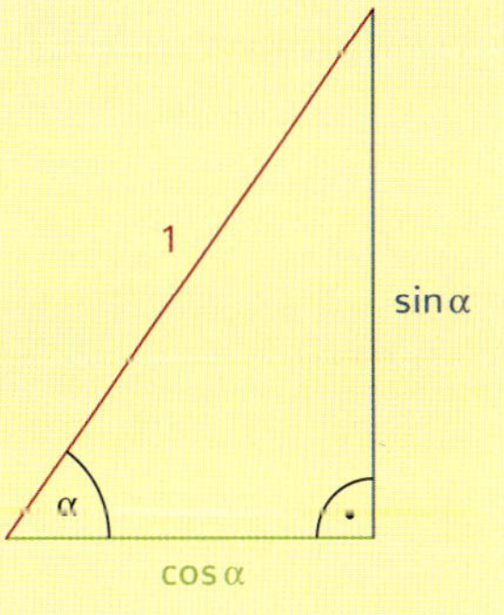

Betrachte rechtwinklige Dreiecke mit Winkel α und unterschiedlicher Hypotenusenlänge.
Die Dreiecke in der Abbildung sind zueinander *ähnlich*, das heißt, eines entsteht aus dem anderen durch Streckung oder Stauchung.

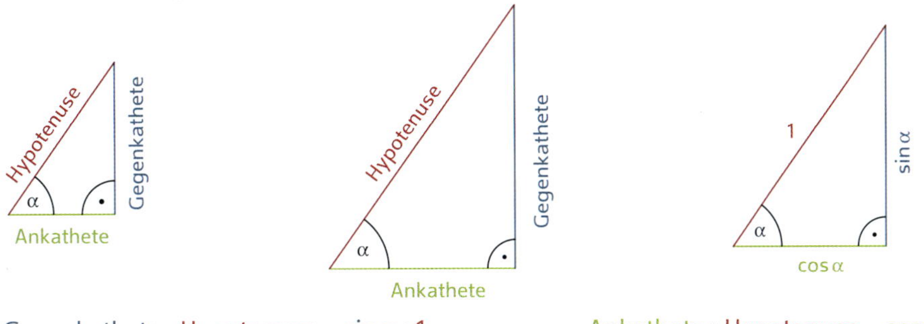

Gegenkathete : Hypotenuse = sin α : 1

Ankathete : Hypotenuse = cos α : 1

▷ **Definition**
In einem rechtwinkligen Dreieck gilt für Winkel α:
$\sin\alpha = \frac{\text{Gegenkathete G}}{\text{Hypotenuse H}}$ $\cos\alpha = \frac{\text{Ankathete A}}{\text{Hypotenuse H}}$
(Gegenkathete bedeutet Länge der Gegenkathete usw.)

GK **639** Überzeugt euch mithilfe des Strahlensatzes: Für konstantes α haben die Verhältnisse $\frac{G}{H}$ und $\frac{A}{H}$ jeweils einen konstanten Wert, unabhängig davon, wie lange die Hypotenuse H ist. Zeichnet dazu
(1) zwei ähnliche rechtwinklige Dreiecke mit $\alpha = 47°$, $H_1 = 5\,\text{cm}$, $H_2 = 7\,\text{cm}$,
(2) zwei beliebige ähnliche rechtwinklige Dreiecke.

Da du die Werte von Sinus und Cosinus mit den dir bisher bekannten mathematischen Methoden nicht berechnen kannst, verwenden wir an dieser Stelle elektronische Hilfsmittel, ohne zu fragen, wie diese die Berechnungen durchführen.

GK **640** Berechne die Werte mithilfe deines elektronischen Hilfsmittels.
a) (1) sin(30°), (2) cos(30°)
b) (1) sin(47°45‘), (2) cos(47°45‘)
c) (1) sin(90°), (2) cos(0°)

GK **641** Löst Aufgabe 638 (*Der schiefe Turm von Pisa*) mithilfe deines elektrischen Tools. Benutzt dabei die Definition von Sinus und Cosinus. Vergleicht die *berechneten* Werte mit den zuvor in Aufgabe 638 *gemessenen* Werten.

GK **642** Um Verletzte zu bergen, fährt ein Feuerwehrauto die Drehleiter mit einer Länge von 50m aus. Die Leiter wird mit unterschiedlichem Neigungswinkel fixiert. Der Drehpunkt befindet sich in einer Höhe von 2m.
a) Berechnet, wie hoch die Drehleiter unter dem gegebenen Winkel α reicht.
(1) α = 53,2° (2) α = 45° (3) α = 74,7°
b) Wie groß ist die Entfernung zwischen Haus und Drehpunkt der Leiter, wenn der Neigungswinkel α eingestellt wird? Wie hoch reicht die Leiter?
(1) α = 23° (2) α = 42,3° (3) α = 77,9°

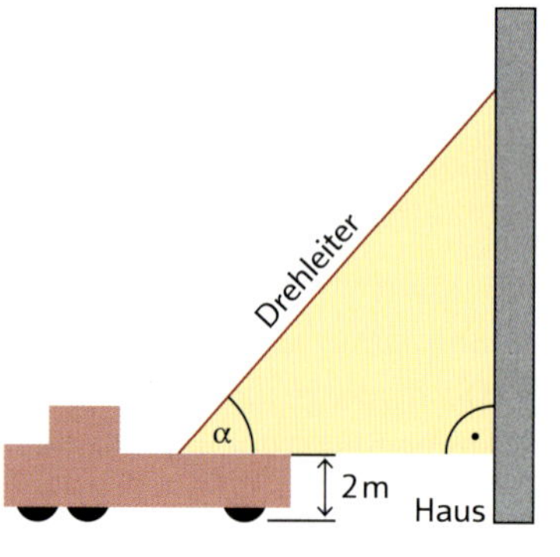

Sinus und Cosinus hängen über den Komplementärwinkel (die Ergänzung auf 90°) zusammen. Der Sinus eines Winkels ist genauso groß wie der Cosinus des Komplementärwinkels. Dies spiegelt sich auch in der Bezeichnung wider: Im 12. Jahrhundert wurde der Name *sinus* eingeführt. Erst fünf Jahrhunderte später wurde *sinus complementi* durch den Ausdruck *cosinus* ersetzt.

▷ **Satz**
Es gilt: (1) $\sin(90° - \alpha) = \cos(\alpha)$ (2) $\cos(90° - \alpha) = \sin(\alpha)$ für $0° \leq \alpha \leq 90°$

GK **643** Überprüfe rechnerisch die Gültigkeit der Gleichungen
(1) $\sin(90° - \alpha) = \cos(\alpha)$ (2) $\cos(90° - \alpha) = \sin(\alpha)$.
Setze dazu für α die Winkel 10°, 20°, 45°, 60°, 80°, 90° und 0° ein.
Begründe die Gültigkeit der Gleichungen mithilfe eines rechtwinkligen Dreiecks.

Technologie-Tipp: Berechnung von Sinus und Cosinus

Aufgaben

GK **644** Berechne die Werte und runde auf zwei Nachkommastellen.
a) $\sin(37°)$ b) $\cos(90°)$ c) $\sin(45°)$ d) $\cos(45°)$ e) $\sin(63°2')$ f) $\cos(38°25')$

GK **645** Ermittle die Werte für $\sin\alpha$ und $\cos\alpha$ für $\alpha = 0°, 10°, 20°, \ldots, 90°$. Vergleiche die Werte. Was fällt dir auf?

GK **646** In einem rechtwinkligen Dreieck mit den Katheten a und b und der Hypotenuse c sind jeweils zwei Größen gegeben. Berechne die fehlenden Seitenlängen und Winkel.
a) $\alpha = 53{,}13°$, $c = 5\,cm$ b) $\alpha = 53{,}13°$, $b = 3{,}2\,cm$ c) $\beta = 33°$, $b = 6{,}3\,cm$
d) $\alpha = 23{,}58°$, $a = 1{,}2\,km$ e) $\beta = 67{,}7°$, $c = 12\,cm$ f) $\beta = 48{,}2°$, $a = 4{,}1\,cm$

GK **647** Von einem rechtwinkligen Dreieck mit den Katheten a und b und der Hypotenuse c ist der Winkel α gegeben.
Ermittle die Längen der beiden Katheten. Kontrolliere deine Ergebnisse durch eine Zeichnung.
a) $\alpha = 31°$, $c = 5\,cm$ b) $\alpha = 49{,}5°$, $c = 7{,}8\,cm$ c) $\alpha = 88{,}2°$, $c = 14{,}7\,cm$

GK **648** Kreuze die richtigen Aussagen an. Begründe deine Entscheidung.

☐ $\cos\alpha = \frac{q}{r}$ ☐ $\sin\alpha = \frac{p}{q}$

☐ $\sin\beta = \frac{q}{r}$ ☐ $\cos\beta = \frac{r}{p}$

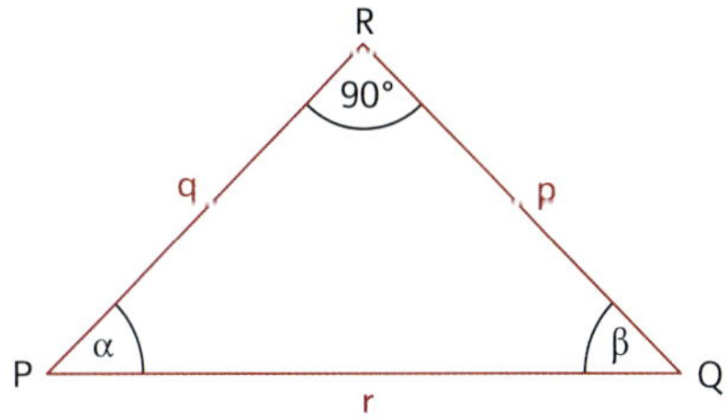

GK **649** Löse die folgenden Gleichungen nach der jeweiligen Variablen auf und berechne diese.
a) $\sin(33°) = \frac{w}{48}$ b) $\sin(85°) = \frac{100{,}0}{x}$ c) $\cos(69°) = \frac{y}{50{,}2}$ d) $\cos(20°) = \frac{0{,}79}{z}$

GK **650** Von einem rechtwinkligen Dreieck sind zwei Größen gegeben.
Fertige eine geeignete Skizze an und berechne die fehlenden Größen.

	a)	b)	c)	d)	e)	f)
Winkel	30°	60°	83°	22°	47°	12°
Hypotenuse	90 mm			83 mm		
Gegenkathete		7,5 cm			11,2 cm	
Ankathete			4,2 m			153 m

651 Während der nationalen Isolation Japans (1603–1867) wurden zum Schmücken von Tempeln kunstvoll verzierte Holztafeln (*japanisch: Sangaku*) aufgehängt, in denen geometrische Probleme eingraviert wurden. Mathematisch interessierte Menschen aller Schichten versuchten sich damit gegenseitig zu beeindrucken und herauszufordern. Die Tafeln galten auch als Zeichen der Verehrung oder Danksagung an inspirierende Geister und Götter.

a) Ergänze die folgenden Sätze, sodass sie mathematisch korrekt sind.
Der Inkreismittelpunkt eines Dreiecks ist der Schnittpunkt der ___❶___.
Die Diagonalen in einem Quadrat bilden einen rechten Winkel und ___❷___ sich.
Die Diagonale eines Quadrats mit der Seitenlänge a hat die Länge ___❸___.

❶		❷		❸	
Höhen	☐	halbieren	☐	$2 \cdot a$	☐
Seitensymmetralen	☐	dritteln	☐	$\sqrt{2} \cdot a$	☐
Winkelsymmetralen	☐	vierteln	☐	a^2	☐

b) Löse die Grundaufgabe der japanischen Tempelgeometrie:
Einem Quadrat mit der Seitenlänge a ist ein Kreis so eingeschrieben, dass er zwei Seiten und die Diagonale berührt. Bestimme den Radius des Kreises.

Typ-2-Aufgaben

GK 652 Barrierefreies Bauen bedeutet Eigenständigkeit und höhere Lebensqualität für alle Menschen. Es ermöglicht jedem die sichere Nutzung von Gebäuden und Anlagen weitgehend ohne fremde Hilfe. In der ÖNORM B 1600 sind die Planungsgrundsätze für barrierefreies Bauen definiert. Beispielsweise darf der Neigungswinkel einer Rampe für Rollstühle nicht größer als 3,43° sein. Die Stufenhöhe muss unter 16 cm sein, die Stufentiefe unter 30 cm.

In ein öffentliches Gebäude führen 3 Stufen, die jeweils 15 cm hoch und 29 cm tief sind. Neben der Treppe führt eine um 3° geneigte Rampe in das Gebäude.

a) Berechne den Höhenunterschied, der mit der Treppe erreicht wird. Welche Maße hat eine Rampe, die denselben Höhenunterschied überbrückt?
b) Begründe mithilfe der Definitionen für Sinus und Cosinus: Verdoppelt sich der Höhenunterschied, den die Rampe erreichen soll, so verdoppelt sich auch die Länge der Schräge und die Länge der waagrechten Entfernung der Rampe.

GK **653** „Intelligente" Straßenlampen fokussieren das Licht sinnvoll, sodass weder Himmel, Häuserwände noch Fenster der Anwohner beleuchtet werden. Um nicht Energie zu verschwenden, dürfen sich die Lichtkegel der einzelnen Lampen nicht meterweit überschneiden. Ideale Lampen beleuchten nur das, was auch beleuchtet werden soll, und strahlen kein Licht nach oben oder in die Horizontale ab.

Die Grafik stellt die Abstrahlcharakteristika einer „intelligenten" Straßenlampe (Lampenhöhe 8 m) schematisch dar.

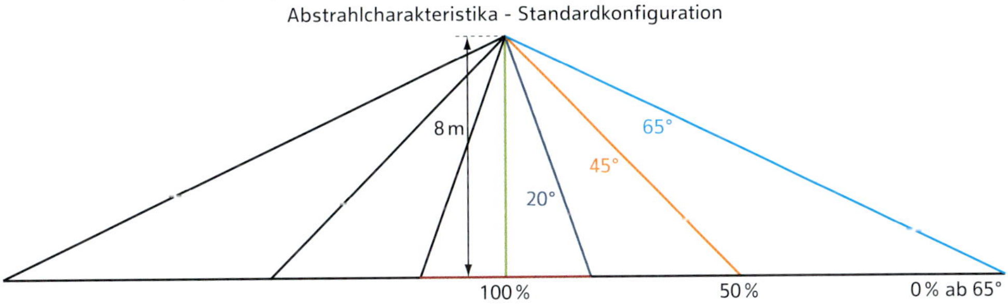

(1) Berechne, wie groß die Straßenfläche ist, auf die 100 % der Beleuchtungsstärke kommt. Gib an, um wie viel % sich die mit 100 % beleuchtete Fläche verringert, wenn die Lampe in 6 m Höhe montiert wird.

(2) Ermittle, wie viele Lampen auf einer 2 km langen Straße aufgestellt werden müssen, wenn mindestens 50 % der Beleuchtungsstärke erforderlich ist und die Lampen in 8 m bzw. 6 m Höhe montiert werden. Begründe deinen Lösungsweg.

(3) Eine 7,5 m breite Straße mit je 1,5 m breitem Gehsteig links und rechts sollen ausreichend (mit mindestens 50 % der Beleuchtungsstärke) beleuchtet werden.
Dazu werden die Lampen über der Mitte der Straße montiert. Am linken und rechten hausseitigen Gehsteigrand werden 6 m hohe Masten aufgestellt und ein Stahlseil von Mast zu Mast gespannt. Das Gewicht der Lampe erzeugt einen Winkel von 176°, den die beiden Stahlseilhälften einschließen.
Wie lange ist das Stahlseil und in welcher Höhe hängt die Lampe? Können auch die Gehsteige noch ausreichend beleuchtet werden?

2 Sinus und Cosinus für alle Winkel

Sinus und Cosinus können auch für Winkel definiert werden, die größer als 90° sind.
- Du lernst, Sinus und Cosinus für beliebige Winkel im Einheitskreis darzustellen.
- Du lernst, die Vorzeichen für Sinus und Cosinus eines Winkels im Einheitskreis anzugeben und zu begründen.
- Du lernst, die Berechnung von Sinus und Cosinus eines Winkels im 2., 3. oder 4. Quadranten auf eine Berechnung im 1. Quadranten zurückzuführen.

Du erwirbst folgende Grundkompetenz:
GK Definitionen von Sinus und Cosinus für Winkel größer als 90° kennen und einsetzen (AG-R 4.2)

Vorwissen

Die Zeichenebene wird durch das kartesische Koordinatensystem auf folgende Weise in **vier Quadranten** eingeteilt.

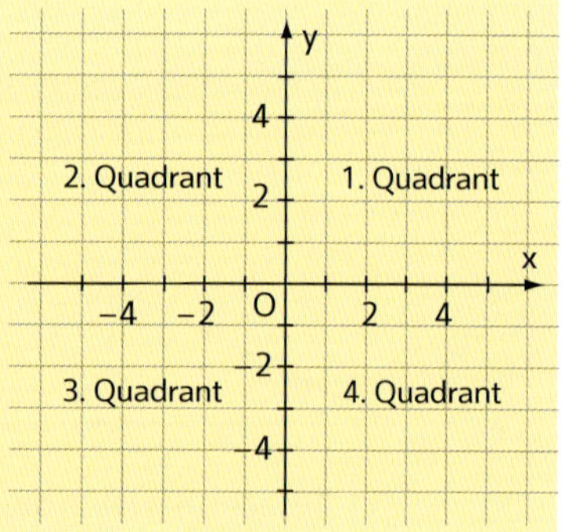

654 Wo liegen die folgenden Punkte im kartesischen Koordinatensystem? Ordne richtig zu.

A(4|2)	
B(−2|0)	
C(0|7)	
D(5|−6)	

A	im 1. Quadranten
B	im 2. Quadranten
C	im 3. Quadranten
D	im 4. Quadranten
E	auf der x-Achse
F	auf der y-Achse

655 Wo liegen die Punkte im kartesischen Koordinatensystem? Ordne richtig zu.

$G = (x < 0 \mid y > 0)$	
$H = (x > 0 \mid y < 0)$	
$J = (0 \mid y \neq 0)$	
$K = (x > 0 \mid y > 0)$	
$L = (x \neq 0 \mid 0)$	
$M = (x < 0 \mid y < 0)$	

A	im 1. Quadranten
B	im 2. Quadranten
C	im 3. Quadranten
D	im 4. Quadranten
E	auf der x-Achse
F	auf der y-Achse

Neues Wissen

Im vorigen Abschnitt hast du gelernt, was Sinus und Cosinus für Winkel zwischen 0° und 90° bedeuten. In manchen Situationen treten Winkel auf, die größer als 90° sind.
Du weißt bereits, dass $\cos(\alpha)$ gleich der Schattenlänge eines Stabes mit Abmessung 1 ist, wenn der Stab mit der Horizontalen den Winkel α einschließt und senkrecht von oben bestrahlt wird. $\sin(\alpha)$ ist die Schattenlänge eines Stabes mit Abmessung 1, wenn der Stab mit der Horizontalen den Winkel α einschließt und waagrecht bestrahlt wird.
Wird dieser Sachverhalt im Koordinatensystem dargestellt und der Stab mit Länge 1 an einem Ende im Ursprung fixiert, entsteht bei Drehung des Stabes – der Stab wird zu einem Zeiger – ein Kreis mit dem Radius 1 (**Einheitskreis**).
Eine solche Abbildung wird **Zeigerdiagramm** genannt. Dabei kann die Schattenlänge $\cos\alpha$ auf der x-Achse und die Schattenlänge $\sin\alpha$ auf der y-Achse abgelesen werden.
Wird das frei bewegliche Ende des Zeigers im Koordinatensystem mit $P(x_p|y_p)$ bezeichnet, dann ist $\cos\alpha = x_p$ und $\sin\alpha = y_p$.

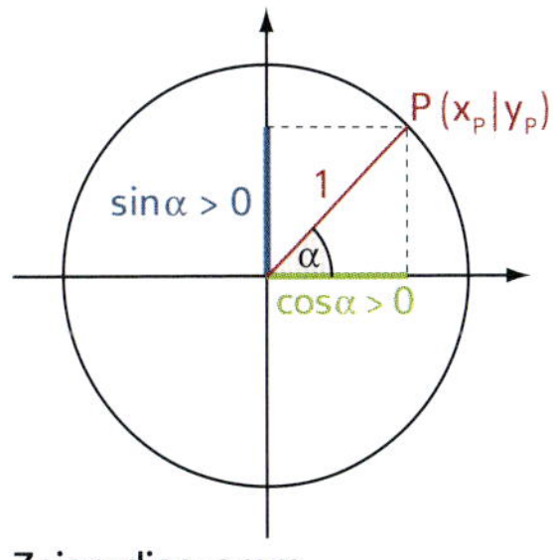

Zeigerdiagramm

Der Winkel α wird, ausgehend von der positiven x-Achse, im **Gegenuhrzeigersinn** gemessen.
Ist $0° < \alpha < 90°$, so sind $\sin\alpha$ und $\cos\alpha$ positive Zahlen (siehe Zeigerdiagramm).
Der Schatten bei senkrechter Bestrahlung fällt auf die positive x-Achse, der Schatten bei waagrechter Bestrahlung fällt auf die positive y-Achse.
Der Zeiger weist in den 1. Quadranten.

656 Ein Zeiger wird im Einheitskreis gegen den Uhrzeigersinn bewegt. Dabei wird der Winkel α zwischen positiver x-Achse und Zeiger gemessen. Kreuze die beiden richtigen Aussagen an.

- ☐ Gilt $\alpha = 90°$, dann steht der Zeiger im 1. Quadranten.
- ☐ Gilt $90° < \alpha < 180°$, dann steht der Zeiger im 2. Quadranten.
- ☐ Gilt $\alpha = 260°$, dann steht der Zeiger im 4. Quadranten.
- ☐ Gilt $270° < \alpha < 360°$, dann steht der Zeiger im 3. Quadranten.
- ☐ Gilt $\alpha = 200°$, dann steht der Zeiger im 3. Quadranten.

Sobald sich der Zeiger über die positive y-Achse hinausgedreht hat, ist der Winkel α größer als 90°.
Bleibt der Zeiger wie in der nebenstehenden Abbildung im **2. Quadraten** stehen, so ist **$90° < \alpha < 180°$**.

Es ist sinnvoll, die Begriffe Sinus und Cosinus auch auf solche Winkel auszudehnen.

Definition
Für Winkelgrößen mit **$90° < \alpha < 180°$** gilt:
$\sin\alpha$ ist die Länge des Schattens bei horizontalem Lichteinfall.
$\sin\alpha = y_P$ (Zeiger im 2. Quadraten, y_P ist **positiv**)

$\cos\alpha$ ist die Länge des Schattens bei vertikalem Lichteinfall.
$\cos\alpha = x_P$ (Zeiger im 2. Quadraten, x_P ist **negativ**)

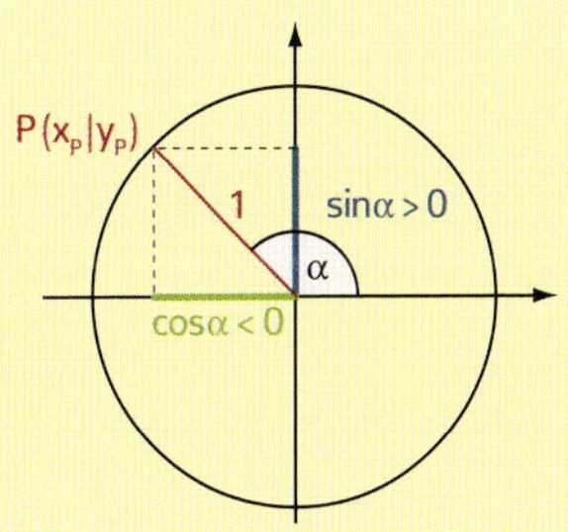

▷ *Beispiel:*
Wie kann die Ermittlung von cos(130°) auf eine Berechnung im Winkelbereich zwischen 0° und 90° zurückgeführt werden?
Lösung:
Dem Zeigerdiagramm für den Winkel 130° kannst du zunächst entnehmen, dass cos(130°) negativ ist. Sein Betrag ist die Länge der grünen Strecke. Sie tritt im rot unterlegten Dreieck als Ankathete des Supplementärwinkels $180° - 130° = 50°$ auf.

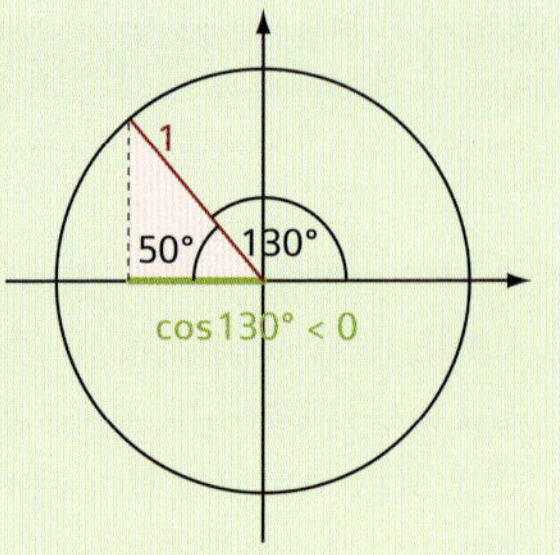

Die Länge der grünen Strecke ist daher cos(50°). Somit ist $\cos(130°) = -\cos(50°)$.
Und es ergibt sich dafür der Näherungswert −0,6428

657 Kann die Ermittlung von sin(130°) auch auf eine Berechnung im Winkelbereich zwischen 0° und 90° zurückgeführt werden? Überprüft euer Verfahren mit dem Taschenrechner.

Dreht sich der Zeiger weiter, so gilt: $\mathbf{180° < \alpha < 270°}$. Der Zeiger weist in den 3.Quadranten.

▷ **Definition**
Für Winkelgrößen mit $\mathbf{180° < \alpha < 270°}$ gilt:
sin α ist die Länge des Schattens bei horizontalem Lichteinfall.
$\mathbf{\sin\alpha = y_P}$ (Zeiger im 3. Quadranten, y_P ist **negativ**)

cos α ist die Länge des Schattens bei vertikalem Lichteinfall.
$\mathbf{\cos\alpha = x_P}$ (Zeiger im 3. Quadranten, x_P ist **negativ**)

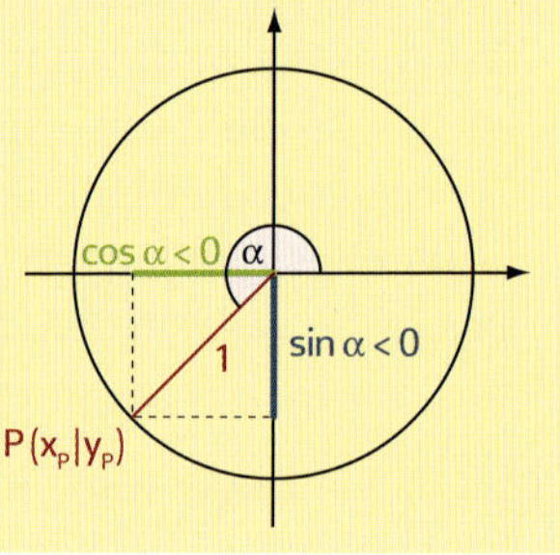

658 Wie kann die Ermittlung von (1) sin(200°), (2) cos(200°) auf eine Berechnung im Winkelbereich zwischen 0° und 90° zurückgeführt werden? Überprüft euer Verfahren mit dem Taschenrechner.

▷ **Definition**
Für Winkelgrößen mit $\mathbf{270° < \alpha < 360°}$ gilt:
sin α ist die Länge des Schattens bei horizontalem Lichteinfall.
$\mathbf{\sin\alpha = y_P}$ (Zeiger im 4. Quadranten, y_P ist **negativ**)

cos α ist die Länge des Schattens bei vertikalem Lichteinfall.
$\mathbf{\cos\alpha = x_P}$ (Zeiger im 4. Quadranten, x_P ist **positiv**)

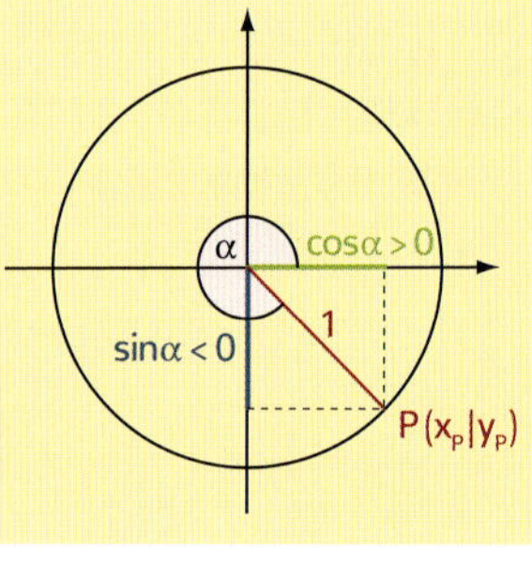

Mit dem dynamischen Arbeitsblatt www Sinus und Cosinus im Einheitskreis kannst du den Sinus und den Cosinus für beliebige Winkel im Einheitskreis darstellen und mitverfolgen, wie sich die Vorzeichen ändern.

GK **659** Vervollständige die Tabelle.

Winkel α	Zeiger weist in den	sin α	cos α
$0° < \alpha < 90°$	1. Quadranten	positiv	positiv
$90° < \alpha < 180°$			
$180° < \alpha < 270°$			
$270° < \alpha < 360°$			

GK **660** Wenn das Licht parallel zum Zeiger einfällt, so hat der Schatten die Länge 0.
(1) Für welche Winkel α gilt $\sin\alpha = 0$? (2) Für welche Winkel α gilt $\cos\alpha = 0$?
(3) Ergänze die Tabelle.

α	sin α	cos α
0°		
90°		
180°		
270°		

Aufgaben

GK **661** Gib an, wie die Werte auf Berechnungen im 1. Quadranten zurückgeführt werden können.
a) $\sin(105°)$ b) $\sin(150°)$ c) $\sin(225°)$ d) $\sin(300°)$
e) $\cos(105°)$ f) $\cos(150°)$ g) $\cos(225°)$ h) $\cos(300°)$

GK **662** Gib für die Sinus- und Cosinuswerte das richtige Vorzeichen an. Orientiere dich dabei am Einheitskreis.
a) $\cos(205°)$ b) $\sin(314°)$ c) $\cos(99°)$
d) $\sin(88°)$ e) $\sin(268°)$ f) $\cos(295°)$
g) $\sin(165°)$ h) $\cos(280°)$ i) $\sin(295°)$
j) $\cos(115°)$ k) $\cos(166°)$ l) $\sin(122°)$

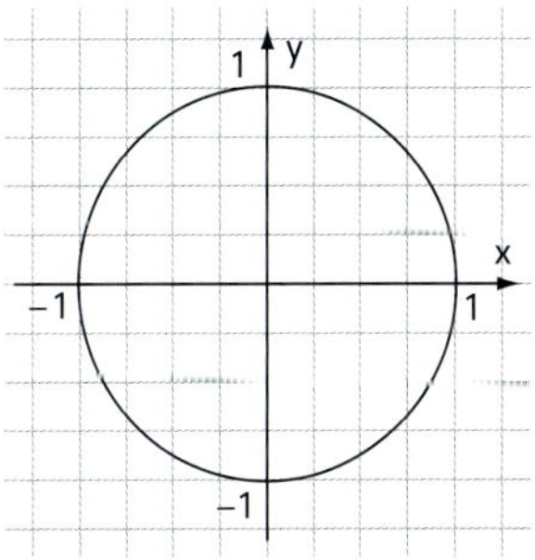

GK **663** Für welche Winkel stimmen die Vorzeichen von sin α und cos α überein?

GK **664** Gibt es einen Winkel α, für den $\sin\alpha = \cos\alpha = 0$ gilt? Wenn ja, gib ihn an, wenn nein, begründe.

665 a) Kreuze die zutreffende(n) Aussage(n) an.
- ☐ $\alpha = 60° \Rightarrow \sin\alpha = 0{,}5$
- ☐ $\alpha = 30° \Rightarrow \sin\alpha = 0{,}5$
- ☐ $\alpha = 150° \Rightarrow \sin\alpha = 0{,}5$
- ☐ $\alpha \approx 278° \Rightarrow \sin\alpha \approx -0{,}99$
- ☐ $\alpha \approx 82° \Rightarrow \sin\alpha \approx -0{,}99$

Für welche Winkel α mit $0° \le \alpha < 360°$ gilt die folgende Gleichung? Löse die Aufgabe grafisch.
b) $\sin\alpha = -0{,}5$ c) $\cos\alpha = 0{,}5$ d) $\cos\alpha = -0{,}5$
e) $\sin\alpha = 0{,}7$ f) $\cos\alpha = -0{,}7$

666 Für welche Winkel α mit $0° \leq \alpha < 360°$ gilt die folgende Gleichung? Löse die Aufgabe grafisch (eventuell mit GeoGebra).

a) $\sin\alpha = 0{,}5$ b) $\sin\alpha = -0{,}5$ c) $\cos\alpha = 0{,}5$ d) $\cos\alpha = -0{,}5$
e) $\sin\alpha = 0{,}99$ f) $\sin\alpha = -0{,}99$ g) $\cos\alpha = 0{,}7$ h) $\cos\alpha = -0{,}7$

GK **667** Der rote Uhrzeiger kann bewegt werden, der gelbe Uhrzeiger ist fix und zeigt auf 12:15 Uhr. Beide Zeiger haben Länge 1.
Welchen Winkel schließen die zwei Uhrzeiger ein, wenn der rote Zeiger bei folgender Uhrzeit steht?

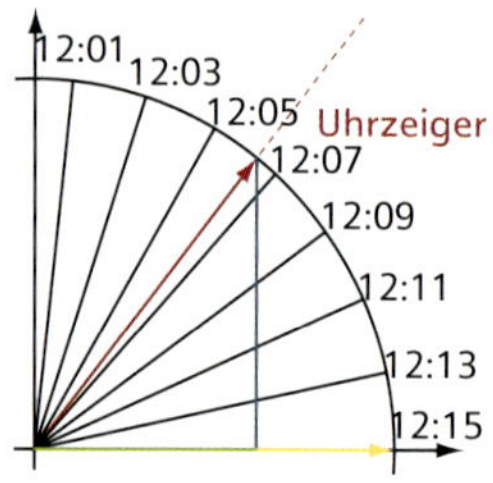

a) 12:10 b) 12:02 c) 12:07
d) 12:14 e) 12:06 f) 12:11

Wie groß ist jeweils die Länge des Schattens, den der bewegliche Zeiger auf den fixierten Zeiger bei vertikalem Lichteinfall wirft?
Als Hilfe steht dir das dynamische Arbeitsblatt www Uhrzeiger zur Verfügung.

GK **668** *Fortsetzung von 667*: Ermittle die Länge des Schattens, wenn der bewegliche Zeiger auf folgender Uhrzeit steht.

a) 12:16 b) 12:23 c) 12:29 d) 12:18

GK **669** *Fortsetzung von 667*: Welchem Winkel und welchem Sinus- und Cosinuswert entspricht die folgende Zeigereinstellung?

a) 12:37 b) 12:45 c) 12:43 d) 12:53 e) 12:58

670 Rund um eine Forschungsstation werden in einer Entfernung von genau einem Kilometer Kameras zur Tierbeobachtung aufgestellt:
Kamera A: NO-Richtung, *Kamera B:* ONO-Richtung, *Kamera C:* SW-Richtung,
Kamera D: NNW-Richtung, *Kamera E:* OSO-Richtung
Die Forschungsstation selbst liegt im Schnittpunkt zweier Straßen: Straße A verläuft exakt in Nord-Süd-Richtung, Straße B in Ost-West-Richtung.

a) Welchem Winkel entspricht die jeweilige Himmelsrichtung, wenn Osten 0° entspricht?
b) Berechne mithilfe der Sinus- und Cosinuswerte jeweils den Normalabstand der Kamera von den beiden Straßen. Welche Bedeutung haben die Vorzeichen in diesem Beispiel?
c) Trage die Lage in eine maßstabgetreue Zeichnung ein und überprüfe deine Berechnungen.

GK **671** Überprüfe, ob die Gleichungen
(1) $\sin(\alpha - 90°) = -\cos(\alpha)$, (2) $\cos(\alpha - 90°) = \sin(\alpha)$
für $0° \leq \alpha < 360°$ gelten.
Setze dazu für α die Winkel 110°, 200°, 280°, 20°, 90°, 180°, 270°, 0° und 360° ein.
Begründe die Gültigkeit der Gleichungen mithilfe des Zeigerdiagramms.

3 Der Tangens

Am Ende dieses Abschnitts kannst du
- die Definition des Tangens angeben,
- den Tangens für beliebige Winkel im Einheitskreis einzeichnen,
- zu den Quadranten im Zeigerdiagramm das jeweilige Vorzeichen angeben,
- den Tangens für Berechnungen im rechtwinkligen Dreieck nutzen.

Du kennst den Zusammenhang zwischen Tangens und dem Steigungsdreieck einer Geraden

Du erwirbst folgende Grundkompetenz:

GK Definition vom *Tangens* im rechtwinkligen Dreieck kennen und zur Auflösung rechtwinkliger Dreiecke einsetzen (AG-R 4.1)

Vorwissen

GK **672** a) Welchen Anstieg hat die Gerade g? Zeichne ein, wo der Anstieg abgelesen werden kann.

b) Welchen Anstieg hat die Gerade h? Wie wird der Anstieg ermittelt? Zeichne ihn ein.

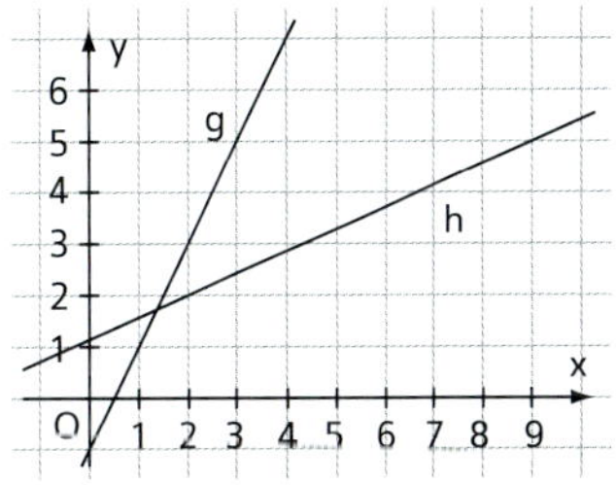

Der Anstieg k einer Geraden lässt sich aus dem **Steigungsdreieck** ermitteln.
Beträgt der waagrechte Abschnitt 1, dann kann der Anstieg k in y-Richtung abgelesen werden.
Wegen $k : 1 = \Delta y : \Delta x$ ergibt sich bei beliebigen Kathetenlängen im Steigungsdreieck für den Anstieg k:
$k = \frac{\Delta y}{\Delta x}$

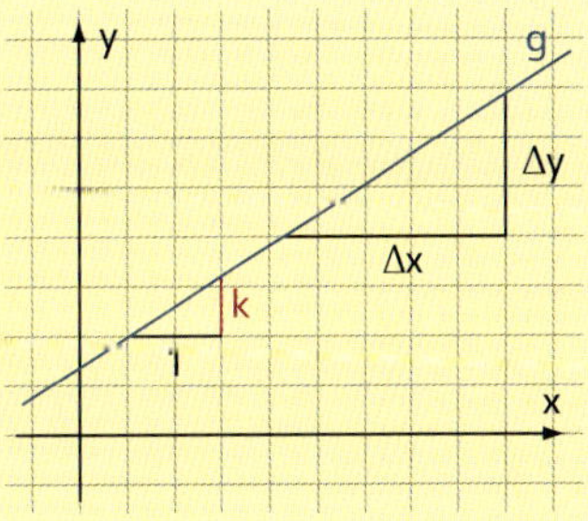

Neues Wissen

Neben Sinus und Cosinus wird in Anwendungen auch der Quotient von Sinus und Cosinus benutzt.

Definition
Der Quotient Sinus durch Cosinus eines Winkels α wird mit **tan α** (*Tangens alpha*) oder **tan(α)** (*Tangens von alpha*) bezeichnet.
$\tan\alpha = \frac{\sin\alpha}{\cos\alpha}$

Technologie-Tipp: Berechnung des Tangens

GK **673** Berechne tan(50°) und tan(100°)
a) durch Einsetzen in die obige Definition,
b) mit einem Rechner durch Verwenden des Tangensbefehls oder der Tangenstaste.

Satz
In jedem rechtwinkligen Dreieck gilt:
$\tan\alpha = \frac{\text{Gegenkathete G}}{\text{Ankathete A}}$

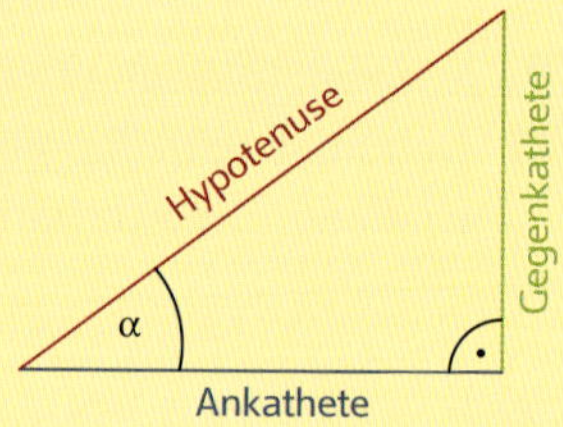

674 Beweise diesen Satz.

Tangens und Steigung einer Geraden

Der Tangens hat eine einfache geometrische Bedeutung:
Der Anstieg einer Geraden mit Steigungswinkel α ist tan α. Aus der Skizze und dem obigen Satz kannst du erkennen, dass gilt: $\tan\alpha = \frac{\Delta y}{\Delta x}$
Dabei kommt es nicht auf die Größe des Steigungsdreiecks mit den Katheten Δx und Δy an[1].

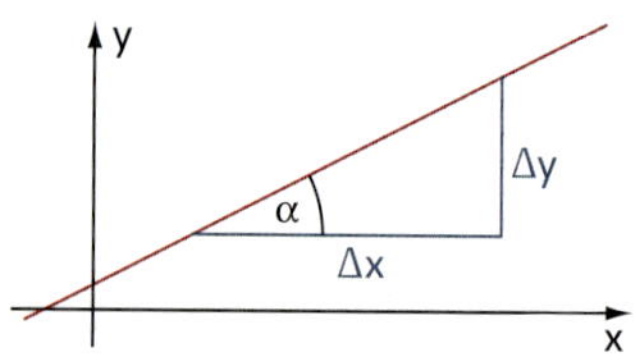

GK **675** Auf Verkehrsschildern wird die Steigung (der Anstieg) in Prozent angegeben. Eine Steigung von 0,07 wird beispielsweise mit 7 % angeschrieben.
Welche Steigung hat eine Straße mit einem Steigungswinkel von 12°?

Im Zeigerdiagramm kann der Tangens an der *Tangensschiene* abgelesen werden.
Im Punkt (1|0) wird eine Tangente an den Einheitskreis gelegt und mit dem Schenkel des Winkels α geschnitten. Die Länge des Tangentenabschnitts zwischen dem Schnittpunkt und dem Punkt (1|0) entspricht tan α.

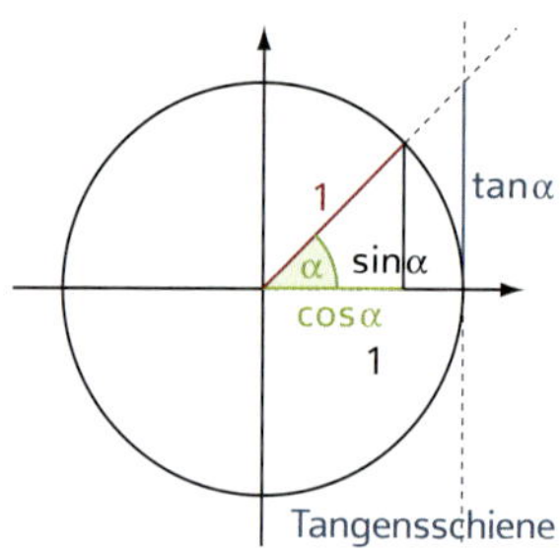

Begründung:
Aus der Definition des Tangens und der Theorie über ähnliche Dreiecke ergibt sich: $\tan\alpha = \frac{\sin\alpha}{\cos\alpha}$
Daher gilt: $\tan\alpha : 1 = \sin\alpha : \cos\alpha$

---
[1] vgl. Kapitel *Lineare Funktionen*

GK 676 Welche Regeln gelten für die Vorzeichen des Tangens? Vervollständige die Tabelle.

Winkel α	Zeiger weist in den	$\tan\alpha$
$0° < \alpha < 90°$	1. Quadranten	positiv
$90° < \alpha < 180°$		
$180° < \alpha < 270°$		
$270° < \alpha < 360°$		

GK 677 Untersucht $\tan\alpha$, wenn α die Werte 0°, 90°, 180° und 270° hat.
Diskutiert eure Ergebnisse.

Genauigkeit von Angaben bei Anwendungsaufgaben

Beim Messen physikalischer Größen (z. B. Längen) hängt die Genauigkeit stets von den verwendeten Messinstrumenten ab (z. B. Lineal).

Beispiel:

Zeichnet ein rechtwinkliges Dreieck mit der Kathete $b = 5{,}0\,\text{cm}$ und $\alpha = 40°$ und messt die Länge der Kathete a ab.

Lösung:

Da eure Lineale eine Einteilung in mm aufweisen, werdet ihr je nach Zeichengenauigkeit einen Wert zwischen 4,1 cm und 4,3 cm ablesen. Das Messergebnis wird mit $a = 4{,}2 \pm 0{,}1\,\text{cm}$ oder mit $4{,}1\,\text{cm} \leq a \leq 4{,}3\,\text{cm}$ angeschrieben.

Bei gegebenen Werten oder Messergebnissen gehst du, wenn nichts anderes gesagt wird, davon aus, dass die letzte angegebene Stelle gerundet wurde.
$b = 5{,}0\,\text{cm}$ bedeutet also, dass b zwischen 4,95 cm und 5,04 cm liegt (wobei b auch 4,95 cm bzw. 5,04 cm lang sein kann). Der Wert ist auf Millimeter genau angegeben.

Genauigkeit von Rechenergebnissen bei Anwendungsaufgaben

Bei Anwendungsaufgaben rundest du für die Antwort das Rechenergebnis je nach Fragestellung und Genauigkeit der Angabe sinnvoll.
In der Praxis werden Winkel mit großer Genauigkeit gemessen. Nur so wird bei Längenmaßen im Ergebnis die gleiche Genauigkeit wie in der Angabe erhalten.
Als Faustregel gilt:
Das Ergebnis kann nie mit größerer Genauigkeit angegeben werden als die gegebenen Größen.

Begriffe aus dem Vermessungswesen

Im Vermessungswesen werden oft die Begriffe Vertikalwinkel, Höhenwinkel und Tiefenwinkel verwendet.

Definition
Ein **Vertikalwinkel** (Höhen- oder Tiefenwinkel) ist ein in der Vertikalebene definierter Winkel, bei dem ein Schenkel die **Horizontale** ist.

▷ **Definition**

Der **Höhenwinkel** wird von der Horizontalen aus nach **oben** gemessen (β). Der **Tiefenwinkel** wird ebenfalls von der Horizontalen **nach unten** gemessen (α). Die Schenkel der Höhen- und Tiefenwinkel sind parallel, daher sind die Höhen- und Tiefenwinkel gleich große Parallelwinkel.

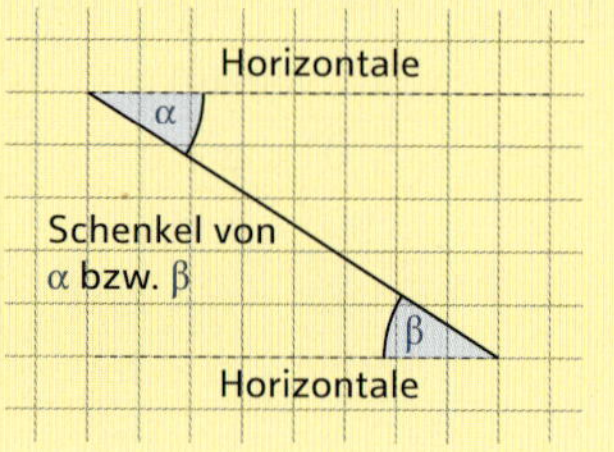

678 Welcher Winkel ist gemeint – ein Höhenwinkel oder ein Tiefenwinkel?

a) Blick vom fliegenden Flugzeug zum Flughafen
b) Blick aus einem Garten zu einem Heißluftballon
c) Blick von einem Gipfel ins Tal
d) Anstiegswinkel einer Straße
e) Gleitwinkel eines Flugzeugs beim Landeanflug
f) Hangneigung

▷ *Beispiel:*

Die Spitze eines 64 m hohen Turmes wird unter dem Höhenwinkel von 72,65° gesehen. Wie weit ist der Messpunkt vom Fußpunkt des Turmes entfernt?

Lösung:

Zeichne eine Skizze.

$\tan(72{,}65°) = \frac{64}{x} \Rightarrow x = \frac{64}{\tan(72{,}65°)} \approx 20$

Der Messpunkt ist rund 20 m vom Fußpunkt des Turmes entfernt.

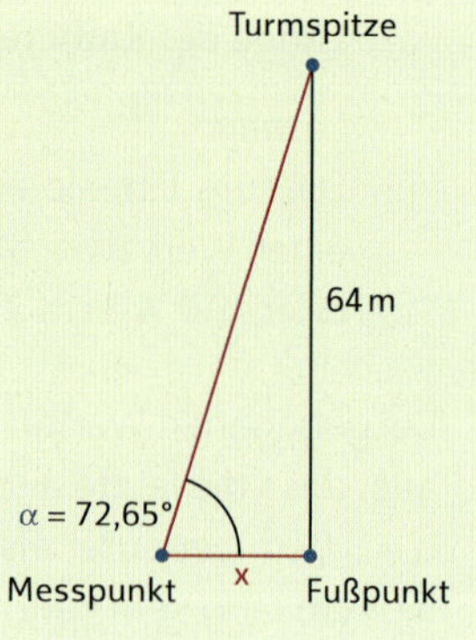

Aufgaben

GK 679 Bestimme ohne Taschenrechner, ob tan α einen positiven oder negativen Wert annimmt.

a) tan 35° b) tan 91° c) tan 150° d) tan 200° e) tan 300°

GK 680 Der Gipfel eines 1,24 km hohen Berges wird unter einem Höhenwinkel von 19,50° gesehen.
Wie weit ist der Beobachter vom Fußpunkt des Gipfels entfernt?
Runde sinnvoll.

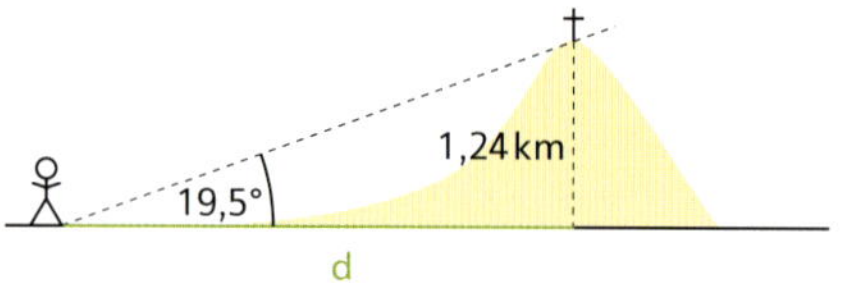

GK 681 Der Fußpunkt eines Berggipfel ist vom Hauptplatz einer Stadt 35,73 km entfernt. Der Gipfel wird vom Hauptplatz aus unter einem Höhenwinkel von 3,10° gesehen. Wie hoch ragt der Berg über der Stadt auf? Runde sinnvoll.

GK **682** Welchen Anstieg besitzt eine (steigende) Gerade, die mit der x-Achse einen Winkel von a) 12°, b) 45°, c) 65°, d) 85° einschließt?

GK **683** Welchen Anstieg besitzt eine (fallende) Gerade, die mit der x-Achse den Winkel α einschließt?
Ordne den angegebenen Winkeln jeweils den passenden Anstieg zu.

$\alpha = 23°$	
$\alpha = 45°$	
$\alpha = 75°$	
$\alpha = 81°$	

A	$k \approx -0{,}42$
B	$k \approx -6{,}31$
C	$k \approx -0{,}47$
D	$k = -1$
E	$k \approx -6{,}03$
F	$k \approx -3{,}73$

GK **684** Laut ÖNORM B 1600 dürfen Rampen für Rollstuhlfahrer/innen mit griffiger Oberfläche nicht steiler als 3,43° geneigt sein.
a) Welchem Anstieg entspricht der Winkel 3,43°?
b) Wie lang muss eine solche Rampe sein, damit mit einem Rollstuhl ein Höhenunterschied von 80 cm überwunden werden kann?
c) Wie lang muss eine Rampe sein, wenn eine Rollstuhlfahrerin einen Höhenunterschied von 128 cm (entspricht 8 Stufen) bewältigen soll?

GK **685** Elisabeth blickt zur Spitze eines Turmes auf. Sie schätzt den Höhenwinkel auf etwa 30°. Sie weiß, dass der Turm 56 m hoch ist. Wie weit ist sie vom Fußpunkt des Turmes entfernt?

GK **686** Ergänze für ein rechtwinkliges Dreieck mit den Katheten a und b und der Hypotenuse c die fehlenden Werte in der Tabelle.

	a	b	c	α	β
a)	50 mm			35°	
b)		10,25 m		72°	
c)	1200 m				10°
d)		48,0 km			3°

GK **687** Von einem rechtwinkligen Dreieck mit $\gamma = 90°$ sind zwei Bestimmungsstücke gegeben. Berechne die übrigen Seitenlängen bzw. die Höhe h_c und die fehlenden Winkel.
Fertige mit GeoGebra eine Zeichnung zur Kontrolle deiner Ergebnisse an.

a) $\alpha = 47{,}00°;\ h_c = 3{,}29$
b) $a = 4{,}09;\ \beta = 24{,}66°$
c) $\alpha = 27{,}95°;\ b = 3{,}98$
d) $a = 1{,}17;\ b = 4{,}34$

GK 688 Ordne den Geraden die passenden Aussagen zu.

	$\tan\alpha = 1$
	$k = \frac{4}{5}$
	$\tan\alpha = 5$
	500 % Gefälle
	$\tan\alpha = 0{,}8$
	500 % Anstieg
	$k = -\frac{1}{3}$
	100 % Anstieg
	$\tan\alpha = -0{,}5$
	$\tan\alpha = -4$

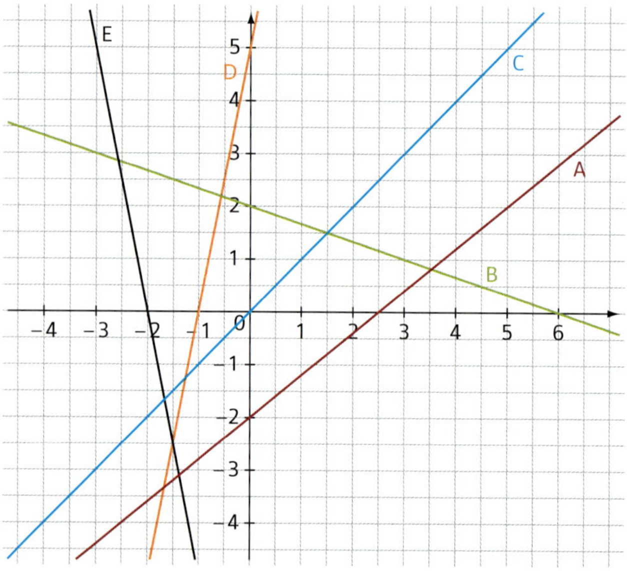

GK 689 Ein Regisseur verwendet für eine Theateraufführung eine 4,1 m hohe Statue der Pallas Athene. Er kann den Scheinwerfer auf einem Kreisbogen zwischen den Punkten A und B bewegen.

(1) Ermittle die Schattenlänge, wenn der Lichtstrahl mit dem Bühnenboden einen Winkel von 60° einschließt.

(2) Bei welchem Winkel entspricht die Schattenlänge der Höhe der Statue? Siehe auch www Pallas Athene (dynamisches Arbeitsblatt).

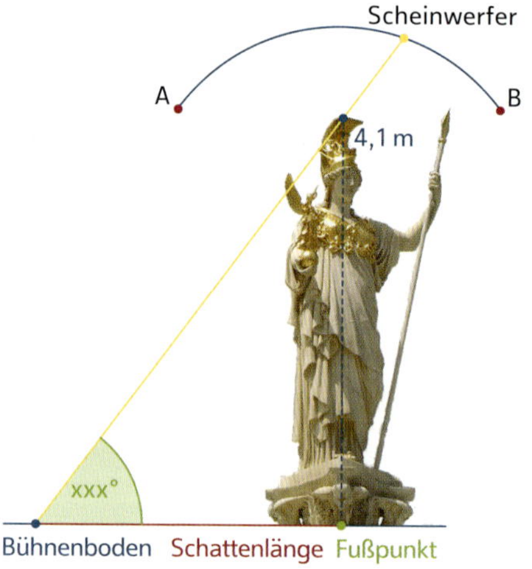

Typ-2-Aufgaben

GK 690 Für das Ski- und Snowboardfahren in freiem Gelände gelten folgende Regeln:

- Steilhänge und Rinnen über 35° Neigung werden einzeln von einem sicheren Standplatz aus befahren, da bei einem Lawinenabgang so nur eine Person verschüttet wird. Außerdem wird dabei die Schneedecke weniger belastet.
- Bei mäßiger Lawinengefahr (Warnstufe 2) verzichte auf das Befahren extrem steiler Hänge mit mehr als 39° Neigung.
- Bei erheblicher Lawinengefahr (Warnstufe 3) verzichte auf das Befahren steiler Hänge mit mehr als 34° Neigung.

Die Hangneigung kann auf folgende Weise geschätzt werden:

Ab 30° müssen beim Aufstieg mit Skiern meistens Spitzkehren gemacht werden, bei Abfahrten wird bei 35° bis 37° umgesprungen.

a) Gib für die verwendeten Gradangaben die Hangneigung in Prozent an.
b) Erkläre die *Pendelmethode*: Um den Steilheitsgrad abschätzen zu können, legt man den Skistock in den Schnee und macht einen Abdruck. Dann stellt man den Stock mit der Spitze zum oberen Ende des Abdrucks und lässt den zweiten Stock senkrecht nach unten pendeln. Wird dabei das Ende des Griffabdrucks erreicht, ist der Hang 30° steil.

GK 691 In der Gerichtsmedizin wird aufgrund von Einschusswinkeln (z. B. Winkel zwischen Wand und Schussbahn) die Größe des Täters oder die Entfernung des Täters vom Tatort ermittelt.
a) Der Täter befand sich an einem Fenster eines mehrstöckigen Gebäudes, 2,4 m von einer 8 cm dicken Ziegelwand entfernt. In der Ziegelwand wird auf einer Höhe von 1,3 m ein Einschussloch mit Einschusswinkel von 30,70° zwischen Wand und Schussbahn entdeckt. 0,7 m hinter der Zieglwand schlug die Kugel (ohne Ablenkung) in den Boden ein. Gib an, welche Angaben zur Berechnung sinnvoll und notwendig sind. Berechne, aus welcher Höhe der Schuss abgefeuert wurde und begründe deinen Lösungsweg.
b) Von einem Gebäude mit 7 m Höhe wurde auf eine 1 cm dicke Holzwand geschossen. Die Kugel durchbohrte die Wand in einer Höhe von 1 m mit einem Einschusswinkel von 35,50° zwischen Wand und Schussbahn und schlug (ohne Ablenkung) hinter der Wand auf. Fertige eine Skizze an und berechne, wie weit der Täter von der Holzwand entfernt war und wie weit hinter der Holzwand der Fundort der Kugel sein muss.

GK 692 In einem Bericht über einen Flug der Raumfähre Columbia heißt es:
„Noch 5 Minuten. Jetzt beginnt der eigentliche Anflug auf die Landebahn. Das Shuttle schießt mit einer Geschwindigkeit von Mach[1] 2,5 im schrägen Gegenanflug auf die Landebahn zu. In 25 km horizontaler Entfernung stellt der Commander den Anstellwinkel des Shuttles so ein, dass es im Gleitwinkel von 22°, für einen Piloten fast wie ein Stein, in Richtung Aufsetzpunkt fliegt. Die Geschwindigkeit hat sich auf 700 km/h reduziert.“
Fertige eine geeignete Skizze an.
In welcher Höhe befindet sich das Shuttle zu Beginn des Gleitfluges mit 22°? Wie groß ist zu diesem Zeitpunkt die Entfernung in der Luftlinie zum Aufsetzpunkt? Wie lange dauert es bei unverminderter Geschwindigkeit bis zum Aufsetzen? Um wie viele Höhenmeter sinkt das Shuttle pro Sekunde?

GK 693 Für den Landeanflug von Flugzeugen gibt es verschiedene Verfahren. Ein Anflugverfahren wird *Two Segment Approach* genannt. Der Sinkflug beginnt etwa 6 nautische Meilen[2] (horizontale Entfernung) vor der Landung mit einem *steilen* Sinkflug von 6° bis auf eine Höhe von 1000 ft[3]. Danach wird der Gleitwinkel auf 3° umgestellt. Der Vorteil dieses Verfahrens liegt in den geringen Lärmemissionen, da das Flugzeug länger in großer Höhe fliegt. Durch den späten Beginn des Sinkfluges und die hohe Sinkrate sind jedoch weniger Sicherheitsreserven vorhanden.
Fertige eine Skizze zu diesem Anflugverfahren an.
In wie viel m Höhe befindet sich das Flugzeug, wenn der Gleitwinkel auf 3° umgestellt wird? Wie groß ist dann die horizontale Entfernung zum Flughafen, wenn der Gleitwinkel bis zur Landung beibehalten wird? In welcher Höhe befindet sich das Flugzeug ungefähr, wenn der Sinkflug mit 6° Gleitwinkel beginnt?

---

[1] Mach 2,5 bedeutet: 2,5 fache Schallgeschwindigkeit
[2] Eine Seemeile oder nautische Meile ist in der See- und Luftfahrt gebräuchlich und entspricht 1852 m.
[3] 1 Fuß (1 ft) entspricht 0,3048 m.

4 Reduktionsformeln

Du lernst in diesem Abschnitt
- Reduktionsformeln für Sinus und Cosinus anzugeben,
- Reduktionsformeln mithilfe von Zeigerdiagrammen herzuleiten und anzuwenden.

Neues Wissen

Sinus- und Cosinuswerte von Winkeln im 2., 3. und 4. Quadranten können auf Sinus- und Cosinuswerte entsprechender Winkel im 1. Quadranten zurückgeführt (reduziert) werden.
Für die Reduktion auf Winkel im 1. Quadranten ist ein Zeigerdiagramm hilfreich.
(1) Zeichne den Winkel α in ein Zeigerdiagramm ein.
(2) Zeichne den entsprechenden Supplementärwinkel β (Ergänzung auf 180°) ein.
(3) Stelle den Winkel β im 1. Quadranten dar.
(4) Berücksichtige gegebenenfalls, dass das Vorzeichen geändert werden muss.

Winkel im 2. Quadranten

Für $90° < \alpha < 180°$ können $\sin\alpha$ und $\cos\alpha$ auf Winkel im 1. Quadranten reduziert werden:

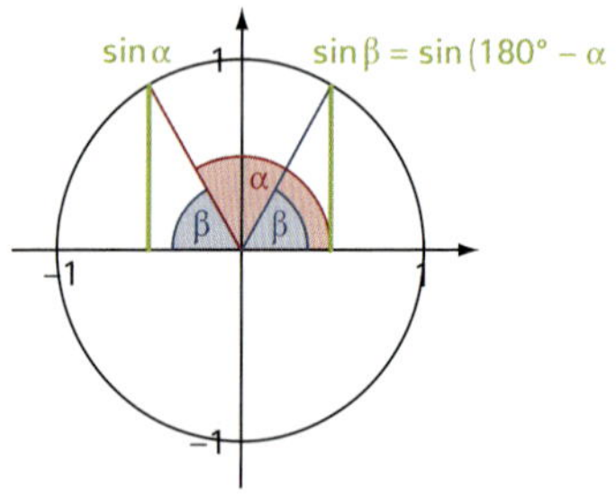

$\sin\alpha = \sin\beta$, wenn gilt: $\beta = 180° - \alpha$
$\Rightarrow \sin\alpha = \sin(180° - \alpha)$

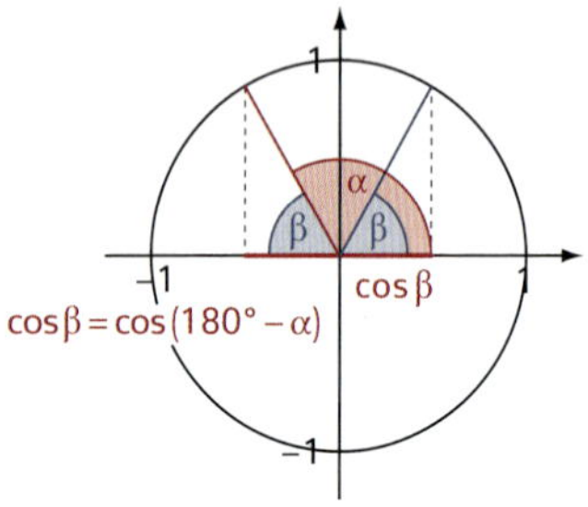

$\cos\alpha = -\cos\beta$, wenn gilt: $\beta = 180° - \alpha$
$\Rightarrow \cos\alpha = -\cos(180° - \alpha)$

694 Führe den angegebenen Ausdruck auf eine Entsprechung im 1. Quadranten zurück.
a) $\sin(125°)$ b) $\sin(100°)$ c) $\sin(135°)$ d) $\sin(170°)$

695 Führe den angegebenen Ausdruck auf eine Entsprechung im 1. Quadranten zurück.
a) $\cos(125°)$ b) $\cos(100°)$ c) $\cos(135°)$ d) $\cos(170°)$

Winkel im 3. Quadranten

Ist $180° < \alpha < 270°$, so kannst du $\sin\alpha$ und $\cos\alpha$ auf Winkel im 1. Quadranten reduzieren:

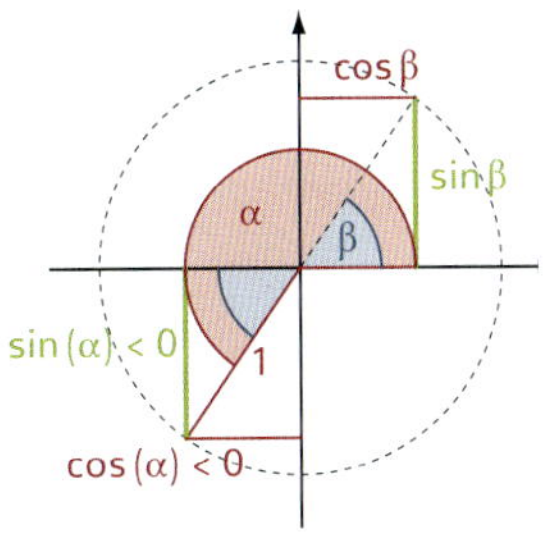

$\sin\alpha = -\sin\beta$, wenn $\beta = \alpha - 180°$

$\Rightarrow \sin\alpha = -\sin(\alpha - 180°)$

$\cos\alpha = -\cos\beta$, wenn $\beta = \alpha - 180°$

$\Rightarrow \cos\alpha = -\cos(\alpha - 180°)$

Winkel im 4. Quadranten

Ist $270° < \alpha < 360°$, so kannst du $\sin\alpha$ und $\cos\alpha$ auf Winkel im 1. Quadranten reduzieren:

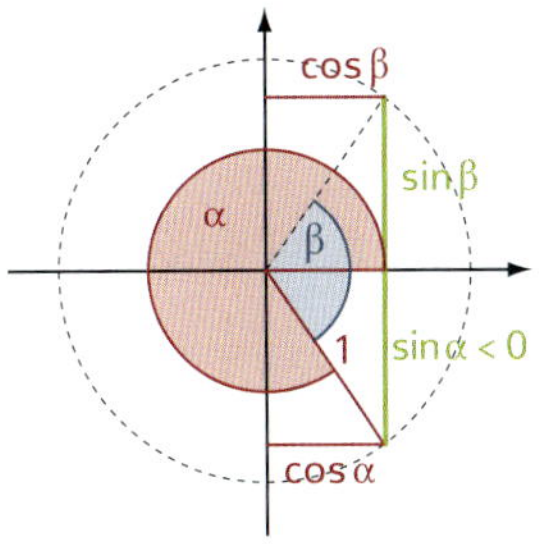

$\sin\alpha = -\sin\beta$, wenn $\beta = 360° - \alpha$

$\Rightarrow \sin\alpha = -\sin(360° - \alpha)$

$\cos\alpha = \cos\beta$, wenn $\beta = 360° - \alpha$

$\Rightarrow \cos\alpha = \cos(360° - \alpha)$

696 Führe den angegebenen Ausdruck auf eine Berechnung im 1. Quadranten zurück.

a) $\sin(203°)$ b) $\cos(224°)$ c) $\sin(310°)$ d) $\cos(343°)$

Zusammenfassung der Reduktionsformeln

Für $\alpha \in [0°, 360°]$ gilt:

$$\sin\alpha = \sin(180° - \alpha) = -\sin(\alpha - 180°) = -\sin(360° - \alpha)$$

$$\cos\alpha = -\cos(180° - \alpha) = -\cos(\alpha - 180°) = \cos(360° - \alpha)$$

Neben den Reduktionsformeln können mit den sogenannten Summensätzen Winkelsummen bzw. Winkeldifferenzen berechnet werden. Sie haben allerdings durch den Einsatz von Taschenrechnern und Computern an Bedeutung verloren.
Analog zu Sinus und Cosinus gelten auch für den Tangens Reduktionsformeln.

697 a) www Summensätze für Sinus und Cosinus: Arbeitsblatt zur Herleitung

b) www Summensätze und weitere Redunktionsformeln für den Tangens: Arbeitsblatt

Aufgaben

698 Führe den angegebenen Ausdruck auf eine Berechnung im 1. Quadranten zurück.

a) $\sin(150°)$ b) $\sin(200°)$ c) $\sin(350°)$ d) $\sin(275°)$
e) $\sin(310°)$ f) $\sin(120°)$ g) $\sin(95°)$ h) $\sin(251°)$

699 Führe den angegebenen Ausdruck auf eine Berechnung im 1. Quadranten zurück.

a) $\cos(120°)$ b) $\cos(260°)$ c) $\cos(290°)$ d) $\cos(178°)$
e) $\cos(225°)$ f) $\cos(130°)$ g) $\cos(345°)$ h) $\cos(251°)$

5 Trigonometrischer Pythagoras

Du wendest den Satz von Pythagoras auf Sinus und Cosinus eines Winkels im Einheitskreis an.

Vorwissen

700 Formuliere den Satz von Pythagoras in Worten.

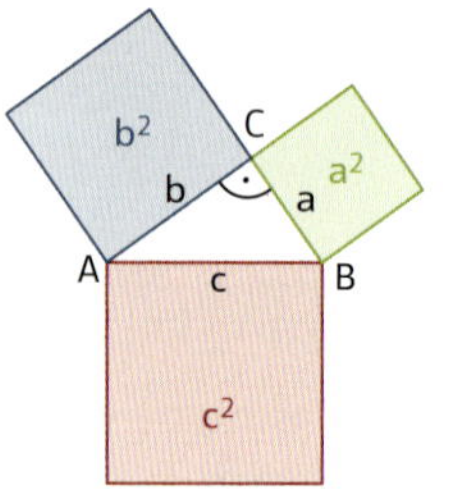

701 Die erste Seilbahn Österreichs auf die Rax in Niederösterreich überwindet einen Höhenunterschied von 1012 m. Auf einer Karte im Maßstab 1:50000 beträgt die Entfernung zwischen Tal- und Bergstation 3,6 cm. Wie lang muss das Tragseil mindestens sein?

Neues Wissen

Aus dem Satz von Pythagoras lässt sich folgende Beziehung ableiten:

▷ **Satz**
Für jeden Winkel α gilt:
$\sin^2\alpha + \cos^2\alpha = 1$

$\sin^2\alpha$ steht für $(\sin\alpha)^2$,
$\cos^2\alpha$ steht für $(\cos\alpha)^2$.

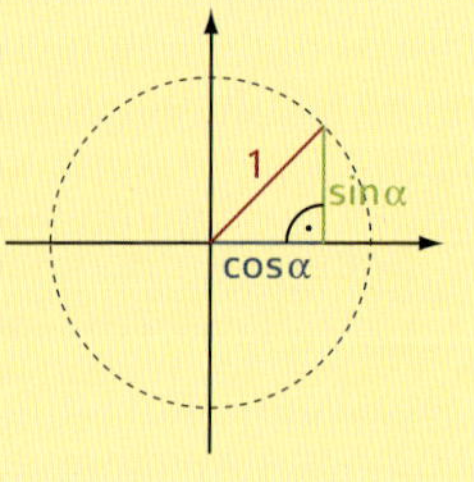

702 Beweise, dass $\sin^2\alpha + \cos^2\alpha = 1$ für $0° < \alpha < 90°$ und für $0° < \alpha < 180°$ gilt.
Tipp: Betrachte die Zeigerdiagramme und benutze den Satz von Pythagoras.

Aufgaben

703 Überprüfe, ob für die Winkel $\alpha = 0°, 5°, 45°, 71°, 90°, 107°, 180°, 223°$ und $300°$ tatsächlich $\sin^2\alpha + \cos^2\alpha = 1$ gilt.

704 Was lässt sich über $\cos\alpha$ aussagen, wenn für einen Winkel α gilt:
a) $\sin\alpha = 0{,}62$ b) $\sin\alpha = 0{,}08$ c) $\sin\alpha = 0{,}5$ d) $\sin\alpha = 0{,}97$

705 Für einen Winkel α im zweiten Quadranten ist $\sin\alpha$ bekannt. Berechne $\cos\alpha$.
a) $\sin\alpha = 0{,}3$ b) $\sin\alpha = 0{,}89$ c) $\sin\alpha = 0{,}995$ d) $\sin\alpha = 0{,}02$

706 Vereinfache die folgenden Ausdrücke:
(1) $6\cdot(\sin^2\alpha + \cos^2\alpha)$ (2) $-6\cdot\sin^2\alpha - 6\cdot\cos^2\alpha$ (3) $r\cdot\sin^2\alpha + r\cdot\cos^2\alpha$

6 Historisches zur Trigonometrie

Neues Wissen

Arbeit nach der Lernmethode Doppelkreis (Aufgabe 707)

707 Die beiden Texte Teil A und Teil B werden gleichmäßig unter den Schülerinnen und Schülern verteilt, in Einzelarbeit gelesen und für den Informationsaustausch vorbereitet (Zeit ca. 15 Minuten).
Anschließend werden die Informationen im Doppelkreis ausgetauscht.
Weitere Hinweise zu dieser Methode: www Lernmethode Doppelkreis.

Lies den Informationstext und hebe die wichtigsten Informationen farbig hervor. Pro Absatz sollst du nicht mehr als drei Begriffe markieren. Gestalte anschließend einen Stichwortzettel mit höchstens 10 Stichworten, aber beliebig vielen Zeichnungen.

Teil A

Trigonometrie war schon den ägyptischen (2000–500 v. Chr.), babylonischen (2000–200 v. Chr.), indischen und chinesischen Hochkulturen bekannt. In **Babylonien** gab es bereits um 2300 v. Chr. Schattentafeln, in denen Schattenlängen zu verschiedenen Uhrzeiten aufgezeichnet wurden. Die Babylonier verwendeten dazu ein *Gnomon*. Ein Gnomon ist ein stabförmiger Körper, der senkrecht in die Erde gesteckt wurde, um stündlich die Schattenlängen zu messen und diese in Schattentafeln zu vermerken. Aus dem Gnomon entwickelte sich die Sonnenuhr.

Die Sterne dienten zur Zeit- und Ortsbestimmung. Im Zusammenhang mit astronomischen Berechnungen entstand die Winkelmessung und die Theorie der Winkelfunktionen.

Die Einteilung eines Vollwinkels in 360 Grad geht auf die Babylonier zurück. Sie verwendeten ein Stellenwertsystem mit der Basis 60. Warum sie die Zahl 360 (= $6 \cdot 60$) wählten, ist nicht bekannt.

Die **Griechen**, vor allem **Hipparchos von Nicäa** (um 190–120 v. Chr.) und **Ptolemaios** (um 100–160 n. Chr.), kannten bereits die *Sehnenfunktion*. Sie war die erste Winkelfunktion in der Geschichte der Mathematik. Die Sehnenfunktion gibt in einem Kreis zu einem gegebenen Zentriwinkel die Länge der zugehörigen Sehne an.
Sie wird mit crd abgekürzt (von chorda – Sehne).

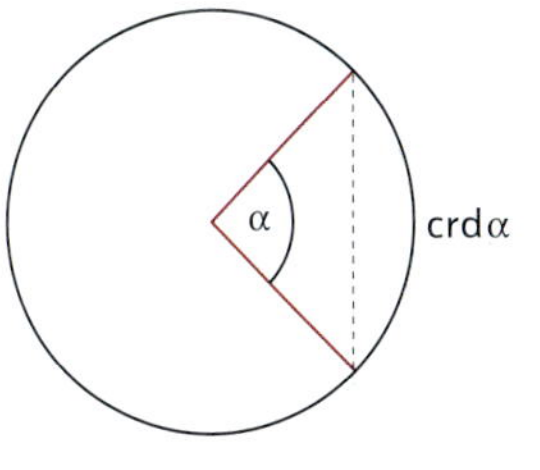

Es gilt: $\mathbf{crd}\,\alpha = r \cdot \left(2 \cdot \sin\frac{\alpha}{2}\right)$

In dieser Formel kann man den direkten Zusammenhang mit der Sinusfunktion erkennen.

Die Griechen lösten ihre Problemstellungen allerdings nicht mit der Sehnenfunktion, sondern mit regelmäßigen Drei-, Vier-, Fünf-, Sechs- und Zehnecken. Sie konnten damit die Sehnenwerte der Winkel 120°, 90°, 72°, 60° und 36° ermitteln.
Sie interessierten sich vor allem für die Berechnung von *sphärischen Dreiecken*, die in der Astronomie auftreten. Sphärische Dreiecke entstehen, wenn auf einer Kugeloberfläche drei Punkte zu einem Dreieck verbunden werden. Für diese Berechnungen verwendeten sie ausschließlich den *Satz von Menelaos*.

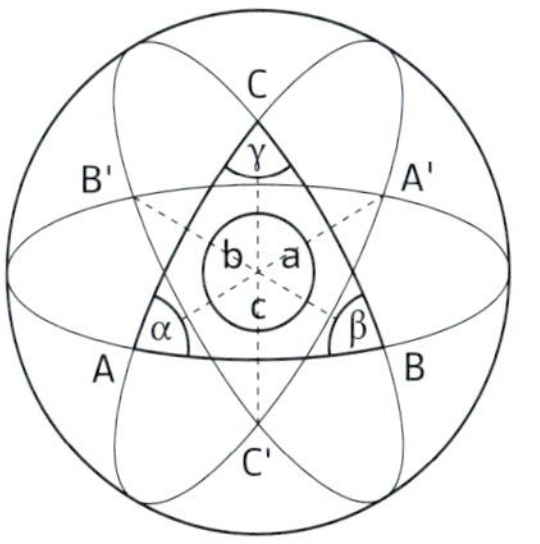

Teil B

Die **Inder** beschäftigten sich um 500 n. Chr. mit Trigonometrie. Vermutlich übernahmen sie das trigonometrische Wissen der Griechen. Der indische Mathematiker und Astronom **Aryabhata** erwähnte in seinem in Versform verfassten Hauptwerk *Aryabhatiya* den Begriff *Sinus*. In diesem Werk und im früher entstandenen *Surya Siddhanta* (etwa 400 n. Chr.) findet man Sinustafeln.

Die **Araber** verwendeten auch die Erkenntnisse der Griechen und Inder für ihre trigonometrischen und astronomischen Berechnungen. Im *Almagest*, verfasst von **Abu'l-Wafa** († 998 n. Chr.), wurde erstmals eine systematische und mit Beweisen versehene Zusammenstellung der damals bekannten trigonometrischen Sätze veröffentlicht.

Im **Abendland** wirkte sich der Zerfall der antiken Kultur auch auf die Mathematik aus. Bis zum 12. Jahrhundert können kaum trigonometrische Kenntnisse nachgewiesen werden. Erst dann begann in Spanien die Übersetzung der arabischen, griechischen und indischen Werke ins Lateinische.
Im 15. Jahrhundert trugen führende Köpfe der Universität Wien (**Johannes von Gmunden**, **Georg von Peuerbach** und **Regiomontanus**) zur Verbreitung der Trigonometrie in Europa bei. Sie beschäftigten sich mit Theorien zur Planetenbewegung.
Im 16. Jahrhundert wurden trigonometrische Methoden vor allem in der Schifffahrt angewendet und weiterentwickelt.

Regiomontanus

Auslöser für diese intensive Auseinandersetzung mit der Trigonometrie war auch der Streit um die Richtigkeit von *ptolemäischem Weltbild* (mit der Erde als Mittelpunkt des Universums) und *kopernikanischem Weltsystem* (mit der Sonne im Zentrum des Planetensystems).
Den Menschen im 17. Jahrhundert fiel es schwer zu glauben, dass die Erde nicht der Mittelpunkt des Sonnensystems sei. **Galileo Galilei** wurde 1633 gezwungen, der Theorie des kopernikanischen Weltsystems abzuschwören. Er wurde wegen seiner Ideen zu lebenslangem Hausarrest verurteilt.

Mit der weiteren Entwicklung der Mathematik wurden die trigonometrischen Funktionen Bestandteil der *Analysis*[1]. Die Astronomie hingegen trat immer mehr in den Hintergrund. Erst mit dem Aufstieg der modernen Technik um 1800 und der Entstehung der *Geodäsie* (= Erdvermessung, Landvermessung) wurde die Trigonometrie wieder wichtig und zu einer bedeutenden Hilfswissenschaft der Technik.

Heute werden trigonometrische Berechnungen meist von elektronischen Rechnern erledigt. Die Landvermessung wurde von der Satellitengeodäsie abgelöst, die mit GPS-Satelliten *(Global Positioning System)* arbeitet.

708 Wählt eine der folgenden Aufgabenstellungen und gestaltet gemeinsam ein Plakat.
(1) Stellt die Entwicklung der Trigonometrie auf einer Zeitskala dar.
(2) Erstellt eine Mindmap, die nach Anwendungsgebieten geordnet ist.
(3) Legt eine Übersicht der wichtigsten Personen und ihrer Beiträge zur Theorie der Trigonometrie an.

[1] *Analysis* – Teilgebiet der Mathematik

7 Winkelfunktionen exakt berechnen

Sinus, Cosinus und Tangens sind **Winkelfunktionen**, da sie jedem Winkel eine Zahl zuordnen. Für manche Winkel lassen sich die Funktionswerte exakt angeben.

Neues Wissen

Mithilfe geometrischer Überlegungen kannst du für einige Winkelgrößen die Funktionswerte von Sinus, Cosinus und Tangens auch **ohne elektronische Hilfsmittel** exakt bestimmen.

▷ *Beispiel:* Es ist zu zeigen, dass $\sin(45°) = \frac{\sqrt{2}}{2}$ gilt.

Lösung:

(1) Betrachte ein rechtwinklig-gleichschenkliges Dreieck mit der Hypotenusenlänge 1 (siehe Skizze).
Es gilt: $1 = a^2 + a^2$
$1 = 2a^2 \Rightarrow a = \frac{\sqrt{2}}{2}$

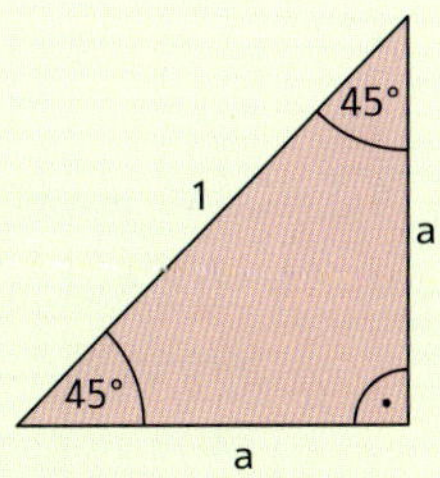

(2) Drücke sin(45°) mithilfe geeigneter Seiten im rechtwinkligen Dreieck aus.
$\sin(45°) = \frac{a}{1} \Rightarrow \sin(45°) = \frac{\sqrt{2}}{2}$

709 Bestimme $\cos(60°)$ ohne elektronisches Hilfsmittel exakt.
Tipp: Betrachte ein gleichseitiges Dreieck mit Seitenlänge 1.

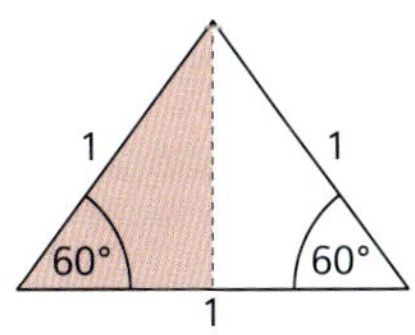

Aufgaben

710 Bestimme ohne Taschenrechner mithilfe eines geeigneten Dreiecks.
a) $\cos(45°)$ b) $\tan(45°)$ c) $\sin(60°)$ d) $\tan(60°)$

711 Bestimme ohne Taschenrechner mithilfe eines geeigneten rechtwinkligen Dreiecks, das du auf ein gleichseitiges Dreieck ergänzt.
a) $\sin(30°)$ b) $\cos(30°)$ c) $\tan(30°)$

712 Bestimme ohne Taschenrechner mithilfe von Reduktionsformeln.
a) $\cos(120°)$ b) $\sin(240°)$ c) $\tan(135°)$

713 Ergänze in der Tabelle die exakten Werte.

	$\alpha = 0°$	$\alpha = 30°$	$\alpha = 45°$	$\alpha = 60°$	$\alpha = 90°$	$\alpha = 180°$	$\alpha = 270°$
$\sin\alpha$							
$\cos\alpha$							
$\tan\alpha$							

8 Umkehrung von Sinus, Cosinus und Tangens

Du wendest dein Wissen über Winkelfunktionen im rechtwinkligen Dreieck an und berechnest nicht nur Längen, sondern auch entsprechende Winkel. Skizzen oder maßstäbliche Zeichnungen sind wichtige Hilfsmittel zur Veranschaulichung bzw. Kontrolle.

Du übst und vertiefst folgende Grundkompetenz:

GK Definitionen von *Sinus*, *Cosinus* und *Tangens* im rechtwinkligen Dreieck kennen und zur Auflösung rechtwinkliger Dreiecke einsetzen (AG-R 4.1)

Vorwissen

GK 714 Ordne jeweils passend zu.

50 % Steigung bei 100 m horizontaler Entfernung ergibt einen Höhenunterschied von ...	
30 % Steigung bei 200 m horizontaler Entfernung ergibt einen Höhenunterschied von ...	
10 % Steigung bei 10 m horizontaler Entfernung ergibt einen Höhenunterschied von ...	
200 % Steigung bei 50 m horizontaler Entfernung ergibt einen Höhenunterschied von ...	

A	200 m
B	100 m
C	60 m
D	50 m
E	10 m
F	1 m

Neues Wissen

Manchmal sind die Winkelfunktionswerte bekannt und die zugehörigen Winkel sind gesucht.

▷ *Beispiel:*
Eine 6 m lange Leiter wird aus 3 m Entfernung an eine Hausmauer gelehnt. In welchem Winkel wurde die Leiter aufgestellt?
Lösung:
$\cos\alpha = \frac{\text{Ankathete}}{\text{Hypotenuse}} = \frac{3}{6} = \frac{1}{2} \Rightarrow \alpha = \arccos\left(\frac{1}{2}\right)$
Mit dem Taschenrechner erhältst du $\alpha = \arccos\left(\frac{1}{2}\right) = 60°$.
Die Leiter wurde im Winkel 60° aufgestellt.

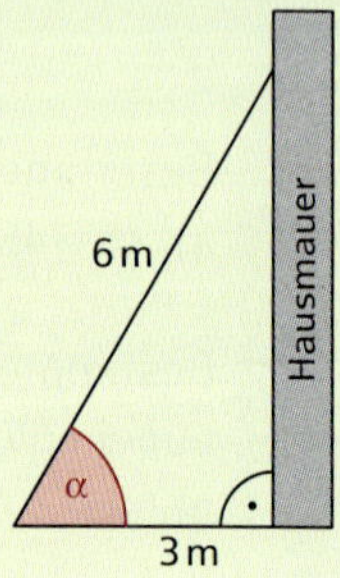

▷ **Definition**
Um in einem rechtwinkligen Dreieck aus einem Seitenverhältnis den Winkel α zu ermitteln, wird die Umkehrung zum Sinus, Cosinus oder Tangens des Winkels bestimmt.
Die Umkehrung wird mit **arcsin, arccos bzw. arctan (Arcus-Sinus, Arcus-Cosinus, Arcus-Tangens)** bezeichnet.

$\alpha = \arcsin\left(\frac{\text{Gegenkathete}}{\text{Hypotenuse}}\right)$ $\alpha = \arccos\left(\frac{\text{Ankathete}}{\text{Hypotenuse}}\right)$ $\alpha = \arctan\left(\frac{\text{Gegenkathete}}{\text{Ankathete}}\right)$

GK **715** Im Straßenbau ermöglichen Dämme einen weitgehend vom Gelände unabhängigen Straßenverlauf. Die damit verbundenen Böschungen werden in der Regel mit einer Neigung von 1:1,5 (d.h. 1 Meter Höhenunterschied auf 1,5 m horizontale Länge) gebaut.
(1) Gib die Böschungsneigung in Prozent an. (2) Berechne den Böschungswinkel.

Der Steigungswinkel einer Geraden

Du weißt bereits, dass der Graph einer linearen Funktion f mit $f(x) = k \cdot x + d$ eine Gerade ist. Mithilfe der Steigung k kann der Steigungswinkel α einer Geraden ermittelt werden (vgl. Abschnitt 3 *Der Tangens).*

▷ $\mathbf{k = \tan\alpha = \frac{\Delta y}{\Delta x}}$
Der **Tangens des Steigungswinkels α** ist gleich der Steigung k einer Geraden.

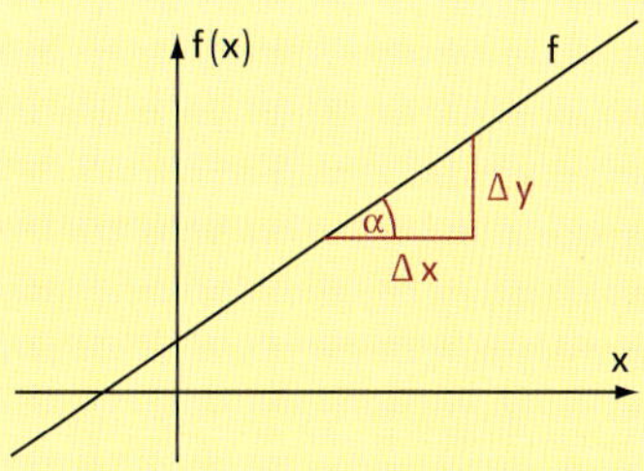

▷ *Beispiel:*
Beispiel: Berechne den Steigungswinkel, den die x-Achse mit dem Graph der linearen Funktion f mit (1) $f(x) = \frac{2}{3}x + 1$, (2) $f(x) = -\frac{2}{3}x + 1$ einschließt.

Lösung:
(1) Der Steigungswinkel α ergibt sich aus: $\tan\alpha = \frac{2}{3}$
Den Wert des Winkels erhältst du mit:
$\alpha = \arctan\left(\frac{2}{3}\right) \Rightarrow \alpha \approx 33{,}69°$

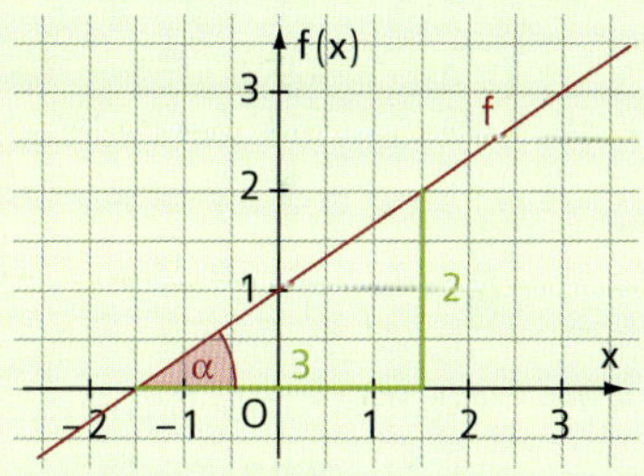

(2) Ist die Steigung k der linearen Funktion negativ, so ist das Ergebnis von arctan(k) negativ.
$\tan\alpha = -\frac{2}{3} \Rightarrow \arctan\left(-\frac{2}{3}\right) \approx -33{,}69°$
Den gesuchten Winkel $\alpha \approx 146{,}31°$ erhältst du durch Addition von 180°.

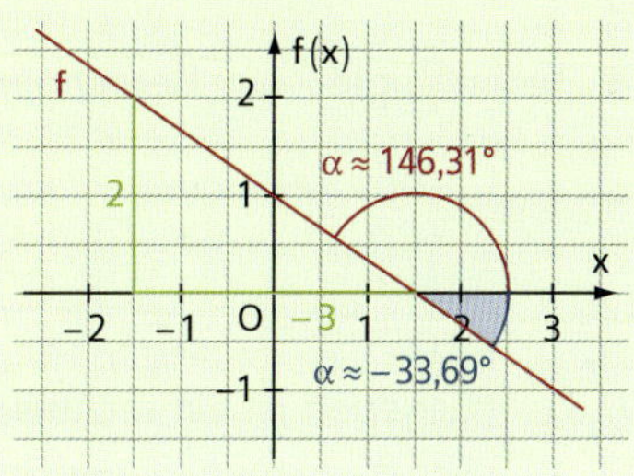

GK **716** Ermittle den Steigungswinkel, den der Graph der linearen Funktion f mit der x-Achse einschließt, grafisch und rechnerisch.
a) $f(x) = \frac{4}{5}x + 3$ b) $f(x) = -\frac{1}{3}x - 2$ c) $f(x) = 3x - 2$ d) $f(x) = -5x + 1$

Die **Steigung** oder das **Gefälle** einer Straße wird meist in Prozent angegeben.

▷ *Beispiel:*
Ein Verkehrsschild zeigt an, dass die Straße eine Steigung von 12% hat.

(1) Welchen Wert nimmt die Steigung k einer linearen Funktion f mit $f(x) = k \cdot x + d$ an, wenn diese den Verlauf der Straße beschreibt?
(2) Gib den Steigungswinkel der Straße an.

Lösung:
(1) Eine Steigung von 12% bedeutet, dass auf 100 m waagrechte Entfernung (Δx) der Höhenunterschied (Δy) 12 m beträgt.
$\Delta y : \Delta x = 12 : 100$
$\frac{\Delta y}{\Delta x} = \frac{12\,m}{100\,m} \quad \Rightarrow k = \frac{12}{100} = 0{,}12$

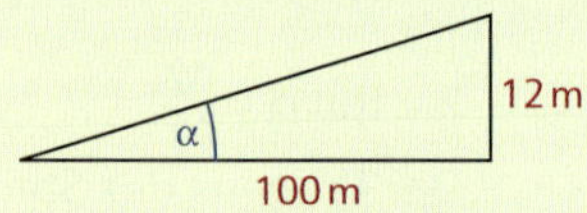

(2) $\tan\alpha = 0{,}12 \quad \Rightarrow \alpha = \arctan(0{,}12) \approx 6{,}8°$
Die Straße steigt in einem Winkel von 6,8°.

▷ *Beispiel:*
Beim Bergabfahren überwindet eine Autofahrerin auf einer horizontalen Entfernung von 3 km einen Höhenunterschied von 180 m.
(1) Welchen Wert nimmt die Steigung k einer linearen Funktion f mit $f(x) = k \cdot x + d$ an, wenn diese den Verlauf der Straße beschreibt?
(2) Berechne den Steigungswinkel für das gegebene Gefälle.

Lösung:
(1) $\Delta y : \Delta x = (-180) : 3000$
$\frac{\Delta y}{\Delta x} = -\frac{180\,m}{3000\,m} \Rightarrow k = -\frac{6}{100} = -0{,}06$
(2) $\tan\alpha = -0{,}06 \Rightarrow \alpha = \arctan(-0{,}06) \approx -3{,}4°$ bzw. $\alpha \approx 176{,}6°$

GK **717** Gib den Steigungswinkel für die gegebene Steigung bzw. das gegebene Gefälle an.
a) Steigung von 15% b) Gefälle von 75%

Technologie-Tipp: Berechnen der Umkehrung von Winkelfunktionen

Aufgaben

GK **718** Gegeben ist ein rechtwinkliges Dreieck mit den Katheten a und b und der Hypotenuse c. Berechne mithilfe der Umkehrung von Winkelfunktionen die Winkel α und β.
a) $a = 4\,cm,\ c = 12\,cm$ b) $b = 51\,mm,\ c = 78\,mm$ c) $a = 4{,}3\,cm,\ b = 8{,}9\,cm$
d) $a = 312\,m,\ c = 600\,m$ e) $b = 3{,}2\,km,\ c = 6{,}4\,km$ f) $a = 250\,km,\ b = 380\,km$

GK **719** Kreuze die zutreffende(n) Aussage(n) an.

- ☐ $\alpha = \arccos\left(\frac{5}{3}\right)$ ☐ $\alpha = \arcsin\left(\frac{4}{3}\right)$
- ☐ $\alpha = \arcsin\left(\frac{4}{5}\right)$ ☐ $\alpha = \arctan\left(\frac{4}{3}\right)$
- ☐ $\alpha = \arctan\left(\frac{3}{4}\right)$ ☐ $\alpha = \arccos\left(\frac{3}{5}\right)$

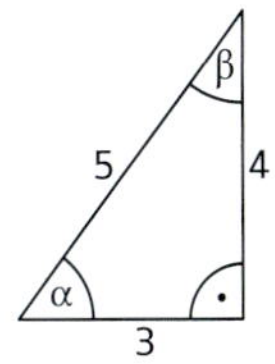

GK **720** Skizziere ein rechtwinkliges Dreieck und beschrifte jeweils die gegebenen und gesuchten Größen. Berechne mit dem Rechner.

a) $\arcsin\left(\frac{4}{5}\right)$ b) $\arccos\left(\frac{57}{100}\right)$ c) $\arctan\left(\frac{9}{5}\right)$ d) $\arctan(0{,}25)$ e) $\arcsin(0{,}8)$

GK **721** Berechne die folgenden Ausdrücke mit einem elektrischen Tool. Erkläre negative Vorzeichen und Ergebnisse mithilfe des Einheitskreises. Mache geeignete Skizzen.

a) $\arcsin\left(-\frac{4}{5}\right)$ b) $\arccos\left(-\frac{57}{100}\right)$ c) $\arctan\left(-\frac{9}{5}\right)$ d) $\arccos(-0{,}15)$ e) $\arctan(-5)$

GK **722** Ermittle den Winkel, den der Graph der linearen Funktion f mit der x-Achse einschließt, rechnerisch und grafisch.

a) $f(x) = -\frac{1}{2}x$ b) $f(x) = \frac{3}{4}x - 1$ c) $f(x) = -2x + 3$ d) $f(x) = 7x + 15$

GK **723** Gib den Steigungswinkel für die gegebene Steigung bzw. das gegebene Gefälle an.

a) Gefälle von 25 % b) Steigung von 70 % c) Steigung von 30 % d) Gefälle von 45 %

GK **724** Ein Baumarkt bietet das Carport „Classic“ in sechs verschiedenen Breiten an. Ergänze die Maße der einzelnen Modelle in der Tabelle.

Außenbreite	Dachneigung	Dachlänge	Giebelhöhe
5,50 m	20°		1 m
5,00 m			1 m
4,50 m			1 m
4,00 m			1 m
3,50 m			1 m
3,00 m			1 m

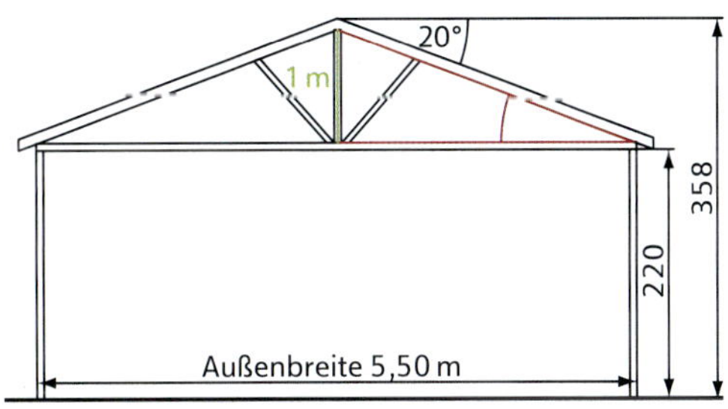

GK **725** **Halbmond und die Entfernung der Sonne**

Zu Halbmond bilden der Mond, die Erde und die Sonne ein rechtwinkliges Dreieck. Falls es gelingt, den Winkel α zu messen, kann daraus das Verhältnis $\frac{\text{Entfernung Erde – Sonne}}{\text{Entfernung Erde – Mond}}$ berechnet werden. Drücke dieses Verhältnis durch α aus.

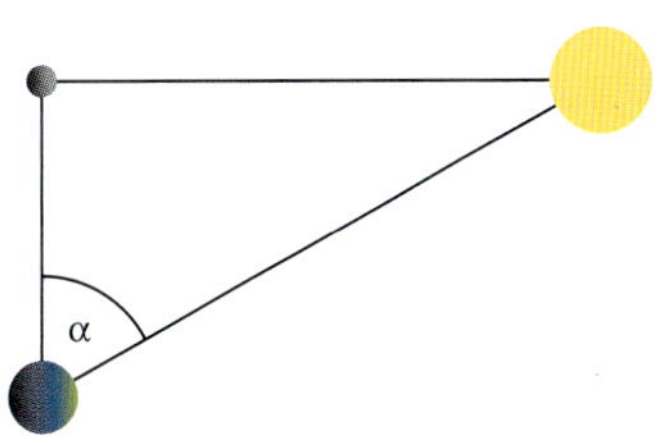

Bereits in der Antike versuchte der Mathematiker **Aristarch von Samos** (310–236 v. Chr.) auf diese Weise zu ermitteln, um wie viel weiter die Sonne von der Erde entfernt ist als der Mond. Da der Winkel α sehr nahe bei 90° liegt, war seine Messung und daher auch das Ergebnis ungenau. Er erhielt das Verhältnis 19 : 1. Tatsächlich liegt es bei 400 : 1. Benutze diesen Wert, um den Winkel α zu berechnen.

9 Berechnungen in rechtwinkligen Dreiecken

Du übst und vertiefst folgende Grundkompetenz:

GK Definitionen von *Sinus*, *Cosinus* und *Tangens* im rechtwinkligen Dreieck kennen und zur Auflösung rechtwinkliger Dreiecke einsetzen (AG-R 4.1)

Aufgaben

GK **726** Berechne für ein rechtwinkliges Dreieck ($\gamma = 90°$) die Längen der fehlenden Seiten und die Winkel α und β.

a) $a = 32\,mm$, $c = 65\,mm$
b) $b = 8{,}7\,cm$, $c = 12{,}0\,cm$
c) $a = 1740\,mm$, $c = 2305\,mm$

GK **727** Berechne für ein rechtwinkliges Dreieck die fehlenden Größen ($a, b, c, h_c, \alpha, \beta$) sowie den Flächeninhalt A.

a) $a = 45\,mm$, $\beta = 61°$
b) $b = 5{,}7\,cm$, $h_c = 1{,}9\,cm$
c) $a = 81\,mm$, $h_c = 32\,mm$
d) $b = 66\,mm$, $A = 3040\,mm^2$

GK **728** Gegeben ist ein spitzwinkliges Dreieck.
Berechne die fehlenden Größen ($a, b, c, h_a, h_b, h_c, \alpha, \beta, \gamma$).

a) $a = 89$, $b = 56$, $h_c = 51$
b) $a = 60$, $b = 51$, $h_b = 41$
c) $b = 38$, $c = 49$, $h_a = 35$
d) $a = 61$, $c = 49$, $h_a = 35$

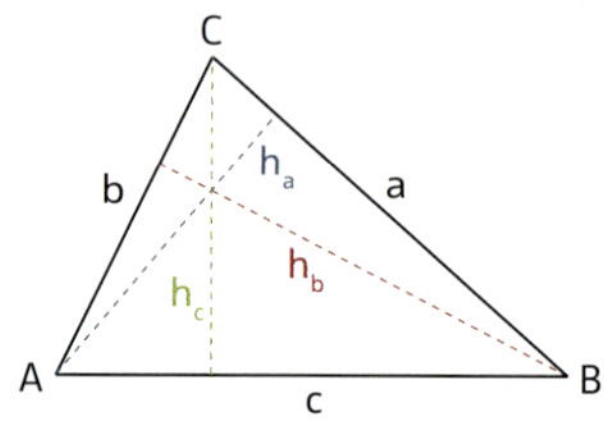

GK **729** Gegeben ist ein stumpfwinkliges Dreieck:
$b = 4{,}5\,cm$, $c = 4{,}8\,cm$, $h_a = 2{,}8\,cm$
Berechne die Winkel α, β und γ sowie die Länge der Seite a, den Flächeninhalt A und die Höhen hb und hc.

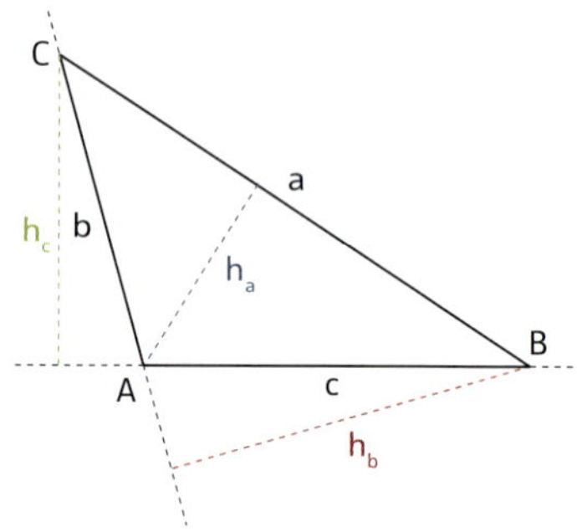

GK **730** Laut ÖNORM B1600 sollten Rampen für Rollstuhlfahrer mit griffiger Oberfläche nicht steiler als 6 % sein. Wie lang muss die Rampe mindestens sein, wenn 40 cm Höhenunterschied überwunden werden sollen? In welchem Winkel steigt eine solche Rampe maximal an?

GK **731** Eine Straße weist 7 Prozent Steigung auf. Ermittle, unter welchem Winkel die Straße etwa ansteigt. Berechne den Höhenunterschied zweier Aussichtspunkte, die an dieser geradlinig verlaufenden Straße liegen und entlang der Straße 2506 m entfernt sind.

GK **732** Eine Materialseilbahn hat eine Länge von 262 m. Die Höhendifferenz zwischen Berg- und Talstation beträgt 84 m. Unter welchem Winkel steigt sie an? Wie groß ist die horizontale Entfernung zwischen Berg- und Talstation?

GK 733 In einer geraden quadratischen Pyramide beträgt der Flächeninhalt der Grundfläche $75{,}00\,cm^2$. Jede Seitenfläche ist zur Grundfläche unter dem Winkel $\alpha = 65{,}00°$ geneigt. Berechne den Flächeninhalt der Mantelfläche.

GK 734 Der Höhenmesser eines Flugzeuges ist ausgefallen. Es fliegt in konstanter Flughöhe auf das Richtfeuer eines kleinen Flughafens zu. Vom Flugzeug peilt Fips Flieger das Richtfeuer an. Er misst den Tiefenwinkel 24°. Nach etwa 5500 m überfliegt das Flugzeug das Richtfeuer. In welcher Flughöhe befindet sich Fips? Wie groß war beim Anpeilen des Richtfeuers die Entfernung zum Flughafen?

GK 735
a) Aus einer Landkarte entnimmt Rudi Radler die Seehöhe von Ollersdorf (160 m) und von Heidenberg (231 m) sowie die Straßenlänge zwischen den beiden Orten, nämlich 1,6 km. Die Straße führt ohne Kurven direkt von Ollersdorf nach Heidenberg.
Mit welchem Winkel steigt die Straße im Mittel an?
b) Rudi würde viel lieber ohne Steigung radeln: Wie groß ist die horizontale Entfernung zwischen den beiden Orten, wenn die Straßenlänge genau 1600 m beträgt?

Typ-2-Aufgaben

GK 736

Arbeit nach der Lernmethode Gruppenrallye

Material und Anleitung findest du unter www Lernmethode Gruppenrallye, www Gruppenrallye zum Thema rechtwinkliges Dreieck.

Die folgenden Aufgaben A bis D sind in Vierergruppen arbeitsteilig in der vorgegebenen Zeit (z. B. 20 bis 25 Minuten) zu lösen. Die Kontrolle und Bewertung der Aufgaben erfolgt anschließend durch eine andere Gruppe

Aufgabe A: Rosenbrücke Tulln

Seit 1969 führt bei Tulln die Rosenbrücke über die Donau. Sie ist 440 m lang, 17 m breit und verläuft fast genau in Nord-Süd-Richtung. Der südliche Teil der Brücke ist als Schrägkabelbrücke mit einem 71 m hohen A-förmigen Pylon[1] und fächerförmig angeordneten Stahlkabeln ausgeführt.

1. Ermittle den verwendeten Maßstab in der Abbildung und berechne damit, wie lange die Rosenbrücke auf der obigen Abbildung sein müsste.
2. In welcher waagrechten Entfernung vom Pylon ist das längste nach Norden weisende Kabel befestigt? Wie lange ist dieses Kabel? Welchen Winkel schließt dieses Kabel mit dem Pylon ein? Miss nur eine gesuchte Größe in der obigen Abbildung. Berechne die anderen.
3. Entnimm der Abbildung durch Messung, in welcher Höhe und in welcher waagrechten Entfernung vom Pylon dieses kürzeste nach Süden weisende Kabel befestigt ist. Berechne nun die Länge dieses Kabels und berechne, welchen Winkel dieses Kabel mit der Brücke einschließt.

[1] A-förmiger Pfeiler bzw. Tragekonstruktion bei Hänge- oder Schrägseilbrücken

Aufgabe B: Sonnenstand

Zu verschiedenen Tageszeiten ist der Schatten eines 20 m hohen Baumes unterschiedlich lang. Aus dem Schatten kann der Höhenwinkel des Sonnenstandes berechnet werden.

1. Berechne den Höhenwinkel für die vier angegebenen Markierungen.
2. Berechne, wie lang der Schatten sein muss, wenn für den Höhenwinkel 55° gemessen wurde. Überprüfe dein Ergebnis durch Messung in der Zeichnung.
3. Wenn der Höhenwinkel 90° beträgt, sagt man: Die Sonne steht im Zenit. Warum ist dies in Mitteleuropa nicht möglich? Begründe kurz, eventuell mithilfe einer Skizze.

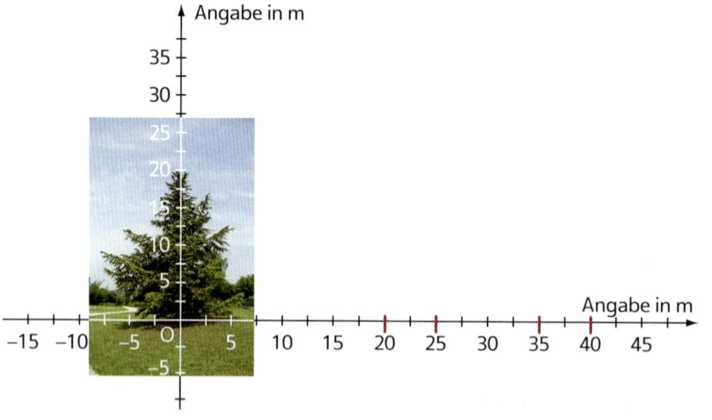

Aufgabe C: Steigung einer Straße

Die Steigung einer Straße wird meistens in Prozent angegeben. 12 % Steigung bedeutet, dass auf 100 m Entfernung in der Horizontalen der Höhenunterschied 12 m beträgt.

1. Berechne die Neigungswinkel angeführte Steigungen folgender Straßen:

a) Die Brenner-Autobahn ist auf dem Großteil der Strecke Innsbruck-Brenner-Verona mit Kriechspuren ausgestattet, wenn die Steigung über 3 % beträgt. Vergleichbare Strecken, z. B. in der Schweiz, haben diesen als optimal angesehenen Grenzwert erst später aufgegriffen. Ab welchem Neigungswinkel sollte es Kriechspuren geben?

b) Der Reschenpass zwischen Tirol und Südtirol weist eine maximale Steigung von 10 % auf. Für Fahrzeuge mit Wohnwagenanhänger sind Straßen mit einer Steigung über 10 % nicht mehr empfehlenswert.

c) Alpenpässe in Österreich, wie z. B. der Radstädter-Tauern-Pass, weisen häufig Steigungen um 15 % auf.

2. Berechne die Straßenlänge auf 1 km horizontaler Entfernung für 3 %, 10 % und 15 % Steigung und die Differenz zwischen Straßenlänge und horizontaler Entfernung. Was fällt dir auf? Welche Vereinfachungen werden gegenüber der Wirklichkeit gemacht, wenn z. B. in Straßenkarten lediglich die Steigung in Prozent angegeben wird? Welche Zusatzangaben müsste man machen, damit die Prozentangabe aussagekräftig wird? Begründe.

Aufgabe D: Regelmäßiges Zwölfeck

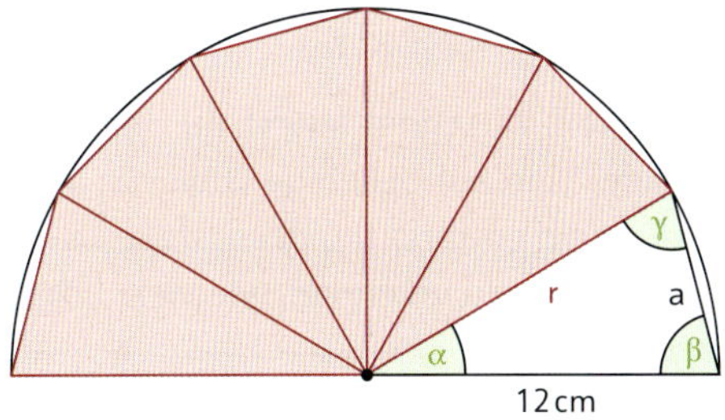

In der Abbildung siehst du ein halbes regelmäßiges Zwölfeck. Der für die Berechnung notwendige Umkreisradius beträgt 12,0 cm.

1. Ermittle mithilfe der Abbildung die Größe des Mittelpunktwinkels α. Begründe: Die Basiswinkel β und γ sind gleich groß und es gilt $\beta = \gamma = 75°$. Die Größen der Winkel α, β und γ sind unabhängig von der Länge des Umkreisradius.
2. Berechne die Länge der Basis a des Dreiecks, sowie den Umfang und den Flächeninhalt des halben Zwölfecks.

GK **737** Das www Faltmodell Bergwanderung (Modell im Maßstab 1 : 10 000) zum Ausdrucken und Ausschneiden hilft, die Anschauung beim Lösen der Aufgabe zu unterstützen. Daneben steht auch das www Lösungsblatt Bergwanderung zur Verfügung.

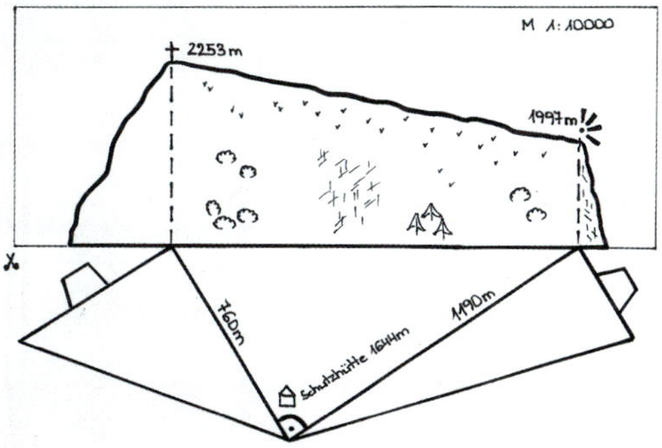

Eine Wandergruppe befindet sich auf einer Schutzhütte und plant eine Rundwanderung. Von der Hütte führt ein gleichmäßig ansteigender Bergrücken zur Wetterkanzel, einem Aussichtspunkt. Von dort kann die Kreuzspitze direkt über einen weiteren Bergrücken erreicht werden. Von diesem Gipfel führt wiederum ein gleichmäßig abfallender Hang zur Hütte zurück.

Um die Länge der Runde zu ermitteln, liest die Bergführerin die Seehöhen in ihrer Wanderkarte ab: Schutzhütte 1644 m, Wetterkanzel 1997 m, Kreuzspitze 2253 m.

Außerdem ermittelt sie aus den entsprechenden Strecken in der Karte die horizontale Entfernung von der Schutzhütte zur Wetterkanzel (ca. 1190 m) bzw. von der Schutzhütte zur Kreuzspitze (ca. 760 m).

Diese beiden Strecken schließen einen rechten Winkel ein.

a) Berechnet die horizontale Entfernung zwischen Kreuzspitze und Wetterkanzel und die Längen der drei Teilstrecken der Wanderung, wenn die Wege geradlinig verlaufen. Gebt die Gesamtlänge des Rundweges an. Kontrolliert durch Messung.

b) Ermittelt die Winkel, in denen die beiden Bergrücken ansteigen. Gebt jeweils die Steigung in Prozent an.

GK **738** Aus einer Ebene ragt ein Berg empor. In derselben Ebene steht ein Aussichtsturm. Vom Fußpunkt des Turmes aus sieht man den Berggipfel unter dem Höhenwinkel α, von der Aussichtsplattform aus unter dem Höhenwinkel β. Die Plattform befindet sich in Höhe h.

a) Fertige eine Skizze an und erkläre den Lösungsweg, wenn ermittelt werden soll, wie hoch der Berggipfel über der Ebene liegt. Gib die dazu notwendigen Formeln an.

b) Begründe, warum der Höhenwinkel vom Fußpunkt des Turmes aus zum Berggipfel genauso groß ist wie der Tiefenwinkel vom Berggipfel aus zum Fußpunkt des Turmes.

10 Der Sinussatz

In diesem Abschnitt leitest du den Sinussatz für spitzwinklige und stumpfwinklige Dreiecke her, wendest ihn auf beliebige Dreiecke an und berechnest mit ihm den Umkreisradius von Dreiecken. Außerdem erfährst du, dass Dreiecke nicht in jedem Fall eindeutig bestimmbar sind. Du lernst, aus der Angabe zu erkennen, wie viele Lösungen es gibt (eine eindeutige Lösung, zwei Lösungen oder keine Lösung).

Du erwirbst folgende Grundkompetenz:

- Einfache Berechnungen an allgemeinen Dreiecken und Figuren mittels Sinussatz durchführen (AG-L 4.3)

Vorwissen

GK **739** Ordne den Gleichungen (Nenner jeweils ungleich null) äquivalente Gleichungen zu.

$\frac{x}{z} = \frac{y}{t}$	
$z \cdot (t - 1) = x \cdot y$	
$\frac{x}{z} = \frac{y}{t} + 1$	
$z \cdot t = x \cdot (y + t)$	

A	$\frac{x}{y} = \frac{z}{t}$
B	$t = \frac{x \cdot y}{z} + 1$
C	$x = \frac{z \cdot y}{t} + z$
D	$x \cdot t = z \cdot (y + t)$
E	$t = \frac{y \cdot z}{x}$
F	$\frac{z}{x} = \frac{y + t}{t}$

740 Zerlegt das spitzwinklige Dreieck mittels der Höhe
(1) h_a, (2) h_b, (3) h_c
in je zwei rechtwinklige Dreiecke. Wendet auf beide Teildreiecke den Sinus an und schreibt die entsprechenden Beziehungen auf.
Fasst die Beziehungen aus (1), (2) und (3) zusammen. Schreibt verschiedene Zusammenhänge auf.

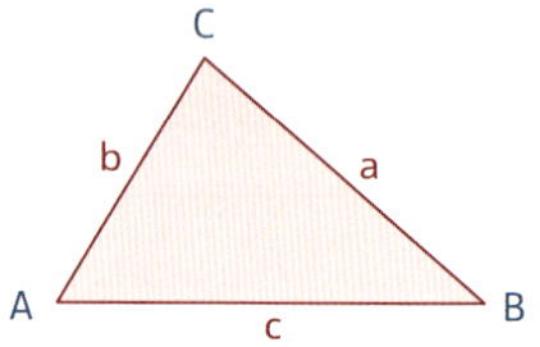

Neues Wissen

Der Sinussatz

Die Höhe h_a in einem spitzwinkligen Dreieck kann auf folgende zwei Arten berechnet werden:

$$h_a = b \cdot \sin\gamma \quad \text{und} \quad h_a = c \cdot \sin\beta$$

Werden die beiden Resultate für h_a gleichgesetzt, dann folgt die Beziehung:

$$b \cdot \sin\gamma = c \cdot \sin\beta$$

Anstelle von $b \cdot \sin\gamma = c \cdot \sin\beta$ kannst du $\frac{b}{\sin\beta} = \frac{c}{\sin\gamma}$ schreiben.

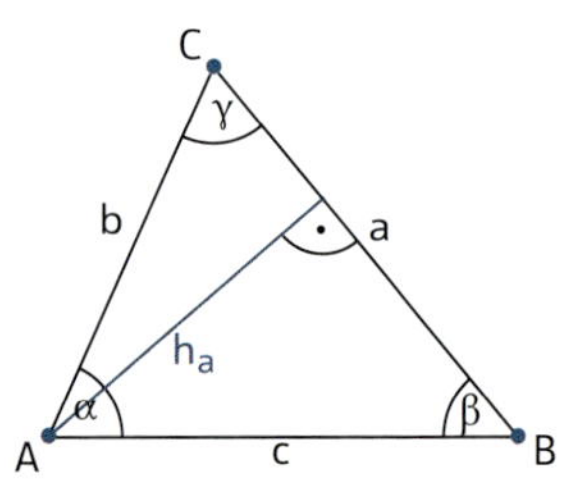

GK **741** Forme $b \cdot \sin\gamma = c \cdot \sin\beta$ zu $\frac{b}{\sin\beta} = \frac{c}{\sin\gamma}$ um.

Analog kannst du für h_b und h_c vorgehen.

Es gilt: $c \cdot \sin\alpha = a \cdot \sin\gamma$ oder $\frac{c}{\sin\gamma} = \frac{a}{\sin\alpha}$

$b \cdot \sin\alpha = a \cdot \sin\beta$ oder $\frac{a}{\sin\alpha} = \frac{b}{\sin\beta}$

▷ **Satz (Sinussatz)**
In jedem Dreieck gilt: $\frac{a}{\sin\alpha} = \frac{b}{\sin\beta} = \frac{c}{\sin\gamma}$

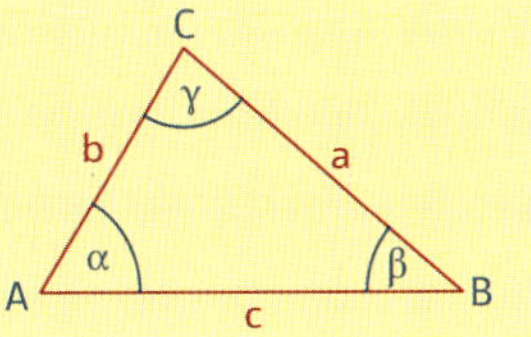

742 Zeichne das Dreieck und berechne die übrigen Seitenlängen und Winkel. Vergleiche anschließend deine Berechnungen mit der Zeichnung.
$a = 85\,\text{mm}$, $c = 60\,\text{mm}$, $\alpha = 75°$

743 Bei der Herleitung des Sinussatzes wurde ein spitzwinkliges Dreieck vorausgesetzt. Beweise, dass der Sinussatz auch für rechtwinklige und stumpfwinklige Dreiecke gilt.

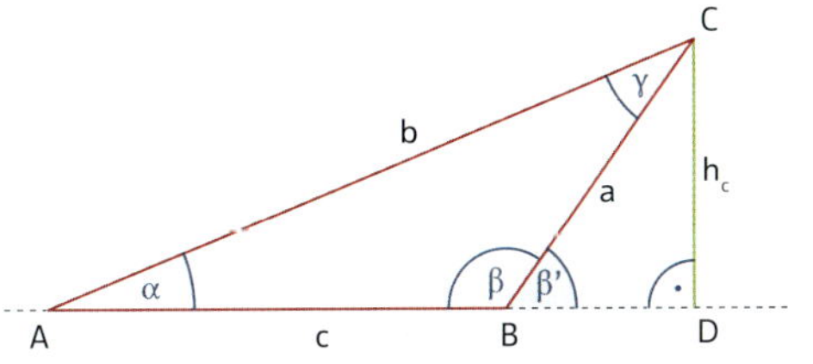

Der Umkreisradius eines Dreiecks

▷ **Satz (Umkreisradius eines Dreiecks)**
Für den Umkreisradius R eines Dreiecks gilt: $2R = \frac{a}{\sin\alpha} = \frac{b}{\sin\beta} = \frac{c}{\sin\gamma}$

744 Berechne den Umkreisradius des Dreiecks. Fertige zur Kontrolle eine Zeichnung an (Papier oder dynamische Geometriesoftware).
$a = 72\,\text{mm}$, $c = 60\,\text{mm}$, $\alpha = 55°$

745 www Beweis für den Satz zum Umkreisradius (dynamisches Arbeitsblatt)

Nicht eindeutig bestimmte Dreiecke

Manchmal ist ein Dreieck durch drei Bestimmungsstücke nicht eindeutig bestimmt.

▷ *Beispiel:*
Von einem Dreieck sind die Seiten $a = 2{,}7\,\text{cm}$ und $b = 3{,}5\,\text{cm}$ und der Winkel $\alpha = 48°$ bekannt. Gesucht sind die fehlenden Winkel β und γ und die Seitenlänge c.
Löse die Aufgabe durch Konstruktion und Berechnung.

Lösung:

Konstruktion:

- Zeichne zuerst den Winkel α.
- Trage danach die Länge des Schenkels b vom Scheitel A aus ab. Du erhältst den Punkt C.
- Vom Punkt C wird mit dem Zirkel die Länge der Seite a abgeschlagen.

Ist a kürzer als b, ergeben sich für das Dreieck zwei Lösungen.

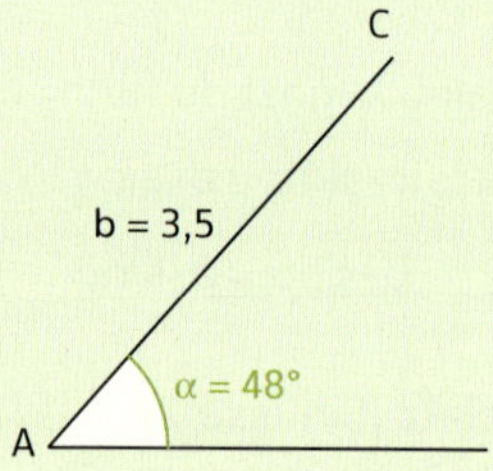

Berechnung:

Der Winkel α liegt der kürzeren Seite gegenüber. Die Skizze zeigt, dass es zwei mögliche Dreiecke gibt.
Mit dem Sinussatz kann die Größe des spitzen Winkels β_1 berechnet werden.

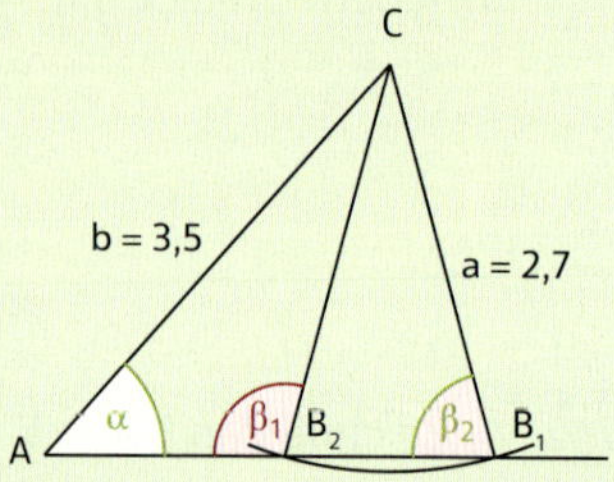

$\frac{b}{\sin\beta} = \frac{a}{\sin\alpha} \Rightarrow \sin\beta = \frac{b\cdot\sin\alpha}{a} \Rightarrow \beta_1 \approx 74{,}44°$

$\beta_2 = 180° - \beta_1 \Rightarrow \beta_2 \approx 105{,}56°$

Da $\alpha + \beta_1 < 180°$ und $\alpha + \beta_2 < 180°$ ist, sind beide Werte für β möglich.

Dreieck AB_1C:

$\gamma_1 = 180° - (\alpha + \beta_1) = 180° - (48° + 74{,}44°) \Rightarrow \gamma_1 \approx 57{,}56°$

$\frac{c_1}{\sin\gamma_1} = \frac{a}{\sin\alpha} \Rightarrow c_1 = a\cdot\frac{\sin\gamma_1}{\sin\alpha} \Rightarrow c_1 \approx 3{,}1\,\text{cm}$

Dreieck AB_2C:

$\gamma_2 = 180° - (\alpha + \beta_2) = 180° - (48° + 105{,}56°) \Rightarrow \gamma_2 \approx 26{,}44°$

$\frac{c_2}{\sin\gamma_2} = \frac{a}{\sin\alpha} \Rightarrow c_2 = \frac{a\cdot\sin\gamma_2}{\sin\alpha} \Rightarrow c_2 \approx 1{,}6\,\text{cm}$

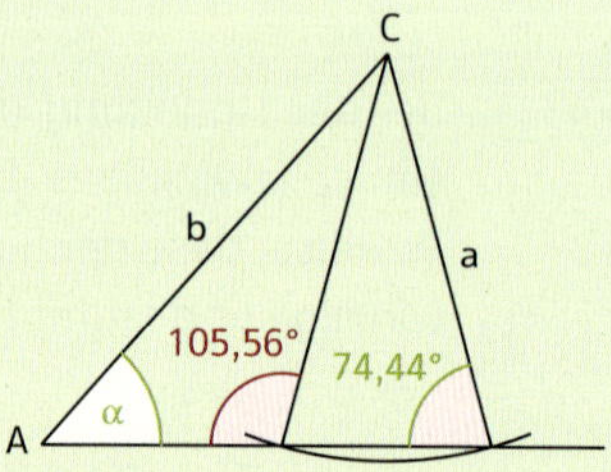

▷ Sind von einem Dreieck zwei Seitenlängen und ein Winkelmaß gegeben und liegt der Winkel der **längeren** Seite gegenüber, so gibt es **genau ein Dreieck** als Lösung.

Sind von einem Dreieck zwei Seitenlängen und ein Winkelmaß gegeben und liegt der Winkel der **kürzeren** Seite gegenüber, so kann es **zwei Dreiecke** oder **ein Dreieck** als Lösung geben. Es kann aber auch sein, dass **keine Lösung** existiert.

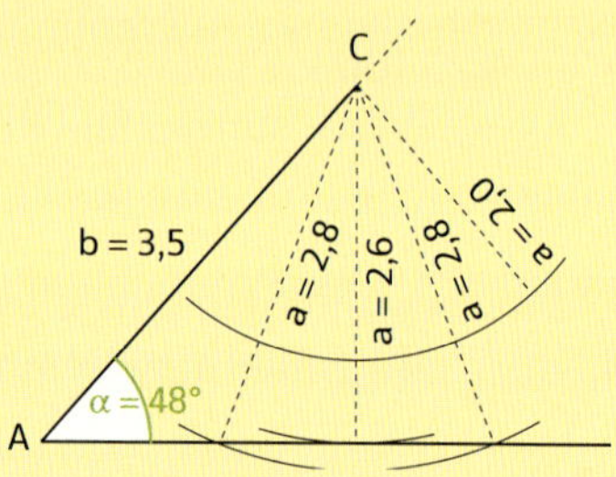

Die aufwändige Rechenarbeit bei den folgenden Aufgaben kann mithilfe eines CAS rascher bewältigt werden.

746 Gegeben ist ein Dreieck mit $a = 50\,\text{mm}$, $b = 45\,\text{mm}$ und $\beta = 60°$.

a) Ermittelt c, α und γ durch Konstruktion und Berechnung.

b) Wie groß muss b gewählt werden, damit **keine** Lösung bzw. **genau eine** Lösung existiert?

Aufgaben

747 Zeichne das Dreieck und berechne die übrigen Seitenlängen und Winkel.

a) $a = 8\,cm,\ b = 6\,cm,\ \alpha = 53°$
b) $a = 11{,}2\,cm,\ c = 10{,}5\,cm,\ \alpha = 72°$
c) $b = 7\,cm,\ c = 9\,cm,\ \gamma = 61°$
d) $a = 49\,mm,\ b = 85\,mm,\ \beta = 67°$

748 Zeichne das Dreieck und berechne die übrigen Seitenlängen und Winkel.

a) $a = 5{,}5\,cm,\ b = 6{,}3\,cm,\ \beta = 35{,}6°$
b) $a = 11{,}8\,cm,\ c = 9{,}6\,cm,\ \alpha = 108{,}2°$
c) $a = 9{,}6\,cm,\ b = 6{,}9\,cm,\ \alpha = 95{,}6°$
d) $a = 6\,cm,\ \alpha = 44°,\ \gamma = 100°$
e) $b = 5{,}3\,cm,\ \alpha = 63°,\ \beta = 42°$
f) $b = 6{,}5\,cm,\ \beta = 57°,\ \gamma = 54°$
g) $b = 3{,}7\,cm,\ c = 4{,}2\,cm,\ \gamma = 65°$
h) $c = 4{,}7\,cm,\ \beta = 37°,\ \gamma = 70°$

749 Berechne Umfang und Flächeninhalt des gegebenen Trapezes. Mache eine Skizze.

a) $a = 13,\ b = 5{,}83,\ c = 8,\ \beta = 59{,}04°$
b) $a = 10{,}83,\ c = 8,\ d = 3{,}52,\ \alpha = 58{,}57°$
c) $a = 8{,}53,\ c = 5{,}4,\ d = 4{,}4,\ \alpha = 61{,}49°$
d) $a = 12{,}13,\ b = 7{,}07,\ c = 5{,}27,\ \beta = 81{,}87°$

750 Berechne den Umkreisradius R, die Länge der Seite c sowie die Winkel β und γ. Kontrolliere dein Ergebnis durch eine Zeichnung.

a) $a = 8{,}0\,cm,\ b = 6{,}3\,cm,\ \alpha = 57°$
b) $a = 8{,}0\,cm,\ b = 3{,}9\,cm,\ \alpha = 90°$
c) $a = 8{,}0\,cm,\ b = 5{,}8\,cm,\ \alpha = 105°$
d) $a = 8{,}0\,cm,\ b = 4{,}8\,cm,\ \alpha = 159°$

751 Beantworte die Fragen für ein allgemeines Dreieck mit $a = 8\,cm$ und $0° < \alpha < 180°$. Verwende dazu das dynamische Arbeitsblatt www Umkreisradius und Umkreismittelpunkt.

(1) Für welchen Winkel α wird der Umkreisradius besonders groß? Begründe deine Antwort.
(2) Für welche Winkel α liegt der Umkreismittelpunkt innerhalb bzw. außerhalb der Dreiecksfläche?
(3) Für welchen Winkel α liegt der Umkreismittelpunkt genau auf einer Dreiecksseite? Wo liegt er? Wie lange ist dann der Umkreisradius? Begründe deine Antworten.
(4) Wie lässt sich mithilfe der Seitenlängen bestimmen, ob der Umkreismittelpunkt innerhalb oder außerhalb der Dreiecksfläche liegt?

Aufgaben zu nicht eindeutig bestimmten Dreiecken

752 Von einem Dreieck sind jeweils drei Bestimmungsstücke gegeben. Fertige eine Zeichnung an und berechne die übrigen Seitenlängen bzw. Winkel.

a) $a = 5\,cm,\ b = 6{,}15\,cm,\ \alpha = 36{,}32°$
b) $b = 6{,}5\,cm,\ c = 7{,}5\,cm,\ \beta = 57°$
c) $a = 13{,}7\,cm,\ c = 15{,}2\,cm,\ \alpha = 61{,}4°$
d) $a = 7\,cm,\ b = 5{,}7\,cm,\ \beta = 48°$

753 Von einem Dreieck sind jeweils drei Bestimmungsstücke gegeben.
(1) Fertige eine Zeichnung an und berechne die übrigen Seitenlängen bzw. Winkel.
(2) Ermittle den Umkreisradius des Dreiecks. Zeichne den Umkreis.

a) $a = 3{,}6,\ c = 4,\ \alpha = 60°$
b) $b = 5,\ c = 7,\ \beta = 43°$
c) $c = 8,\ b = 6{,}5,\ \beta = 52°$

11 Der Cosinussatz

In diesem Abschnitt leitest du den Cosinussatz her und wendest ihn an.

Du erwirbst folgende Grundkompetenz:

○ Einfache Berechnungen an allgemeinen Dreiecken und Figuren mittels Cosinussatz durchführen (AG-L 4.3)

Vorwissen

754 Welche der folgenden Behauptungen treffen auf die Abbildung zu?

(1) $b^2 = h^2 + x^2$ (2) $(c-x)^2 = a^2 - h^2$

(3) $\cos\alpha = \frac{h}{b}$ (4) $\tan\alpha = \frac{x}{h}$

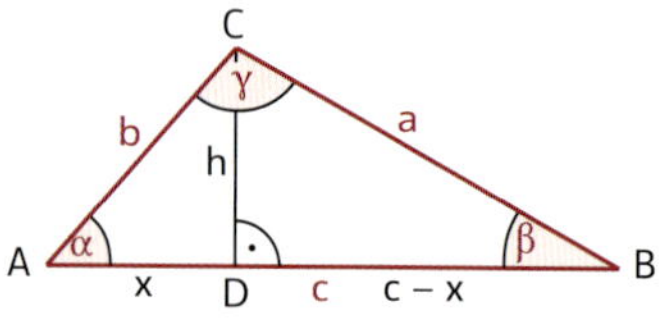

Neues Wissen

Der wohl bekannteste mathematische Satz über Dreiecke, der *Satz von Pythagoras*, gilt nur in *rechtwinkligen* Dreiecken.

Für γ gleich 90° gilt: $c^2 = a^2 + b^2$

Dieser Satz kann für *beliebige* Dreiecke verallgemeinert werden. Ähnlich wie bei der Herleitung des Sinussatzes zerlegt man ein spitzwinkliges Dreieck in zwei rechtwinklige Teildreiecke.

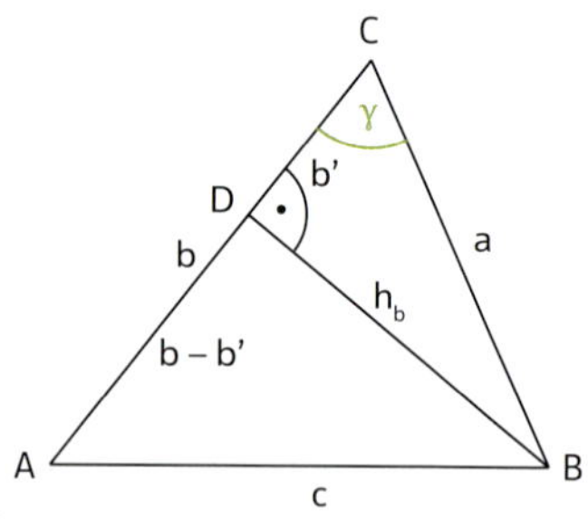

Im Dreieck ABD gilt der Satz von Pythagoras:	$c^2 = h_b^2 + (b - b')^2$
Im Dreieck BCD gilt:	$\sin\gamma = \frac{h_b}{a}$ und $\cos\gamma = \frac{b'}{a}$
Umformen ergibt:	$h_b = a\cdot\sin\gamma$ und $b' = a\cdot\cos\gamma$
Einsetzen in den Satz von Pythagoras:	$c^2 = (a\cdot\sin\gamma)^2 + (b - a\cdot\cos\gamma)^2$
Auflösen der Quadrate:	$c^2 = a^2\cdot\sin^2\gamma + b^2 - 2ab\cdot\cos\gamma + a^2\cdot\cos^2\gamma$
Umordnen der Summanden:	$c^2 = a^2\cdot\sin^2\gamma + a^2\cdot\cos^2\gamma + b^2 - 2ab\cdot\cos\gamma$
Herausheben:	$c^2 = a^2\cdot(\sin^2\gamma + \cos^2\gamma) + b^2 - 2ab\cdot\cos\gamma$
Anwenden von $\sin^2\gamma + \cos^2\gamma = 1$:	$c^2 = a^2 + b^2 - 2ab\cdot\cos\gamma$

Diese Verallgemeinerung des Satzes von Pythagoras für spitzwinklige Dreiecke heißt **Cosinussatz**.

Zerlegt man das Dreieck durch die beiden anderen Höhen, so erhält man auf gleiche Weise:

$a^2 = b^2 + c^2 - 2bc\cdot\cos\alpha$

$b^2 = c^2 + a^2 - 2ca\cdot\cos\beta$

Diese Beziehungen gelten auch in stumpfwinkligen Dreiecken.

▷ **Satz** (Cosinussatz)

In jedem Dreieck gilt: $\mathbf{a^2 = b^2 + c^2 - 2bc\cdot\cos\alpha}$

$\mathbf{b^2 = c^2 + a^2 - 2ca\cdot\cos\beta}$

$\mathbf{c^2 = a^2 + b^2 - 2ab\cdot\cos\gamma}$

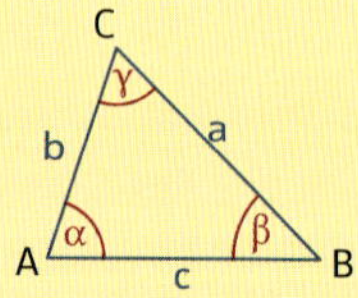

755 Berechne die fehlende Seitenlänge und die übrigen Winkel des Dreiecks.
a) $a = 8,\ c = 10,\ \beta = 30°$ b) $b = 4,\ c = 6,\ \alpha = 120°$ c) $a = 4,\ b = 5,\ \gamma = 80°$

Aufgaben

Bei den folgenden Aufgaben verringert ein CAS den Rechenaufwand.

756 Berechne die fehlende Seitenlänge und die übrigen Winkel des Dreiecks.
a) $b = 7,\ c = 3,\ \alpha = 40°$ b) $a = 9,\ c = 5,\ \beta = 105°$
c) $a = 110,\ b = 112,\ \gamma = 37{,}5°$ d) $b = 266,\ c = 121,\ \alpha = 44{,}65°$

757 Berechne Seitenlängen, Winkel, Diagonallängen und den Flächeninhalt des Vierecks.
a) $a = 40;\ b = 81{,}7;\ c = 83{,}8;\ d = 127{,}5;\ \alpha = 89{,}08°$
b) $a = 27{,}1;\ d = 51;\ c = 34{,}9;\ \alpha = 66{,}82°;\ \gamma = 95{,}08°$
c) $b = 10{,}34;\ c = 5{,}96;\ \beta = 66{,}01°;\ \gamma = 109{,}12°;\ \delta = 58{,}33°$
d) $a = 16{,}8;\ b = 38{,}8;\ d = 43{,}8;\ \alpha = 88{,}13°;\ \beta = 98{,}01°$

758 Von einer Raute sind zwei Bestimmungsstücke gegeben. Berechne die übrigen Längen, die Größe der Winkel und den Flächeninhalt.
a) $a = 5;\ e = 6{,}46$ b) $a = 7;\ f = 7{,}31$
c) $e = 5{,}12;\ \alpha = 73°$ d) $e = 6;\ \beta = 65°$

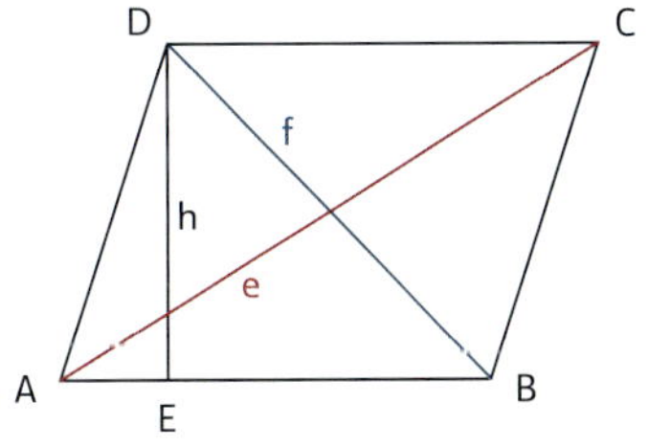

759 Weiden ist rund 17,2 km, Podersdorf rund 15,1 km Luftlinie von Donnerskirchen entfernt. Der Sehwinkel[1], unter dem man von Donnerskirchen die Verbindungsstrecke der beiden Orte sieht, beträgt 31,46°.
a) Berechne die Entfernung Podersdorf – Weiden.
b) Wie viele Minuten braucht ein Ausflugsschiff von Weiden am See nach Podersdorf, wenn es mit 12,5 km/h fährt?

760 Clemens möchte die Spitze seines Zeltes (siehe Abbildung, Angabe in Meter) durch das Spannen von Schnüren zu beiden Seiten in einer Entfernung von 70 cm absichern.
Wie lang müssen die einzelnen Schnüre sein?
Wie lange ist die Zeltstange? Wie breit ist das Zelt?

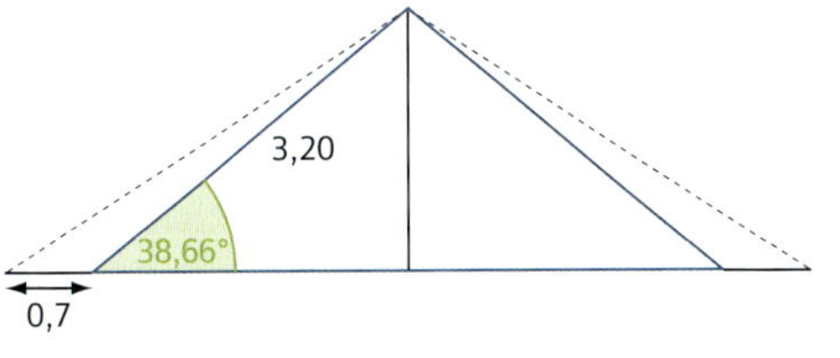

761 Beweist, dass der Cosinussatz auch für stumpfwinklige Dreiecke gilt.

[1] Den Winkel, unter dem man eine Strecke AB von einem Punkt S aus sieht, bezeichnet man als Sehwinkel.

12 Trigonometrische Flächeninhaltsformel

In diesem Abschnitt leitest du selbstständig eine neue Formel zur Berechnung der Flächeninhalte von Dreiecken her und übst, Vermessungsaufgaben mithilfe trigonometrischer Methoden zu lösen.

Du erwirbst folgende Grundkompetenz:
○ Einfache Berechnungen an allgemeinen Dreiecken und Figuren durchführen (AG-L 4.3)

Vorwissen

762 Welche Behauptungen treffen auf die Skizze zu?

(1) $A = \frac{c \cdot h_c}{2}$ (2) $h_c = b \cdot \sin\alpha$

(3) $h_c = a \cdot \sin\beta$ (4) $h_c = \frac{b}{\sin\beta}$

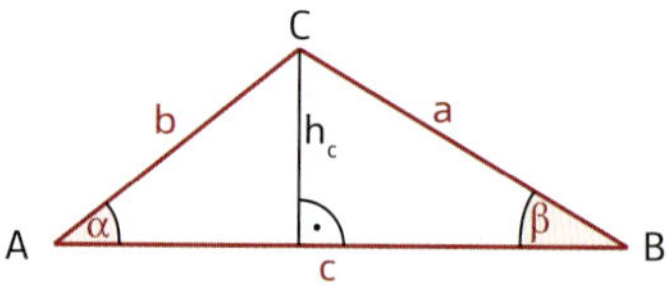

Neues Wissen

Satz (Trigonometrische Flächeninhaltsformel)
Der Flächeninhalt eines Dreiecks ist gegeben durch: $A = \frac{ab}{2} \cdot \sin\gamma = \frac{ac}{2} \cdot \sin\beta = \frac{bc}{2} \cdot \sin\alpha$

763 Beweise die trigonometrische Flächeninhaltsformel. Beginne deine Beweisführung mit der schon bekannten Flächeninhaltsformel eines Dreiecks $A = \frac{c \cdot h_c}{2}$.

764 Berechne den Flächeninhalt des Dreiecks.

a) $b = 50$, $c = 90$, $\alpha = 120°$
b) $a = 0{,}6$, $b = 0{,}4$, $\gamma = 35°$
c) $a = 17{,}5$, $c = 22{,}8$, $\beta = 80°$
d) $c = 7$, $b = 9$, $\alpha = 115°$

765
a) Welche Formel ergibt sich aus der trigonometrischen Flächeninhaltsformel für rechtwinklige Dreiecke?
b) Warum gilt die trigonometrische Flächeninhaltsformel auch für stumpfwinklige Dreiecke?

766 Ein dreieckiges Grundstück wird vermessen: $a = 8{,}2\,m$, $b = 16{,}0\,m$ und $\gamma = 35°$.
a) Berechnet den Flächeninhalt.
b) Untersucht die Genauigkeit des Rechenergebnisses, indem ihr die untere und die obere Schranke für den Flächeninhalt ermittelt. Rundet den Flächeninhalt sinnvoll.

Aufgaben

767 Berechne den Flächeninhalt des Dreiecks.

a) $a = 3$, $b = 5$, $\gamma = 66{,}61°$
b) $a = 6{,}3$, $c = 7{,}2$, $\beta = 44{,}69°$
c) $b = 7{,}5$, $c = 9{,}9$, $\alpha = 77{,}06°$
d) $a = 6{,}6$, $c = 6{,}6$, $\beta = 60°$
e) $a = 8{,}5$, $c = 4{,}7$, $\gamma = 33{,}05°$
f) $b = 508$, $c = 207$, $\beta = 105{,}50°$

768 Zeichne ein Parallelogramm mit den Seiten $a = 8\,cm$ und $b = 10\,cm$ und mit dem Winkel $\alpha = 50°$. Zeichne die Diagonale f ein. Leite aus der trigonometrischen Flächeninhaltsformel für Dreiecke eine trigonometrische Flächeninhaltsformel für Parallelogramme her.

769 Zeige, dass die Flächeninhaltsformel für rechtwinklige Dreiecke ein Spezialfall der trigonometrischen Flächeninhaltsformel ist.

770 Berechne mithilfe der trigonometrischen Flächeninhaltsformel den Flächeninhalt. Mache eine geeignete Skizze.

a) Parallelogramm: $a = 5{,}6\,cm$, $b = 4{,}8\,cm$, $\alpha = 75°$
b) Raute: $a = 81\,mm$, $\beta = 63°$
c) Deltoid: $a = 0{,}54\,m$, $b = 0{,}91\,m$, $\beta = 105°$ (von a und b eingeschlossener Winkel)
d) Gleichseitiges Dreieck: $s = 1{,}25\,m$
e) Gleichschenkliges Dreieck: $a = b = 6{,}3\,cm$, $\alpha = \beta = 43°$

771 Von einem Dreieck sind b und c gegeben. Überlege mithilfe der trigonometrischen Flächeninhaltsformel, für welchen Winkel α der Flächeninhalt A maximal ist.

772 Ermittle den Flächeninhalt des Dreiecks. Begründe: Es gibt jeweils zwei Lösungen.

a) $a = 8{,}5\,cm$, $c = 4{,}7\,cm$, $\gamma = 33{,}05°$
b) $b = 6{,}5\,cm$, $c = 7{,}5\,cm$, $\beta = 57{,}00°$

773 Berechne den Flächeninhalt. Mache eine geeignete Skizze.

a) Deltoid: $a = 25\,mm$, $b = 47\,mm$, $\alpha = 82°$
b) Gleichschenkliges Trapez: $a = 15{,}8\,m$, $b = d = 3{,}9\,m$, $\alpha = \beta = 28{,}5°$
c) Viereck: $a = 25\,cm$, $b = 18\,cm$, $d = 31\,cm$, $\alpha = 104°$, $\beta = 123°$

774 Berechne den Umfang und den Flächeninhalt des viereckigen Grundstücks.

a) $\overline{AB} = 224\,m$, $\overline{BC} = 500\,m$, $\overline{CD} = 447\,m$, $\sphericalangle ABC = 63{,}43°$, $\sphericalangle ACD = 53{,}16°$
b) $\overline{AB} = 40\,m$, $\overline{AD} = 28{,}3\,m$, $\overline{DC} = 51\,m$, $\sphericalangle ADC = 56{,}31°$, $\sphericalangle BAD = 134{,}89°$
c) $\overline{BC} = 985\,m$, $\overline{CD} = 990\,m$, $\overline{AB} = 806\,m$, $\sphericalangle BCD = 21{,}04°$, $\sphericalangle ABC = 121{,}14°$ (Zeichnung!)

775 Von einem viereckigen Grundstück (ABCD) sind Seitenlängen und Winkel gegeben:

a) $\overline{AB} = 520\,m$, $\overline{BC} = 720\,m$, $\overline{AD} = 940\,m$, $\alpha = 77{,}4°$, $\beta = 83{,}20°$
b) $\overline{BC} = 806\,m$, $\overline{CD} = 985\,m$, $\overline{AD} = 1265\,m$, $\alpha = 65{,}22°$, $\gamma = 84{,}22°$

(1) Fertige eine Skizze an.
(2) Fertige mit GeoGebra eine maßstabsgetreue Zeichnung an und ermittle die fehlende Seitenlänge, die Längen der Diagonalen e und f sowie die fehlenden Winkel.
(3) Gib einen Lösungsweg mit allen benötigten Formeln und Sätzen zur Berechnung der Diagonalenlängen e und f an.
(4) Gib an, wie (i) der Winkel ABD, (ii) der Winkel ADB berechnet werden kann.
(5) Berechne den Flächeninhalt des Grundstücks.

776 Ein viereckiges Grundstück (ABCD) wird durch die Diagonale f in zwei Dreiecke unterteilt. Der Flächeninhalt des Dreiecks ABD beträgt $4789{,}6\,m^2$. Weiters sind die Längen $\overline{AB} = 119{,}3\,m$, $\overline{BC} = 131{,}3\,m$, $\overline{CD} = 64{,}4\,m$ und $\overline{AD} = 88{,}1\,m$ bekannt.
Berechne Flächeninhalt und Umfang des gesamten Grundstücks.

13 Anwendungen

Vermessung von Himmelskörpern, Landvermessung und Vermessung von Bauten sind wichtige Anwendungsgebiete der Trigonometrie. Sinus- und Cosinussatz helfen dabei. Der richtige Umgang mit Zwischenergebnissen hilft, Fehler beim Ergebnis zu vermeiden.

Du erwirbst folgende Grundkompetenz:

○ Einfache Berechnungen an allgemeinen Dreiecken, an Figuren und Körpern (auch mittels Sinus- und Cosinussatz) durchführen (AG-L 4.3)

Vorwissen

Für die Berechnung eines fehlenden Bestimmungsstückes eines **allgemeinen Dreiecks** benötigst du drei Angaben.

777 Wie lautet (1) der Sinussatz, (2) der Cosinussatz für die Berechnungen der Seiten und Winkel des abgebildeten allgemeinen Dreiecks?

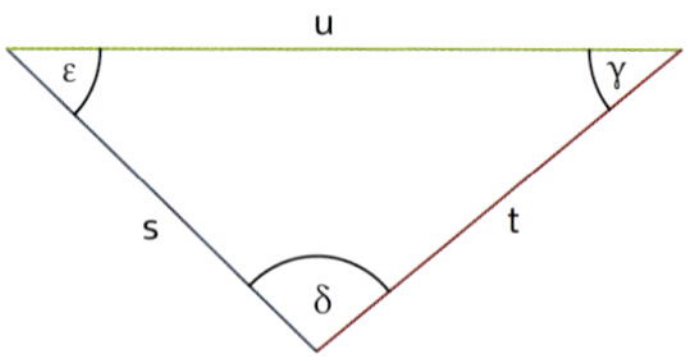

778 Berechne die fehlenden Bestimmungsstücke eines Dreiecks mit den Seiten a, b, c und den Winkeln α, β, γ.

a) Gegeben ist: $a = 8{,}5\,\text{cm}$, $\alpha = 110{,}00°$ und $\beta = 42{,}00°$

b) Gegeben ist: $b = 128{,}5\,\text{m}$, $\beta = 74{,}00°$ und $\gamma = 59{,}00°$

c) Gegeben ist: $c = 31\,\text{mm}$, $\alpha = 99{,}00°$ und $\gamma = 54{,}00°$

779 Berechne die fehlenden Bestimmungsstücke eines allgemeinen Dreiecks.

a) Gegeben sind $b = 76\,\text{mm}$, $c = 97\,\text{mm}$ und der von b und c eingeschlossene Winkel $\alpha = 34{,}50°$. Die Seite a liegt α gegenüber. Berechne ihre Länge.

b) Gegeben sind $a = 1{,}24\,\text{m}$, $c = 2{,}10\,\text{m}$ und der von a und c eingeschlossene Winkel $\beta = 81{,}15°$. Die Seite b liegt β gegenüber. Berechne ihre Länge.

c) Gegeben sind $a = 22\,\text{cm}$, $b = 18\,\text{cm}$ und der von a und b eingeschlossene Winkel $\gamma = 103{,}20°$. Die Seite c liegt γ gegenüber. Berechne ihre Länge.

Neues Wissen

Tipps zur Anwendung von Sinus- und Cosinussatz

In vielen Vermessungsaufgaben müssen neben den einfachen Dreiecksbeziehungen (Sinus, Cosinus, Tangens) auch der Sinus- und der Cosinussatz angewandt werden, um eine bestimmte Entfernung zwischen (oft unzugänglichen) Punkten zu ermitteln.

Hinweis: Mit dem Sinussatz kannst du auch Winkel berechnen. Beachte jedoch, dass der Sinussatz nur spitze Winkel als Ergebnis liefert. Gegenüber der längsten Seite im Dreieck jedoch kann auch ein stumpfer Winkel liegen. Wenn du diesen Winkel berechnen willst, solltest du daher den Cosinussatz verwenden.

▷ Der **Sinussatz** kann auch wie folgt formuliert werden:

$$\frac{\text{Seite 1}}{\sin(\text{Winkel, der Seite 1 gegenüberliegt})} = \frac{\text{Seite 2}}{\sin(\text{Winkel, der Seite 2 gegenüberliegt})}$$

Mit dem Cosinussatz kann die dritte Seite eines Dreiecks berechnet werden, wenn Folgendes gegeben ist: Der Winkel, welcher der gesuchten Seite gegenüberliegt, und die Länge der beiden Seiten, die diesen Winkel einschließen.

Kurz: Zwei Seiten und ihr eingeschlossener Winkel ergeben die dritte Seite.

Hinweis: Mit dem Cosinussatz kannst du auch den eingeschlossenen Winkel berechnen.

Winkel werden häufig mit griechischen Kleinbuchstaben beschriftet.

Griechische Kleinbuchstaben

α alpha	ε epsilon	ι jota	ν ny	ρ rho	φ phi
β beta	ζ zeta	κ kappa	ξ xi	σ sigma	χ chi
γ gamma	η eta	λ lambda	ο omikron	τ tau	ψ psi
δ delta	θ theta	μ my	π pi	υ ypsilon	ω omega

780 Beschrifte im nebenstehenden Dreieck die Seiten mit entsprechenden Kleinbuchstaben und formuliere den Sinussatz.
ξ ... xi   υ ... ypsilon   ζ ... zeta

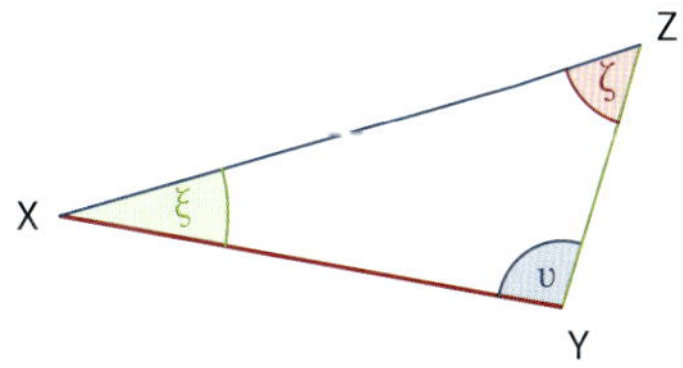

781 Vom Dreieck in der nebenstehenden Abbildung sind drei Größen bekannt. Stelle eine Formel zur Berechnung der übrigen Seitenlängen auf.

a) u, δ, ε   b) v, δ, ε   c) w, δ, ε
d) v, ε, φ   e) w, δ, φ   f) u, δ, φ

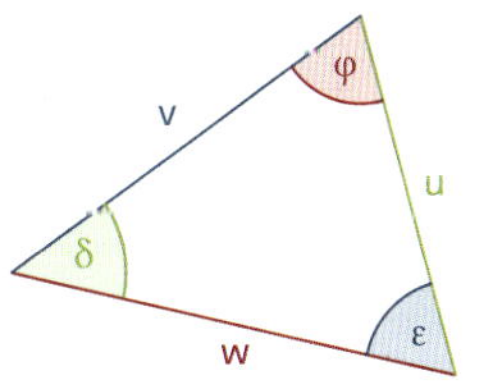

782 Vom Dreieck in der nebenstehenden Abbildung sind zwei Seiten und ein Winkel bekannt. Stelle eine Formel zur Berechnung der fehlenden Seitenlänge auf.

a) u, w, ε   b) u, v, φ   c) v, w, δ

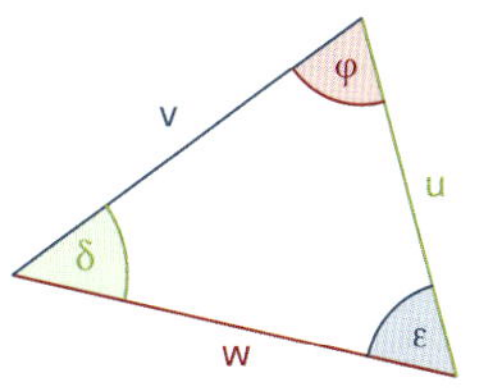

783 Von einem Viereck sind die Seitenlängen u, v und z sowie die Winkel $\delta = \sphericalangle GHI$ und $\varepsilon = \sphericalangle JGI$ bekannt.

a) Gib eine Formel zur Berechnung der Diagonalen k an.
b) Gib eine Formel zur Berechnung der Seitenlänge w an.

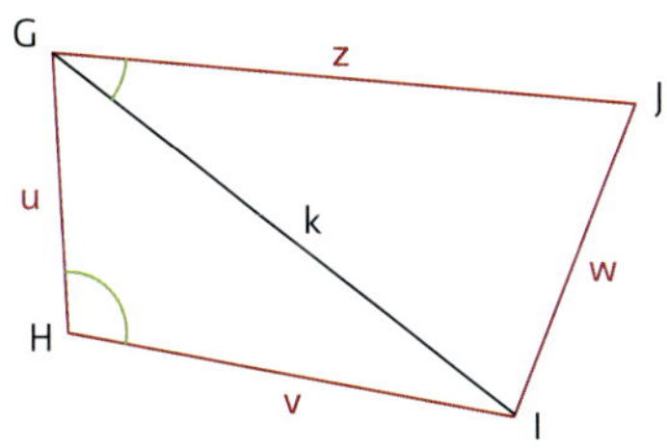

Hinweis zum richtigen Umgang mit Zwischenergebnissen

Trigonometrische Aufgaben müssen manchmal in mehreren Schritten gelöst werden. Die **Zwischenergebnisse** solltest du immer mit **maximaler Genauigkeit** des verwendeten Rechners abspeichern und **erst im letzten Rechenschritt runden**.

Die folgende Aufgabe zeigt, wie groß der Fehler durch das Runden von Zwischenergebnissen werden kann.

Aufgaben

784 Gegeben ist: $b = c = 110\,\text{m}$, $\alpha = 1' = \frac{1}{60}°$ und $\delta = \varepsilon = 89{,}50°$

Skizze:

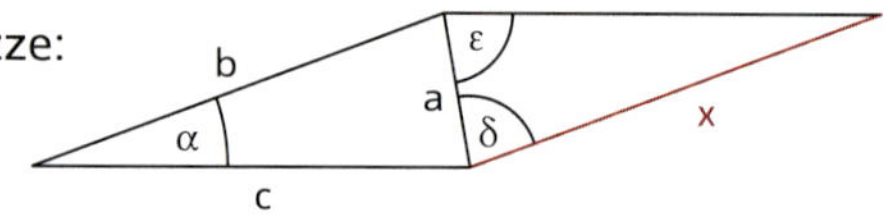

a) Berechne die Länge der Seite x. Runde das Zwischenergebnis für a nicht. Zeige, dass das Endergebnis $x \approx 1{,}83\,\text{m}$ ergibt.

b) Berechne die Länge der Seite x. Runde das Zwischenergebnis für a auf zwei Dezimalstellen und rechne mit dem gerundeten Wert weiter. Zeige, dass das Endergebnis $x \approx 1{,}72\,\text{m}$ ergibt.

c) Um wie viel Prozent weicht der durch zweimaliges Runden ermittelte Wert 1,72 m vom Wert 1,83 m ab?

Lösungsweg:

1. Schritt ... Cosinussatz: $a^2 = b^2 + c^2 - 2bc \cdot \cos\alpha \Rightarrow a$

2. Schritt ... Sinussatz: $\frac{x}{\sin\varepsilon} = \frac{a}{\sin(180° - \varepsilon - \delta)} \Rightarrow x$

785 **Fächerübergreifende Gruppenarbeit**

Jede Gruppe bearbeitet ein Beispiel (A, B, C oder D) und bereitet eine Präsentation beliebiger Art zu den gestellten Fragen vor.

Hinweise zur Methode findest du unter www Lernmethode Gruppenarbeit, Arbeitsblätter und Lösungen unter www Fächerübergreifende Gruppenarbeit.

Beispiel A

Der Gipfel des *Mt. Kailash* (China) erscheint von dem Geländepunkt A aus unter dem Höhenwinkel $\alpha = \sphericalangle SAF = 2{,}18°$ und vom Punkt B aus unter dem Höhenwinkel $\beta = \sphericalangle SBF = 2{,}2°$. Die Strecke AB ist 500 m lang. A, B und der Fußpunkt F des Berges liegen auf einer Linie, $SF \perp AF$. Laut Kartenangabe *(Himalayan MapHouse)* ist der Mt. Kailash 6714 m hoch.

Erstellt eine Präsentation, die folgende Themen und Fragestellungen behandelt:

- Wie hoch liegt der Manasarovar-See, an dessen Ufer die beiden Vermessungspunkte A und B abgesteckt wurden?
- Welche Lösungsideen und Formeln habt ihr zur Berechnung verwendet?
- Wo liegt der Mt. Kailash? Was ist das Besondere an diesem Berg?
- Gebt einige Informationen über die tibetische Hochebene.
- Seit wann gehört Tibet zu China?

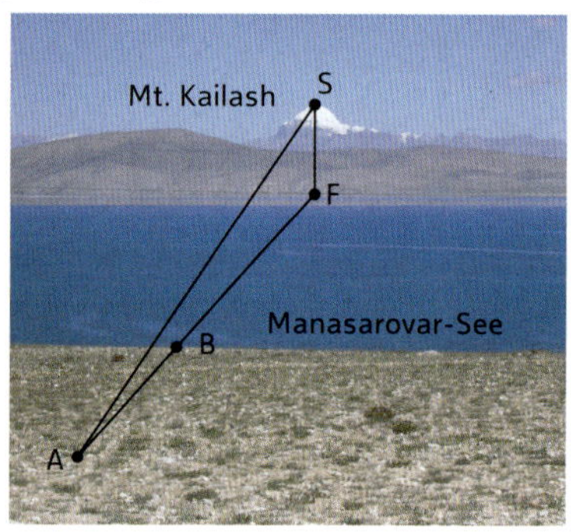

Beispiel B

Das Bild zeigt den Flaggenmast von Tarboche (Tibet). Er ist eine Station an der *Kora of Mt. Kailash*. Dahinter sieht man ein Felsplateau. Hier werden sogenannte *Luftbestattungen* durchgeführt.

Folgende Bestimmungsstücke sind bekannt:

$\overline{AB} = 10\,m$; $\overline{AP} = 242\,m$; $\overline{BP} = 249\,m$; $\overline{AQ} = 176\,m$; $\overline{BQ} = 172\,m$

Erstellt eine Präsentation, die folgende Themen und Fragestellungen behandelt:

- Wie lang ist die Kante PQ des Felsplateaus?
- Welche Lösungsideen und Formeln habt ihr zur Berechnung verwendet?
- Wo liegt der Mt. Kailash? Was ist das Besondere an diesem Berg?
- Gebt einige Informationen über die tibetische Hochebene.
- Was versteht man unter *Luftbestattung*?

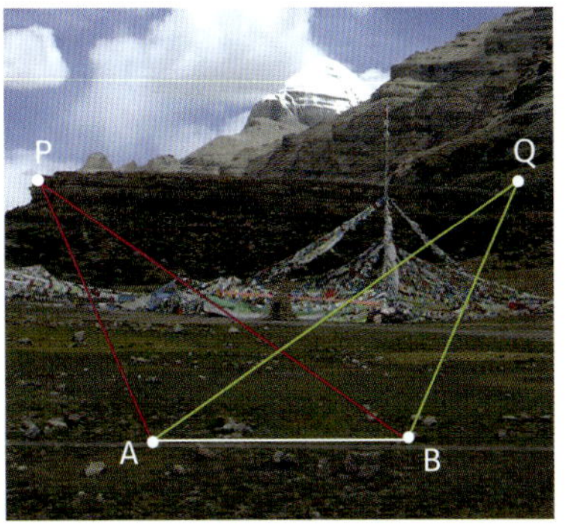

Beispiel C

In einem österreichischen Dorf steht dieses Haus einer 20m hohen Kirche gegenüber. Vom Rauchfang P des Hauses sieht man die Kirchturmspitze S unter dem Höhenwinkel $\alpha = \sphericalangle SPM = 8{,}5°$ und den Fußpunkt F der Kirche unter dem Tiefenwinkel $\beta = \sphericalangle MPF = 2{,}9°$.

Erstellt eine Präsentation, die folgende Themen und Fragestellungen behandelt:

- Wie hoch liegt der Rauchfang P über dem Fußpunkt F der Kirche?
- Welche Lösungsideen und Formeln habt ihr zur Berechnung verwendet?
- Was versteht man unter einem Höhenwinkel *(Elevationswinkel)*?
- Was versteht man unter einem Tiefenwinkel *(Depressionswinkel)*?
- Was versteht man unter einem Sehwinkel *(Gesichtswinkel)*?

Beispiel D

Das Foto zeigt die Spiegelung des *Watzmanns* bei Berchtesgaden in einem kleinen Bergsee. In der Mitte des Sees, in etwa 20m horizontaler Entfernung von der Kamera, seht ihr die Bergspitze, die ca. 2000m höher liegt als der Bergsee. Die Kamera befand sich etwa 4,5m über dem Wasserspiegel.

Erstellt eine Präsentation, die folgende Themen und Fragestellungen behandelt:

- Wie weit ist der Watzmann vom Aufnahmepunkt entfernt? Löst die Aufgabe anhand einer geeigneten Skizze mit anschließender Rechnung.
- Welche Lösungsideen und Formeln habt ihr zur Berechnung verwendet?
- Wo liegt der Watzmann und wie hoch ist er?
- Erklärt die Spiegelgesetze.

Vermessungsaufgaben in einer Horizontal- oder Vertikalebene

786 Ein Deich ist 10 m hoch und an der Deichkrone 15 m breit. An der Seeseite hat er eine Neigung von 23°, an der Binnenseite eine Neigung von 54°. Berechne, wie breit die Deichsohle und wie groß die Querschnittsfläche ist.

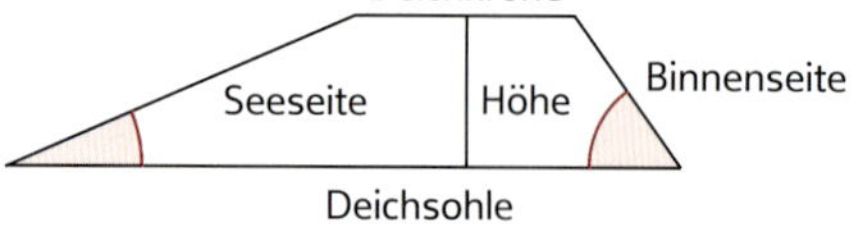

787 Ein Schiff peilt das Leuchtfeuer eines Leuchtturms aus Position A unter $\alpha = 28°$ zur Fahrtrichtung und nach einer Fahrtstrecke von 9,5 Seemeilen von B aus unter $\beta = 125°$ zur Fahrtrichtung an.

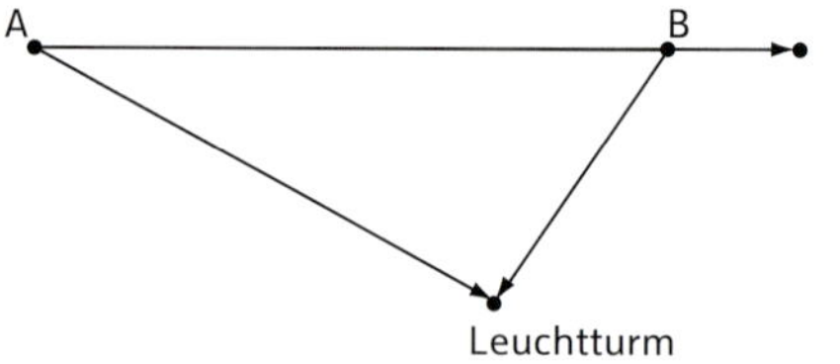

Berechne, in welchem Abstand das Schiff den Leuchtturm passiert.
(Information: 1 Seemeile (sm) = 1852 m)

788 Die gelb eingekreiste Schülerin sieht vom Sportplatz des Gymnasiums Landeck den Fußpunkt des Turmes unter dem Höhenwinkel $\alpha = 17{,}8°$ und die Spitze des Turmes unter dem Höhenwinkel $\beta = 23{,}2°$.

Aus einer Landkarte entnimmt sie, dass die horizontale Entfernung der Schule zur Grundlinie des Hügels, auf dem der Turm steht, 1150 m beträgt.

a) Fertige (eventuell mit GeoGebra) eine maßstabsgetreue Zeichnung an. Vernachlässige die Körpergröße der Schülerin. Ermittle mittels Messung aus deiner Zeichnung die Höhe des Turms und die Höhe des Hügels, auf dem der Turm steht.
b) Überprüfe deine Ergebnisse durch Rechnung.

Berechnungen an Körpern

789 Die Grundfläche des abgebildeten Körpers ist ein Rechteck mit den Seiten c und h. Berechne Volumen und Oberfläche des Körpers.

a) $\alpha = 50°$; $c = 7$; $b = 5$; $h = 8$
b) $\alpha = 45°$; $c = 4{,}5$; $c = 6$; $h = 70$
(2 Lösungen)

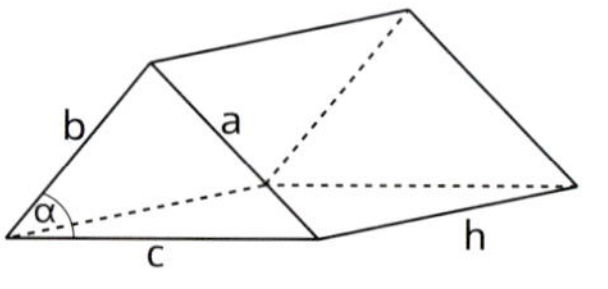

790 Gegeben ist eine dreiseitige Pyramide. Die Höhe h steht senkrecht auf die Basisfläche und halbiert die Seitenkante b.
Berechne Volumen und Oberfläche der Pyramide.
$a = 49{,}2$; $b = 63{,}7$; $\sphericalangle(a, b) = \gamma = 78{,}6°$; $h = 70$

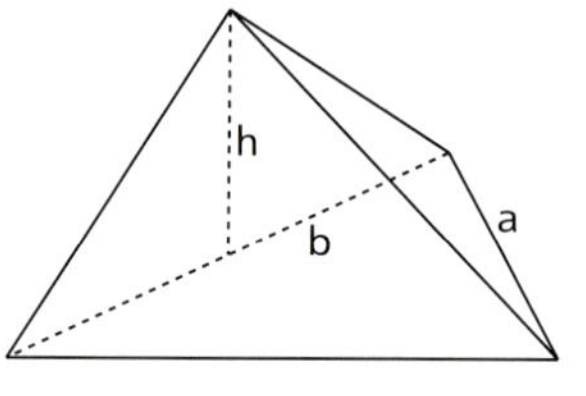

Räumliche Vermessungsaufgabe

791 Vom Fußpunkt eines Leuchtturmes mit der Höhe $h = 37{,}5\,m$, der direkt an der Küste steht, sieht man die beiden Schiffe A und B unter einem Winkel von 166°. Vom Schiff A aus sieht man die Spitze des Turmes unter dem Höhenwinkel von 27,6°, vom Schiff B aus unter dem Höhenwinkel von 36,5°. Wie weit sind die beiden Schiffe voneinander entfernt? Beachte, dass der Fußpunkt des Turmes und die Schiffe in einer Horizontalebene liegen.

792 Die Höhe eines Funkmastes mit der Spitze S und dem Fußpunkt F muss neu vermessen werden. Die Standline AB ist 50,00 m lang und liegt in derselben Horizontalebene wie der Fußpunkt F des Mastes. Beachte, dass die Standlinie nicht in Richtung des Funkmastes liegt. Es werden die Horizontalwinkel $\sphericalangle BAF = 62{,}25°$ und $\sphericalangle ABF = 47{,}00°$ sowie die Höhenwinkel $\sphericalangle FAS = 37{,}42°$ und $\sphericalangle FBS = 32{,}30°$ gemessen. Berechne die Höhe des Mastes.
Anmerkung: Es gibt zwei Lösungswege, um die Höhe zu ermitteln.

793 Von den beiden Endpunkten A und B einer $d = 74{,}0\,m$ langen horizontalen Standlinie hat man den Fußpunkt F und die Spitze S eines Aussichtsturmes anvisiert. Der Turm steht in derselben Horizontalebene wie die Standlinie. Beachte, dass die Standlinie nicht in Richtung des Turmes liegt.
Man misst die Winkel $\sphericalangle FAB = 55{,}5°$ und $\sphericalangle FBA = 106{,}1°$. Von A aus sieht man die Spitze des Turmes unter dem Höhenwinkel von 9,5°. Wie hoch ist der Turm?

Wichtige Zusammenhänge für das Lösen von Anwendungsaufgaben

794 Ordne die Begriffe der linken Seite dem entsprechenden Satz der rechten Seite zu.

Trigonometrischer Pythagoras	
Sinussatz	
Cosinussatz	
Definition des Tangens	

A	Die Hälfte der Differenz aus dem Quadrat einer Dreiecksseite und der Summe der Quadrate der beiden anderen Seiten ist gleich dem negativen Produkt der beiden anderen Seiten, multipliziert mit dem Cosinus des von diesen beiden Seiten eingeschlossenen Winkels.
B	In jedem rechtwinkligen Dreieck ist die Summe des Quadrats des Verhältnisses Gegenkathete/Hypotenuse und des Quadrats des Verhältnisses Ankathete/Hypotenuse gleich 1.
C	In jedem rechtwinkligen Dreieck bildet der Quotient aus dem Verhältnis Gegenkathete/Hypotenuse und dem Verhältnis Ankathete/Hypotenuse neben dem Sinus und dem Cosinus eine weitere wichtige Winkelfunktion.
D	Eine Dreiecksseite steht zu einer anderen Dreiecksseite im gleichen Verhältnis wie der Sinus des der erstgenannten Seite gegenüberliegenden Winkels zum Sinus des der zweitgenannten Seite gegenüberliegenden Winkels.

14 Ebene Polarkoordinaten

Polarkoordinaten stellen eine weitere Möglichkeit dar, Punkte in der Zahlenebene anzugeben. Du erfährst, wie du kartesische Koordinaten in Polarkoordinaten umrechnest und umgekehrt.

Du erwirbst folgende Grundkompetenz:

O Polarkoordinaten kennen und einsetzen (AG-L 4.4)

Vorwissen

795 Ordne zu.

$\varphi = 150°$	
$\varphi = 330°$	
$\varphi = 220°$	
$\varphi = 30°$	

A	$\tan\varphi < 0$; φ liegt im 4. Quadranten
B	$-\tan\varphi = \tan 150°$
C	$\tan\varphi < 0$; φ liegt im 2. Quadranten
D	$\tan\varphi > 0$ und $\tan\varphi = \tan 40°$

796 Ergänze.

(1) $\tan 212° = \tan(212° - 180°) = \tan$ ____

(2) $\tan 145° = -\tan$ ____

(3) $\tan 310° = -\tan$ ____

Neues Wissen

Auf einem Radarschirm kann abgelesen werden, unter welchem Winkel und in welcher Entfernung vom Standpunkt ein Objekt geortet wird.

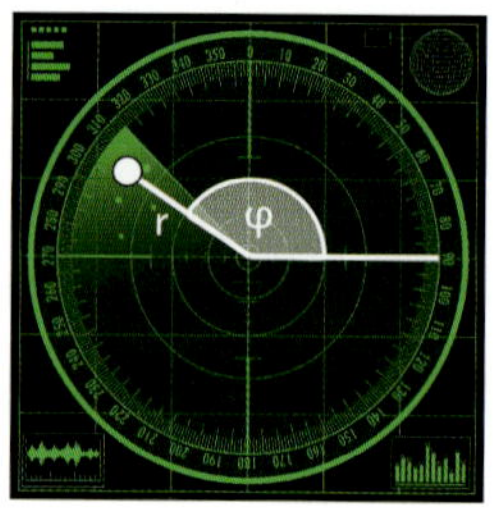

Dabei werden von der Mitte des Radarschirmes aus folgende zwei Größen gemessen:

- Entfernung r
- Winkel φ

▷ Allgemein gilt: Für jeden Punkt $P(x|y)$ der Ebene kann der **Abstand r** vom Ursprung und der **Winkel φ**, den die Strecke $r = \overline{OP}$ mit der positiven x-Achse einschließt, eindeutig bestimmt werden.
Das Zahlenpaar $(r|\varphi)$ wird **die Polarkoordinaten** eines Punktes P genannt.

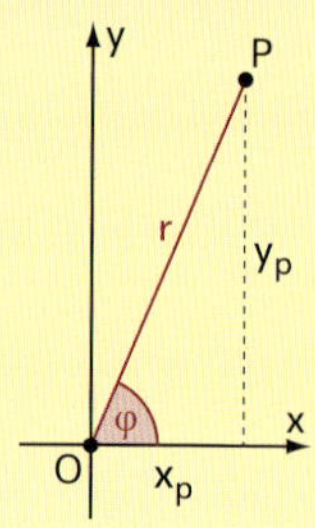

▷ Beachte, dass der Winkel φ stets im Gegenuhrzeigersinn gemessen wird.

Beispiel:
Die Entfernung $r = \overline{OP}$ des Punktes $P(1|2)$ vom Ursprung O soll berechnet werden.

Lösung:
Berechnung mithilfe des Satzes von Pythagoras: $r = \sqrt{1^2 + 2^2} = \sqrt{5} \approx 2{,}24$

797 (1) Berechne die Entfernung $r = \overline{OP}$ des Punktes P vom Ursprung O.
(2) Gib an, in welchem Quadranten der Punkt P liegt.
(3) Entscheide, ob der Winkel φ, den die Strecke $r = \overline{OP}$ mit der positiven x-Achse einschließt, spitz, stumpf oder erhaben ist.

a) P(4,2|5,6) b) P(−3,5|2) c) P(7|−8,2) d) P(−5|−5)

798 (1) Berechne, wie weit die Punkte A, E und H vom Ursprung O entfernt sind.
(2) Miss die Winkel ab, die $\overline{OA}$, $\overline{OE}$ bzw. $\overline{OH}$ mit der positiven x-Achse einschließen.
(3) Gib die Punkte A, E und H in Polarkoordinaten (r|φ) an. Finde eine Formel zur Umrechnung von kartesischen Koordinaten in Polarkoordinaten. Betrachte das rechtwinklige Dreieck mit den Katheten x und y und der Hypotenuse r. Verwende für die Berechnung von $\varphi = \sphericalangle(r; x)$ die Definition des Tangens: $\tan\varphi = \frac{\text{Gegenkathete}}{\text{Ankathete}}$

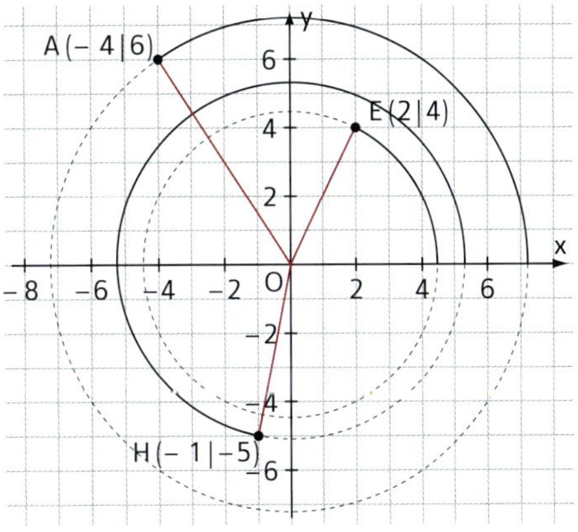

Umrechnen von kartesischen Koordinaten in Polarkoordinaten

Für $x \neq 0$ gilt:

$r = \sqrt{x^2 + y^2}$ und $\tan\varphi = \frac{y}{x}$, wobei φ oder φ + 180° den entsprechenden Winkel bezeichnet.

Für $x = 0$ und $y \neq 0$ gilt:

$r = |y|$ und $\varphi = 90°$ oder $\varphi = 270°$

Beispiel:
Rechne die kartesischen Koordinaten der Punkte A(3|4) und B(−2|−1) in Polarkoordinaten um.

Lösung:
Punkt A: $r = \sqrt{3^2 + 4^2} = 5$, $\tan\varphi = \frac{4}{3}$; $\varphi \approx 53{,}13° \Rightarrow A(5|53{,}13°)$

Punkt B: $r = \sqrt{(-2)^2 + (-1)^2} = \sqrt{5} \approx 2{,}24$, $\tan\varphi = \frac{-1}{-2}$,
$\arctan(0{,}5) \approx 26{,}57°$

Der Punkt B liegt im 3. Quadraten.

$\Rightarrow \varphi = 26{,}57° + 180° = 206{,}57° \Rightarrow B(2{,}24|206{,}57°)$

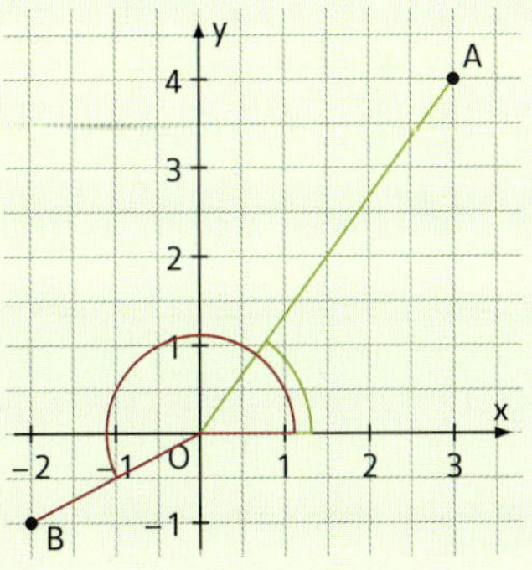

799 Rechne die kartesischen Koordinaten in Polarkoordinaten um.

a) P(8|6) b) Q(−3|9) c) R(−5|−2)
d) S(3|−9) e) T(−4|−4) f) H(3|3)

800 Rechne die kartesischen Koordinaten in Polarkoordinaten um.

a) P(840|534) b) Q(−324|780) c) R(−525|−525)
d) S(200|−720) e) T(435|100) f) H(−345|678)

801 Vier Schiffe ankern rund um eine Insel, auf der ein Leuchtturm steht. Sie melden ihre Position in Polarkoordinaten an die Leuchtturmzentrale (0|0°). Dort sollen sie in kartesische Koordinaten umgerechnet werden.

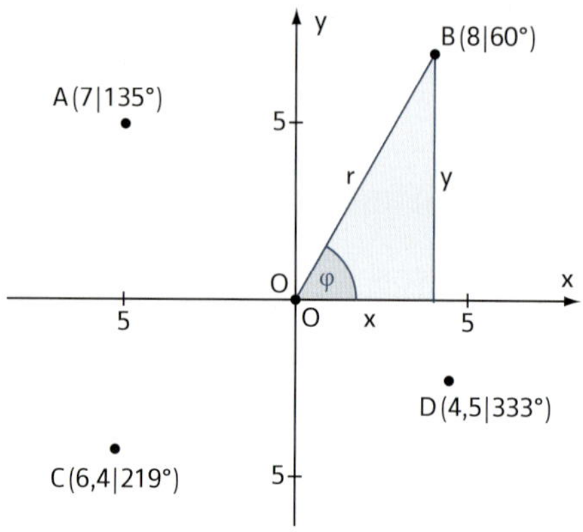

(1) Ermittle mithilfe der Skizze und unter Verwendung der Definitionen von Sinus und Cosinus im rechtwinkligen Dreieck die kartesischen Koordinaten der Schiffe.

(2) Leite eine Formel zur Umrechnung von Polarkoordinaten in kartesische Koordinaten her. Betrachte dazu das rechtwinklige Dreieck mit den Katheten x und y, der Hypotenuse r und dem Winkel $\sphericalangle(r; x) = \varphi$.

Verwende für die Berechnung von x die Definition des Cosinus: $\cos\varphi = \frac{\text{Ankathete}}{\text{Hypotenuse}}$

und für die Berechnung von y die Definition des Sinus: $\sin\varphi = \frac{\text{Gegenkathete}}{\text{Hypotenuse}}$

Umrechnen von Polarkoordinaten in kartesische Koordinaten
Für die Umrechnung von Polarkoordinaten eines Punktes $P(r|\varphi)$ in kartesische Koordinaten gilt: $\mathbf{x = r \cdot \cos\varphi}$ und $\mathbf{y = r \cdot \sin\varphi}$

802 Rechne die Polarkoordinaten in kartesische Koordinaten um.

a) P(5,6|120°) b) Q(5|20°) c) R(6|200°) d) S(4|320°)
e) P(7|90°) f) Q(5|180°) g) R(4|270°) h) S(3|0°)

803 Trainiere mit dem dynamischen Arbeitsblatt www Ebene Polarkoordinaten deine Vorstellung.

804 Ergänze deine Formelsammlung.

Technologie-Tipp: Umrechnung zwischen kartesischen Koordinaten und Polarkoordinaten

Aufgaben

805 Rechne die kartesischen Koordinaten in Polarkoordinaten um. Kontrolliere dein Ergebnis anhand einer Zeichnung.

a) E(−2|−2), F(−3|3), G(4|4), H(5|−5)
b) E(1|4), F(−5|−2), G(6|−2), H(0|−3)

806 Rechne die Polarkoordinaten in kartesische Koordinaten um. Kontrolliere dein Ergebnis anhand einer Zeichnung.

a) A(6|235°), B(5|266°), C(3|40°), D(4|100°)
b) A(2|88°), B(7,5|90°), C(8|195°), D(1|270°)

807 Rechne die kartesischen Koordinaten in Polarkoordinaten um.

a) (3|4), (−3|4), (−3|−4), (3|−4) b) (2|1), (−2|1), (−2|−1), (2|−1)

808 Die Positionen zweier Flugzeuge, die in gleicher Höhe fliegen, werden durchgegeben: Flieger A befindet sich auf Position (8,500|72,5°), Flieger B meldet sich unter (11,040|36,2°). Wie weit sind die beiden Flugzeuge von einander entfernt, wenn die Radien in km angegeben wurden?

809 Am Radarschirm werden zwei Flugzeuge in gleicher Höhe geortet: Flugzeug A in 1500 m Entfernung vom Tower unter einem Winkel von 112° (von der Nordrichtung ausgehend) und Flugzeug B in 2700 m Entfernung unter einem Winkel von 239°. Wie groß ist zu diesem Zeitpunkt die Entfernung zwischen den beiden Flugzeugen? Kontrolliere deine Berechnung durch eine maßstabgetreue Zeichnung.

Vermessungsaufgaben mit dynamischer Geometriesoftware

Es empfiehlt sich, die folgenden Aufgaben mit Unterstützung einer dynamischen Geometriesoftware sowie mit CAS zu lösen.

810 Gegeben sind die Eckpunkte eines Dreiecks in Polarkoordinaten. Zeichne das Dreieck mit Hilfe von GeoGebra und miss die Größen der Winkel. Berechne die Seitenlängen und den Flächeninhalt. Vergleiche deine Berechnungen mit der Zeichnung.

a) A(2,24|26,57°); B(6,71|26,57°); C(5,1|101,31°)

b) A(3,61|236,31°); B(6,2|21,46°); C(5,9|107,41°)

811 Die Städte Tunis, Valletta und Palermo sind Stationen eines Rundflugs und mit folgenden Polarkoordinaten angegeben:

Tunis (0|0°), Valletta (8,18|338,98°),
Palermo (6,42|21,64°)

Zeichne den Rundflug mit GeoGebra und miss die Längen der Luftlinien ab.

Überprüfe das Ergebnis der Strecke Palermo – Valletta mittels Rechnung und gib an, welcher Maßstab verwendet wurde, wenn die Entfernung in Wirklichkeit rund 262,5 km beträgt. Ermittle nun die Gesamtlänge des Rundflugs (Luftlinie) in km.

812 **Die Schiffe Luna und Paloma auf Fahrt**

Öffne das dynamische Arbeitsblatt www Die Schiffe Luna und Paloma auf Fahrt und löse die gestellten Aufgaben zunächst grafisch. Von einem Hafen aus wird die Position zweier Schiffe, der Tragflächenboote Luna und Paloma, zum Zeitpunkt $t = 0$ in Polarkoordinaten bestimmt: Luna (24 km|200°) und Paloma (5 km|295°).

Das Tragflächenboot Luna fährt mit 92 km/h (ca. 49,7 kn[1]) auf den Hafen zu, Paloma entfernt sich mit 75 km/h geradlinig vom Hafen.

[1] Knoten (kn) ist ein Geschwindigkeitsmaß in der Seefahrt. 1 Knoten = 1 Seemeile/h=1,852 km/h

(1) In welcher Himmelsrichtung vom Hafen aus gesehen befinden sich die beiden Boote?
(2) Gib ihre Positionen zum Zeitpunkt $t = 0$ in kartesischen Koordinaten an.
(3) Bestimme die Entfernung der beiden Tragflächenboote zum Zeitpunkt $t = 0$.
(4) Wo befinden sich die beiden Boote eine Minute später? Gib ihre Positionen in Polarkoordinaten an.
(5) Wie groß ist ihre Entfernung nach 5 Minuten, nach 8 Minuten, nach 10 Minuten?
(6) Nach wie viel Minuten ist der Abstand von Luna und Paloma am geringsten?
Löse die Fragestellungen (2) bis (5) rechnerisch.

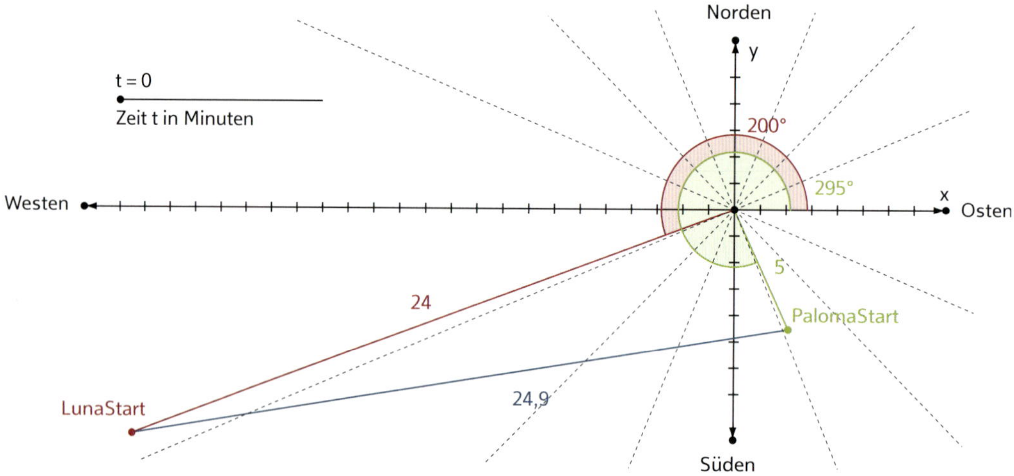

813 Im Punkt $(0|0°)$ befindet sich eine Bohrinsel, rund um die Bohrinsel ankern drei Schiffe. Die Entfernungen sind in Seemeilen angegeben. Das Schiff C hat die Koordinaten $(7{,}28|285{,}95°)$.
Von der Bohrinsel werden die Schiffe B und C unter dem Sehwinkel $\delta = 162{,}26°$ geortet.
Schiff B ist 7,21 Seemeilen von der Bohrinsel entfernt und liegt im 2. Quadranten.
Von B aus werden die Schiffe C und A unter dem Winkel $\beta = 80{,}48°$ gesehen.
A liegt im 1. Quadranten.

Vom Schiff A aus wird zwischen Bohrinsel und Schiff B der Sehwinkel $\alpha = 60{,}81°$ gemessen.
(1) Verschaffe dir mithilfe einer Zeichnung einen Überblick.
(2) Berechne, wie weit die Schiffe B und C von einander entfernt sind.
(3) Wie weit ist das Schiff A von der Bohrinsel entfernt?
(4) Gib die Polarkoordinaten von A und B an.
(5) Wie weit ist das Schiff A von den Schiffen B und C entfernt?
(6) Vom Schiff C wird ein Notsignal (Leuchtrakete) abgeschossen, das eine Höhe von 750 m (das sind rund 0,405 Seemeilen) erreicht. Unter welchen Höhenwinkeln sehen die Schiffe A und B dieses Signal? Vernachlässige dabei die Schiffshöhe.
(7) Die Arbeitsplattform der Bohrinsel befindet sich 30 m über den Meeresspiegel. Unter welchem Höhenwinkel erblicken die Menschen auf der Bohrinsel das Lichtsignal?

Kompetenzcheck

1 Vervollständige für die gezeigten rechtwinkligen Dreiecke die gegebenen Verhältnisse mit Sinus, Cosinus und Tangens so, dass eine wahre Aussage entsteht.

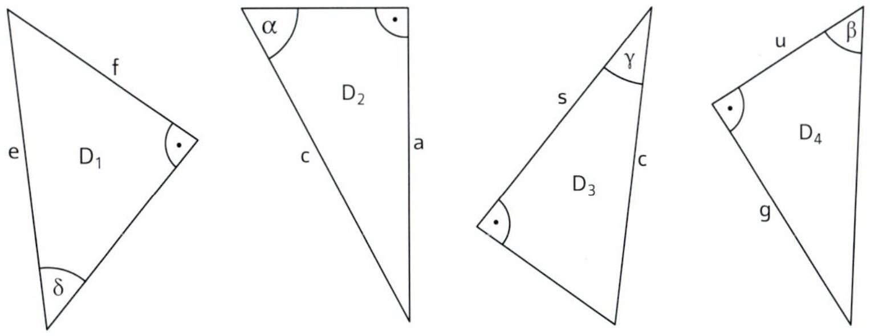

D_1: ___ $\delta = \frac{f}{e}$

D_2: ___ $\alpha = \frac{a}{c}$

D_3: ___ $\gamma = \frac{s}{c}$

D_4: ___ $\beta = \frac{g}{u}$

2 In den Einheitskreisen (1) bis (8) sind Sinus-, Cosinus- bzw. Tangenswerte für $0° \leq \varphi < 360°$ rot eingezeichnet.

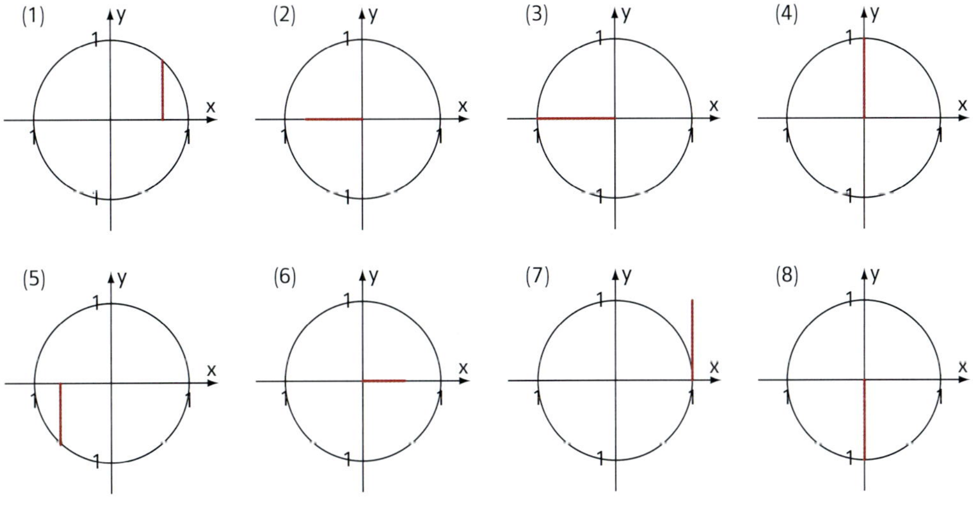

a) Welche Winkelfunktion führt bei welchem Winkel auf den eingezeichneten Wert?
b) Ist der eingezeichnete Wert positiv oder negativ?
c) Zeichne bei (1) bis (8) alle Winkel im Einheitskreis ein, die auf den gleichen Sinus-, Cosinus- bzw. Tangenswert führen. Gib an, wie viele solche Winkel es gibt und begründe.

3 Eine Straße hat eine Länge von a (in Meter) und steigt annähernd gleichmäßig mit einem Winkel α an. Was beschreibt der Term (1) $a \cdot \sin\alpha$, (2) $a \cdot \cos\alpha$, (3) $\tan\alpha$ im Kontext?

4 Die Zahnradbahn von Puchberg auf den Hochschneeberg ist mit 9,7 km die längste Zahnradbahn Österreichs und hat mit dem auf 1792 Höhenmetern gelegenen Endbahnhof Hochschneeberg den höchst gelegenen Bahnhof Österreichs.
Die Haltestelle Hengsttal liegt auf 613 m Seehöhe. Die Streckenlänge von Puchberg bis Hengsttal beträgt 1,098 km. Die nächste Haltestelle Hauslitzsattel liegt auf 824 m Seehöhe. Von Puchberg weg legt die Bahn 3,040 km bis zum Hauslitzsattel zurück.
Berechne für den Abschnitt Hengsttal-Hauslitzsattel die durchschnittliche Steigung in Prozent und den durchschnittlichen Steigungswinkel der Bahn.

Typ-2-Aufgaben

GK **814** **Dreiecke im Quadrat**

In der Abbildung siehst du ein gleichschenkliges Dreieck, das in ein Quadrat eingeschrieben wurde.

a) Kreuze die beiden zutreffenden Aussagen an.

- ☐ $\tan\alpha = \frac{1}{2}$
- ☐ $2 \cdot s = \frac{a}{\sin\alpha}$
- ☐ Das eingeschriebene Dreieck nimmt 50 % der Quadratfläche ein.
- ☐ $s = \frac{a}{2} \cdot \sqrt{3}$
- ☐ $2 \cdot s = \frac{a}{\cos\alpha}$

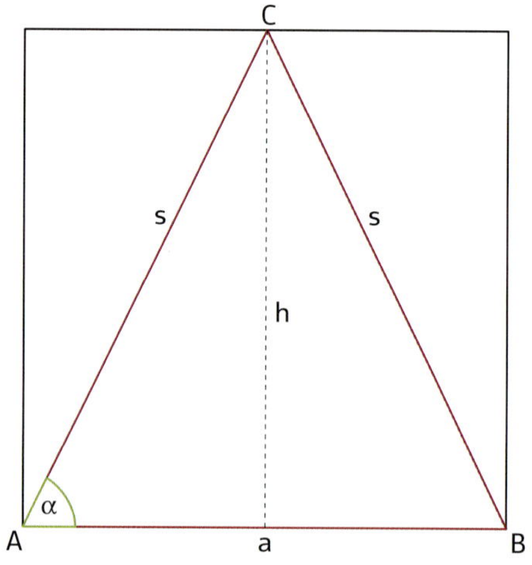

b) Verschiebe den Punkt C auf der Höhenlinie h so, dass das entstehende Dreieck ABC' gleichseitig ist. Gib mithilfe der Trigonometrie eine Formel an, wie h' berechnet werden kann. Zeige, dass diese Formel mit der Formel für die Höhe eines gleichseitigen Dreiecks $h = \frac{a\sqrt{3}}{2}$ übereinstimmt.

c) Gib an, wie viel Prozent der Quadratfläche das Dreieck ABC' einnimmt und um wie viel Prozent sich der Umfang des Dreiecks ABC' gegenüber dem Umfang des ursprünglichen Dreiecks ABC verringert hat.

GK **815** **Vermessungsaufgabe**

a) Die Spitze eines Turmes mit der Höhe h wird von einem Messpunkt aus unter dem Höhenwinkel α gesehen. Die waagrechte Entfernung des Messpunktes zum Fußpunkt des Turmes beträgt a.
Zeichne eine Skizze und beschrifte darin die genannten Größen. Gib an, wie die Höhe h, der Höhenwinkel α und die waagrechte Entfernung a berechnet werden können.

b) Die Spitze eines h Meter hohen Turmes soll mit der Spitze eines um x Meter niedrigeren Turmes mit einem Drahtseil verbunden werden. Die beiden Türme stehen in einer Ebene und a Meter von einander entfernt.

Zeichne eine Skizze und beschrifte darin die genannten Größen. Gib an, wie die Länge des Drahtseils und die Winkel, die das Drahtseil mit den Türmen einschließt, berechnet werden können.

GK **816** **Steigung**

In den Kärntner Nockbergen plant eine Läufergruppe einen Berglauf, der sie auf das Rinsennock führen soll. Der letzte Teil der Strecke verläuft ziemlich geradlinig auf einem Bergrücken zum Gipfel. Auf 1810 m Seehöhe beginnt der Anstieg am Grat. Das Rinsennock liegt auf 2334 m Seehöhe. Die Messung auf der Karte ergibt eine horizontale Entfernung von 2 km 470 m.

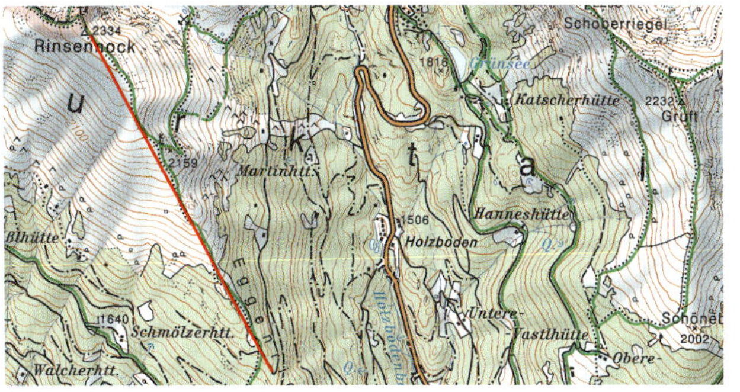

a) Wie lang ist die Strecke entlang des Bergrückens mindestens? Unter welchem Winkel steigt der Weg durchschnittlich an?
Fertige eine Skizze mit den gegebenen und gesuchten Größen an.
Ermittle die mittlere Steigung der Strecke in Prozent.

b) Gib an, wie die Steigung k einer linearen Funktion $f(x)$ mit $f(x) = k \cdot x + d$ und der Steigungswinkel α zusammenhängen. Verdeutliche den Zusammenhang durch eine Skizze.

GK **817** **Zusammenhänge in rechtwinkligen Dreiecken**

a) Gib an, wie Sinus und Cosinus eines Winkels in einem rechtwinkligen Dreieck mit der Hypotenusenlänge 1 definiert sind.
Begründe, warum der Zusammenhang $(\sin\alpha)^2 + (\cos\alpha)^2 = 1$ gilt.
Ermittle rechnerisch jenen Winkel α mit $0° \leq \alpha < 90°$, für den sin α und cos α den gleichen Wert ergeben. Für welchen weiteren Winkel α mit $0° \leq \alpha < 360°$ gilt dies ebenfalls? Begründe.

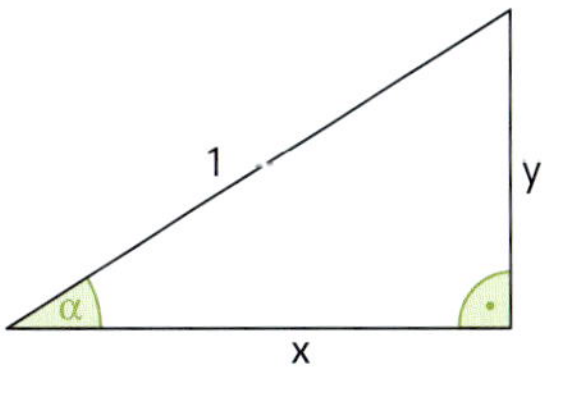

b) Drücke $\sin\varphi$, $\cos\varphi$ und $\tan\varphi$ für ein beliebiges rechtwinkliges Dreieck mit den in der Skizze gegebenen Bezeichnungen aus.
Zeige, dass der Zusammenhang $\tan\varphi = \frac{\sin\varphi}{\cos\varphi}$ gilt.

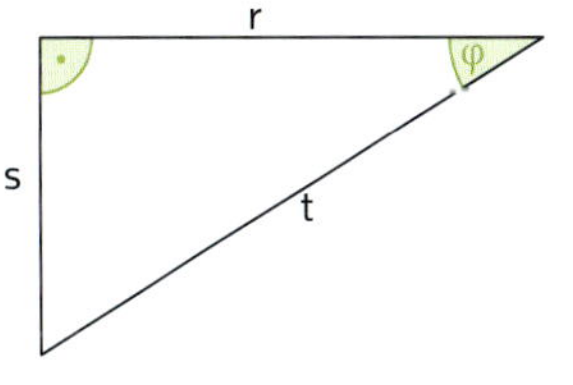

c) Gib eine Formel für die Höhe h im rechtwinkligen Dreieck RST unter Verwendung des Winkels φ an. Drücke den Flächeninhalt A des rechtwinkligen Dreiecks RST in Abhängigkeit von φ aus.

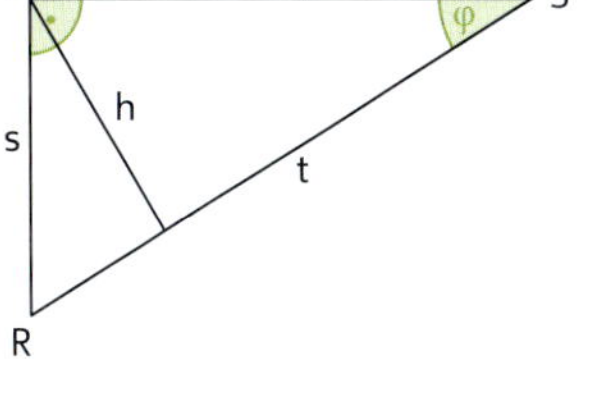

Vektorrechnung und analytische Geometrie

Kompetenzbereich: Vektoren und analytische Geometrie in $\mathbb{R}^2$ (AG)

1 Vektoren und ihre geometrische Interpretation

In diesem Abschnitt lernst du Vektoren als neuen mathematischen Begriff kennen.

Du erwirbst folgende Grundkompetenzen:
- GK Vektoren als Zahlentupel verständig einsetzen und im Kontext deuten (AG-R 3.1)
- GK Vektoren geometrisch (als Punkte bzw. Pfeile) deuten und verständig einsetzen (AG-R 3.2)

Vorwissen

818 a) Lies die x- und y-Koordinaten der Punkte P und Q ab.
b) Zeichne die Punkte S(−2|0) und T(4|0) ein.

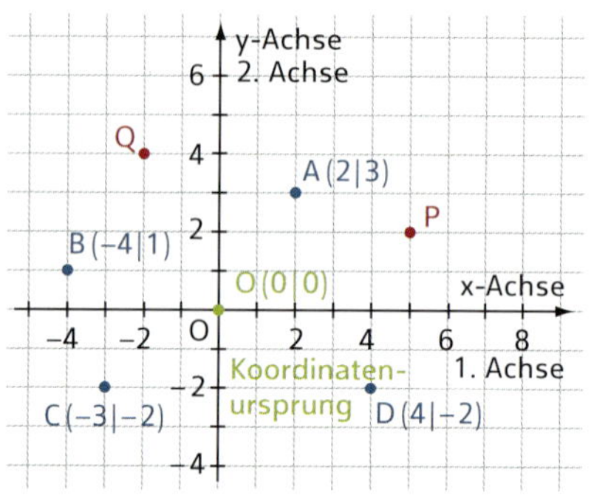

819 Zeichne folgende Vierecke im Koordinatensystem und miss die Seitenlängen ab. Gib an, welcher Typ von Viereck vorliegt.
a) A(−3|−1), B(−4|1), C(3|3), D(4|1)
b) A(−3|4), B(−3|2), C(8|2), D(8|4)
c) A(−3|2), B(−1|−2), C(1|3), D(−1|3)
d) A(1|−4), B(1|−2), C(−1|2), D(−1|−4)

820 Zeichne deine Initialen mit einer Technologie oder auf Papier im Koordinatengitter. Gib an, wie viele Punkte und Strecken du für deine Initialen benötigst.

Neues Wissen

Der Unterschied (die Differenz) der x-Koordinaten und der y-Koordinaten zweier Punkte wird **Koordinatendifferenz** genannt (siehe auch *Funktionen, Eigenschaften linearer Funktionen*).

▷ Die **Differenz der x-Koordinaten** zweier Punkte $A(x_A|y_A)$ und $B(x_B|y_B)$ wird mit Δx bezeichnet und mit $x_B - x_A$ berechnet.
Die **Differenz der y-Koordinaten** zweier Punkte $A(x_A|y_A)$ und $B(x_B|y_B)$ wird mit Δy bezeichnet und mit $y_B - y_A$ berechnet.

Achte beim Berechnen der Koordinatendifferenz auf die Vorzeichen.

▷ *Beispiel:*
Berechne die Koordinatendifferenzen der Punkte A(1 | 6) und B(8 | 2). Fertige eine Skizze an.

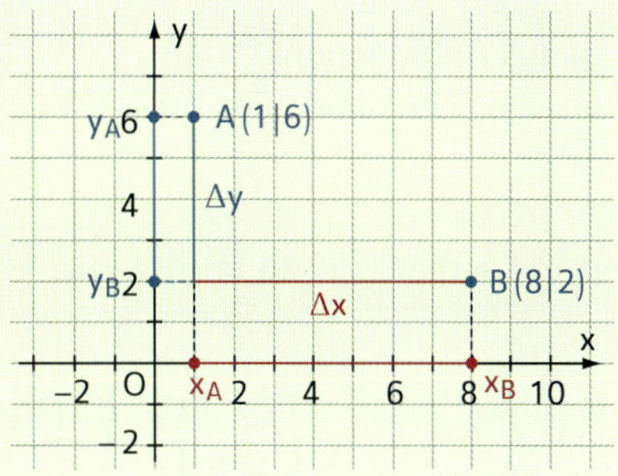

Lösung:
Differenz der x-Koordinaten:
$\Delta x = x_B - x_A = 8 - 1 = 7$
Differenz der y-Koordinaten:
$\Delta y = y_B - y_A = 2 - 6 = -4$

GK **821** Zeichne die Punkte in ein Koordinatensystem. Berechne Δx und Δy.
a) A(1 | 3), B(5 | 6) b) X(−6 | 2), Y(−3 | −2)
c) P(−4 | 9), Q(5 | 9) d) R(8 | 0), S(6 | 1)

In der geometrischen Darstellung spielen auch Pfeile eine wichtige Rolle.

Beispiel:
Der Buchstabe F kann beispielsweise auf folgende Art gezeichnet werden: Vom Punkt A(1 | 1) geht man zu Punkt B(3 | 7), danach z. B. von B zu C und von D zu E. Der gerade Weg von A(1 | 1) nach B(3 | 7) kann als Pfeil zwischen diesen beiden Punkten dargestellt werden.
Schreibweise: $\overrightarrow{AB} = (2|6)$
Die **erste Komponente** gibt an, wie weit man sich nach **links** oder **rechts** bewegen muss, die **zweite Komponente** gibt an, wie weit man sich nach **oben** oder **unten** bewegen muss, um vom **Startpunkt** (= Punkt A) zum **Endpunkt** (= Punkt B) des Pfeils zu gelangen.
Die Koordinaten des Pfeils können auch aus der Zeichnung abgelesen werden. Der **Pfeil** $\overrightarrow{AB}$ kann in **Zeilen-** oder **Spaltenform** angeschrieben werden.

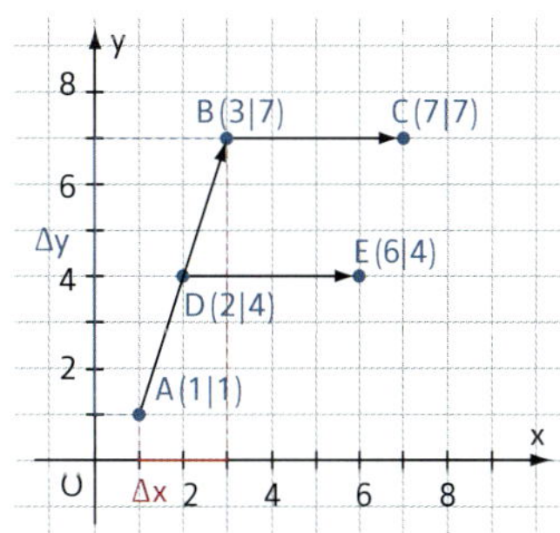

$\overrightarrow{AB} = (2|6) = \begin{pmatrix} 2 \\ 6 \end{pmatrix}$

Zeilenform Spaltenform

Für Pfeile sind auch Schreibweisen mit Strichpunkt oder Beistrich gebräuchlich:
$\overrightarrow{AB} = (2; 6)$ oder $\overrightarrow{AB} = (2, 6)$

Auch **Punkte** können in **Zeilenform** oder **Spaltenform** angeschrieben werden:
$A(x_A|y_A)$ oder $A\begin{pmatrix} x_A \\ y_A \end{pmatrix}$

▷ **Koordinatendarstellung** $\overrightarrow{AB}$
1. Komponente ... $\Delta x = x_B - x_A$
2. Komponente ... $\Delta y = y_B - y_A$
$\overrightarrow{AB} = \begin{pmatrix} \Delta x \\ \Delta y \end{pmatrix} = \begin{pmatrix} x_B - x_A \\ y_B - y_A \end{pmatrix} = \begin{pmatrix} x_B \\ y_B \end{pmatrix} - \begin{pmatrix} x_A \\ y_A \end{pmatrix} = B - A$

$\overrightarrow{AB} = \begin{pmatrix} \Delta x \\ \Delta y \end{pmatrix}$ oder $\overrightarrow{AB} = (\Delta x|\Delta y)$

Tipp: Zur Berechnung der Koordinatendarstellung des Pfeils $\overrightarrow{AB}$ kannst du dir merken: **Endpunkt minus Anfangspunkt**
Für die Berechnung des Pfeils $\overrightarrow{BA}$ gilt dann: $\overrightarrow{BA} = A - B = -(B - A) = -\overrightarrow{AB}$

▷ **Satz**
Für die Pfeile $\overrightarrow{AB}$ und $\overrightarrow{BA}$ gilt: $\overrightarrow{AB} = -\overrightarrow{BA}$

▷ *Beispiel:*
Berechne $\overrightarrow{PQ}$ und $\overrightarrow{QP}$ für P(5|3) und Q(9|−2).

Lösung:
$\overrightarrow{PQ} = Q - P = \binom{9}{-2} - \binom{5}{3} = \binom{4}{-5}$ und $\overrightarrow{QP} = \binom{-4}{5}$

GK **822** Ermittle die Koordinatendarstellungen der Pfeile $\overrightarrow{BC}$, $\overrightarrow{DE}$, $\overrightarrow{AD}$ mit den Punkten aus dem obigen Beispiel mit dem Buchstaben F.

Die Pfeile $\overrightarrow{BC}$ und $\overrightarrow{DE}$ haben dieselbe Koordinatendarstellung: $\overrightarrow{BC} = \overrightarrow{DE} = \binom{4}{0}$. Geometrisch betrachtet gilt für diese beiden Pfeile:
- Sie sind gleich lang.
- Sie sind parallel.
- Sie haben dieselbe Orientierung, d.h. die Pfeile weisen in dieselbe Richtung.
- Sie unterscheiden sich nur in Anfangs- und Endpunkt.

Allgemein gilt für die Orientierung von Pfeilen:

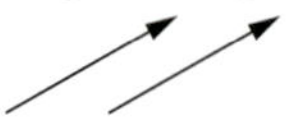

Zwei gleich lange und parallele Pfeile mit derselben Orientierung.

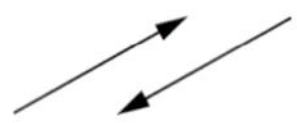

Zwei gleich lange und parallele Pfeile mit entgegengesetzter Orientierung.

GK **823**
a) Gib an, welche Pfeile der Buchstaben H und N dieselbe Koordinatendarstellung haben.
b) Gib die Koordinatendarstellung aller in den Buchstaben H und N vorkommenden Pfeile an (Kästchenbreite ≙ 1 Einheit).

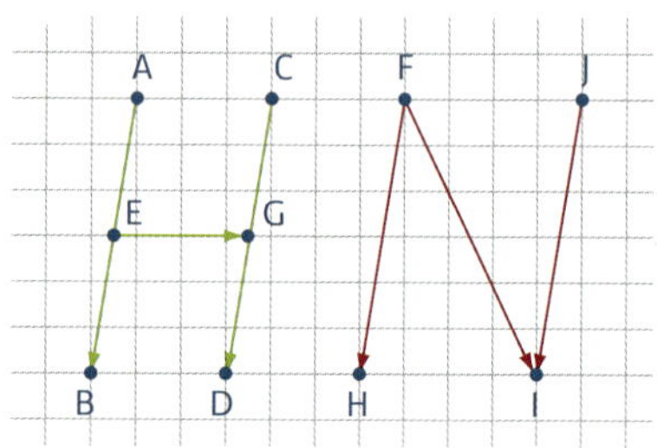

Ausgehend von den obigen Beispielen ist folgende Definition sinnvoll.

Definition

Die **Menge aller Pfeile der Zeichenebene**, die **gleich lang**, **parallel** und **gleich orientiert** sind, wird als **Vektor** bezeichnet.

Ein Vektor ist die Menge aller Pfeile der Zeichenebene, die das gleiche geordnete Zahlenpaar als Koordinatendarstellung besitzen. Ein Element dieser Menge heißt **Repräsentant**[1] des Vektors.

Ein **Vektor** – stellvertretend für alle gleich langen, parallelen und gleich orientierten Pfeile – wird meist mit einem **Kleinbuchstaben** und darüber gestelltem Pfeil bezeichnet: $\vec{a}$, $\vec{b}$, $\vec{c}$, ...

Ein **Repräsentant** wird dagegen, wenn möglich, mithilfe von Anfangs- und Endpunkt angeschrieben.

Beispiel:

$\overrightarrow{AB}$, $\overrightarrow{CD}$, $\overrightarrow{FH}$ und $\overrightarrow{JI}$ sind Repräsentanten des Vektors $\vec{a}$. Erst durch eine entsprechende Aufgabenstellung wird klar, ob $\overrightarrow{AB}$ einen Repräsentanten oder den Vektor selbst meint. In der grafischen Darstellung kann für einen Vektor $\vec{a}$ immer nur ein Repräsentant eingezeichnet werden. Deshalb wird z. B. $\overrightarrow{AB}$ kurz als Vektor $\overrightarrow{AB}$ bezeichnet.

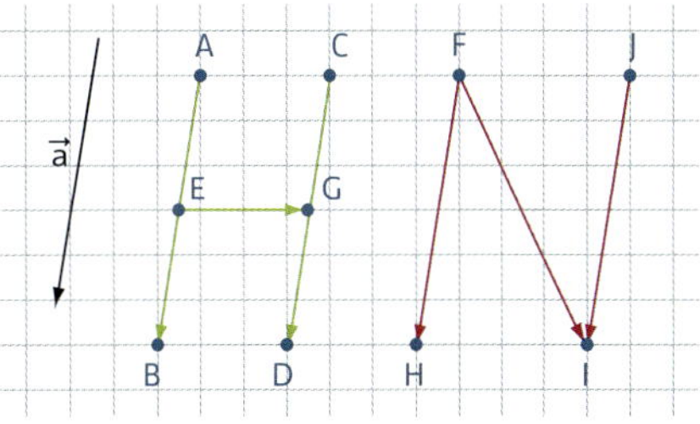

GK **824** Gib die Koordinatendarstellungen von $\overrightarrow{AB}$, $\overrightarrow{BC}$, $\overrightarrow{CD}$ und $\overrightarrow{DA}$ an.

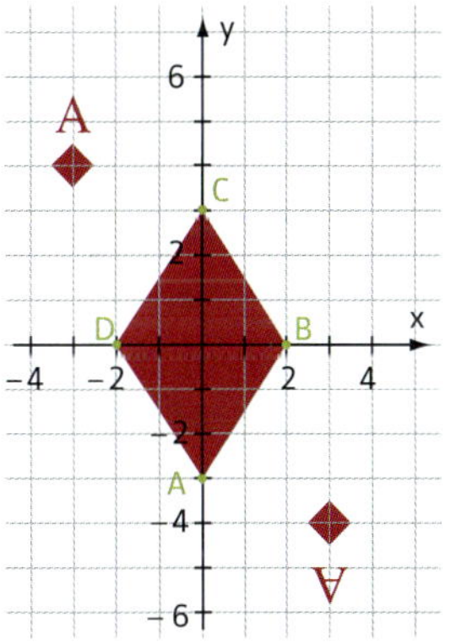

Oftmals ist es wichtig, die Länge eines Vektors zu kennen.

Definition

Für die **Länge** oder der **Betrag d eines Vektors**[2] gilt:

$d(\vec{v}) = |\vec{v}| = \sqrt{v_x^2 + v_y^2}$

Die Berechnung der Länge ergibt sich unmittelbar aus dem pythagoräischen Lehrsatz.

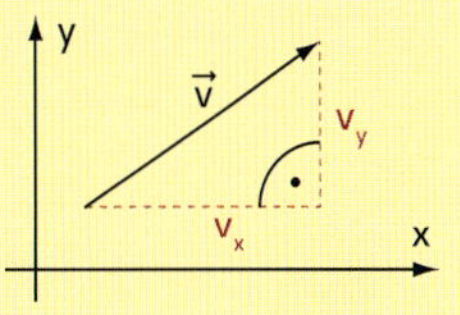

---

1 *Repräsentant* – Vertreter, *repraesentare* (lat.) – vor Augen führen

2 d ... *distance* (engl.) – Abstand

GK **825** Ermittle den Umfang des Dreiecks A(1|4), B(0|2), C(5|2) rechnerisch und grafisch.

Technologie-Tipp: Vektoren und ihre geometrische Interpretation

Vektoren in Anwendungen

Es gibt zahlreiche Anwendungen von Vektoren in den Natur- und Wirtschaftswissenschaften, von denen exemplarisch der Geschwindigkeitsvektor, der Kraftvektor und der Bestandsvektor vorgestellt werden.

Geschwindigkeitsvektor

Die Geschwindigkeit eines gleichmäßig bewegten Körpers gibt an, wie schnell sich der Körper bewegt, z. B. wie viele Meter er pro Sekunde zurücklegt.

Die Information über die Geschwindigkeit und die Richtung der Bewegung wird in einer einzigen Größe zusammengefasst: dem *Geschwindigkeitsvektor*.

- Seine Richtung ist gleich der Richtung der Bewegung.
- Sein Betrag ist gleich der Geschwindigkeit.

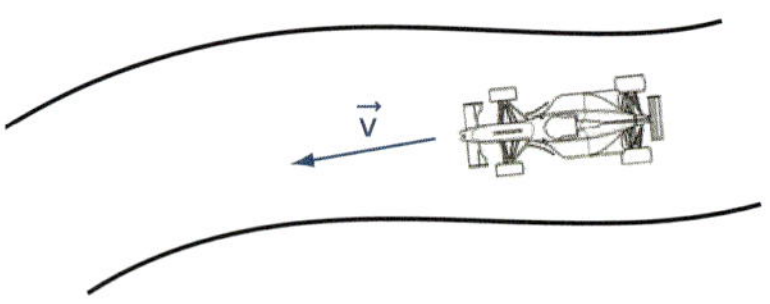

Der Geschwindigkeitsvektor wird durch seine Komponenten angegeben und als Pfeil dargestellt.

▷ *Beispiel:*
Die geradlinige Bewegung einer Kugel pro Sekunde wird durch den Vektor $\vec{v} = (-2|3)$ beschrieben (Maße in Meter pro Sekunde). Wie groß ist der Betrag ihrer Geschwindigkeit?

Lösung:
$v = |\vec{v}| = |(-2|3)| = \sqrt{(-2)^2 + 3^2} = \sqrt{13} \approx 3{,}6\,\text{m/s}$

GK **826** Der Geschwindigkeitsvektor (pro Stunde) eines bergauf fahrenden Autos ist $\vec{v} = (89|7)$ (in km/h). Das Auto bewegt sich dabei geradlinig bergauf.

a) Welche Geschwindigkeit zeigt der Tachometer an?
b) Wie viel Prozent Steigung weist die Straße auf?

Kraftvektor

Eine Kraft, die auf einen Körper ausgeübt wird, wirkt in eine bestimmte Richtung und mit einer bestimmten Größe (Betrag). Diese Informationen werden im *Kraftvektor* zusammengefasst.

- Die Richtung des Kraftvektors entspricht der Richtung der wirkenden Kraft.
- Sein Betrag ist gleich der Größe der Kraft

Der Kraftvektor wird durch seine Komponenten angegeben und als Pfeil dargestellt. Die Einheit für die Kraft ist Newton (N).

▷ *Beispiel:*
Berechne die Größe der Kraft $\vec{F} = \binom{2}{2}$ (Angabe in N), die auf die Federwaage wirkt. Lies ab, unter welchem Winkel zur x-Achse die Kraft wirkt.

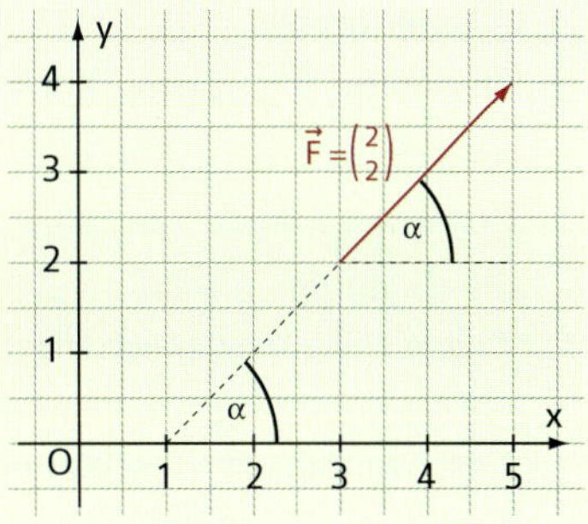

Lösung:
$|\vec{F}| = \left|\binom{2}{2}\right| = \sqrt{2^2 + 2^2} = \sqrt{8} \approx 2{,}83$ N
Der Kraftvektor schließt einen Winkel von 45° mit der x-Achse ein.

GK **827** Auf einer abschüssigen Straße wirkt auf einen Radfahrer eine Kraft von $\vec{F} = \binom{75}{-7}$ (Angabe in N).
Berechne die Größe der Kraft.

Datenvektor

Die Stückzahlen eines Produkts, die von einer Firma in einem bestimmten Zeitraum erzeugt werden, können in einem Datenvektor (Bestandsvektor) dargestellt werden.
$\vec{v} = \begin{pmatrix} \text{Stückzahl 1} \\ \text{Stückzahl 2} \end{pmatrix}$
z. B. Stückzahlen für das Jahr 2016: $\vec{v} = \binom{49435}{65612} = (49435|65612)$

▷ *Beispiel:*
Für ein neues Produkt schlägt die Marketingabteilung Werbeeinschaltungen in TV und Radio vor.
Im Vektor $\overrightarrow{m_1} - \binom{20}{45}$ wird angegeben, dass für den ersten Tag der Vermarktung 20 Werbeeinschaltungen im TV und 45 Werbeeinschaltungen im Radio geplant sind.
Im Vektor $\overrightarrow{w_k} = \binom{4200}{3500}$ sind die Kosten (in €) pro Werbeeinschaltung für TV und Radio aufgelistet.
Im Vektor $\vec{k} = \binom{84000}{157500}$ werden jeweils die Gesamtkosten für die Werbeeinschaltungen in TV und Radio aufgelistet.

GK **828**
a) Gib einen Datenvektor an, der als Komponenten die Noten deiner letzten beiden Schularbeiten im Fach Mathematik enthält.
b) Gib einen Datenvektor an, der als Komponenten den Mittelwert der Noten der beiden letzten Schularbeiten im Fach Mathematik enthält.
c) Gib einen Vektor an, der als Komponenten den Strom- und Gaspreis pro verbrauchter Kilowattstunde enthält.

Zusammenfassung

- Ein Vektor $\vec{v}$ mit zwei Komponenten wird als Zahlenpaar in Spalten- oder Zeilenform angegeben: $\vec{v} = \begin{pmatrix} v_x \\ v_y \end{pmatrix} = (v_x|v_y)$.
- In der geometrischen Veranschaulichung in der Ebene stellt ein Vektor die Menge aller gleich langen, parallelen und gleich orientierten Pfeile dar.
- In den Naturwissenschaften werden Größen, zu deren Angabe neben dem Betrag auch die Orientierung notwendig ist, durch Vektoren beschrieben (**vektorielle Größen** wie Geschwindigkeit, Beschleunigung, Kraft, ...)
- Daten wie Stückzahlen, Preise etc. können in einem Datenvektor aufgelistet werden.

GK **829** Erstelle eine Mindmap mit den neu erlernten Begriffen zum Thema *Vektorrechnung*.

Aufgaben

GK **830** Zeichne die Punkte, berechne ihren Abstand. Überprüfe mittels Messung.

a) A(−3|2), B(3|6) b) C(0|0), D(3|−2) c) R(−6|2), S(−2|−3)

GK **831** Stelle den Pfeil $\overrightarrow{AB}$ grafisch dar. Berechne seine Koordinatendarstellung und seine Länge.

a) A(2|3), B(1|1) b) A(−6|−2), B(−4|0)
c) A(−8|0), B(−8|3) d) A(−5|4), B(−2|5)

GK **832** Stelle den Pfeil $\overrightarrow{PQ}$ mit einem elektronischen Tool grafisch dar. Lies seine Koordinatendarstellung ab und ermittle die Länge. Zeichne einen weiteren Pfeil mit gleicher Orientierung und Länge.

a) P(−8|7), Q(−11|4) b) P(0|7,5), Q(2|8)
c) P(2|−2), Q(7|−4) d) P(0|0), Q(−2|−2)

GK **833** Zeichne je drei Pfeile, die den Vektor $\vec{v}$ repräsentieren. Gib Anfangs- und Endpunkt an.

a) $\vec{v} = (7|2)$ b) $\vec{v} = \begin{pmatrix} -1 \\ 3 \end{pmatrix}$ c) $\vec{v} = (-3|-5)$ d) $\vec{v} = \begin{pmatrix} 2,5 \\ -1,5 \end{pmatrix}$

GK **834** Zeichne mit einem elektronischen Tool je drei Pfeile, die den Vektor $\vec{a}$ repräsentieren. Gib Anfangs- und Endpunkt an.
Zeichne mit GeoGebra je drei Pfeile, die den Vektor $\vec{a}$ repräsentieren. Gib Anfangs- und Endpunkt an.

a) $\vec{a} = \begin{pmatrix} 12 \\ -8 \end{pmatrix}$ b) $\vec{a} = (-3,8|5,9)$ c) $\vec{a} = \begin{pmatrix} 7,7 \\ 11,5 \end{pmatrix}$ d) $\vec{a} = (-3|-6,6)$

GK **835** Ordne den Vektoren die entsprechende Länge (den entsprechenden Betrag) zu.

$\vec{a} = \begin{pmatrix} 4 \\ 3 \end{pmatrix}$	$\vec{b} = \begin{pmatrix} 6 \\ -8 \end{pmatrix}$	$\vec{c} = \begin{pmatrix} -2,4 \\ 9,5 \end{pmatrix}$	$\vec{d} = \begin{pmatrix} -0,3 \\ -1,7 \end{pmatrix}$	$\vec{e} = \begin{pmatrix} 1 \\ -1 \end{pmatrix}$	$\vec{f} = \begin{pmatrix} -3 \\ -5 \end{pmatrix}$

9,80	1,41	5	5,83	1,73	10
A	B	C	D	E	F

GK **836** Zeichne das Sechseck ABCDEF. Wie viele verschiedene Seitenvektoren gibt es? Gib die Koordinatendarstellung der Seitenvektoren und ihre Länge an. Berechne den Umfang.

a) A(0|4), B(−2|2), C(−2|−1), D(0|−3), E(2|−1), F(2|2)

b) A(0|3), B(−5|1), C(−4|−3), D(0|−5), E(5|−3), F(4|1)

837 Die Abbildung zeigt die Vektoren $\vec{a}$, $\vec{b}$, $\vec{c}$ und $\vec{d}$. Kreuze die wahren Aussagen an.

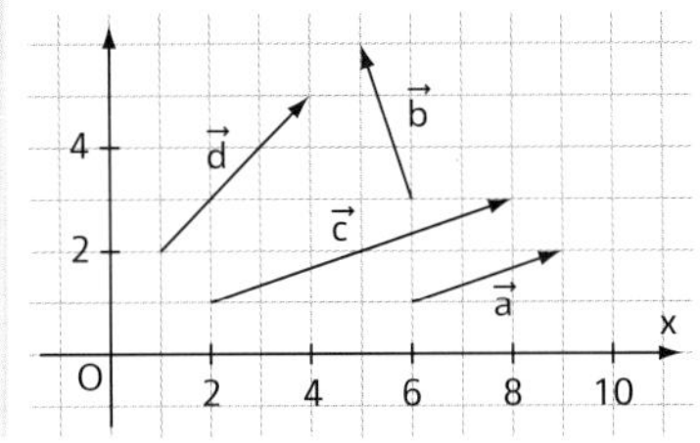

- ☐ Die Vektoren $\vec{b}$ und $\vec{d}$ sind gleich lang.
- ☐ Die x-Komponente von $\vec{a}$ und $\vec{d}$ beträgt jeweils −3.
- ☐ $\vec{a}$ und $\vec{c}$ besitzen dieselbe Orientierung.
- ☐ $\vec{d}$ und $\vec{b}$ haben dieselbe y-Komponente.
- ☐ $\vec{a}$ und $\vec{b}$ haben dieselbe Länge.

GK **838** Gib für jede Schachfigur mögliche Spielzüge mithilfe von Vektoren an, z. B. für den Springer (1|2). Bedenke, dass es für jede Schachfigur unterschiedlich viele Zugvarianten gibt. Die Bezeichnung der Schachfiguren in der obersten Reihe lauten von links nach rechts: Turm, Springer, Läufer, Dame, König usw.
Darunter stehen die Bauern.

839 Auf einem ebenen Gelände bewegt sich ein Körper gleichförmig (mit konstanter Geschwindigkeit) geradlinig. Er startet im Punkt A(−7|−3) und ist nach 20 Minuten im Punkt E(13|5) angelangt.

a) Berechne, in welchem Punkt sich der Körper 4 Minuten nach dem Start befindet.

b) Gib die Geschwindigkeit des Körpers in Einheiten pro Minute und in Einheiten pro Sekunde an.

Vektoren in Anwendungen

GK **840** Der Vektor (Maße in m/s) beschreibt die Geschwindigkeit bei der geradlinigen Bewegung eines Körpers. Gib den Betrag seiner Geschwindigkeit in m/s und km/h an.

a) $\vec{a} = (5|-9)$ b) $\vec{b} = (-4|-3)$ c) $\vec{c} = (-5|5)$ d) $\vec{d} = (20|11)$

GK **841** Eine Kugel rollt auf einer geradlinigen Kugelbahn abwärts. Ihre Geschwindigkeit wird durch einen Vektor (Maße in m/s beschrieben. Wie groß ist der Betrag ihrer Geschwindigkeit? Welches Gefälle (in Prozent) weist die Kugelbahn auf? Was drückt das negative Vorzeichen in der zweiten Komponente aus?

a) $\vec{a} = (0{,}56|-0{,}30)$ b) $\vec{b} = (0{,}35|-0{,}08)$ c) $\vec{c} = (2{,}0|-0{,}5)$ d) $\vec{d} = (18|-9)$

GK **842** Auf ein Objekt in der Ebene wirkt eine Kraft F ein, die durch einen Vektor beschrieben wird. Berechne die Größe der Kraft. In welchem Winkel zur x-Achse wirkt die Kraft? (Zeichnung!)

a) $\vec{F_1} = (-5|0)$ b) $\vec{F_2} = (-3|-3)$ c) $\vec{F_3} = (2|6)$ d) $\vec{F_4} = (10|-1)$

GK **843** Gib einen Vektor an,

a) dessen zwei Komponenten deine Computerarbeitszeiten der letzten zwei Tage enthält,

b) dessen Komponenten das Alter deiner Eltern enthält.

2 Rechenoperationen mit Vektoren

Im folgenden Abschnitt machst du dich mit den Regeln für das Rechnen mit Vektoren vertraut. Vektoren können addiert, subtrahiert und mit reellen Zahlen multipliziert werden.
Außerdem lernst du, wie die Rechenoperationen geometrisch gedeutet werden und wie Vielfache von Vektoren mit parallelen Vektoren in der Ebene zusammenhängen.

Du erwirbst folgende Grundkompetenz:

GK Definition der Rechenoperationen mit Vektoren (Addition, Multiplikation mit einem Skalar) kennen, Rechenoperationen verständig einsetzen und (auch geometrisch) deuten (AG-R 3.3)

Neues Wissen

Die drei folgenden Definitionen der Rechenoperationen Addition, Subtraktion und Multiplikation mit einer reellen Zahl gelten für beliebige Vektoren mit n Komponenten.

▷ **Definition: Addition von Vektoren**

Vektoren werden addiert, indem komponentenweise die Summe gebildet wird.
Für Vektoren mit zwei Komponenten gilt:

$\begin{pmatrix} x_a \\ y_a \end{pmatrix} + \begin{pmatrix} x_b \\ y_b \end{pmatrix} = \begin{pmatrix} x_a + x_b \\ y_a + y_b \end{pmatrix}$ bzw. $(x_a | y_a) + (x_b | y_b) = (x_a + x_b | y_a + y_b)$

Geometrische Deutung der Vektoraddition

Addition von zwei Vektoren:

$\vec{a} + \vec{b} = \vec{c}$

Zwei Vektoren werden addiert, indem geeignete Pfeile, die die Vektoren repräsentieren, aneinander gehängt werden. Die Summe von beiden Vektoren entspricht jenem Pfeil, der von Anfangspunkt des ersten Pfeils zum Endpunkt des zweiten Vektors geht.

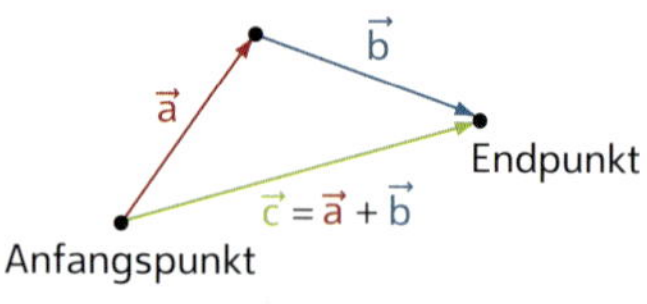

Addition von Punkt und Pfeil:

$P + \vec{a} = Q$

Auch die Addition $P + \vec{a}$ (Punkt plus Pfeil) kann als Vektoraddition aufgefasst werden, da zu jedem Punkt P im Koordinatensystem ein sogenannter **Ortsvektor** führt, der den Koordinatenursprung (0|0) mit dem Punkt P verbindet. Das Ergebnis ist ein neuer Punkt Q, dem ebenfalls ein Ortsvektor zugeordnet werden kann.

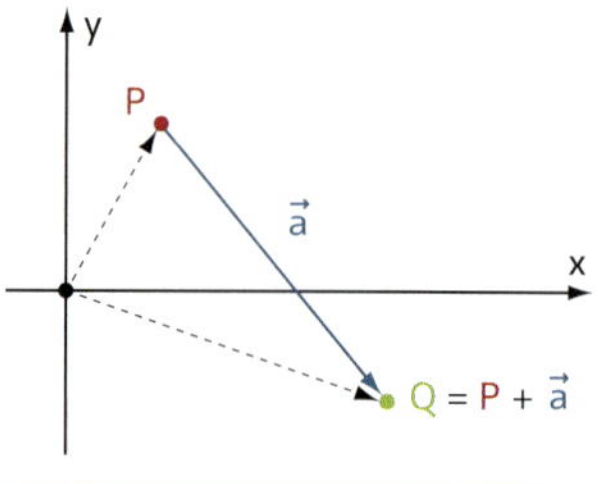

▷ **Definition: Subtraktion von Vektoren**

Vektoren werden subtrahiert, indem komponentenweise die Differenz gebildet wird.
Für Vektoren mit zwei Komponenten gilt:

$\begin{pmatrix} x_a \\ y_a \end{pmatrix} - \begin{pmatrix} x_b \\ y_b \end{pmatrix} = \begin{pmatrix} x_a - x_b \\ y_a - y_b \end{pmatrix}$ bzw. $(x_a | y_a) - (x_b | y_b) = (x_a - x_b | y_a - y_b)$

Geometrische Deutung der Vektorsubtraktion

Die Vektorsubtraktion wird auf die Vektoraddition zurückgeführt. Dazu wird folgende Definition benötigt.

> **Definition: Gegenvektor**
> Der Vektor $-\vec{b} = \begin{pmatrix} -x_a \\ -y_b \end{pmatrix}$ heißt **Gegenvektor** zum Vektor $\vec{b} = \begin{pmatrix} x_a \\ y_b \end{pmatrix}$.

Die Subtraktion von Vektoren wird somit auf das Addieren des Gegenvektors zurückgeführt.

Subtraktion von zwei Vektoren:

$\vec{a} - \vec{b} = \vec{a} + (-\vec{b}) = \vec{c}$

Zwei Vektoren werden subtrahiert, indem geeignete Pfeile, die die Vektoren repräsentieren, aneinander gehängt werden. Dabei wird an Stelle von $\vec{b}$ der Gegenvektor $-\vec{b}$ verwendet.

Die Differenz von beiden Vektoren entspricht jenem Pfeil, der von Anfangspunkt des ersten Pfeils zum Endpunkt des zweiten Vektors geht.

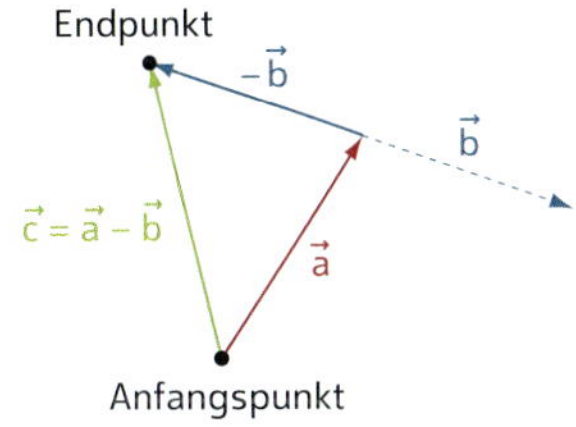

Vektorparallelogramm

Wird ein Pfeil parallelverschoben, ändert er weder seine Länge noch seine Orientierung – er repräsentiert weiterhin denselben Vektor.

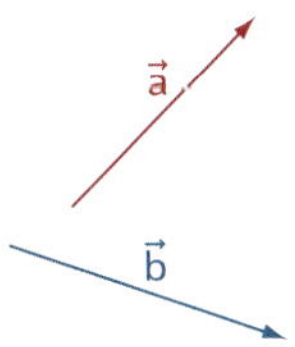

Vektoraddition: Summe $\vec{a} + \vec{b}$

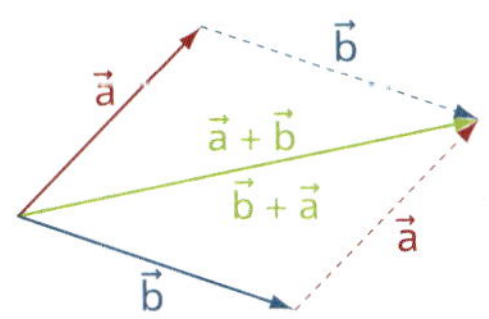

Vektorsubtraktion: Differenz $\vec{a} - \vec{b}$

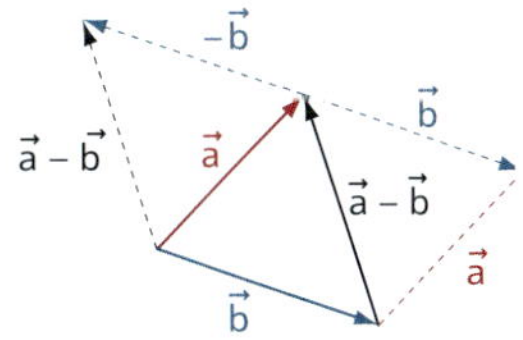

Vektoraddition und -subtraktion können auch mittels eines Parallelogramms veranschaulicht werden. Dazu werden zuerst die Vektoren $\vec{a}$ und $\vec{b}$ so parallel verschoben, dass sie denselben Anfangspunkt haben. Zeichnest du nun den Vektor $\vec{b}$ so, dass er im Endpunkt des Vektors $\vec{a}$ ansetzt und den Vektor $\vec{a}$ so, dass er im Endpunkt des Vektors $\vec{b}$ ansetzt, spannen die beiden Vektoren $\vec{a}$ und $\vec{b}$ ein **Vektorparallelogramm** auf. Der Summenvektor $\vec{a} + \vec{b}$ ist die Diagonale des Parallelogramms vom Anfangspunkt des ersten Vektors zum Endpunkt des zweiten Vektors. Die Differenz $\vec{a} - \vec{b}$ wird durch die Diagonale vom Endpunkt des zweiten Vektors bis zum Endpunkt des ersten Vektors dargestellt.

Grafisches Addieren mehrerer Vektoren

> *Beispiel:*
> Bilde die Summe $\vec{a} + \vec{b} + \vec{c}$ der Vektoren $\vec{a} = \begin{pmatrix} 2 \\ 2 \end{pmatrix}$, $\vec{b} = \begin{pmatrix} 3 \\ 1 \end{pmatrix}$ und $\vec{c} = \begin{pmatrix} -4 \\ 1 \end{pmatrix}$ rechnerisch und grafisch.
>
> *Lösung:*
> $\vec{a} + \vec{b} + \vec{c} = \begin{pmatrix} 2 \\ 2 \end{pmatrix} + \begin{pmatrix} 3 \\ 1 \end{pmatrix} + \begin{pmatrix} -4 \\ 1 \end{pmatrix} = \begin{pmatrix} 1 \\ 4 \end{pmatrix}$

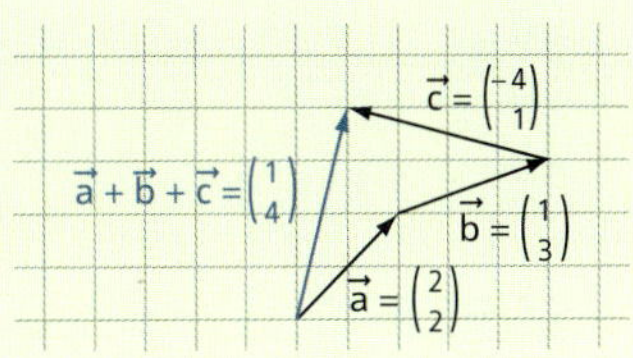

Bei der Subtraktion von Vektoren kann als Ergebnis auch der Vektor (0|0) entstehen.
Beispiel: $\vec{a} - \vec{a} = \binom{0}{0}$

▷ **Definition: Nullvektor**
Der Vektor (0|0) wird als **Nullvektor** bezeichnet. Er hat die Länge null, er besitzt keine bestimmte Richtung und keine Orientierung.

Multiplikation eines Vektors mit einer reellen Zahl

▷ **Definition:**
Ein Vektor wird mit einer reellen Zahl multipliziert, indem jede Komponente des Vektors mit der Zahl multipliziert wird. Das Ergebnis ist ein Vielfaches des ursprünglichen Vektors.
Für Vektoren mit zwei Komponenten gilt:

$k \cdot \binom{x_a}{y_a} = \binom{k \cdot x_a}{k \cdot y_a}$ bzw. $k \cdot (x_a | y_a) = (k \cdot x_a | k \cdot y_a)$ für jede reelle Zahl k

Bei einer Multiplikation mit $\frac{1}{k}$ wird jede Komponente des Vektors durch k dividiert.

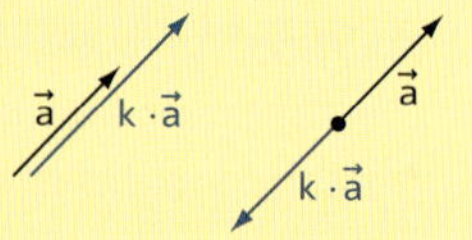

$\frac{1}{k} \cdot \binom{x_a}{y_a} = \begin{pmatrix} \frac{1}{k} \cdot x_a \\ \frac{1}{k} \cdot y_a \end{pmatrix}$ bzw. $\frac{1}{k} \cdot (x_a | y_a) = \left(\frac{x_a}{k} \middle| \frac{y_a}{k}\right)$ für jede reelle Zahl k ($k \neq 0$)

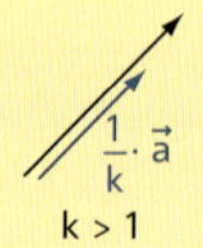

In der Vektorrechnung wird für die reelle Zahl auch die Bezeichnung **Skalar**[1] verwendet, um Zahlen als *ungerichtete Größen* von Vektoren als *gerichtete Größen* zu unterscheiden.

Geometrische Deutung der Multiplikation eines Vektors mit einem Skalar
Vektoren werden als Pfeile in der Ebene gedeutet. Jedes Vielfache $k \cdot \vec{a}$ von $\vec{a}$ mit $\vec{a} \neq (0|0)$ ergibt einen Pfeil parallel zum ursprünglichen Vektor $\vec{a}$. Die Pfeile können sich durch ihre Länge und ihre Orientierung unterscheiden.
Es treten folgende Fälle auf:

▷ **Definition: Parallele Vektoren**
Zwei Vektoren $\vec{a}$ und $\vec{b}$ ($\vec{a}, \vec{b} \neq$ Nullvektor) heißen **parallel**, wenn einer von beiden ein Vielfaches des anderen ist.
$\vec{a} = k \cdot \vec{b}$ ($k \in \mathbb{R}$)
Schreibweise: $\vec{a} \parallel \vec{b}$

Es treten folgende Fälle auf:

$k > 0$	$k \cdot \vec{a}$ hat die gleiche Orientierung wie $\vec{a}$.
$k < 0$	$k \cdot \vec{a}$ ist entgegengesetzt orientiert zu $\vec{a}$.
$k = 0$	$k \cdot \vec{a}$ ist der Nullvektor.
$k < -1$ oder $k > 1$	$k \cdot \vec{a}$ ist länger als $\vec{a}$.
$0 < k < 1$ oder $-1 < k < 0$	$k \cdot \vec{a}$ ist kürzer als $\vec{a}$.
$k = -1$	Der Vektor $(-\vec{a})$ ist gleich lang wie $\vec{a}$ und entgegengesetzt orientiert.

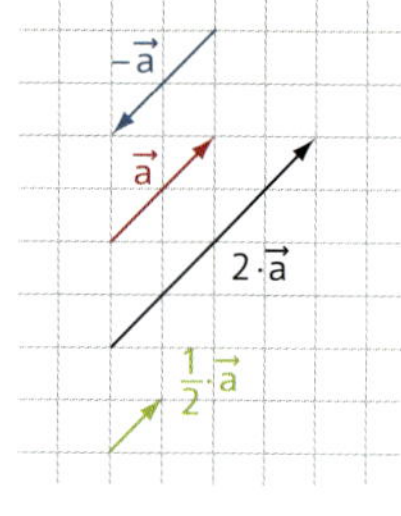

[1] Eine reelle Zahl wird als *Skalar* bezeichnet, weil sie auf einer Skala dargestellt werden kann.

▷ *Beispiel:*
Gegeben ist der Vektor $\vec{a} = \begin{pmatrix}3\\2\end{pmatrix}$. Berechne die gesuchten Vielfachen von $\vec{a}$ und stelle sie grafisch dar.
(1) $2\cdot\vec{a}$ (2) $(-3)\cdot\vec{a}$ (3) $1{,}5\cdot\vec{a}$ (4) $0{,}4\cdot\vec{a}$

Lösung:
(1) $2\cdot\vec{a} = 2\cdot\begin{pmatrix}3\\2\end{pmatrix} = \begin{pmatrix}6\\4\end{pmatrix}$

(2) $(-3)\cdot\vec{a} = (-3)\cdot\begin{pmatrix}3\\2\end{pmatrix} = \begin{pmatrix}-9\\-6\end{pmatrix}$

(3) $1{,}5\cdot\vec{a} = 1{,}5\cdot\begin{pmatrix}3\\2\end{pmatrix} = \begin{pmatrix}4{,}5\\3\end{pmatrix}$

(4) $0{,}4\cdot\vec{a} = 0{,}4\cdot\begin{pmatrix}3\\2\end{pmatrix} = \begin{pmatrix}1{,}2\\0{,}8\end{pmatrix}$

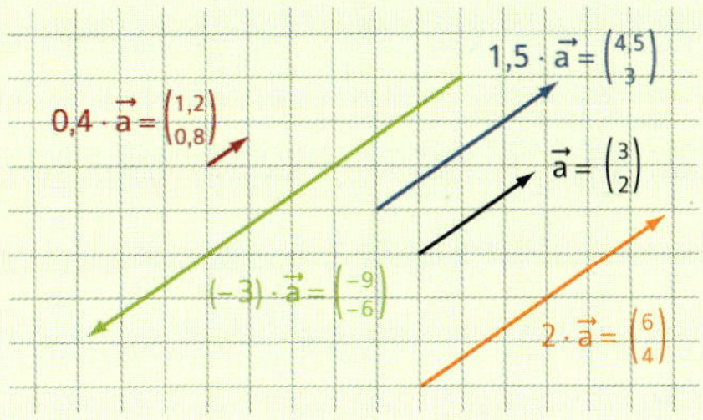

Besondere Punkte

▷ **Mittelpunkt einer Strecke**
Für den **Mittelpunkt M der Strecke $\overline{AB}$** gilt: $M = \frac{1}{2}\cdot(A + B)$

Beweis:
$M = A + \frac{1}{2}\cdot\overrightarrow{AB} = A + \frac{1}{2}\cdot(B - A) =$
$= A + \frac{1}{2}\cdot B - \frac{1}{2}\cdot A = \frac{1}{2}\cdot A + \frac{1}{2}\cdot B =$
$= \frac{1}{2}\cdot(A + B)$

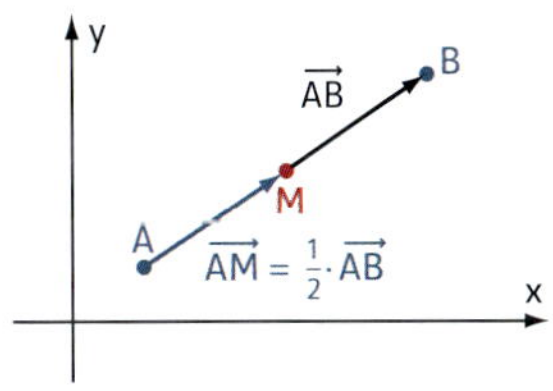

▷ **Schwerpunkt eines Dreiecks**
Für den **Schwerpunkt S eines Dreiecks ABC** gilt: $S = \frac{1}{3}\cdot(A + B + C)$

Die Formel kann mithilfe des Strahlensatzes und der Vektorrechnung hergeleitet werden.

Löst die folgenden Aufgaben 844 bis 858 mithilfe der Definitionen und Erklärungen aus dem Informationstext.
Hinweise findest du unter www Lernmethode Informationssuche.

Mit Vektoren rechnen

GK **844** Ordne das entsprechende Ergebnis richtig zu.

$\begin{pmatrix}2\\5\end{pmatrix} + \begin{pmatrix}4\\-1\end{pmatrix}$	
$\frac{1}{3}\cdot\begin{pmatrix}-6\\9\end{pmatrix}$	
$\begin{pmatrix}2\\5\end{pmatrix} - \begin{pmatrix}4\\-1\end{pmatrix}$	
$(-3)\cdot\begin{pmatrix}4\\-1\end{pmatrix}$	
$\begin{pmatrix}4\\-1\end{pmatrix}\cdot\frac{1}{2}$	

A	$\begin{pmatrix}-2\\6\end{pmatrix}$
B	$\begin{pmatrix}-12\\3\end{pmatrix}$
C	$\begin{pmatrix}2\\-0{,}5\end{pmatrix}$
D	$\begin{pmatrix}6\\4\end{pmatrix}$
E	$\begin{pmatrix}-2\\3\end{pmatrix}$

GK **845** Gegeben ist der Vektor $u = \begin{pmatrix} 2 \\ -1 \end{pmatrix}$. Berechne die gesuchten Vielfachen von u und stelle sie grafisch dar.

(1) $3 \cdot u$ (2) $0{,}8 \cdot u$ (3) $(-1{,}2) \cdot u$ (4) $1{,}6 \cdot u$

GK **846** Überprüft in Einzelarbeit, ob ihr alle Umformungen richtig beherrscht. Vergleicht eure Rechenschritte anschließend in der Gruppe. Das Ergebnis sollte der Nullvektor (0|0) sein.

$2 \cdot \begin{pmatrix} 8 \\ -1 \end{pmatrix} - \begin{pmatrix} 4 \\ -2 \end{pmatrix} - \frac{1}{2} \cdot \begin{pmatrix} 4 \\ 12 \end{pmatrix} - 4 \cdot \begin{pmatrix} 2 \\ -3 \end{pmatrix} + \begin{pmatrix} 0 \\ -10 \end{pmatrix} + \begin{pmatrix} -2 \\ 4 \end{pmatrix} = \begin{pmatrix} 0 \\ 0 \end{pmatrix}$

GK **847** Gebt die Komponenten des Ergebnisvektors an.

a) $\begin{pmatrix} a \\ b \end{pmatrix} + \begin{pmatrix} c \\ d \end{pmatrix}$ b) $\begin{pmatrix} r \\ s \end{pmatrix} - \begin{pmatrix} t \\ u \end{pmatrix}$ c) $k \cdot \begin{pmatrix} x \\ y \end{pmatrix}$ d) $\frac{1}{m} \cdot \begin{pmatrix} x \\ y \end{pmatrix}$

Die Addition von Vektoren geometrisch deuten

GK **848** Die Addition zweier Vektoren kann auch grafisch durchgeführt werden. In den folgenden beiden Aufgaben soll die Addition $(-2|1) + (3|-4)$ geometrisch gedeutet werden.

a) Zeichnet den Punkt $P(-2|1)$ und verschiebt diesen Punkt um den Pfeil $\vec{v} = (3|-4)$. Bezeichnet den neuen Punkt mit Q. Welche Koordinaten hat Q? Welche geometrische Bedeutung hat die Summe der beiden gegebenen Vektoren?

b) Zeichnet an beliebiger Stelle im Koordinatensystem einen Pfeil des Vektors $\vec{a} = (-2|1)$. Hängt an seinem Endpunkt den Pfeil $\vec{b} = (3|-4)$ an. Verbindet den Anfangspunkt eurer Zeichnung mit dem Endpunkt eurer Zeichnung durch einen Pfeil $\vec{c}$. Gebt die Koordinaten des Pfeils an. Welche geometrische Bedeutung hat die Summe der beiden gegebenen Vektoren?

GK **849** Führe mit den Vektoren $\vec{a} = (-1, 2)$, $\vec{b} = (3, 4)$ und $\vec{c} = (0, -2)$ die Rechenoperation grafisch und rechnerisch aus.

a) $\vec{a} - \vec{b} + \vec{c}$ b) $\vec{a} + \vec{b} - \vec{c}$ c) $\vec{a} - \vec{c} + \vec{b}$ d) $\vec{c} - \vec{b} + \vec{a}$

GK **850** Von einem Parallelogramm mit den Eckpunkten ABCD und dem Diagonalenschnittpunkt M sind der Eckpunkt $A(-2|-2)$ und die Vektoren $\overrightarrow{AD} = \begin{pmatrix} 0 \\ 6 \end{pmatrix}$ und $\overrightarrow{AM} = \begin{pmatrix} 3 \\ 2 \end{pmatrix}$ gegeben.

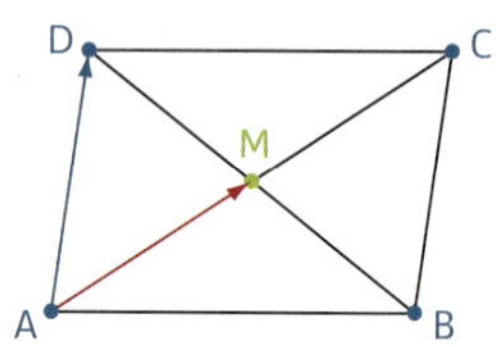

a) Berechnet die Koordinaten von D und C.

b) Überlegt euch mögliche Wege, um mithilfe von Vektoren die Koordinaten von B zu erhalten. Berechnet die Koordinaten von B.

851 Gegeben ist ein Parallelogramm ABCD mit dem Diagonalschnittpunkt M. Kreuze die richtigen Aussagen an.

- ☐ $\overrightarrow{AM} = \overrightarrow{AD} - \overrightarrow{MD}$
- ☐ $A + \overrightarrow{AD} = D$
- ☐ $-\overrightarrow{MD} = \overrightarrow{MB}$
- ☐ $B - \overrightarrow{AD} = C$
- ☐ $\overrightarrow{MC} + \overrightarrow{CB} = \overrightarrow{BM}$

Die Multiplikation eines Vektors mit einer reellen Zahl geometrisch deuten

GK **852** Untersucht am Beispiel des Vektors $\vec{a} = (2|3)$, wie sich die Multiplikation mit einer reellen Zahl auf den Vektor auswirkt. Berechnet die Ergebnisse und führt die Multiplikation auch grafisch durch. Da ihr jeweils nur einen Pfeil als Repräsentation für den Vektor zeichnet, sind die Positionen der Pfeile im Koordinatensystem beliebig.

a) $3 \cdot \vec{a}$ und $4 \cdot \vec{a}$ — Erklärt das Ergebnis mithilfe einer Addition.
b) $(-1) \cdot \vec{a} = -\vec{a}$ und $(-2) \cdot \vec{a}$ — Was bewirkt das negative Vorzeichen?
c) $0{,}8 \cdot \vec{a}$ und $(-0{,}6) \cdot \vec{a}$ — Wie wirkt sich ein Faktor zwischen -1 und $+1$ aus?
d) $\frac{1}{2} \cdot \vec{a}$ — Wie wirkt sich ein echter Bruch aus?
e) Welche Lage haben alle Vektoren $k \cdot \vec{a}$ zueinander?
f) Durch welchen Faktor ergibt sich ein gleich langer und paralleler Vektor, der entgegengesetzt orientiert ist? Wie ändern sich seine Koordinaten?

GK **853** Überlege, ob die Aussagen in der linken Spalte für die Punkte und Vektoren in der Grafik zutreffen oder nicht zutreffen. Setze gegebenenfalls den entsprechenden Wert für k ein.

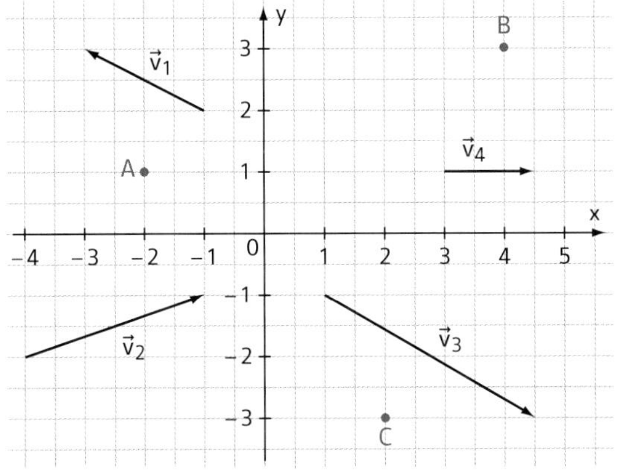

Für alle Tabellenzeilen gilt: $k \in \mathbb{R}$.

	trifft zu	trifft nicht zu
$\vec{v_1} = k \cdot \vec{v_2}$	für k = ...	☐
$\vec{v_3} = k \cdot \vec{v_1}$	für k = ...	☐
$C = A + k \cdot \vec{v_1}$	für k = ...	☐
$B = A + k \cdot \vec{v_2}$	für k = ...	☐

Die Subtraktion von Vektoren geometrisch deuten

GK **854** Die Subtraktion $(5|-1) - (2|3)$ kann sich durch zwei geometrische Aufgabenstellungen ergeben.

a) Tragt die Punkte $A(2|3)$ und $B(5|-1)$ in ein Koordinatensystem ein. Zeichnet vom Ursprung des Koordinatensystems zu den Punkten A und B jeweils einen Pfeil ein und benennt sie mit $\vec{a}$ und $\vec{b}$. Sie haben dieselben Koordinaten wie die Punkte selbst. Man nennt sie auch **Ortsvektoren**. Zeichnet den Pfeil $\overrightarrow{AB}$ ein und berechnet seine Koordinaten mit der Endpunkt-minus-Anfangspunkt-Regel ($\vec{b} - \vec{a} = \overrightarrow{AB}$).

b) Zeigt am folgenden Beispiel rechnerisch und grafisch, dass die Subtraktion eines Vektors durch die Addition des entgegengesetzt orientierten Vektors ersetzt werden kann: $(5|-1) - (2|3) = (5|-1) + (-2|-3)$

GK **855** Überprüft euer Wissen zur grafischen Darstellung, indem ihr den folgenden Rechenausdruck durch die angegebenen Vektoren grafisch darstellt. Beginnt im Ursprung des Koordinatensystems. Wenn ihr richtig zeichnet, ergibt sich ein Flugdrache an einer Leine.

$\begin{pmatrix} 4 \\ 6 \end{pmatrix} + 2 \cdot \begin{pmatrix} 4 \\ -3 \end{pmatrix} - \begin{pmatrix} 0 \\ -10 \end{pmatrix} + \frac{1}{2} \cdot \begin{pmatrix} -12 \\ 4 \end{pmatrix} + \begin{pmatrix} -2 \\ -6 \end{pmatrix}$

Besondere Punkte

GK **856** Berechne den Mittelpunkt der Strecke $\overline{AB}$ mit $A(2|4)$ und $B(6|-2)$.
Überprüfe dein Ergebnis mit einer Zeichnung.

GK **857** Im Arbeitsblatt Schwerpunkt eines Dreiecks findest du eine Herleitung obiger Formel. Bearbeite die Schritte 1 bis 5.

GK **858** Berechne den Schwerpunkt des Dreiecks mit den Punkten A(0|0), B(2|3) und C(6|−1).

GK **859** Ergänzt eure Mindmap zum Thema *Vektorrechnung*.

Technologie-Tipp: Rechenoperationen für Vektoren

Aufgaben

Mit Vektoren rechnen

GK **860** Berechne die Summe und die Differenz der gegebenen Vektoren.

a) (17|9), (−18|21) b) (−4|30), (−25|−13) c) (0|1), (11|−15)
d) (−8|3), (8|−3) e) (2|−5), (−1|9) f) (x|y), (x|−z)

GK **861** Gegeben sind die drei Vektoren $\vec{u} = \begin{pmatrix} 3 \\ y_u \end{pmatrix}$, $\vec{v} = \begin{pmatrix} 5 \\ 1 \end{pmatrix}$ und $\vec{w} = \begin{pmatrix} 2 \\ 1 \end{pmatrix}$.
Kreuze jenen Wert für die y-Koordinate von $\vec{u}$ an, bei dem
(1) die Summe $\vec{u} + \vec{v}$ dieselbe Richtung wie $\vec{w}$ hat,
☐ $y_u = -1$ ☐ $y_u = 0$ ☐ $y_u = 3$ ☐ $y_u = -3$ ☐ $y_u = 2$
(2) die Differenz $\vec{u} - \vec{v}$ dieselbe Richtung wie $\vec{w}$ hat.
☐ $y_u = 2$ ☐ $y_u = 0$ ☐ $y_u = 3$ ☐ $y_u = -1$ ☐ $y_u = -2$

GK **862** Berechne die Vielfachen. Gib an, wie sich die Lage und die Orientierung des ursprünglichen Vektors geometrisch verändert.

a) $5 \cdot \begin{pmatrix} 3 \\ -2 \end{pmatrix}$ b) $0{,}2 \cdot \begin{pmatrix} -10 \\ 1 \end{pmatrix}$ c) $-10 \cdot \begin{pmatrix} -4 \\ 5 \end{pmatrix}$ d) $-\frac{1}{4} \cdot \begin{pmatrix} 12 \\ 28 \end{pmatrix}$ e) $(-1) \cdot \begin{pmatrix} 1 \\ -7 \end{pmatrix}$
f) $2 \cdot \begin{pmatrix} 24 \\ -15 \end{pmatrix}$ g) $-5 \cdot \begin{pmatrix} -2 \\ -3 \end{pmatrix}$ h) $-0{,}5 \cdot \begin{pmatrix} 8 \\ 6 \end{pmatrix}$ i) $\frac{2}{3} \cdot \begin{pmatrix} -6 \\ 9 \end{pmatrix}$ j) $-\begin{pmatrix} x \\ y \end{pmatrix}$.

Rechenoperationen geometrisch deuten

GK **863** Mithilfe von GeoGebra stellst du die Vektoraddition, die Vektorsubtraktion und die Multiplikation eines Vektors mit einer reellen Zahl anschaulich dar. Öffne dazu die folgenden Dateien:

a) Vektoren grafisch addieren
b) Vektoren grafisch subtrahieren
c) Parallele Vektoren

GK **864** Ermittle das Ergebnis durch Zeichnung und Rechnung. $\vec{a} = (5|3)$, $\vec{b} = (-4|2)$, $\vec{c} = (1|6)$

a) $\vec{a} + \vec{b}$ b) $\vec{b} + \vec{a}$ c) $\vec{a} - \vec{c}$ d) $2 \cdot \vec{b}$
e) $\vec{b} + \vec{c}$ f) $\vec{c} - \vec{b}$ g) $\vec{c} - \vec{a}$ h) $\frac{1}{2} \cdot (\vec{a} + \vec{b})$

GK **865** Rechne mit einem CAS und gib eine geometrische Deutung des Ergebnisses an.
$\vec{a} = (45|20)$, $\vec{b} = (-16|39)$, $\vec{c} = (-17|-58)$
a) $\vec{a} + \vec{b}$ b) $\vec{a} - \vec{c}$ c) $-6 \cdot \vec{c}$ d) $0{,}5 \cdot (\vec{a} + \vec{c})$ e) $\frac{1}{3} \cdot (\vec{a} + \vec{b} + \vec{c})$

GK **866** Verschiebe den Punkt um den angegebenen Vektor. Berechne seine neue Lage und stelle die Aufgabe (eventuell mit GeoGebra) grafisch dar.
a) $A(2|1)$, $\vec{a} = (4|-3)$ b) $B(-2|3)$, $\vec{b} = (5|3)$ c) $C(6|-5)$, $\vec{c} = (-7|2)$
d) $D(-1|-4)$, $\vec{d} = (-2|6)$, e) $E(0|0)$, $\vec{e} = (4|5)$ f) $F(-5|3)$, $\vec{f} = (5|-3)$

GK **867** M ist der Schnittpunkt der Diagonalen des Rechtecks ABCD. Kreuze die wahre(n) Aussage(n) an.

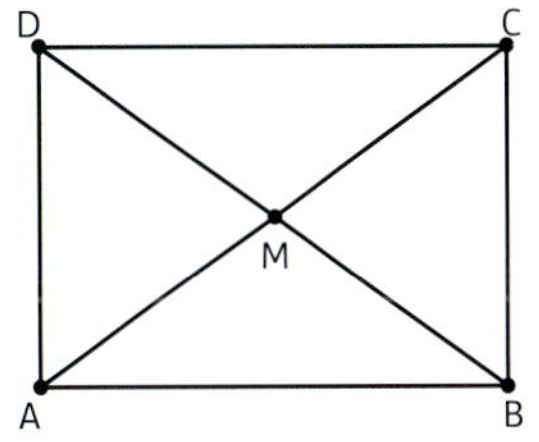

☐ $M = D - \frac{1}{2} \cdot \overrightarrow{DB}$ ☐ $C = A - 2 \cdot \overrightarrow{AM}$ ☐ $B = M + 2 \cdot \overrightarrow{DM}$
☐ $M = D + \frac{1}{2} \cdot \overrightarrow{DB}$ ☐ $M = A + \overrightarrow{AB} + \overrightarrow{BC} - \frac{1}{2} \cdot \overrightarrow{CA}$

GK **868** Die Vektoren $\vec{a}$ und $\vec{b}$ sind in der Abbildung als Pfeile zwischen den Punkten A und B bzw. A und C dargestellt. Stelle $\frac{1}{2} \cdot (\vec{a} - \vec{b})$ als Pfeil beginnend beim Punkt P dar.

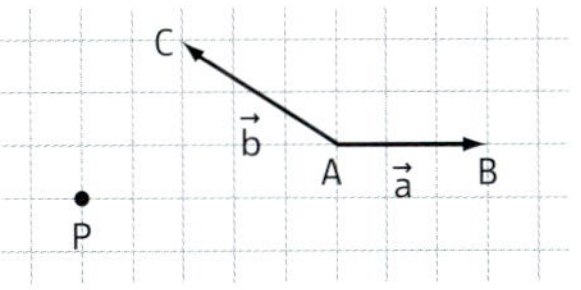

Geometrische Anwendungen

GK **869** Eine Schachfigur nimmt auf einem Schachbrett die Anfangsposition A ein und führt zwei Züge aus, die durch die Vektoren $\vec{a}$ und $\vec{b}$ dargestellt werden. Ermittle rechnerisch die erreichte Position E. Für Schachprofis: Um welche Figur kann es sich handeln?
a) $A(4|1)$, $\vec{a} = (0|2)$, $\vec{b} = (1|1)$ b) $A(7|8)$, $\vec{a} = (-1|-2)$, $\vec{b} = (2|-1)$
c) $A(2|3)$, $\vec{a} = (4|4)$, $\vec{b} = (2|-2)$ d) $A(4|8)$, $\vec{a} = (-3|-3)$, $\vec{b} = (5|0)$

GK **870** Von einem Parallelogramm sind drei Eckpunkte bekannt. Ermittle den vierten Eckpunkt auf zwei Arten und überprüfe das Ergebnis durch eine Zeichnung.
a) $A(0|0)$, $B(6|-2)$, $D(-1|4)$ b) $A(-2|-3)$, $B(5|1)$, $C(7|4)$
c) $A(-5|4)$, $C(3|8)$, $D(0|5)$ d) $B(9|1)$, $C(6|6)$, $D(-5|8)$

GK **871** Berechne den Mittelpunkt zwischen den beiden Punkten.
a) $A(1|-4)$, $B(5|-8)$ b) $C(-6|9)$, $D(10|-1)$
c) $E(-5|-7)$, $F(-11|4)$ d) $G(10|3)$, $H(-5|-7)$

GK **872** Die Vektoren $\vec{a}$ und $\vec{b}$ spannen ein Parallelogramm ABCD auf: $\vec{a} = \overrightarrow{AB}$ und $\vec{b} = \overrightarrow{AD}$. Ermittle rechnerisch die fehlenden Eckpunkte und den Diagonalenschnittpunkt M.
a) $A(-2|1)$, $\vec{a} = (6|-3)$, $\vec{b} = (1|4)$ b) $A(7|5)$, $\vec{a} = (-9|-1)$, $\vec{b} = (2|-4)$
c) $B(4|-2)$, $\vec{a} = (5|2)$, $\vec{b} = (-3|6)$ d) $C(0|6)$, $\vec{a} = (10|4)$, $\vec{b} = (-4|7)$

GK **873** Untersuche mithilfe der Seitenlängen und Längen der beiden Diagonalen, ob ein Quadrat, ein Rechteck, ein Rhombus (Raute), ein Parallelogramm oder keines dieser Vierecke vorliegt. Falls die Diagonalen einander halbieren, berechne den Mittelpunkt M.

a) $A(-3|-2)$, $B(4|-1)$, $C(3|5)$, $D(-4|4)$
b) $A(1|-2)$, $B(7|4)$, $C(2|9)$, $D(-4|3)$
c) $A(-2|-1)$, $B(2|-5)$, $C(7|0)$, $D(2|4)$
d) $A(5|-11)$, $B(7|1)$, $C(0|5)$, $D(-4|-2)$
e) $A(1|-3)$, $B(-2|1)$, $C(-7|1)$, $D(-4|-3)$
f) $A(5|-2)$, $B(2|2)$, $C(-7|1)$, $D(-4|-3)$

GK **874** Berechne die Seitenlängen des Dreiecks ABC und den Schwerpunkt. Liegt ein spezielles Dreieck vor?

a) $A(-1|-3)$, $B(5|5)$, $C(-7|1)$
b) $A(0|0)$, $B(5|5)$, $C(-7|1)$
c) $A(0|0)$, $B(5|5)$, $C(4|-4)$
d) $A(9|0)$, $B(3|4)$, $C(1|2)$

GK **875** Teile die Strecke $\overline{AB}$ durch Punkte in gleich lange Teilstrecken. In welchen Punkten muss die Strecke geteilt werden?

Beispiel: $E = A + \frac{1}{3}\cdot\overrightarrow{AB}$

a) $A(2|0)$, $B(8|2)$, 4 gleich lange Teilstrecken
b) $A(1|1)$, $B(7|-2)$, 3 gleich lange Teilstrecken
c) $A(-11|-5)$, $B(4|1)$, 5 gleich lange Teilstrecken

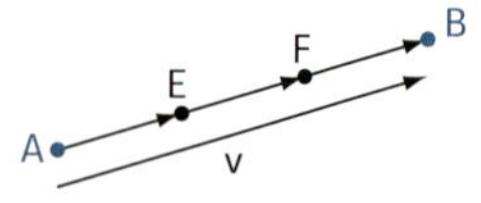

GK **876**
a) C liegt zwischen zwei Orten $A(-112|308)$ und $B(92|-148)$ und ist von B dreimal so weit entfernt wie von A. Berechne die Koordinaten von C.
b) Maximilian geht von $A(170|238)$ nach $B(467|193)$ und hat bereits zwei Drittel der Strecke zurückgelegt. Welche Koordinaten hat der Punkt P seines momentanen Standorts?

Anwendungen in der Physik

Wirken zwei Teilkräfte $\vec{F_1}$ und $\vec{F_2}$ auf einen Körper, so ergibt sich die **resultierende Gesamtkraft** (Resultierende) durch die Ermittlung des Summenvektors. Ist die Summe der an einem Körper angreifenden Kräfte **null**, so besteht an diesem Körper ein **Kräftegleichgewicht**.

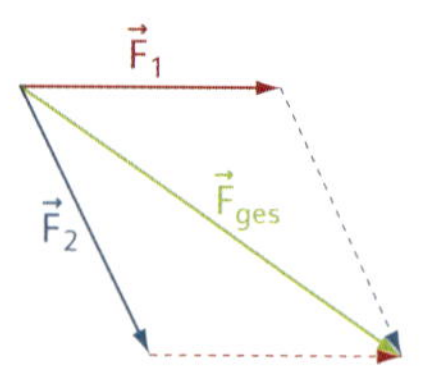

Greifen an einem Punkt eines (starren) Körpers mehrere Kräfte an, so findest du ihre resultierende Gesamtkraft $\overrightarrow{F_{ges}}$ mit einem Kräftevieleck (Kräftepolygon). Ist das Kräftevieleck geschlossen, so sind alle Kräfte im Gleichgewicht. Die Resultierende ist null. Die Wirkung der Einzelkräfte heben sich gegenseitig auf.

GK **877** Auf einen Körper wirken gemäß dem Diagramm zwei Kräfte $\vec{F_1}$ und $\vec{F_2}$.

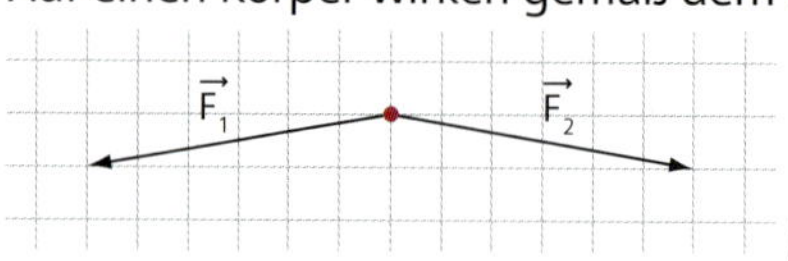

(1 Kästchen entspricht 1 N)

(1) Lies die Komponenten der beiden Teilkräfte ab und berechne die resultierende Gesamtkraft.
(2) Berechne die Beträge aller auftretenden Kraftvektoren.
(3) Zeichne das Kräfteparallelogramm.

GK **878** Auf einen Körper wirken drei Kräfte $\vec{F_1} = (3\,N|4\,N)$, $\vec{F_2} = (-5\,N|3\,N)$ und $\vec{F_3}$ so, dass die resultierende Gesamtkraft durch den Nullvektor gegeben ist (**Kräftegleichgewicht**). Berechne $\vec{F_3}$. Zeichne die drei Kraftvektoren (mit gemeinsamem Anfangspunkt).

Zusammenhänge beweisen

GK **879** Zeige koordinatenweise, dass für die Vektoren $\vec{a} = \begin{pmatrix} x_a \\ y_a \end{pmatrix}$, $\vec{b} = \begin{pmatrix} x_b \\ y_b \end{pmatrix}$ und $\vec{c} = \begin{pmatrix} x_c \\ y_c \end{pmatrix}$ und eine reelle Zahl k die folgenden Gesetze gelten. Begründe jeden Umformungsschritt mit Rechenregeln für Vektoren bzw. reelle Zahlen.

a) Assoziativgesetz für die Addition von $\vec{a}$, $\vec{b}$ und $\vec{c}$: $\vec{a} + \vec{b} + \vec{c} = \vec{a} + (\vec{b} + \vec{c})$

b) Kommutativgesetz für die Addition von $\vec{a}$ und $\vec{b}$: $\vec{a} + \vec{b} = \vec{b} + \vec{a}$

c) $\vec{a} + (-\vec{a}) = \begin{pmatrix} 0 \\ 0 \end{pmatrix}$

d) Distributivgesetz: $k \cdot (\vec{a} + \vec{b}) = k \cdot \vec{a} + k \cdot \vec{b}$

GK **880** a) Eine Strecke AB wird durch die Punkte E und F in drei gleich lange Teilstrecken unterteilt. Zeige, dass für den ersten Teilungspunkt E gilt:
$E = \frac{2}{3} \cdot A + \frac{1}{3} \cdot B$

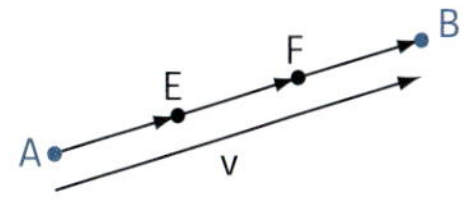

b) Eine Strecke AB wird in vier gleich lange Teilstrecken unterteilt. Zeige, dass für den ersten Teilungspunkt E gilt: $E = \frac{3}{4} \cdot A + \frac{1}{4} \cdot B$

c) Finde eine allgemeine Formel in der Form wie bei a) und b) für den ersten Teilungspunkt nach A, wenn AB in n gleich lange Teilstrecken unterteilt wird.

d) Finde eine allgemeine Formel in der Form wie bei a) und b) für den m-ten Teilungspunkt, wenn AB in n gleich lange Teilstrecken unterteilt wird.

Aufgaben für Datenvektoren

GK **881** Ein Bauernhof beliefert zwei Supermärkte mit Eiern. Die Anzahl der gelieferten Eier für die Monate Jänner, Februar und März werden in einem Datenvektor aufgelistet:
$J = \begin{pmatrix} 312 \\ 427 \end{pmatrix}$, $F = \begin{pmatrix} 326 \\ 432 \end{pmatrix}$, $M = \begin{pmatrix} 375 \\ 458 \end{pmatrix}$. Die Verkaufspreise pro Ei variieren pro Monat. Berechne und interpretiere das Ergebnis in diesem Kontext.

a) $J + F + M$　　b) $0{,}26 \cdot J + 0{,}28 \cdot F + 0{,}30 \cdot M$　　c) $\frac{1}{3} \cdot (J + F + M)$

GK **882** Eine Werkstatt erzeugt drei verschiedene Produkte und beliefert zwei Kunden.
Der Vektor $\vec{p_1} = (8|5)$ gibt für das Produkt 1 an, wie viel Stück jeder Kunde erhalten hat. $\vec{p_2} = (15|7)$ und $\vec{p_3} = (10|5)$ drücken die Liefermengen für Produkt 2 und 3 aus.
Produkt 1 kostet $k_1 = 20$ €, Produkt 2 kostet $k_2 = 40$ € und Produkt 3 kostet $k_3 = 5$ €.
Führe die angegebenen Berechnungen durch. Welche Bedeutung hat das Ergebnis?

a) $\vec{p_1} + \vec{p_2} + \vec{p_3}$　　b) $k_1 \cdot \vec{p_1}$　　c) $k_1 \cdot \vec{p_1} + k_2 \cdot \vec{p_2} + k_3 \cdot \vec{p_3}$

Typ-2-Aufgaben

GK **883** Auf einen fallenden Körper wirken zwei Teilkräfte (Angaben in N):
Die Schwerkraft $\vec{F_S} = (0|-12)$ und die vom Wind ausgeübte Kraft $\vec{F_W} = (3|0)$. Berechne die Gesamtkraft, die auf ihn wirkt. Zeichne die beiden Teilkräfte und die Gesamtkraft.
Anmerkung: Das Zusammenwirken mehrerer Kräfte wird durch die Summe der entsprechenden Kraftvektoren beschrieben. Das Symbol N steht für *Newton*, die physikalische Einheit der Kraft.

GK **884** Um auf einen Körper eine gegebene Kraft auszuüben, kann eine Federwaage benutzt werden:

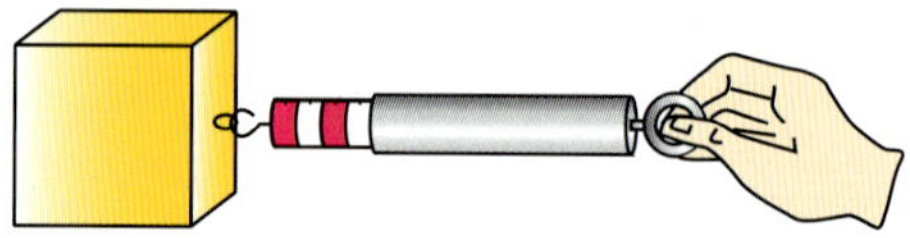

Der Betrag der Kraft kann an der Skala abgelesen werden, die aus der Federwaage gezogen wird . Auf einen Körper wirken zwei Kräfte $\vec{F_1} = (1|-5)$ und $\vec{F_2} = (3|-1)$, wobei die Komponenten in N angegeben sind. Die resultierende Gesamtkraft kann in der Form $\overrightarrow{F_{ges}} = \vec{F_1} + \vec{F_2}$ oder in der Form $\overrightarrow{F_{ges}} = \vec{F_2} + \vec{F_1}$ berechnet werden. Beide Formeln führen auf das gleiche Resultat.
Stelle diese beiden Rechenoperationen in einer Zeichnung grafisch dar (darin tritt das sogenannte **Kräfteparallelogramm** auf) und berechne die Gesamtkraft.

GK **885** Auf einen Körper wirken gemäß dem Diagramm drei Kräfte.

(1) Lies die Komponenten der drei Teilkräfte ab und berechne die resultierende Gesamtkraft.

(2) Mithilfe einer vierten Kraft soll ein Kräftegleichgewicht erzielt werden. Ermittle die Komponenten dieser vierten Kraft rechnerisch und zeichne den Kraftvektor in das Diagramm ein. Überprüfe mit einer Zeichnung, ob die vier Kräfte ein geschlossenes Kräftevieleck bilden.

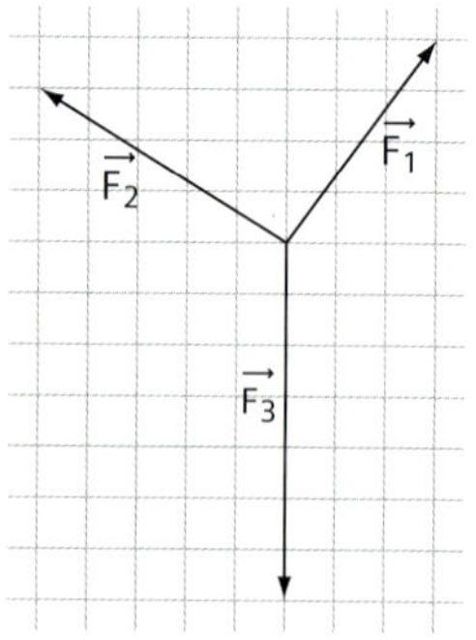

GK **886** Eine Lampe, die als Straßenbeleuchtung dient, zwei Seilen (siehe Abbildung) aufgehängt. Das Gewicht der Lampe wird durch den Vektor $F = \begin{pmatrix} 0 \\ -2 \end{pmatrix}$ (Maße in Newton) beschrieben.

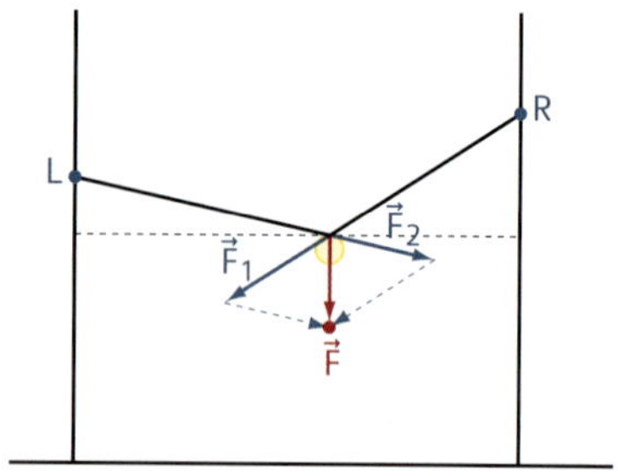

(1) Berechne die Komponenten von $\vec{F_2}$, wenn $\vec{F_1} = \begin{pmatrix} -2{,}31 \\ -1{,}54 \end{pmatrix}$ ist.

(2) Der rechte Aufhängungspunkt R wird tiefer gesetzt. Erkläre anhand einer Skizze wie sich die Größen (Beträge) der wirkenden Kräfte $\vec{F_1}$ und $\vec{F_2}$ verändern.

(3) Der rechte Aufhängungspunkt R wird so tief gesetzt, dass das Seil von R zur Lampe waagrecht verläuft. Das linke Seil schließt mit der Waagrechten einen Winkel von 18,43° ein. Berechne für diese Situation die Komponenten der beiden Teilkräfte $\vec{F_1}$ und $\vec{F_2}$.

GK **887** Auf drei Kraftmesser wirken die Kräfte $\vec{F_1}$, $\vec{F_2}$ und $\vec{F_3}$ (Maße in N).

a) Zeige, dass die drei Kräfte im Gleichgewicht sind.

b) Welche Kraft wirkt auf den dritten Kraftmesser, wenn für $\vec{F_1}$ und $\vec{F_2}$ gilt:
$\vec{F_1} = (-1{,}34|2{,}79)$ und $\vec{F_2} = (1{,}34|-2{,}79)$?

c) Ist es möglich, dass auch vier Kräfte im Gleichgewicht sein können? Wenn ja, fertige eine passende Skizze an.

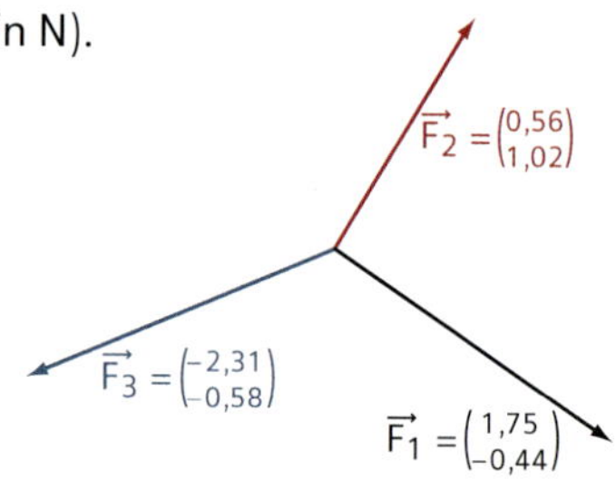

3 Einheitsvektor

Sind Vektoren oder geometrische Objekte mit bestimmter Länge gesucht, so wird mit Vektoren der Länge 1, den sogenannten Einheitsvektoren, gearbeitet.

Du erwirbst folgende Grundkompetenz:
○ Einheitsvektoren ermitteln, verständig einsetzen und interpretieren (AG-L 3.7)

Neues Wissen

Beispiel:
Die Raute ABCD soll vom Punkt A aus so gestreckt werden, dass sie die Seitenlänge 10 hat. Gib die Vektoren an, die die neue Raute $A_1B_1C_1D_1$ aufspannen.
Lies die dazu benötigten Angaben aus der Grafik ab.

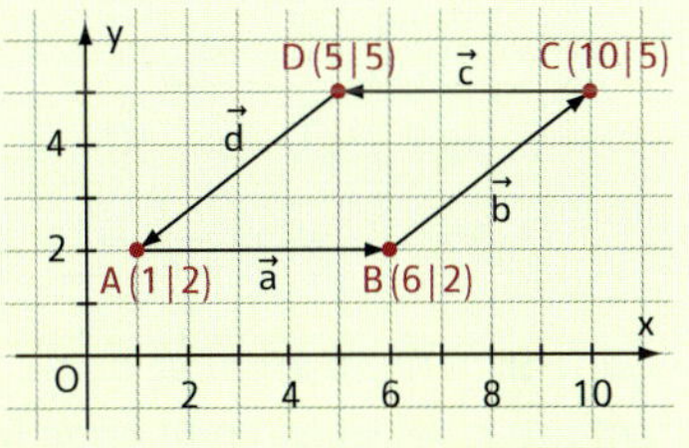

Lösung:
Die Seitenlänge der Raute berechnest du mit Betrag $|\overrightarrow{AB}|$.
$\overrightarrow{AB} = \begin{pmatrix}6\\2\end{pmatrix} - \begin{pmatrix}1\\2\end{pmatrix} = \begin{pmatrix}5\\0\end{pmatrix} \Rightarrow |\overrightarrow{AB}| = \sqrt{25+0} = \sqrt{25} = 5$
Damit die Raute statt der Seitenlänge 5 die Seitenlänge 10 hat, muss der Vektor $\overrightarrow{AB}$ verdoppelt werden.
$\overrightarrow{A_1B_1} = 2 \cdot \overrightarrow{AB} = 2 \cdot \begin{pmatrix}5\\0\end{pmatrix} = \begin{pmatrix}10\\0\end{pmatrix}$
Berechne zur Kontrolle die Länge der neuen Seite mithilfe des Vektors.
$|\vec{a_1}| = \sqrt{100+0} = 10$

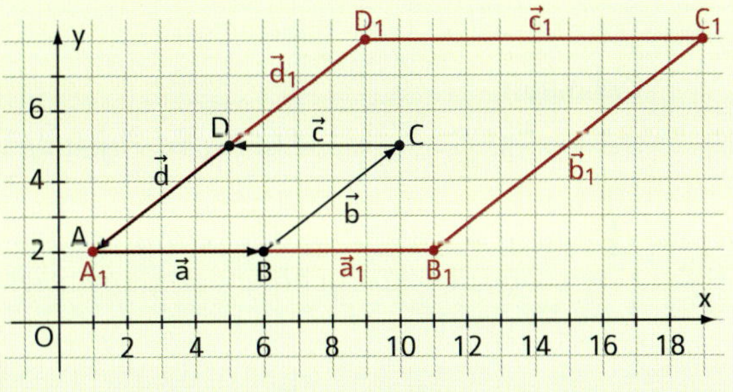

Analog erhältst du:
$\overrightarrow{B_1C_1} = 2 \cdot \overrightarrow{BC} = \begin{pmatrix}8\\6\end{pmatrix}$
$|\vec{b_1}| = \sqrt{64+36} = \sqrt{100} = 10$
$\overrightarrow{C_1D_1} = 2 \cdot \overrightarrow{CD} = \begin{pmatrix}-10\\0\end{pmatrix}$
$|\vec{c_1}| = \sqrt{100+0} = 10$
$\overrightarrow{D_1A_1} = 2 \cdot \overrightarrow{DA} = \begin{pmatrix}-8\\-6\end{pmatrix}$
$|\vec{d_1}| = \sqrt{64+36} = 10$

▷ *Beispiel:*

Die Raute ABCD soll vom Punkt A aus so gestaucht werden, dass sie die Seitenlänge 1 hat.
Gib die Vektoren an, die die neue Raute $A_2B_2C_2D_2$ aufspannen.

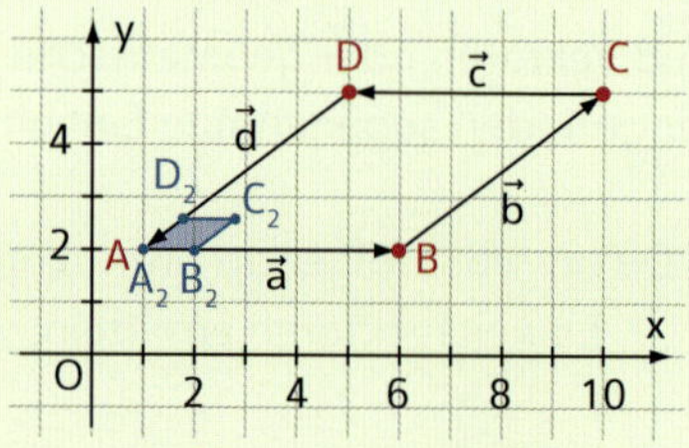

Lösung:

$\left|\overrightarrow{AB}\right| = 5.$

Damit die Raute statt der Seitenlänge 5 die Seitenlänge 1 hat, muss der Vektor $\overrightarrow{AB}$ durch 5 dividiert (d.h. mit $\frac{1}{5}$ multipliziert) werden.

$\overrightarrow{A_2B_2} = \frac{1}{5}\cdot\overrightarrow{AB} = \frac{1}{5}\cdot\begin{pmatrix}5\\0\end{pmatrix} = \begin{pmatrix}1\\0\end{pmatrix} \Rightarrow \left|\vec{a_2}\right| = \sqrt{1+0} = 1$

Analog *erhältst du:*

$\overrightarrow{B_2C_2} = \frac{1}{5}\cdot\overrightarrow{BC} = \left(\frac{4}{5}\middle|\frac{3}{5}\right)$ $\qquad \left|\vec{b_2}\right| = \sqrt{\frac{16}{25}+\frac{9}{25}} = \sqrt{1} = 1$

$\overrightarrow{C_2D_2} = \frac{1}{5}\cdot\overrightarrow{CD} = (-1\,|\,0)$ $\qquad \left|\vec{c_2}\right| = \sqrt{1+0} = 1$

$\overrightarrow{D_2A_2} = \frac{1}{5}\cdot\overrightarrow{DA} = \left(-\frac{4}{5}\middle|-\frac{3}{5}\right)$ $\qquad \left|\vec{d_2}\right| = \sqrt{\frac{16}{25}+\frac{9}{25}} = 1$

Ganz allgemein erhältst du zu einem gegebenen Vektor $\vec{v} = (v_x|v_y)$ einen parallelen, gleich orientierten Vektor $\vec{v_0}$ mit Länge (oder Betrag) 1, wenn du die x- und y-Koordinaten durch die Länge (bzw. den Betrag) des Vektors $\vec{v}$ dividierst.
Die folgenden beiden Schreibweisen sind üblich:

$\vec{v} = \begin{pmatrix}v_x\\v_y\end{pmatrix};\ \vec{v_0} = \begin{pmatrix}\frac{v_x}{|\vec{v}|}\\ \frac{v_y}{|\vec{v}|}\end{pmatrix}$ $\qquad \vec{v} = \begin{pmatrix}v_x\\v_y\end{pmatrix};\ \vec{v_0} = \frac{1}{|\vec{v}|}\cdot\begin{pmatrix}v_x\\v_y\end{pmatrix}$

▷ **Definition**

Der Vektor $\vec{v_0} = \frac{1}{|\vec{v}|}\cdot\vec{v}$ heißt der zu $\vec{v}$ gehörende **Einheitsvektor** und hat Länge 1.

GK **888** Berechne den zu $\vec{v}$ gehörenden Einheitsvektor $\vec{v_0}$.

a) $\vec{v} = (3|-1)$ b) $\vec{v} = (-5|-2)$

Technologie-Tipp: Einheitsvektoren

Mithilfe von Einheitsvektoren kannst du nun Strecken einer bestimmten Länge in eine vorgegebene Richtung abtragen.

▷ *Beispiel:*
Vom Punkt A(1|1) aus wird eine Strecke der Länge 8 in Richtung des Vektors $\vec{v} = (-4|3)$ abgetragen. Ermittle rechnerisch und grafisch die Koordinaten des Endpunktes B dieser Strecke.

Lösung:

Rechnerisch:
Von A aus wird der zu $\vec{v}$ gehörige Einheitsvektor 8-mal abgetragen.

$B = A + 8 \cdot \vec{v_0} = A + 8 \cdot \frac{1}{|\vec{v}|} \cdot \vec{v}$

$|\vec{v}| = \sqrt{16 + 9} = 5 \Rightarrow \vec{v_0} = \frac{1}{|\vec{v}|} \cdot \vec{v} = \vec{v_0} = \frac{1}{5} \cdot \begin{pmatrix} -4 \\ 3 \end{pmatrix}$

$B = \begin{pmatrix} 1 \\ 1 \end{pmatrix} + 8 \cdot \frac{1}{5} \cdot \begin{pmatrix} -4 \\ 3 \end{pmatrix}$

$= \begin{pmatrix} 1 \\ 1 \end{pmatrix} + \frac{8}{5} \cdot \begin{pmatrix} -4 \\ 3 \end{pmatrix} = \begin{pmatrix} 1 \\ 1 \end{pmatrix} + \begin{pmatrix} -\frac{32}{5} \\ \frac{24}{5} \end{pmatrix} = \begin{pmatrix} -\frac{27}{5} \\ \frac{29}{5} \end{pmatrix} = \begin{pmatrix} -5,4 \\ 5,8 \end{pmatrix}$

Grafisch:

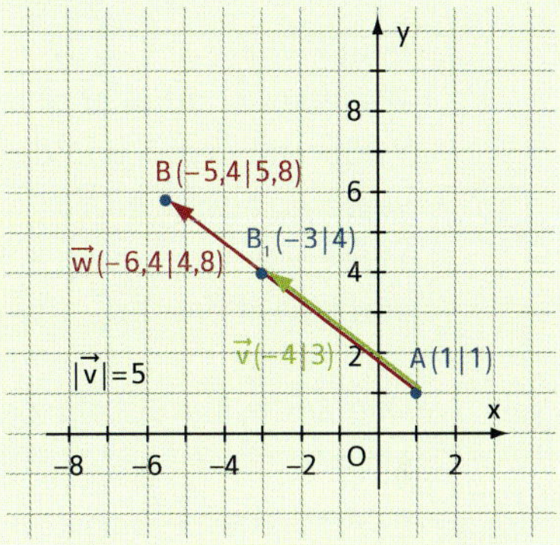

889 Trage von A aus die Strecke der Länge a in Richtung des Vektors $\vec{v}$ ab. Ermittle rechnerisch und grafisch die Koordinaten des Endpunktes B.
a) A(0|3), a = 4, $\vec{v} = (3|4)$ b) A(−7|1), a = 7, $\vec{v} = (-1|0)$

890 Ergänze deine Mindmap zum Thema *Vektoren*.

Aufgaben

891 Berechne den zu $\vec{v}$ gehörigen Einheitsvektor $\vec{v_0}$ und überprüfe das Ergebnis mit einem elektronischen Tool.
a) $\vec{v} = \begin{pmatrix} 7 \\ 3 \end{pmatrix}$ b) $\vec{v} = \begin{pmatrix} 1 \\ 1 \end{pmatrix}$ c) $\vec{v} = \begin{pmatrix} -1 \\ 1 \end{pmatrix}$

892 Ordne den Vektoren in der linken Spalte den entsprechenden Einheitsvektor zu.

$\vec{v} = \begin{pmatrix} 4 \\ 8 \end{pmatrix}$	
$\vec{v} = \begin{pmatrix} -12 \\ -5 \end{pmatrix}$	
$\vec{v} = \begin{pmatrix} 5 \\ 12 \end{pmatrix}$	
$\vec{v} = \begin{pmatrix} 2 \\ 4 \end{pmatrix}$	

A	$\vec{v_0} = \frac{1}{13} \cdot \begin{pmatrix} 5 \\ 12 \end{pmatrix}$
B	$\vec{v_0} = \frac{1}{\sqrt{20}} \cdot \begin{pmatrix} 4 \\ 8 \end{pmatrix}$
C	$\vec{v_0} = \frac{1}{\sqrt{20}} \cdot \begin{pmatrix} 2 \\ 4 \end{pmatrix}$
D	$\vec{v_0} = \frac{1}{\sqrt{80}} \cdot \begin{pmatrix} 4 \\ 8 \end{pmatrix}$
E	$\vec{v_0} = \frac{1}{13} \cdot \begin{pmatrix} -12 \\ -5 \end{pmatrix}$

GK **893** Eine Strecke der Länge l wird vom Punkt A aus in Richtung des Vektors $\vec{v}$ abgetragen. Ermittle rechnerisch und grafisch den Endpunkt B der Strecke.

a) $A(-2|3)$, $\vec{v} = (2|-1)$, $l = 5$
b) $A(4|6)$, $\vec{v} = (-3|2)$, $l = 2$
c) $A(3|-4)$, $\vec{v} = (0|1)$, $l = 12$
d) $A(-1|-5)$, $\vec{v} = (1|0)$, $l = 4$
e) $A(6|8)$, $\vec{v} = (0|-1)$, $l = 3$
f) $A(0|-3{,}5)$, $\vec{v} = (-1|0)$, $l = 4{,}5$

894 Zeichne mit einem geeigneten elektronischen Tool zwei beliebige Vektoren $\vec{u}$ und $\vec{v}$, die vom gemeinsamen Anfangspunkt A ausgehen. Bilde anschließend die Summe $\vec{u_0} + \vec{v_0}$ und die Differenz $\vec{u_0} - \vec{v_0}$ und zeichne sie ebenfalls mit Anfangspunkt A ein.
Was kannst du über die Winkel zwischen den ursprünglichen Vektoren $\vec{u}$ und $\vec{v}$ und der Summe bzw. Differenz der Einheitsvektoren aussagen?
Stelle eine Vermutung auf, welchen Winkel die Summe $\vec{u_0} + \vec{v_0}$ und die Differenz $\vec{u_0} - \vec{v_0}$ miteinander einschließen.

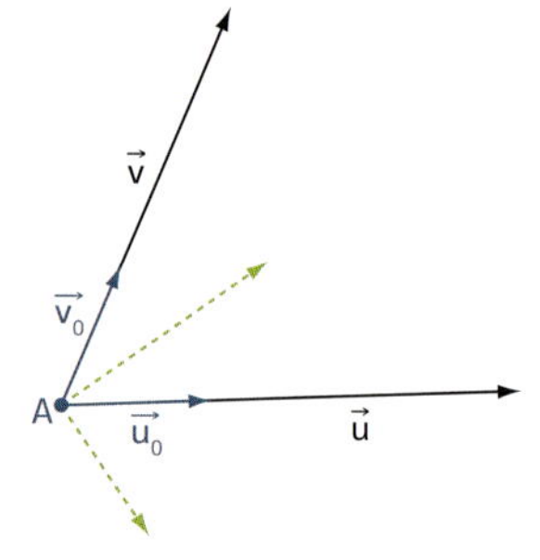

895 Das Dreieck ABC mit den Eckpunkten $A(2|1)$, $B(14|6)$ und $C(4|11)$ soll von A aus so gestreckt bzw. gestaucht werden, dass die Strecke A_1B_1 des neuen Dreiecks $A_1B_1C_1$

a) die Länge 26
b) die Länge 19,5
c) die Länge 6,5 hat.

896 Die in der Grafik dargestellten Vektoren $\vec{e_1}$, $\vec{e_2}$ und $\vec{e_3}$ haben alle die Länge 1.
Kreuze die wahren Aussagen an.

(1) ☐ $\vec{e_1}$ ist der Einheitsvektor von $\vec{a}$.
(2) ☐ $\vec{e_2}$ ist der Einheitsvektor von $\vec{b}$.
(3) ☐ $\vec{e_3}$ ist der Einheitsvektor von $\vec{a}$.
(4) ☐ $\vec{e_3}$ ist der Einheitsvektor von $\vec{b}$.
(5) ☐ $\vec{b}$ ist der Einheitsvektor von $\vec{a}$.

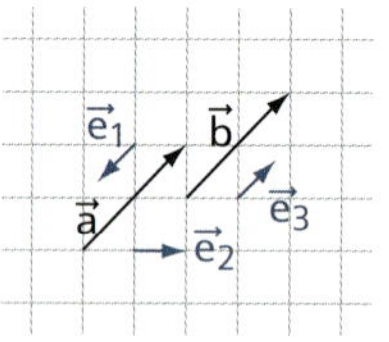

897 Ordne den Einheitsvektoren der linken Tabelle den entsprechenden Vektor der rechten Tabelle zu.

$\vec{a_0} = \left(\frac{5}{\sqrt{74}} \middle| \frac{7}{\sqrt{74}}\right)$	
$\vec{a_0} = \left(\frac{-7}{\sqrt{74}} \middle| \frac{5}{\sqrt{74}}\right)$	
$\vec{a_0} = (0{,}71\|0{,}71)$	
$\vec{a_0} = \left(\frac{1}{\sqrt{5}} \middle| \frac{2}{\sqrt{5}}\right)$	

A	$\vec{a} = (2\|4)$
B	$\vec{a} = (50\|50)$
C	$\vec{a} = (50\|70)$
D	$\vec{a} = (4\|70)$
E	$\vec{a} = (-14\|10)$
F	$\vec{a} = (2\|1)$

898 Zu $\vec{v} = \begin{pmatrix} 15 \\ b \end{pmatrix}$ ist der zugehörige Einheitsvektor $\vec{v_0} = \begin{pmatrix} a \\ \frac{4}{5} \end{pmatrix}$ bekannt. Berechne die fehlenden Komponenten a und b.

4 Skalarprodukt

In diesem Abschnitt lernst du das Skalarprodukt als weitere wichtige Rechenoperation für Vektoren kennen.

Du erwirbst folgende Grundkompetenz:
GK Definition der Rechenoperation Skalarprodukt kennen (AG-R 3.3)

Neues Wissen

Das Produkt zweier Vektoren wird so definiert, dass das Ergebnis eine Zahl (ein Skalar) ist, also *kein* Vektor. Für Vektoren mit zwei Komponenten gilt:

Definition

Das Produkt zweier Vektoren
$\vec{a} \cdot \vec{b} = \begin{pmatrix} x_a \\ y_a \end{pmatrix} \cdot \begin{pmatrix} x_b \\ y_b \end{pmatrix} = x_a \cdot x_b + y_a \cdot y_b$
heißt **Skalarprodukt**. Das Ergebnis ist eine Zahl. Das skalare Produkt wird nach der Regel **Produkt der x-Komponenten + Produkt der y-Komponenten** berechnet.
- Statt $\vec{a} \cdot \vec{b}$ kann einfach $\vec{a}\,\vec{b}$ (ohne Punkt) geschrieben werden.
- Statt $\vec{a} \cdot \vec{a}$ kann auch $\vec{a}^{\,2}$ geschrieben werden.

Im Englischen wird das Skalarprodukt mit *dot product* oder *scalar product* bezeichnet.

Beispiel:
Berechne das Skalarprodukt
$\begin{pmatrix} 2 \\ -3 \end{pmatrix} \cdot \begin{pmatrix} 4 \\ 5 \end{pmatrix}$

Lösung:
$\begin{pmatrix} 2 \\ -3 \end{pmatrix} \cdot \begin{pmatrix} 4 \\ 5 \end{pmatrix} = 2 \cdot 4 + (-3) \cdot 5 = 8 - 15 = -7$

GK **899** Berechne das Skalarprodukt.

a) $\begin{pmatrix} 4 \\ 2 \end{pmatrix} \cdot \begin{pmatrix} 3 \\ 5 \end{pmatrix}$ b) $\begin{pmatrix} 2 \\ 1 \end{pmatrix} \cdot \begin{pmatrix} -8 \\ 7 \end{pmatrix}$ c) $\begin{pmatrix} a \\ b \end{pmatrix} \cdot \begin{pmatrix} c \\ d \end{pmatrix}$ d) $\begin{pmatrix} -2 \\ 9 \end{pmatrix} \cdot \begin{pmatrix} x \\ y \end{pmatrix}$ e) $\begin{pmatrix} x_a \\ y_a \end{pmatrix}^2$

Beispiel:
Berechne die fehlende Komponente.
$\begin{pmatrix} 45 \\ 12 \end{pmatrix} \cdot \begin{pmatrix} x \\ 36 \end{pmatrix} = -198$

Lösung:
$$\begin{aligned} 45 \cdot x + 12 \cdot 36 &= -198 \\ 45 \cdot x + 432 &= -198 \quad &|-432 \\ 45 \cdot x &= -639 \quad &|:45 \\ x &= -14 \end{aligned}$$

GK **900** Berechne die fehlende Komponente.

a) $\begin{pmatrix} 3 \\ 15 \end{pmatrix} \cdot \begin{pmatrix} 4 \\ x \end{pmatrix} = 42$ b) $\begin{pmatrix} a \\ 2 \end{pmatrix} \cdot \begin{pmatrix} 2 \\ 17 \end{pmatrix} = 68$ c) $\begin{pmatrix} 2{,}5 \\ u \end{pmatrix} \cdot \begin{pmatrix} 3{,}4 \\ 5{,}7 \end{pmatrix} = \frac{1169}{50}$

Rechenregeln Skalarprodukt

Für alle Vektoren $\vec{a} = \begin{pmatrix} x_a \\ y_a \end{pmatrix}$, $\vec{b} = \begin{pmatrix} x_b \\ y_b \end{pmatrix}$, $\vec{c} = \begin{pmatrix} x_c \\ y_c \end{pmatrix}$ und alle reellen Zahlen r und s gilt:

(1) Kommutativgesetz $\vec{a} \cdot \vec{b} = \vec{b} \cdot \vec{a}$

(2) Distributivgesetz $\vec{a} \cdot (\vec{b} + \vec{c}) = \vec{a} \cdot \vec{b} + \vec{a} \cdot \vec{c}$

(3) Distributivgesetz $\vec{a} \cdot (\vec{b} - \vec{c}) = \vec{a} \cdot \vec{b} - \vec{a} \cdot \vec{c}$

(4) $(r \cdot \vec{a}) \cdot (s \cdot \vec{b}) = (r \cdot s) \cdot (\vec{a} \cdot \vec{b})$

(5) $|\vec{a}|^2 = \vec{a}^2 \Leftrightarrow |\vec{a}| = \sqrt{\vec{a}^2}$

(6) $\vec{a} \cdot \begin{pmatrix} 0 \\ 0 \end{pmatrix} = 0$

In Hinblick auf Klammern (Regeln 2 bis 4) gelten für das Skalarprodukt zweier Vektoren die gleichen Regeln wie für die Multiplikation reeller Zahlen. Der Betrag eines Vektors (Regel 5) kann auf das Skalarprodukt zurückgeführt werden. Daher können die binomischen Formeln auch auf das Rechnen mit Vektoren angewendet werden:

(7) $|\vec{a} + \vec{b}|^2 = (\vec{a} + \vec{b})^2 = \vec{a}^2 + 2 \cdot \vec{a} \cdot \vec{b} + \vec{b}^2$

(8) $|\vec{a} - \vec{b}|^2 = (\vec{a} - \vec{b})^2 = \vec{a}^2 - 2 \cdot \vec{a} \cdot \vec{b} + \vec{b}^2$

(9) $(\vec{a} + \vec{b}) \cdot (\vec{a} - \vec{b}) = \vec{a}^2 - \vec{b}^2$

Die Rechengesetze und Rechenregeln für das Skalarprodukt können mithilfe der Definition des Skalarprodukts und der Rechenregeln für reelle Zahlen bewiesen werden.

901 Zeigt für die beiden Vektoren $\vec{a} = \begin{pmatrix} 4 \\ 3 \end{pmatrix}$ und $\vec{b} = \begin{pmatrix} x \\ y \end{pmatrix}$, dass die Regeln (7) bis (9) gelten.

902 Ergänze deine Mindmap zum Thema *Vektorrechnung*.

Technologie-Tipp: Das Skalarprodukt

Aufgaben

GK **903** Berechne.

a) $\begin{pmatrix} 6 \\ 1 \end{pmatrix} \cdot \begin{pmatrix} 3 \\ 9 \end{pmatrix}$ b) $\begin{pmatrix} 4 \\ 2 \end{pmatrix} \cdot \begin{pmatrix} -5 \\ 8 \end{pmatrix}$ c) $\begin{pmatrix} 5 \\ -6 \end{pmatrix}^2$ d) $\begin{pmatrix} -5 \\ 1 \end{pmatrix} \cdot \begin{pmatrix} x \\ y \end{pmatrix}$ e) $\begin{pmatrix} r \\ s \end{pmatrix} \cdot \begin{pmatrix} 3t \\ -4t \end{pmatrix}$ f) $\begin{pmatrix} -4t \\ 2t \end{pmatrix}^2$

GK **904** Entscheide, ob sich der Ausdruck berechnen lässt. Wenn ja, ermittle das Ergebnis. Wenn nein, begründe, warum der Ausdruck nicht berechnet werden kann.

$\vec{a} = (5|-1)$, $\vec{b} = (-3|9)$, $\vec{c} = (10|2)$, $\vec{d} = (-8|-4)$

a) $\vec{a} \cdot \vec{b} + \vec{c} \cdot \vec{d}$ b) $(\vec{a} + \vec{b}) \cdot \vec{c}$ c) $(\vec{a} + \vec{c}) \cdot (\vec{b} + \vec{d})$ d) $\vec{a} \cdot \vec{c} + \vec{d}$

e) $3 \cdot (\vec{a} + \vec{d})$ f) $3 \cdot (\vec{b} \cdot \vec{c})$ g) $\vec{b} \cdot \vec{d} + 20$ h) $2 \cdot \vec{d} + \vec{c} \cdot \vec{d}$

905 Zeige, dass die binomische Formel auch für Vektoren und das Skalarprodukt gilt.

$(\vec{a} + \vec{b}) \cdot (\vec{a} - \vec{b}) = \vec{a}^2 - \vec{b}^2$ b) $|\vec{a} - \vec{b}|^2 = (\vec{a} - \vec{b})^2$ c) $(\vec{a} - \vec{b})^2 = \vec{a}^2 - 2 \cdot \vec{a}\vec{b} + \vec{b}^2$

5 Winkel zwischen zwei Vektoren

Mit dem Skalarprodukt und einigen dir bekannten geometrischen Überlegungen (Satz von Pythagoras, Cosinussatz) können Winkel zwischen zwei Vektoren berechnet werden. Du lernst in diesem Abschnitt, die *Vektorformel* zur Winkelberechnung herzuleiten und anzuwenden.

Du erwirbst folgende Grundkompetenz:
○ Winkel zwischen zwei Vektoren ermitteln (AG-L 3.6)

Vorwissen

906 Skizziere ein beliebiges Dreieck und trage einen beliebigen Winkel ein. Formuliere den Cosinussatz für beliebige Dreiecke mit Variablen und in Worten.

Neues Wissen

Mit dem Cosinussatz kannst du eine Formel herleiten, die einen Zusammenhang zwischen dem Skalarprodukt von zwei Vektoren, ihren Beträgen und dem eingeschlossenen Winkel herstellt.

Herleitung:
Schritt 1: Formuliere den Cosinussatz für die Seitenlängen a, b, c und den von a und b eingeschlossenen Winkel φ ($0° \le \varphi \le 180°$).
$c^2 = a^2 + b^2 - 2 \cdot a \cdot b \cdot \cos\varphi$

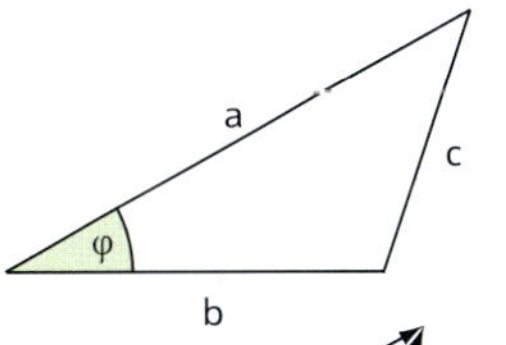

Schritt 2: Ersetze die Seitenlängen des Dreiecks durch den Betrag der entsprechenden Vektoren.
$|\vec{a} - \vec{b}|^2 = |\vec{a}|^2 + |\vec{b}|^2 - 2 \cdot |\vec{a}| \cdot |\vec{b}| \cdot \cos\varphi$

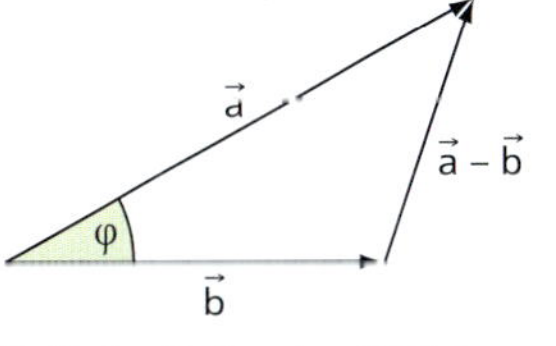

Schritt 3: Wende die Rechenregeln für das Skalarprodukt an und forme die linke Seite der Gleichung entsprechend um.
$|\vec{a} - \vec{b}|^2 = (\vec{a} - \vec{b})^2 = \vec{a}^2 - 2 \cdot \vec{a} \cdot \vec{b} + \vec{b}^2$
$\Rightarrow \vec{a}^2 - 2 \cdot \vec{a} \cdot \vec{b} + \vec{b}^2 = |\vec{a}|^2 + |\vec{b}|^2 - 2 \cdot |\vec{a}| \cdot |\vec{b}| \cdot \cos\varphi$

Schritt 4: Vereinfache die Gleichung durch geeignete Äquivalenzumformungen.
$\vec{a}^2 - 2 \cdot \vec{a} \cdot \vec{b} + \vec{b}^2 = |\vec{a}|^2 + |\vec{b}|^2 - 2 \cdot |\vec{a}| \cdot |\vec{b}| \cdot \cos\varphi \qquad -|\vec{a}|^2 - |\vec{b}|^2 \qquad |:(-2)$
$\vec{a} \cdot \vec{b} = |\vec{a}| \cdot |\vec{b}| \cdot \cos\varphi$

▷ **Satz**
Für den Zusammenhang zwischen dem Skalarprodukt von zwei Vektoren $\vec{a}$ und $\vec{b}$ (beide vom Nullvektor verschieden), ihren Beträgen und dem eingeschlossenen Winkel φ mit $0° \le \varphi \le 180°$ gilt: $\boldsymbol{\vec{a} \cdot \vec{b} = |\vec{a}| \cdot |\vec{b}| \cdot \cos\varphi}$

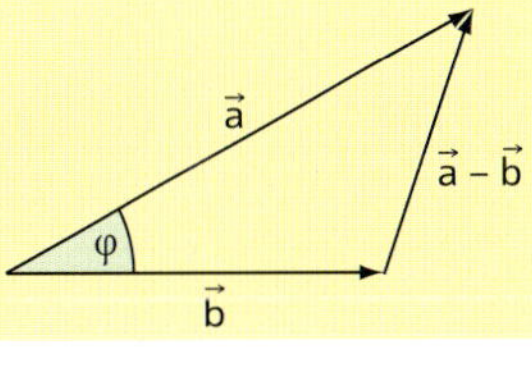

Formst du diese Gleichung so um, dass $\cos\varphi$ durch die Vektoren $\vec{a}$ und $\vec{b}$ ausgedrückt wird, erhältst du eine Formel, mit der sich der Winkel zwischen zwei Vektoren berechnet lässt.

▷ **Vektorformel zur Winkelberechnung**
Für alle Vektoren $\vec{a}$ und $\vec{b}$, die vom Nullvektor verschieden sind, und den eingeschlossenen Winkel φ mit $0° \leq \varphi \leq 180°$ gilt: $\boldsymbol{\cos\varphi = \frac{\vec{a} \cdot \vec{b}}{|\vec{a}| \cdot |\vec{b}|}}$

Wegen $\frac{1}{|\vec{a}|} \cdot \vec{a} = \vec{a_0}$ und $\frac{1}{|\vec{b}|} \cdot \vec{b} = \vec{b_0}$ lässt sich die Formel auch in der Form $\boldsymbol{\cos\varphi = \vec{a_0} \cdot \vec{b_0}}$ anschreiben.

▷ *Beispiel:*
Berechne den Winkel, den die Vektoren $\vec{a} = \begin{pmatrix} 3 \\ 10 \end{pmatrix}$ und $\vec{b} = \begin{pmatrix} 12 \\ 1 \end{pmatrix}$ einschließen.

Lösung:

$\begin{pmatrix} 3 \\ 10 \end{pmatrix} \cdot \begin{pmatrix} 12 \\ 1 \end{pmatrix} = \left|\begin{pmatrix} 3 \\ 10 \end{pmatrix}\right| \cdot \left|\begin{pmatrix} 12 \\ 1 \end{pmatrix}\right| \cdot \cos\varphi$

$46 = \sqrt{109} \cdot \sqrt{145} \cdot \cos\varphi$

$\cos\varphi \approx 0{,}366 \Rightarrow \varphi \approx 68{,}54°$

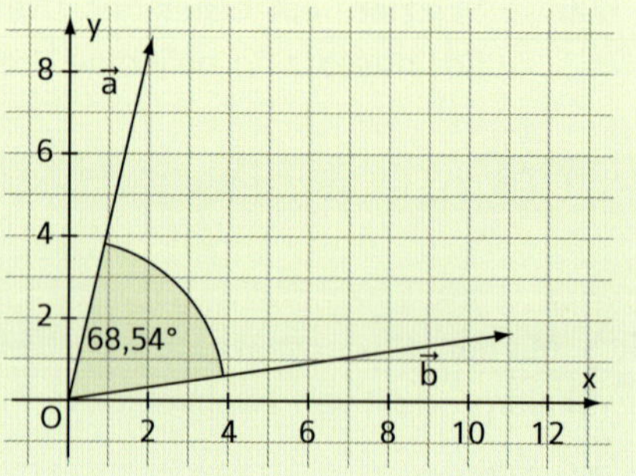

907 Berechne den Winkel, den die gegebenen Vektoren einschließen, und überprüfe durch eine Zeichnung.

a) $\vec{a} = \begin{pmatrix} 4 \\ 1 \end{pmatrix}$, $\vec{b} = \begin{pmatrix} 2 \\ 3 \end{pmatrix}$
b) $\vec{u} = \begin{pmatrix} -1 \\ 5 \end{pmatrix}$, $\vec{v} = \begin{pmatrix} 6 \\ -2 \end{pmatrix}$

908 Ergänze deine Mindmap zum Thema *Vektorrechnung*.

909 Ergänze deine Formelsammlung.

Technologie-Tipp: Winkel zwischen zwei Vektoren

Aufgaben

910 Berechne den Winkel zwischen den beiden Vektoren und kontrolliere dein Ergebnis durch eine Zeichnung.

a) $\vec{a} = (6|2)$, $\vec{b} = (1|5)$
b) $\vec{a} = (-4|-2)$, $\vec{b} = (-3|7)$
c) $\vec{a} = (1|-8)$, $\vec{b} = (-2|-4)$
d) $\vec{a} = (-72|54)$, $\vec{b} = (54|-40{,}5)$
e) $\vec{a} = (79|-23)$, $\vec{b} = (45|-18)$
f) $\vec{a} = (524|265)$, $\vec{b} = (-603|-150)$

911 Berechne mit der Vektorformel zur Winkelberechnung die Innenwinkel der gegebenen Figur. Achte auf die Orientierung der Vektoren. Kontrolliere dein Ergebnis, indem du die Winkelsumme berechnest. Eine Zeichnung kann hilfreich sein.

a) Dreieck ABC: A(−6|3), B(3|3), C(−1|9)
b) Dreieck AFS: A(−5|−1), F(5|1), S(4|6)
c) Dreieck KLM: K(2|−3), L(3|3), M(−6|8)
d) Dreieck RST: R(1|−2), S(8|0), T(8|8)
e) Viereck ABCD: A(7|−2), B(5|3), C(−2|8), D(−5|−1)
f) Viereck PQRS: P(7|−2), Q(5|3), R(7|7), S(−5|−1)

912 Berechne den Flächeninhalt des Dreiecks, indem du die trigonometrische Flächeninhaltsformel (*Kapitel Trigonometrie, Abschnitt 12*) verwendest.
Überprüfe dein Ergebnis mit GeoGebra.

a) A(0|−3), B(3|6), C(−3|5)
b) A(−4|2), B(7|−1), C(4|4)
c) P(−1|−2), Q(3|−3), R(6|7)
d) A(11,7|−21,6), B(21,9|18,7), C(−15,6|−4,8)

GK **913** Gib das Skalarprodukt von zwei Vektoren an, die den Winkel
(1) $\varphi = 0°$, (2) $\varphi = 90°$, (3) $\varphi = 180°$ einschließen.

914 Leite schrittweise die Formel $\cos\varphi = \vec{a}_0 \cdot \vec{b}_0$ aus der Formel $\cos\varphi = \frac{\vec{a} \cdot \vec{b}}{|\vec{a}| \cdot |\vec{b}|}$ her, indem du für jeden Schritt die entsprechende Umformungsregel angibst.

915 Berechne den Winkel zwischen zwei Vektoren, indem du zunächst die Einheitsvektoren berechnest.

a) $\vec{a} = (10|2)$, $\vec{b} = (6|4)$
b) $\vec{a} = (7|-3)$, $\vec{b} = (-1|5)$
c) $\vec{a} = (-2|6)$, $\vec{b} = (-3|4)$
d) $\vec{a} = (-2|6)$, $\vec{b} = (1|2)$
e) $\vec{a} = (-2|6)$, $\vec{b} = (4|-2)$
f) $\vec{a} = (47|-25)$, $\vec{b} = (-32|-59)$

916 Der große Zeiger einer Uhr wird durch einen Vektor der Länge 1,00 m dargestellt, der kleine Zeiger durch einen Vektor der Länge 50 cm. Zu einer bestimmten Zeit steht der große Zeiger auf 12, und das Skalarprodukt der beiden Vektoren ist $\frac{1}{4}$ (bei Berechnung in m^2).
Wie spät ist es?

917 Ein Kajak überquert einen 700 m breiten Fluss und fährt so gegen die Strömung, dass es auf kürzestem Weg zum gegenüberliegenden Ufer gelangt. Die Strömungsgeschwindigkeit des Flusses $\vec{v_F}$ beträgt 1,5 m/s, die Eigengeschwindigkeit des Kajaks $\vec{v_B}$ beträgt 2 m/s.

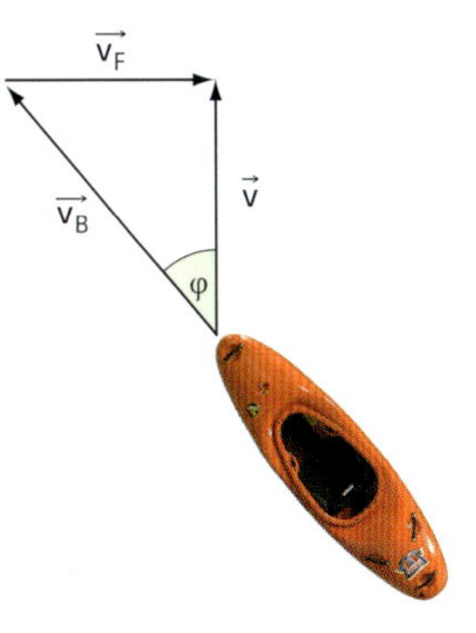

a) Welchen Winkel φ schließt die Kajakachse mit der Flussnormalen ein?
b) Mit welcher tatsächlichen Geschwindigkeit $\vec{v}$ ist das Kajak unterwegs?
c) Wie lange braucht das Kajak von einem Ufer zum anderen?

6 Normalvektoren

Vektoren, die normal aufeinanderstehen, sind ein wichtiges Hilfsmittel in vielen geometrischen Aufgaben. Wenn du diesen Abschnitt durchgearbeitet hast,
- kannst du die Definition von *orthogonal* angeben,
- weißt du, was es bedeutet, wenn das Skalarprodukt null ergibt,
- kannst du Normalvektoren zu einem gegebenen Vektor angeben,
- kannst du erkennen, ob Vektoren einen rechten Winkel einschließen und
- kannst du allgemein zeigen, wie die Komponenten normaler Vektoren zusammenhängen.

Du erwirbst folgende Grundkompetenzen:
GK Normalvektoren in $\mathbb{R}^2$ aufstellen, verständig einsetzen und interpretieren (AG-R 3.5)
○ Die geometrische Bedeutung des Skalarprodukts kennen (AG-L 3.6)

Vorwissen

918 (1) Wiederhole die Vektorformel zur Winkelberechnung,
(2) Berechne den Winkel, den die Vektoren $\vec{a} = \begin{pmatrix} 3 \\ 2 \end{pmatrix}$ und $\vec{b} = \begin{pmatrix} -4 \\ 6 \end{pmatrix}$ einschließen. Überprüfe dein Ergebnis durch eine Zeichnung.

Neues Wissen

Zwei Strecken, die einen rechten Winkel einschließen, stehen aufeinander normal. Gleiches gilt für Vektoren.

Definition

Zwei vom Nullvektor verschiedene Vektoren $\vec{a}$ und $\vec{b}$ im $\mathbb{R}^2$ stehen aufeinander normal, wenn sie einen rechten Winkel einschließen.

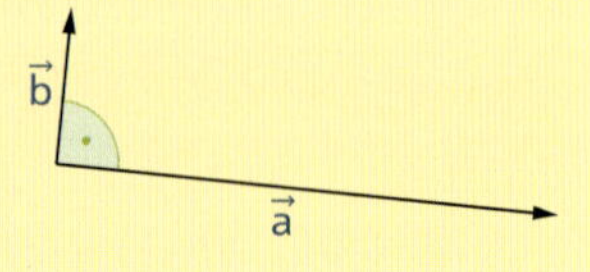

Aus dem Abschnitt *Winkel zwischen zwei Vektoren* kennst du den Zusammenhang zwischen dem Skalarprodukt von zwei Vektoren $\vec{a}$ und $\vec{b}$ (beide vom Nullvektor verschieden), ihren Beträgen und dem eingeschlossenen Winkel φ mit $0° \leq \varphi \leq 180°$:

$$\vec{a} \cdot \vec{b} = |\vec{a}| \cdot |\vec{b}| \cdot \cos\varphi$$

Um einen Zusammenhang zwischen zwei normal aufeinander stehenden Vektoren und ihrem Skalarprodukt formulieren zu können, sind zwei Schritte notwendig.

Schritt 1:
Was bedeutet es für das Skalarprodukt, wenn zwei Vektoren normal aufeinanderstehen?
Aus der Trigonometrie weißt du, dass für $\varphi = 90°$ gilt: $\cos 90° = 0$. Daraus ergibt sich:

$$\vec{a} \cdot \vec{b} = |\vec{a}| \cdot |\vec{b}| \cdot \cos 90°$$
$$\vec{a} \cdot \vec{b} = |\vec{a}| \cdot |\vec{b}| \cdot 0$$
$$\vec{a} \cdot \vec{b} = 0$$

Wenn die beiden Vektoren einen rechten Winkel einschließen, ergibt das Skalarprodukt null.

Schritt 2:
Was bedeutet es für den eingeschlossenen Winkel, wenn das Skalarprodukt null ist?

Wegen $\vec{a} \cdot \vec{b} = 0$ ergibt sich:
$\vec{a} \cdot \vec{b} = |\vec{a}| \cdot |\vec{b}| \cdot \cos \varphi$
$0 = |\vec{a}| \cdot |\vec{b}| \cdot \cos \varphi$

Da die beiden Vektoren vom Nullvektor verschieden sind und daher $|\vec{a}| \neq 0$ und $|\vec{b}| \neq 0$ gilt, folgt daraus: $0 = \cos \varphi$
Für Winkel von 0° bis 180° nimmt Cosinus nur bei $\varphi = 90°$ den Wert null an.
Wenn das Skalarprodukt null ist, schließen die beiden Vektoren einen rechten Winkel ein.

Dieser Zusammenhang lässt sich in einem Satz zusammenfassen.

▷ **Satz**
Das **Skalarprodukt** zweier (vom Nullvektor verschiedenen) Vektoren ist genau dann **null**, wenn die beiden Vektoren einen **rechten Winkel** einschließen.
$\sphericalangle(\vec{a}, \vec{b}) = 90° \Leftrightarrow \vec{a} \cdot \vec{b} = 0$

Anmerkung: Üblicherweise werden in der Mathematik auch Nullvektoren zugelassen. Ist mindestens einer der beiden Vektoren ein Nullvektor, so ergibt das Skalarprodukt null. Wenn also Nullvektoren zugelassen werden, gilt: **Der Nullvektor steht auf jeden Vektor normal.**
Solche Vektoren sollen jedoch bei entsprechenden Aufgabenstellungen und Überlegungen zu normalen Vektoren im Allgemeinen unberücksichtigt bleiben.

GK **919** Zeichne zwei beliebige Vektoren im Koordinatensystem, die normal aufeinanderstehen. Gib ihre Koordinaten an.
(1) Berechne ihr Skalarprodukt
(2) Überprüfe dieses Ergebnis, indem du in die rechte Seite der Gleichung $\vec{a} \cdot \vec{b} = |\vec{a}| \cdot |\vec{b}| \cdot \cos \varphi$ einsetzt.

Für zwei Vektoren, die aufeinander normal stehen, wird auch der Begriff *orthogonal* verwendet. Es kann daher in einem solchen Fall auch wie folgt definiert werden:

▷ **Definition**
Zwei Vektoren, die vom Nullvektor verschieden sind, heißen **orthogonal**, wenn ihr Skalarprodukt null ist.

Für diese besonderen Vektoren (also solche, die normal aufeinander stehen), wird eine eigene Bezeichnung verwendet. Sie lautet wie folgt:

▷ **Definition**
Steht ein Vektor $\vec{n}$ zu einem gegebenen Vektor $\vec{a}$ normal, so wird $\vec{n}$ ein **Normalvektor** von $\vec{a}$ (oder ein Normalvektor zu $\vec{a}$) genannt.

In der Abbildung sind einige mögliche Normalvektoren zu einem Vektor $\vec{a}$ in der Ebene dargestellt.

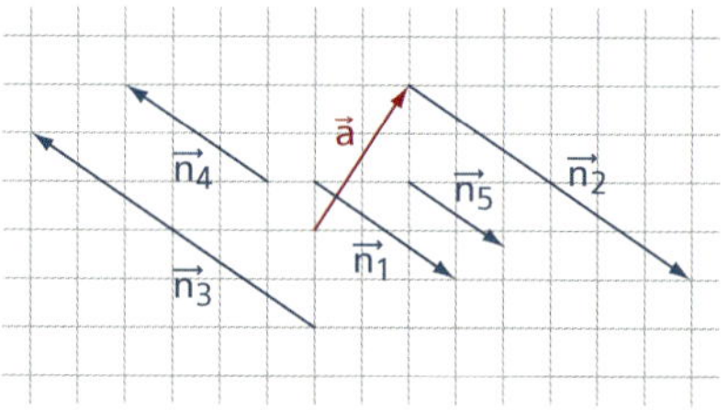

GK **920** Zeichne einen beliebigen Vektor.

a) Wie viele verschiedene Vektoren kannst du (theoretisch) zeichnen, die dazu normal stehen?
b) Wodurch unterscheiden sie sich?
c) Was lässt sich über die Lage der Normalvektoren zueinander aussagen?

GK **921** Öffne das dynamische Arbeitsblatt www Normalvektoren und bearbeite die Aufgaben.

Alternativ im Heft:
Zeichnet die Punkte und Pfeile in ein Koordinatensystem ein.
A(−3|1), B(1|−2), C(−6|−3), D(−4|−4), E(−1,5|3), F(−0,75|−1), G(0|0), H(0|−4), J(2|4), K(3|2), L(3|0), M(4|2)
$\overrightarrow{AB}, \overrightarrow{AC}, \overrightarrow{AE}, \overrightarrow{BK}, \overrightarrow{BL}, \overrightarrow{BM}, \overrightarrow{DJ}, \overrightarrow{GF}, \overrightarrow{JA}, \overrightarrow{LH}$
Schreibt Koordinaten der entsprechenden Vektoren auf.

a) Entnehmt der Zeichnung, welche dieser Vektoren Normalvektoren zum Vektor $\vec{a} = \overrightarrow{AB}$ sind. Überprüft rechnerisch, indem ihr das Skalarprodukt berechnet.
b) Müssen Normalvektoren die gleiche Länge wie $\vec{a}$ haben? Müssen die Pfeile denselben Anfangspunkt wie $\vec{a}$ haben?
c) Vergleicht die Koordinaten der Normalvektoren mit den Koordinaten von $\vec{a}$. Formuliert eine Vermutung, wie zu einem gegebenen Vektor die beiden Normalvektoren gefunden werden können, die gleich lang wie $\vec{a}$ sind. Wie hängen die Koordinaten dieser beiden Normalvektoren zusammen? Gebt eine Regel an. Was lässt sich über die Orientierung sagen?

GK **922** Überprüft eure Vermutung allgemein anhand des gegebenen Vektors $\vec{a} = \begin{pmatrix} x_a \\ y_a \end{pmatrix}$.
Gebt zwei Normalvektoren gleicher Länge wie $\vec{a}$ an.
(1) Überprüft, ob das Skalarprodukt in beiden Fällen null ergibt.
(2) Weist nach, dass alle drei Vektoren die gleiche Länge haben.

Aus den vorhergehenden Aufgaben ergibt sich:

Satz

Zu jedem (vom Nullvektor verschiedenen) Vektor $\vec{a} = \begin{pmatrix} x_a \\ y_a \end{pmatrix}$ gibt es im $\mathbb{R}^2$ genau zwei Normalvektoren mit derselben Länge wie $\vec{a}$:
$\begin{pmatrix} -y_a \\ x_a \end{pmatrix}$ und $\begin{pmatrix} y_a \\ -x_a \end{pmatrix}$.
Die beiden Normalvektoren sind entgegengesetzt orientiert.
Alle anderen Normalvektoren sind zu diesen parallel und unterscheiden sich durch die Länge. Ihre Koordinaten sind Vielfache der Normalvektoren $\begin{pmatrix} -y_a \\ x_a \end{pmatrix}$ und $\begin{pmatrix} y_a \\ -x_a \end{pmatrix}$.

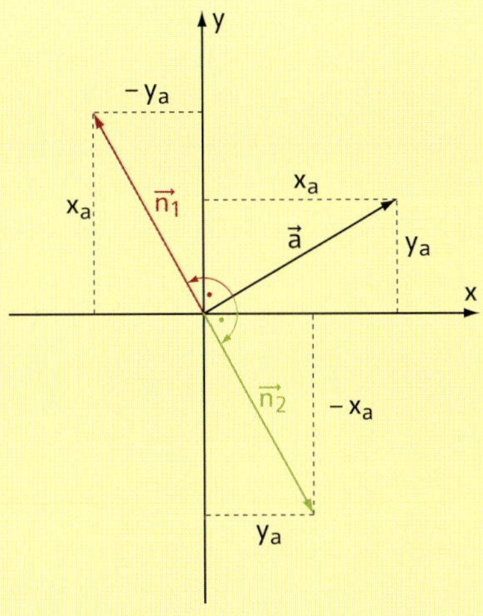

923 Kreuze jene Vektoren an, die auf den Vektor $\vec{a} = (-1|5)$ normal stehen und gleich orientiert sind:

☐ $(5|1)$ ☐ $(-5|1)$ ☐ $(-5|-1)$ ☐ $(5|-1)$

924 Kreuze jene Vektoren an, die auf den Vektor $\vec{a} = (-1|5)$ normal stehen und gleich orientiert sind.

☐ $(2{,}5|0{,}5)$ ☐ $(5|1)$ ☐ $(-50|-10)$ ☐ $(15|3)$

925 Ergänze deine Mindmap zum Thema *Vektorrechnung*.

926 Erweitere deine Formelsammlung.

Technologie-Tipp: Normalvektoren

Aufgaben

927 Überprüfe mit dem Skalarprodukt, welche Vektoren zueinander normal sind.

a) $\vec{a} = (1|2)$, $\vec{b} = (4|-2)$, $\vec{c} = (1|-2)$, $\vec{d} = (2|1)$
b) $\vec{a} = (-6|8)$, $\vec{b} = (4|-3)$, $\vec{c} = (2|1{,}5)$, $\vec{d} = (9|12)$
c) $\vec{a} = (7{,}4|-2{,}8)$, $\vec{b} = (-1{,}4|-3{,}7)$, $\vec{c} = (11{,}1|-4{,}2)$, $\vec{d} = (3{,}7|1{,}4)$
d) $\vec{a} = (-0{,}8|-2{,}5)$, $\vec{b} = (5|1{,}6)$, $\vec{c} = (-4|0)$, $\vec{d} = (0|1)$

928 Löse die Aufgabe grafisch und rechnerisch.
Verbinde jeweils zwei der gegebenen Punkte durch einen Vektor und gib die Koordinatendarstellung an. Ermittle so alle 10 möglichen Vektoren. Finde möglichst viele Paare, die aufeinander normal stehen.
$A(-2|0)$, $B(2|1)$, $C(2|4)$, $D(3|-3)$, $E(5|-3)$

GK **929** Gib zum gegebenen Vektor zwei Normalvektoren gleicher Länge an.

a) $(4|1)$ b) $(-2|6)$ c) $(-1|-1)$ d) $(0|8)$
e) $(9|-1)$ f) $(2|0)$ g) $(-7|7)$ h) $(5|-3)$

GK **930** Beweise, dass alle Vektoren der Form $(-k \cdot y_a | k \cdot x_a)$ bzw. $(k \cdot y_a | -k \cdot x_a)$ mit $k \in \mathbb{R}$ Normalvektoren zu $\vec{a} = (x_a | y_a)$ sind. Für welches k haben diese Normalvektoren die gleiche Länge wie $\vec{a}$? Zeige dies. Welcher Normalvektor ergibt sich für $k = 0$?

GK **931** Bestimme die fehlende Koordinate so, dass die beiden gegebenen Vektoren normal aufeinanderstehen.

a) $(9|5), (12{,}5|y)$ b) $(1|-6{,}4), (x|2{,}1)$ c) $(-4{,}2|-0{,}6), (3{,}5|y)$
d) $(x|8), (4|-2{,}5)$ e) $(-100|y), (-24|-60)$ f) $(x|-78), (-25|-7{,}5)$

GK **932** Verschiebe den gegebenen Punkt um einen Vektor, der zum gegebenen Vektor normal steht und gleich lang wie dieser ist (2 Lösungen).

a) $A(6|4), \vec{a} = (2|3)$ b) $B(-1|1), \vec{b} = (-7|5)$
c) $C(3|-8), \vec{c} = (1|-4)$ d) $D(-4|-2), \vec{d} = (-3|-5)$

GK **933** Welche(r) der folgenden Vektoren sind (ist) zum Vektor $\vec{a} = (4{,}5|-0{,}5)$ normal?

☐ $(-0{,}5|4{,}5)$ ☐ $(-1{,}5|-13{,}5)$ ☐ $(-4{,}5|0{,}5)$ ☐ $(1|9)$ ☐ $(0{,}5|-4{,}5)$

GK **934** Kreuze die beiden zutreffenden Aussagen an.

☐ $A = C + 2 \cdot \overrightarrow{CM}$
☐ $\overrightarrow{AD} \cdot \overrightarrow{AC} = 0$
☐ $B = C + \overrightarrow{AD}$
☐ $M = A - \frac{1}{2} \cdot \overrightarrow{AC}$
☐ $\overrightarrow{AM} \cdot \overrightarrow{MD} = 0$

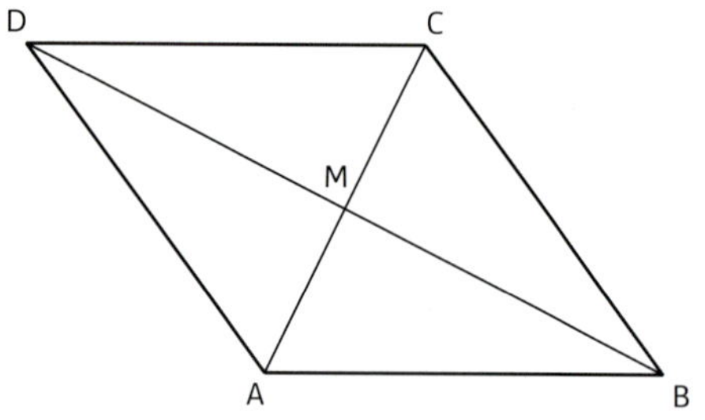

GK **935** Gib fünf verschiedene Normalvektoren zum Vektor $\vec{a} = (-1{,}2|3)$ an.

Geometrische Anwendungen

GK **936** Zeige mit Methoden der Vektorrechnung, dass das Viereck ABCD ein Rechteck ist. Wie lässt sich anhand der Vektoren erkennen, ob ein Quadrat vorliegt?

a) $A(2|1), B(7|3), C(5|8), D(0|6)$
b) $A(-4|1), B(4|-5), C(7|-1), D(-1|5)$
c) $A(0|9), B(-8|-9), C(1|-13), D(9|5)$
d) $A(5|7{,}5), B(-5|0), C(2{,}5|-10), D(12{,}5|-2{,}5)$

GK 937 Überprüfe grafisch und rechnerisch, ob das Dreieck rechtwinklig ist.

a) A(−2|−3), B(7|−3), C(−1|4)
b) A(2|−1), B(10|2), C(−1|7)
c) A(8|6), B(3|8), C(−1|−2)
d) A(−1|−5), B(1|8), C(−8|9)

GK 938 Überprüfe mithilfe von Vektoren, ob die Diagonalen der Vierecke einen rechten Winkel einschließen.

a) Quadrat: A(2|1), B(7|3), C(5|8), D(0|6)
b) Rechteck: A(−4|1), B(4|−5), C(7|−1), D(−1|5)
c) Deltoid: A(5|7,5), B(−2,5|5), C(−5|−12,5), D(7,5|0)
d) Rhombus: A(10|2,5), B(−2,5|2,5), C(5|−7,5), D(17,5|−7,5)
e) Beliebiges Viereck: A(6|7), B(3|6), C(3|1), D(11|2)
f) Beliebiges Viereck: A(6|7), B(−1|4), C(−1|−3), D(13|−1)

GK 939 Bilde alle möglichen Vektoren zwischen den vier Punkten, wobei es auf die Orientierung nicht ankommt. Entscheide aufgrund der ermittelten Vektoren (zunächst ohne Zeichnung!), in welcher Reihenfolge die Punkte zu einem Rechteck verbunden werden müssen.

a) A(−5|−3), B(9|5), C(−2|8), D(6|−6)
b) R(−7|5), S(−3|10), T(3|−3), U(7|2)

GK 940 Von einem Quadrat sind die Koordinaten zweier benachbarter Eckpunkte gegeben. Ermittle die Koordinaten der beiden anderen Eckpunkte rechnerisch und grafisch (2 Lösungen).

a) (5|−4), (7|1)
b) (−2|−4), (5|−8)
c) (−1|0), (1|4)

GK 941 Von einem Deltoid sind die Eckpunkte A(−2|3), B(−1|−4) und D(5|4) bekannt. Die Diagonale AC ist die Symmetrieachse und hat die Länge 15.
Ermittle zeichnerisch und rechnerisch die Koordinaten von C und die Länge der Diagonale BD.

GK 942 Ein gleichschenkliges Dreieck hat die Eckpunkte A(2|1) und B(10|−5). AB ist die Basis des Dreiecks. Der Eckpunkt C hat von der Basis einen Abstand von 10. Ermittle zeichnerisch und rechnerisch die Koordinaten von C (2 Lösungen).

943 Von einem Fünfeck sind die Eckpunkte A(5|1), B(10|−4) und D(15|9) und die Vektoren $\overrightarrow{BC} = \begin{pmatrix} 8 \\ 8 \end{pmatrix}$ und $\overrightarrow{AE} = \begin{pmatrix} 0 \\ 2 \end{pmatrix}$ bekannt.

a) Berechne die Koordinaten der Eckpunkte C und E.
b) Untersuche rechnerisch, ob das Fünfeck einen oder mehrere rechte Winkel hat.
c) Berechne den Schwerpunkt S_1 des Dreiecks ABC und den Schwerpunkt S_2 des Dreiecks ACE. Begründe rechnerisch, dass der Vektor $\overrightarrow{S_1S_2}$ parallel zum Vektor $\vec{v} = \begin{pmatrix} 5 \\ -7 \end{pmatrix}$ ist.

Typ-2-Aufgaben

GK **944** Gleitet ein Körper eine schiefe Ebene hinab (die in der Skizze als Gerade dargestellt wird), so kann der auf ihn wirkende Schwerkraftvektor $\vec{F_s}$ in zwei Hilfsvektoren parallel und normal zur Ebene zerlegt werden, sodass $\vec{F_s} = \vec{F_p} + \vec{F_n}$ gilt. Die Bewegung des Körpers verläuft dann so, als gebe es keine Schwerkraft und es wirke lediglich die Kraft $\vec{F_p}$ auf ihn.

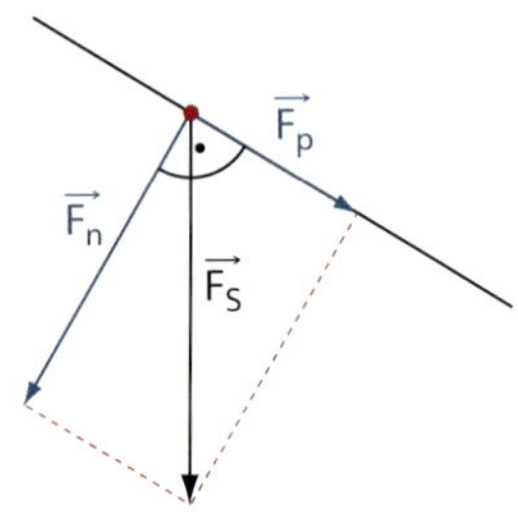

Der Anstieg der Geraden, die die schiefe Ebene darstellt, ist $k = -\frac{1}{2}$, die Schwerkraft ist $\vec{F_s} = (0|12\,N)$.

a) Zeichne die Gerade, welche die schiefe Ebene darstellt, und den angegebenen Schwerkraftvektor in ein Koordinatensystem. Konstruiere die beiden Hilfsvektoren $\vec{F_p}$ und $\vec{F_n}$. Gib die Koordinaten der beiden Vektoren an.

b) Berechne die Beträge von $\vec{F_p}$ und $\vec{F_n}$. Um welchen Faktor ist der Betrag von $\vec{F_p}$ kleiner als jener von $\vec{F_s}$?

c) Wie steil muss eine schiefe Ebene sein, damit ein hinabgleitender Körper in Bewegungsrichtung einer Kraft ausgesetzt ist, die nur halb so groß ist wie die Schwerkraft?

GK **945** Die Eckpunkte eines dreieckigen Grundstücks sind bekannt (Angabe in m): $A(-20|110)$, $B(-30|-20)$, $C(30|10)$.

a) Zeige und begründe, dass das dreieckige Grundstück rechtwinklig ist.

b) Berechne den Grundstückspreis, wenn der Preis für $1\,m^2$ mit 90 Euro angegeben wird.

c) Das Grundstück wird so geteilt, dass die längste Seite halbiert wird. Eine Linie, normal zur längsten Seite und durch den Halbierungspunkt bis zur gegenüberliegenden Seite teilt das Grundstück in zwei Teile. Diese Teilungslinie ist 39,12 m lang. Zeichne das Grundstück und die Teilungslinie. Berechne die Umfänge der beiden so entstandenen Grundstücke.

7 Die Idee der analytischen Geometrie

Jahrhundertelang wurde in der Geometrie nur mit Zirkel und Lineal ohne Skala (!) gearbeitet. Alle geometrischen Überlegungen mussten auf Konstruktionen mit diesen beiden Hilfsmitteln zurückgeführt werden. *Analytische Geometrie* hingegen bedeutet so viel wie *berechnende* Geometrie: Eine geometrische Aufgabe wird durch Gleichungen beschrieben und das Problem rechnerisch gelöst.

Neues Wissen

Die neue Idee der Geometrie

Arbeit nach der Lernmethode Mehrstufiges Verfahren (bis Aufgabe 953)

Hinweise zur Lernmethode gibt es unter www Lernmethode Mehrstufiges Verfahren.

946 An einem Kreis mit dem Radius 1 lässt sich die Idee der analytischen Geometrie auf einfache Weise zeigen.
Vergleiche die beiden Abbildungen: Was kannst du jeweils abgelesen? Welche Darstellung ist aussagekräftiger? Welche Idee unterscheidet die beiden Abbildungen?

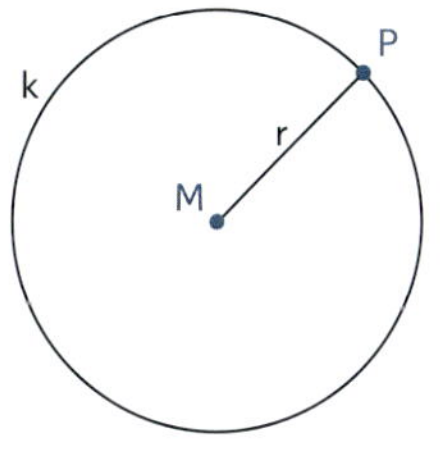

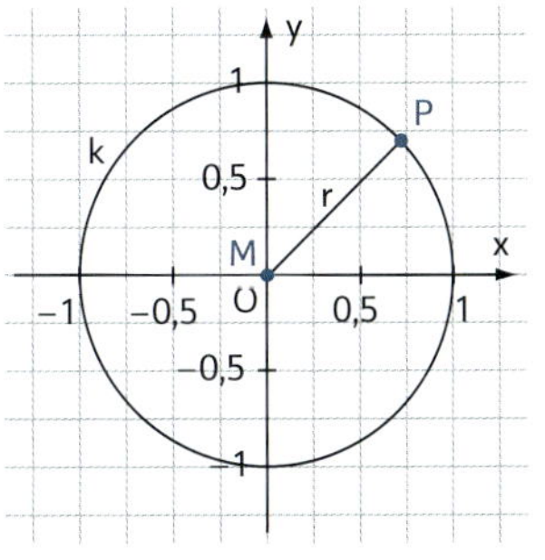

947 Finde Wertepaare (x, y), die
(1) die Gleichung $x = y$ lösen,
(2) die Gleichung $x^2 + y^2 = 1$ lösen,
(3) beide Gleichungen lösen.

948 Vergleicht eure Ergebnisse der beiden vorangegangenen Aufgaben.

Selbst wenn es euch gelungen ist, für die dritte Aufgabenstellung aus Aufgabe 947 eine Lösung zu finden, bleibt die Frage offen, ob es weitere Lösungen gibt. Lässt sich feststellen, wie viele Lösungen möglich sind? Wie lassen sich diese Lösungen finden oder beschreiben?
Antworten auf diese Fragen liefert die **analytische** (**berechnende**) **Geometrie**.

949 a) Gebt die explizite Geradengleichung für die Gerade g an.
b) Welche Gleichung aus Aufgabe 947 stimmt damit überein? Wie viele Lösungen gibt es daher für diese Gleichung? Wo liegen die Lösungen in der geometrischen Darstellung?

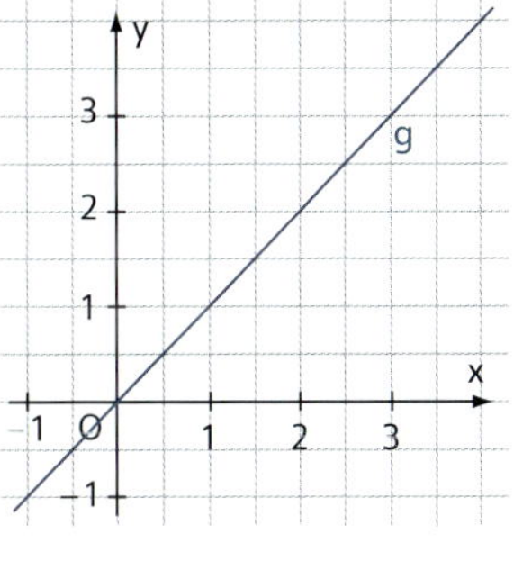

950 a) Welcher Zusammenhang gilt für die x-Koordinate x_P und die y-Koordinate y_P jedes beliebigen Punktes auf dem Kreis und auf dem Radius des Kreises? Beachtet, dass der Radius eine bestimmte Länge hat.

b) Welche Gleichung aus Aufgabe 947 stimmt damit überein? Wie viele Lösungen gibt es daher für diese Gleichung? Wo liegen diese Lösungen in der geometrischen Darstellung?

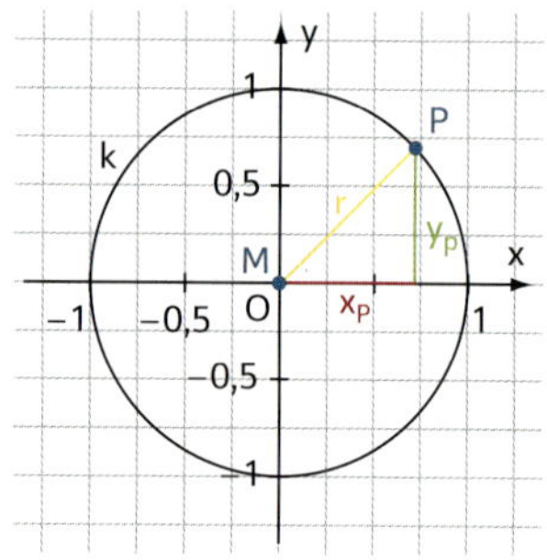

951 a) Vergleicht die Ergebnisse aus den beiden vorangegangenen Aufgaben.

b) Die Gleichung $x = y$ stellt Lösungen dar, die auf der Geraden liegen, die Gleichung $x^2 + y^2 = 1$ Lösungen, die auf dem Kreis liegen.
Welche Punkte können daher als gemeinsame Lösung für beide Gleichungen gedeutet werden? Zeichnet sie in der grafischen Darstellung ein und berechnet die Lösungen.

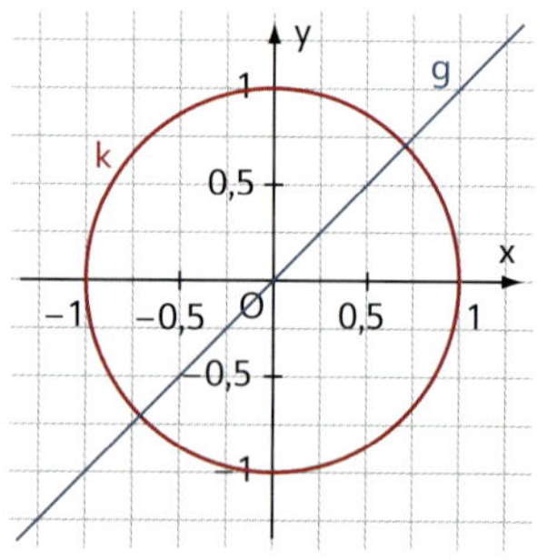

Vorgangsweise in der analytischen Geometrie

Schritt 1: Es gibt ein algebraisches Problem (Gleichungen mit zwei Variablen).
Schritt 2: Das algebraische (rechnerische) Problem wird geometrisch gedeutet und die Gleichungen werden in geometrische Objekte übertragen.
Schritt 3: Das Problem wird geometrisch gelöst.
Schritt 4: Dadurch können Lösungen für das algebraische Problem angegeben werden.

Dieses Prinzip funktioniert auch umgekehrt, ausgehend von einem geometrischen Problem. Grundlage dafür ist das Darstellen geometrischer Objekte in einem Koordinatensystem.

952 Erstellt zwei Diagramme, die die oben beschriebene Vorgangsweise mithilfe von Stichworten und Pfeilen verdeutlichen.
(1) Geht davon aus, dass eine algebraische Fragestellung vorliegt.
(2) Geht davon aus, dass eine geometrische Fragestellung vorliegt.

953 Lest den folgenden Text und bereitet eine zwei- bis dreiminütige Rede (Präsentation) vor. Eine Person aus eurer Gruppe schlüpft in die Rolle von René Descartes und wirbt für seine bahnbrechende Idee (Rede in Ich-Form).

Historische Hintergründe zur Idee der analytischen Geometrie[1]

Viele Jahrhunderte lang wurden in Europa auf Basis der antiken griechischen Tradition geometrische Probleme durch konstruktive Überlegungen mit Zirkel und Lineal gelöst. Ende des 16. Jahrhunderts hatten sich die arabischen Ziffern und damit die Dezimalzahlen in Europa durchgesetzt. Null als Ziffer war selbstverständlich geworden. Zu dieser Zeit lehnten die Mathematiker negative Zahlen ab. Die enge Verknüpfung von Religion und Wissenschaft führte dazu, dass die Null als Zahl umstritten war.

Die Null (das Nichts) und das Unendliche (der Kosmos) waren für die katholische Kirche verdächtige, ja sogar gefährliche Objekte, die im wahrsten Sinn des Wortes unberechenbar waren und Gottes Schöpfung in Frage stellten. Die Erde war nicht mehr der Mittelpunkt der Welt.

Vor diesem Hintergrund ist zu verstehen, welch revolutionäre Ideen **René Descartes** (1596 – 1650) entwickelte. In erster Linie war er Philosoph. Von ihm stammt der Ausspruch *„Cogito ergo sum“* – *„Ich denke, also bin ich“*. Er veröffentlichte 1637 den **Discours de la méthode** („Abhandlung über die Methode, seine Vernunft gut zu leiten und die Wahrheit in den Wissenschaften zu suchen“), mit dem er eine neue Basis für wissenschaftliches Arbeiten auf allen Gebieten legte. Als Begründer des **Rationalismus** war es eines seiner Prinzipien, sich nur auf gesicherte Grundlagen zu verlassen. Das ermöglichte ihm, sich auch in der Mathematik von Traditionen zu lösen.

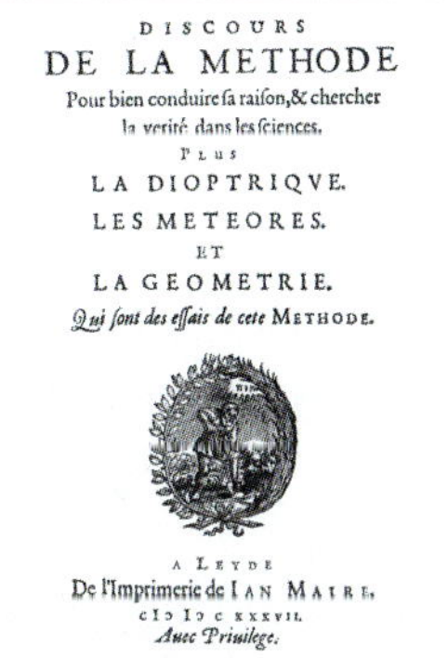
DISCOURS
DE LA METHODE
Pour bien conduire sa raison, & chercher
la verité dans les sciences.
PLUS
LA DIOPTRIQVE.
LES METEORES.
ET
LA GEOMETRIE.
Qui sont des essais de cete METHODE.

A LEYDE
De l'Imprimerie de IAN MAIRE.
cIɔ Iɔ c XXXVII.
Auec Priuilege.

Einer von drei Anhängen zu Descartes' Discours ist der Geometrie gewidmet: **La Géometrie**. Er wollte zeigen, dass seine Methode auf alle Wissenschaftsgebiete anwendbar ist. An den Beginn seiner Geometrie stellte Descartes die Behauptung: Jedes Problem der Geometrie kann leicht so beschrieben werden, dass es genügt, die Längen bestimmter Strecken zu kennen, um es zu konstruieren, also geometrisch zu losen.

Rechnen und Konstruieren

Descartes zeigte für das Arbeiten mit ebenen Figuren, dass Addition, Subtraktion, Multiplikation und Division sowie das Wurzelziehen mit Zirkel und Lineal durchführbar sind. Damit sicherte er den Zusammenhang zwischen Rechnen und Konstruieren ab.

Schreibweisen

Entscheidend für den Erfolg von Descartes' Geometrie war unter anderem auch die einheitliche, einfache Schreibweise: Er verwendete (wie schon andere Mathematiker vor ihm) die letzten Buchstaben im Alphabet x, y und z für unbekannte Größen. Er führte die Potenzschreibweise sowie das =-Zeichen als Ausdruck für Gleichheit ein.

---

1 Quellen: Hans Kaiser und Wilfried Nöbauer: Geschichte der Mathematik (1998, Wien: hpt), S. 43 ff., Charles Seife: Zero. The Biography of a Dangerous Idea (2000, New York: Penguin Books), S. 93–97 Carl B. Boyer: History of Analytic Geometry (2004, Mineola-New York: Dover Publications), S. 74–102, Rainer Specht: Descartes (1966, Reinbek bei Hamburg: Rowohlt), S. 76–84

8 Beschreibung von Geraden – Normalvektorform

In diesem Abschnitt vertiefst du dein Wissen über den Zusammenhang zwischen der Darstellung von Geraden im Koordinatensystem und der Beschreibung von Geraden durch (lineare) Gleichungen. Weiters lernst du, Geraden mithilfe von Normalvektoren darzustellen.

Du erwirbst folgende Grundkompetenzen:
- GK Geraden durch Gleichungen in $\mathbb{R}^2$ angeben; Geradengleichungen interpretieren (AG-R 3.4)
- GK Normalvektoren in $\mathbb{R}^2$ aufstellen, verständig einsetzen und interpretieren (AG-R 3.5)

Vorwissen

GK 954 Stelle die lineare Gleichung $y = -0{,}5x + 2$ mithilfe von d und k grafisch dar.

GK 955 Überprüfe grafisch und rechnerisch, ob die Punkte A, B und C auf der Geraden g: $2x + 3y = 5$ liegen: $A(1|1)$, $B(2{,}5|0)$, $C(-2|3)$.

GK 956 Ermittle grafisch und rechnerisch den Schnittpunkt der beiden Geraden.
a) g: $3x + y = 11$, h: $5x - 5y = 9$ b) g: $y = -2x + 10$, h: $y = \frac{2}{3}x + \frac{8}{3}$

Neues Wissen

Du hast bereits Geraden in Zusammenhang mit linearen Gleichungen und Gleichungssystemen, aber auch als Graphen linearer Funktionen kennen gelernt. Zu jeder Geraden lassen sich Vektoren angeben, die dieselbe Richtung haben wie die Gerade *(Richtungsvektor)* oder auf die Gerade normal stehen *(Normalvektor)*.

▷ *Beispiel:*
Zeichne die Gerade g: $2x + 3y = 7$. Gib einen Richtungsvektor und einen Normalvektor (vgl. Satz aus Abschnitt *Normalvektoren*, S. 296) der Geraden g an. Vergleiche die Koeffizienten des Normalvektors mit der impliziten Geradengleichung.

Lösung:
Richtungsvektor der Geraden g
Um einen Richtungsvektor der Geraden g zu bestimmen, musst du zwei beliebige Punkte A und B der Geraden g ermitteln und dann den Vektor $\overrightarrow{AB}$ aufstellen. Dieser Vektor beschreibt die Richtung der Geraden.

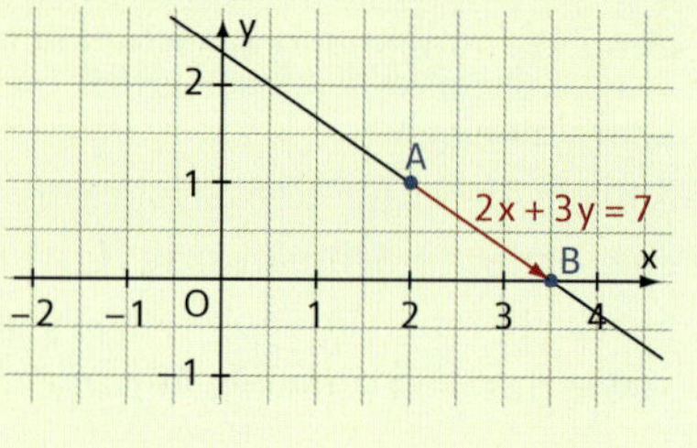

Wähle für x zum Beispiel $x = 2$ und berechne y: $4 + 3y = 7 \Rightarrow 3y = 3 \Rightarrow y = 1 \Rightarrow A(2|1)$
Wähle für y zum Beispiel $y = 0$ und berechne x: $2x + 0 = 7 \Rightarrow x = 3{,}5 \Rightarrow B(3{,}5|0)$

Berechne den Vektor $\overrightarrow{AB}$. Er ist ein Richtungsvektor der Geraden g.

$\overrightarrow{AB} = B - A = \begin{pmatrix} 3{,}5 - 2 \\ 0 - 1 \end{pmatrix} = \begin{pmatrix} 1{,}5 \\ -1 \end{pmatrix}$

Jedes Vielfache des Vektors $\overrightarrow{AB}$, z. B. $\begin{pmatrix} 3 \\ -2 \end{pmatrix}$, ist ebenfalls ein Richtungsvektor der Geraden g.

Normalvektor der Geraden g

Da es zu jedem (vom Nullvektor verschiedenen) Vektor $\vec{a} = \begin{pmatrix} a_x \\ a_y \end{pmatrix}$ zwei Normalvektoren $\begin{pmatrix} -a_y \\ a_x \end{pmatrix}$ und $\begin{pmatrix} a_y \\ -a_x \end{pmatrix}$ gibt, kannst du zum Richtungsvektor der Geraden g einfach Normalvektoren angeben.

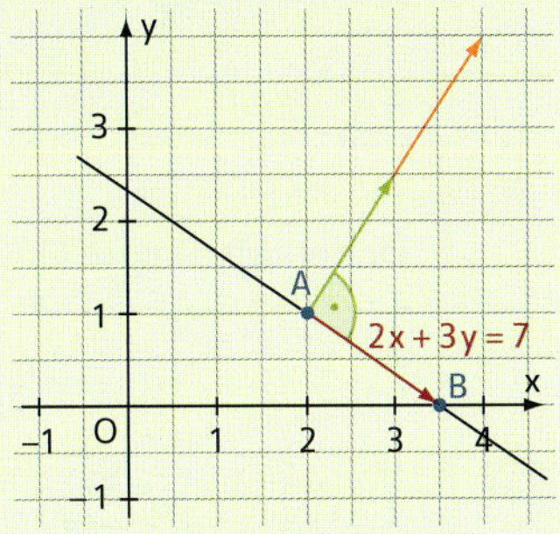

Daraus ergeben sich zum Beispiel für die Gerade g die Normalvektoren $\overrightarrow{n_{AB}} = \begin{pmatrix} 1 \\ 1{,}5 \end{pmatrix}$ bzw. $\begin{pmatrix} 2 \\ 3 \end{pmatrix}$ oder $\begin{pmatrix} -2 \\ -3 \end{pmatrix}$. Die Koordinaten des ganzzahligen Normalvektors $\overrightarrow{n_{AB}} = \begin{pmatrix} 2 \\ 3 \end{pmatrix}$ entsprechen dem Koeffizientenpaar (2|3) der impliziten Geradengleichung $2x + 3y = 7$.

Im vorhergehenden Beispiel hast du gesehen, dass die Koordinaten eines Normalvektors $\vec{n}$ mit den Koeffizienten einer impliziten Geradengleichung ident sein können.

▷ *Beispiel (Fortsetzung):*

Berechne das Skalarprodukt $A \cdot \vec{n}$ und $B \cdot \vec{n}$. Verwende dazu die Punkte A und B sowie den ganzzahligen Normalvektor $\vec{n}$ aus dem vorigen Beispiel. Vergleiche das Ergebnis wiederum mit der impliziten Geradengleichung g: $2x + 3y = 7$.

Lösung:

$A \cdot \vec{n} = \begin{pmatrix} 2 \\ 1 \end{pmatrix} \cdot \begin{pmatrix} 2 \\ 3 \end{pmatrix} = 2 \cdot 2 + 1 \cdot 3 = 7$ $\qquad$ $B \cdot \vec{n} = \begin{pmatrix} 3{,}5 \\ 0 \end{pmatrix} \cdot \begin{pmatrix} 2 \\ 3 \end{pmatrix} = 3{,}5 \cdot 2 + 0 \cdot 3 = 7$

Sowohl $A \cdot \vec{n}$ als auch $B \cdot \vec{n}$ entsprechen der Zahl c in der impliziten Geradengleichung.

957 Bearbeite das dynamische Arbeitsblatt www Normalvektorform der Geraden.

▷ **Normalvektordarstellung einer Geraden**

Ist eine Gerade g in impliziter Form g: $a \cdot x + b \cdot y = c$ gegeben, dann hat der Normalvektor der Geraden g die Komponenten $\vec{n} = \begin{pmatrix} a \\ b \end{pmatrix}$.

Ist umgekehrt von einer Geraden der Normalvektor $\vec{n}$ und ein beliebiger Punkt P bekannt, so kann die Gerade g in der Form $\vec{n} \cdot X = c$ mit $X = \begin{pmatrix} x \\ y \end{pmatrix}$ und $c = \vec{n} \cdot P$ angeschrieben werden.

Diese Darstellungsform einer Geraden wird **Normalvektorform** oder **Normalvektordarstellung** genannt. Folgende Schreibweisen sind üblich:

$\vec{n} \cdot X = \vec{n} \cdot P$ oder $\vec{n} \cdot X = c$.

Für $X = \begin{pmatrix} x \\ y \end{pmatrix}$ kann jeder beliebige Punkt der Geraden eingesetzt werden.

Wird das **Skalarprodukt** $\vec{n} \cdot X$ in der **Normalvektorform** $\vec{n} \cdot X = c$ ausmultipliziert, ergibt sich die Gerade g in ihrer **impliziten Form** $a \cdot x + b \cdot y = c$.

Da es zu einer Geraden unendlich viele Normalvektoren gibt, gibt es unendlich viele Normalvektordarstellungen einer Geraden.

▷ **Zusammenfassung der Darstellungsformen einer Geraden**

Explizite Form	Implizite Form	Normalvektorform
$y = k \cdot x + d$	$a \cdot x + b \cdot y = c$	$\vec{n} \cdot X = \vec{n} \cdot P$ mit $X = \binom{x}{y}$ $\vec{n} \cdot X = c$ mit $X = \binom{x}{y}$, $c = \vec{n} \cdot P$
Eindeutige Darstellung	Unendlich viele Gleichungen für eine Gerade	

GK **958** Von einer Geraden g ist der Normalvektor $\vec{n} = (-1|2)$ und ein Punkt A(2|4) bekannt. Welche der folgenden Gleichungen beschreibt die Gerade g? Kreuze die beiden Zutreffenden an!

☐ $2x + y = 6$ ☐ $-x + 2y = 6$ ☐ $2x - y = 6$ ☐ $-2x - 2y = 6$ ☐ $x - 2y = -6$

GK **959** Von einer Geraden g ist der Normalvektor $\vec{n}$ und ein Punkt P bekannt. Gib die Gleichung der Geraden in Normalvektorform und in impliziter Form an.

a) $\vec{n} = \binom{-3}{5}$, P(1|1) b) $\vec{n} = \binom{0}{-7}$, P(9|2)

GK **960** Eine Gerade ist in impliziter Form gegeben. Lies den Normalvektor ab und bestimme einen Punkt der Geraden. Gib die Gerade in Normalvektorform an.

Tipp: Du findest rasch einen Punkt der Geraden, wenn du $x = 0$ oder $y = 0$ setzt und die andere Koordinate ausrechnest.

a) $-2x + 5y = -10$ b) $24x - 50y = 100$

GK **961** Ordne den Geraden die passenden Normalvektoren zu.

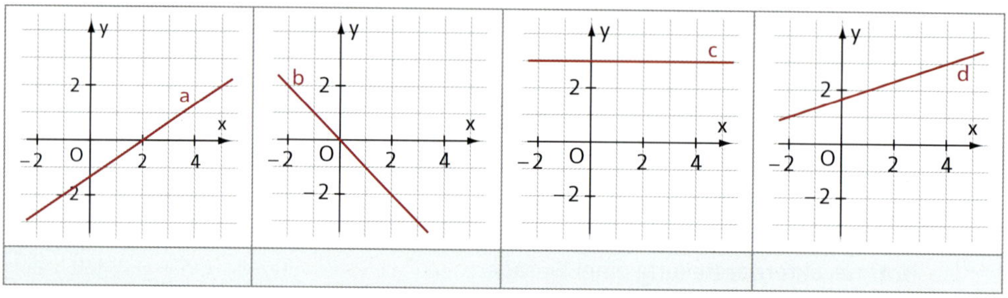

A	B	C	D	E	F
$\vec{n} = (0\|1)$	$\vec{n} = (1\|-3)$	$\vec{n} = (-1\|-1)$	$\vec{n} = (2\|-3)$	$\vec{n} = (2\|3)$	$\vec{n} = (1\|-1)$

GK **962**
a) Wähle zwei verschiedene Punkte A und B, die auf der Geraden g: $y = \frac{1}{2}x + 3$ liegen.
b) Gib zwei Vektoren an, die auf der g normal stehen.
c) Wie viele verschiedene Normalvektorformen für die Gerade g kannst du anschreiben?

GK **963** **Arbeit nach der Lernmethode Gruppenrallye**

Die Aufgaben A bis C sind in Vierergruppen in der vorgegebenen Zeit (20 bis 25 Minuten) zu lösen. Die Kontrolle und Bewertung der Aufgaben erfolgt durch eine andere Gruppe.

www Lösungsfolie für Gruppenrallye (mit Punkteverteilung)

Aufgabe A

a) Von einer Geraden g sind die Punkte $A(1|2)$ und $B(5|3)$ bekannt.
Zeichnet die Gerade und gebt die Geradengleichung in expliziter, impliziter und in Normalvektorform an. Überprüft grafisch und rechnerisch, ob die Punkte $P\left(4\middle|\frac{11}{4}\right)$ und $Q(-3|0{,}5)$ auf der Geraden liegen.

b) Von einer Geraden h sind die Punkte $C(1|2)$ und $D(1|5)$ bekannt.
Zeichnet die Gerade und gebt die Geradengleichung in expliziter, impliziter und in Normalvektorform an, soweit das möglich ist. Überprüft grafisch und rechnerisch, ob die Punkte $R\left(1\middle|\frac{11}{4}\right)$ und $S(-3|1)$ auf der Geraden liegen.

Aufgabe B

Die Schnittpunkte der Geraden a: $-4x + 8y = 48$, b: $\binom{5}{1} \cdot x = 17$ und c: $y = -0{,}6x - 0{,}6$ bilden die Eckpunkte eines Dreiecks. Welchen Umfang hat dieses Dreieck?

Aufgabe C

Von einem Viereck sind die Koordinaten der Eckpunkte $A(2|2)$, $B(9|2)$, $C(9|7)$, $D(4|7)$ bekannt.

a) Zeichnet das Viereck und berechnet seinen Umfang.

b) Überprüft die Behauptungen: $\overrightarrow{AB} \perp \overrightarrow{BC}$ und $\overrightarrow{AB} \parallel \overrightarrow{DC}$

c) Durch die Punkte A und B soll eine Gerade gelegt werden. Gebt eine Geradengleichung in impliziter Form an.

d) Gebt die Gerade g [B, C] in Normalvektorform an.

e) Gebt eine Gerade in Normalvektorform an, die durch den Halbierungspunkt der Strecke $\overline{AB}$ und durch den Eckpunkt D geht.

Aufgaben

GK **964** Von einer Geraden g ist der Normalvektor und ein Punkt P bekannt. Gib die Gleichung der Geraden in Normalvektorform und in impliziter Form an.

a) $\vec{n} = \binom{-8}{1}$, $P(0|1)$ b) $\vec{n} = \binom{2}{11}$, $P(-3|2)$ c) $\vec{n} = \binom{9}{7}$, $P(1|14)$

GK **965** Eine Gerade ist in expliziter Form gegeben. Lies den Normalvektor ab und bestimme einen Punkt der Geraden. Gib die Gerade in Normalvektorform an.

a) $4x - 7y = 21$ b) $2x - 6y = 23$ c) $x - 3y = -1$ d) $-x + 5y = -45$

GK **966** Eine Gerade ist in expliziter Form gegeben. Ermittle einen Normalvektor und einen Punkt der Geraden. Gib die Gerade in Normalvektorform an.

a) $y = \frac{3}{5}x + 7$ b) $y = -\frac{1}{2}x + 3$ c) $y = \frac{5}{7}x + 2$

GK **967** Vervollständige den Lückentext.

Wenn eine Gerade g in ______❶______ gegeben ist, dann kann ihr Normalvektor ______❷______ abgelesen werden.

❶	
impliziter Form	☐
expliziter Form	☐
Normalvektorform	☐

❷	
aus den Werten von k und d	☐
aus dem Ergebnis des Skalarprodukts $\vec{n} \cdot P$	☐
aus den Koeffizienten der Geradengleichung	☐

GK **968** Gib die Normalvektoren der abgebildeten Geraden an.

a)

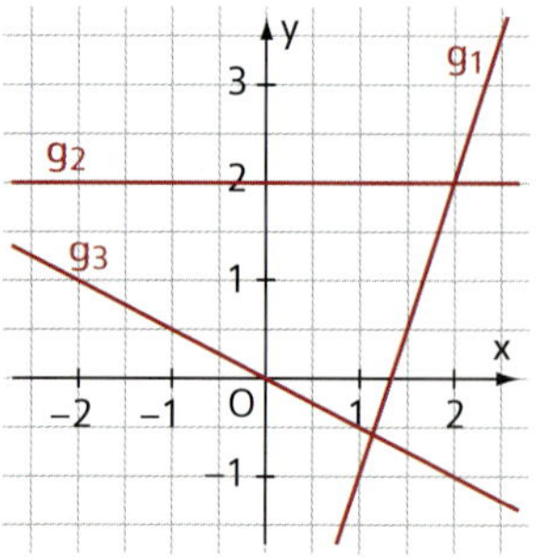

b)

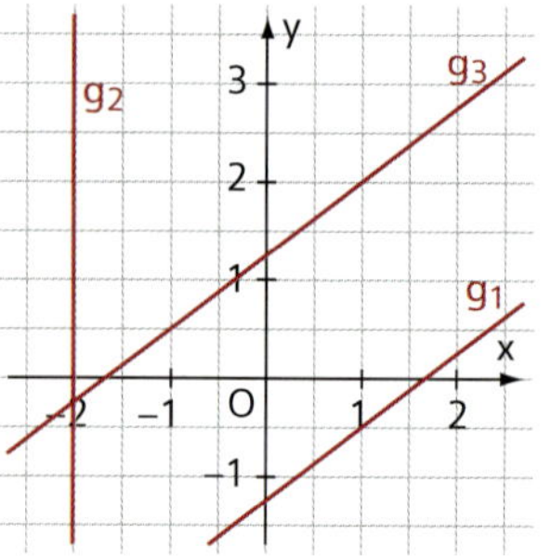

c)

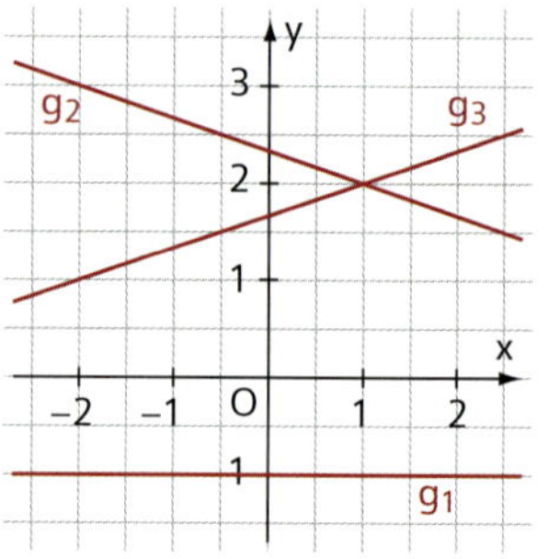

GK **969** Welche der nachstehenden Darstellungsformen beschreiben ebenfalls die Grade g mit der Normalvektorform $\begin{pmatrix}-3\\1\end{pmatrix} \cdot X = -1$? Kreuze die zutreffende(n) Gleichunge(n) an.

☐ $y = x - 3$ ☐ $y = 3x - 1$ ☐ $3x - y = 1$ ☐ $y = \frac{1}{3}x - 3$ ☐ $-6x + 2y = -2$

GK **970** Von einem Dreieck sind die Eckpunkte A, B, C bekannt. Gib die Trägergeraden der Seiten des Dreiecks in Normalvektorform an.

a) $A(-4|-3), B(5|4), C(1|9)$ b) $A(4|3), B(9|4), C(-1|8)$

971 Bestimme im Dreieck die Gleichungen der Schwerlinien des Dreiecks in Normalvektorform. Berechne auch den Schwerpunkt S. Kontrolliere deine Ergebnisse mit einer Zeichnung.

a) $A(1|4), B(-4|0), C(3|1)$ b) $A(-1|-5), B(6|-4), C(2|4)$

972 Von einer Geraden g sind die Punkte A und B bekannt.

(1) Gib die Normalvektorform einer Geraden an, die durch A geht und auf g normal steht. Löse dieses Problem grafisch und rechnerisch.

(2) Gib die Normalvektorform einer Geraden an, die durch C geht und zu g parallel ist. Löse dieses Problem grafisch und rechnerisch.

a) $A(1|2), B(5|3), C(0|0)$ b) $A(-5|1), B(7|3), C(4|-1)$

9 Beschreibung von Geraden – Parameterform

Du kennst bereits drei verschiedene Darstellungsformen von Geraden. In diesem Abschnitt lernst du eine weitere Darstellungsform, die Parameterform, kennen.

Du erwirbst folgende Grundkompetenz:
GK Geraden durch Parametergleichungen in $\mathbb{R}^2$ angeben; Geradengleichungen interpretieren (AG-R 3.4)

Vorwissen

GK **973** Überlege und formuliere, wann zwei vom Nullvektor verschiedene Vektoren parallel sind.

GK **974** Kreuze jene beiden Vektoren an, die zueinander parallel sind und begründe deine Auswahl.
☐ $\vec{a} = (52|32)$ ☐ $\vec{b} = (24|15)$ ☐ $\vec{c} = (16|10)$ ☐ $\vec{d} = (-16|10)$ ☐ $\vec{e} = (26|-16)$

GK **975** Berechne die Koordinaten des Halbierungspunkts der Strecke $\overline{AB}$.
a) $A(7|5)$; $\overrightarrow{AB} = \begin{pmatrix} -4 \\ -8 \end{pmatrix}$ b) $A(2|-4)$, $B(3|-3)$

Neues Wissen

Darstellung einer Strecke in Parameterform

▷ *Beispiel:*
Stell dir vor, du zeichnest mit Bleistift und Lineal eine Strecke $\overline{PQ}$.
Der Bleistift bewegt sich geradlinig von $P(-4|6)$ nach $Q(5|-3)$. Wo befindet sich die Bleistiftspitze, wenn du
a) ein Drittel der Strecke,
b) $\frac{3}{5}$ der Strecke,
c) den Anteil t der Strecke gezeichnet hast?

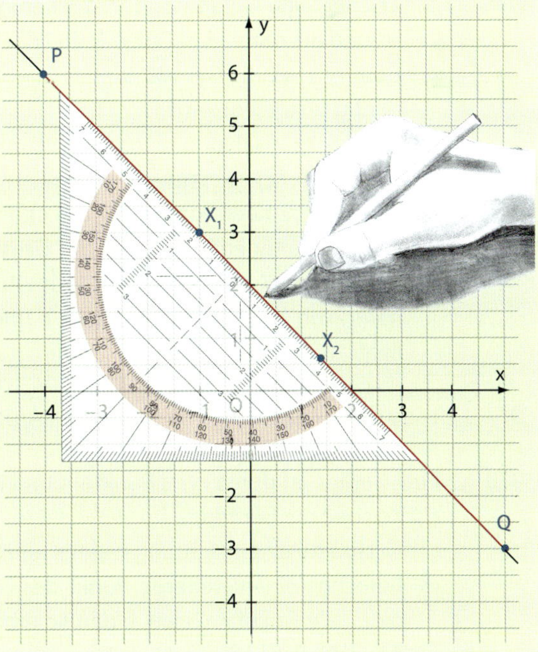

Lösung:
a) $X = P + \frac{1}{3} \cdot \overrightarrow{PQ}$, $X_1 = (-1|3)$
b) $X = P + \frac{3}{5} \cdot \overrightarrow{PQ}$, $X_2 = (1{,}4|0{,}6)$
c) $X = P + t \cdot \overrightarrow{PQ}$
Durchläuft t im Ergebnis c) alle reellen Zahlen im Intervall $[0, 1]$, wird die Strecke als unendliche Punktmenge beschrieben.
Die Zahl t wird **Parameter**[1] genannt.

[1] Hilfsvariable, Kennzahl

Ist $t = 0$, so wird der Anfangspunkt der Strecke P beschrieben. Mit $t = 1$ wird der Endpunkt Q der Strecke beschrieben. Jedem Punkt X der Strecke ist genau ein Parameterwert $t \in [0, 1]$ zugeordnet. Durchläuft t alle Zahlen des Intervalls [0, 1], so durchläuft X alle Punkte der Strecke $\overline{PQ}$.

▷ **Definition**
Die Darstellung einer Strecke PQ in der Form $X = P + t \cdot \overrightarrow{PQ}$ mit $t \in [0, 1]$ wird **Darstellung einer Strecke in Parameterform** genannt.

Darstellung einer Geraden in Parameterform

Verlängert man die Strecke $X = P + t \cdot \overrightarrow{PQ}$ mit $t \in [0, 1]$ über P und Q hinaus zu einer Geraden g, muss der **Parameterwert t alle reellen Zahlen** durchlaufen, um jeden Punkt X der Geraden g zu beschreiben. Der Vektor von P nach Q gibt die Richtung der Geraden g an und wird **Richtungsvektor** $\vec{r}$ genannt.

▷ **Definition**
Durchläuft **t** in **g:** $\mathbf{X = P + t \cdot \vec{r}}$ alle Zahlen aus $\mathbb{R}$, so kann jeder Punkt der Geraden g beschrieben werden.
Die Vektorgleichung **g:** $\mathbf{X = P + t \cdot \vec{r}}$ **heißt Parameterform einer Geraden g**:
- **P** ist ein **Punkt** auf der Geraden,
- $\vec{r}$ ist ein **Richtungsvektor** der Geraden,
- die Variable **t** (mit $t \in \mathbb{R}$) wird **Parameter** genannt.

GK **976**
a) Zeichne eine Gerade g, deren Richtung durch den Richtungsvektor $\vec{r} = \begin{pmatrix} 2 \\ 3 \end{pmatrix}$ festgelegt ist und die durch den Punkt P(6|1) geht.
Überlege, ob die Gerade mit der Angabe eines Punktes und eines Richtungsvektors eindeutig festgelegt wird.
b) Addiere grafisch und rechnerisch zum Punkt P den Richtungsvektor $\vec{r}$
(1) einmal, (2) zweimal, (3) dreimal
und gib die Koordinaten der errechneten Punkte an. Kontrolliere in der Zeichnung, ob die so erhaltenen Punkte auf der Geraden g liegen.
c) Setze in g: $X = P + t \cdot \vec{r}$ für t eine beliebige reelle Zahl ein und berechne die Koordinaten von X. Zeichne den Punkt X und kontrolliere, ob dieser Punkt auf der Geraden g liegt.

GK **977** Löse die Aufgaben des dynamischen Arbeitsblattes www Parameterform einer Geraden.

GK **978** Eine Gerade ist durch zwei Punkte A und B festgelegt.
(1) Zeichne die Gerade.
(2) Bestimme einen Richtungsvektor und gib die Gerade in Parameterform an.
(3) Berechne einen weiteren Punkt der Geraden, indem du für den Parameter eine beliebige Zahl einsetzt. Zeichne den so erhaltenen Punkt ein.

a) A(−3|9), B(5|−2)
b) A(4|9), B(−5|−1)

Für eine Gerade g gibt es beliebig viele Parameterformen, je nachdem, welcher Richtungsvektor und welcher feste Punkt der Geraden gewählt wird.

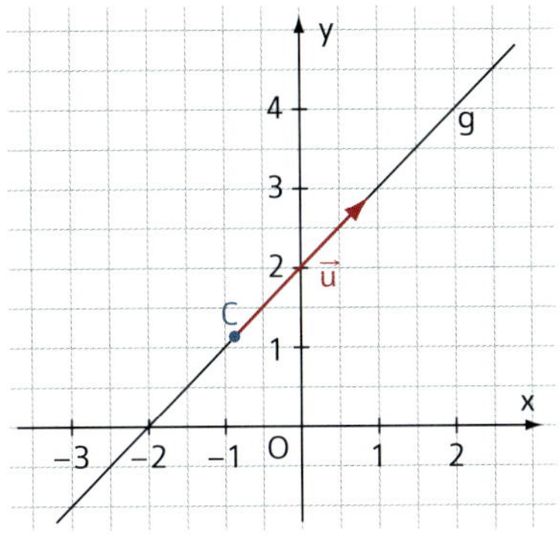

g: $X = C + t \cdot \vec{u}$

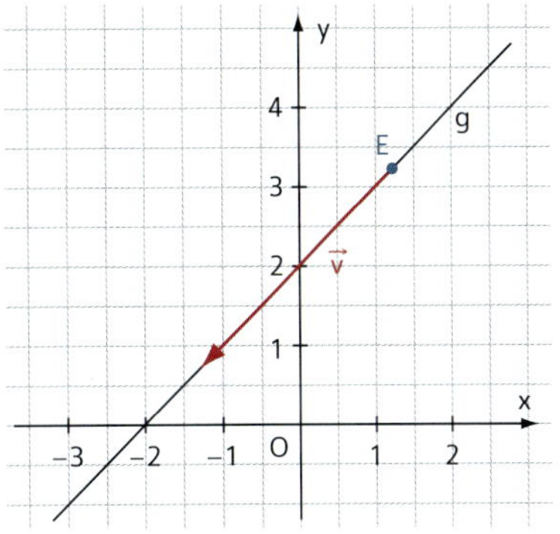

g: $X = E + s \cdot \vec{v}$

Beachte, dass du Richtungsvektoren vereinfachen kannst!

GK **979** Eine Gerade ist in Parameterform gegeben. Lies einen Punkt der Geraden aus der Parameterform ab und bestimme einen zweiten Punkt dieser Geraden. Zeichne die Gerade.

a) $X = (-2|2) + t \cdot (2|-1)$ b) $X = (3|5) + t \cdot (-1|1)$

GK **980** Bestimme für den Punkt $A(-3|1)$ den Parameterwert t in der Parameterform:

a) $X = (3|5) + t \cdot (3|2)$ b) $X = (-11|-5) + t \cdot (4|3)$

GK **981**

Implizite Form – Normalvektorform ↖ Darstellungsformen einer Geraden ↗ Explizite Geradengleichung

↓

Parameterform

Übertrage die Mindmap in dein Heft und ergänze sie.
Welche wichtigen Eigenschaften und Gegebenheiten kann man aus den einzelnen Formen ablesen? Notiere zu jeder Darstellungsform die passenden Vorteile:

- Ablesen des Normalvektors
- Punkte der Geraden lassen sich einfach berechnen
- Ablesen eines Punktes
- Die Gerade kann ohne zusätzliche Berechnung gezeichnet werden
- Schnitt mit der y-Achse kann abgelesen werden
- Einfaches Auffinden eines Richtungsvektors
- Eine parallele Gerade zur y-Achse kann beschrieben werden

GK **982** Beschreibe die Geraden in Parameterform.

a) x-Achse b) y-Achse c) 1. Mediane d) 2. Mediane

Wechsel zwischen den Darstellungsformen einer Geraden

▷ *Beispiel:*
Um eine Gerade g: $X(t) = \begin{pmatrix} -4 \\ 2 \end{pmatrix} + t \cdot \begin{pmatrix} 1 \\ -2 \end{pmatrix}$ in impliziter Form anschreiben zu können, gibt es zwei Möglichkeiten.

Lösungsweg A:
Schreibe die Gerade g zuerst in Komponentenform an. Eliminiere dann die Variable t.

$$\left.\begin{array}{l} x = -4 + t \;|\cdot 2 \\ y = 2 - 2t \end{array}\right\} \Rightarrow \left.\begin{array}{l} 2x = -8 + 2t \\ y = 2 - 2t \end{array} \;\middle|\; + \right\} \Rightarrow g\colon 2x + y = -6$$

Lösungsweg B:
Bilde zum Richtungsvektor $\vec{r}$ einen Normalvektor $\vec{n}$. Stelle die Gerade in Normalvektorform $\vec{n} \cdot X = \vec{n} \cdot P$ auf und forme anschließend in die implizite Gleichung um.
$\vec{n} \perp \vec{r}$

$\vec{r} = \begin{pmatrix} 1 \\ -2 \end{pmatrix} \Rightarrow \vec{n} = \begin{pmatrix} 2 \\ 1 \end{pmatrix}$
$X \cdot \begin{pmatrix} 2 \\ 1 \end{pmatrix} = \begin{pmatrix} -4 \\ 2 \end{pmatrix} \cdot \begin{pmatrix} 2 \\ 1 \end{pmatrix} \Rightarrow g\colon 2x + y = -6$

oder

$\vec{r} = \begin{pmatrix} 1 \\ -2 \end{pmatrix} \Rightarrow \vec{n} = \begin{pmatrix} -2 \\ -1 \end{pmatrix}$
$X \cdot \begin{pmatrix} -2 \\ -1 \end{pmatrix} = \begin{pmatrix} -4 \\ 2 \end{pmatrix} \cdot \begin{pmatrix} -2 \\ -1 \end{pmatrix} \Rightarrow g\colon -2x - y = 6$

GK **983** Gib die Gerade g, die durch die Punkte A(−2|9) und B(4|−5) gegeben ist, in allen Formen der Darstellung an.

Technologie-Tipp: Gerade in Parameterform

Aufgaben

GK **984** Eine Gerade ist durch zwei Punkte A und B festgelegt.
Zeichne die Gerade, bestimme einen Richtungsvektor und gib die Gerade in Parameterform an.
Berechne einen Punkt P, der auf der Geraden liegt und zeichne ihn ein.

a) A(4|−4), B(3|2)
b) A(2|7), B(−3|5)
c) A(1|−3), B(−5|2)
d) A(9|−2), B(−5|3)

GK **985** Stelle die Gerade g[P, Q] durch die Punkte P und Q in Parameterform auf und zeichne sie.

a) P(2|−1), Q(5|3)
b) P(2|3), Q(1|5)
c) P(7|2), Q(0|0)
d) P(−6|−3), Q(3|6)

GK **986** Bestimme eine Parameterform der Geraden g mit dem Punkt P und dem Richtungsvektor $\vec{r}$ und berechne einen weiteren Punkt der Geraden.

a) P(2|−1), $\vec{r} = \begin{pmatrix} -1 \\ 3 \end{pmatrix}$
b) P(−2|3), $\vec{r} = \begin{pmatrix} 4 \\ -3 \end{pmatrix}$
c) P(4|−2), $\vec{r} = \begin{pmatrix} -2 \\ 2 \end{pmatrix}$
d) P(−2|−1), $\vec{r} = \begin{pmatrix} 1 \\ -3 \end{pmatrix}$

GK **987** Welche Punkte der Geraden g erhält man für die gegebenen Parameterwerte?

a) $X = (2|1) + t\cdot(-1|3)$; $t = -2;\ -\frac{1}{2};\ 0;\ \frac{2}{3};\ 1;\ 3$

b) $X = (2|-3) + t\cdot(1|7)$; $t = -5;\ -\frac{1}{3};\ 0;\ \frac{3}{2};\ 1;\ 4$

c) $X = (0|0) + t\cdot(2|-5)$; $t = -2{,}5;\ -\frac{1}{4};\ 0;\ \frac{2}{5};\ 1;\ 5$

GK **988** Mit welchem Parameterwert t der Geraden g: $X(t) = (-3|-4) + t\cdot(1|2)$ erreichst du den Punkt P?

a) $P(-1|-6)$ b) $P(-13|-16)$ c) $P(0{,}7|3{,}4)$ d) $P(-2{,}8|-3{,}6)$

GK **989** Löse die Aufgaben in den www Reitergeschichten (dynamisches Arbeitsblatt).

GK **990** Berechne den Schwerpunkt des Dreiecks ABC. Bestimme je eine Parameterdarstellung der Geraden, auf der die Schwerlinien des Dreiecks ABC liegen.

a) $A(-4|1), B(2|-3), C(3|4)$ b) $A(4|-2), B(-1|-1), C(3|6)$

c) $A(-2|0), B(3|-4), C(5|2)$ d) $A(-3|-3), B(-1|9), C(4|1)$

GK **991** Gegeben ist das Parallelogramm ABCD. Bestimme je eine Parameterdarstellung der Trägergeraden der Seiten sowie der Trägergeraden der Diagonalen des Parallelogramms.

a) $A(-2|0), B(3|-4), C(5|0), D$ b) $A(4|-2), B(-1|-1), C(3|6), D$

GK **992** Ergänze in der Tabelle die unterschiedlichen Darstellungsformen der Geraden.

	Implizite Form	Explizite Form	Normalvektorform	Parameterform
a)	$8x - 3y = 6$			
b)		$y = 2x - 5$		
c)			$\binom{3}{4}\cdot X = -1$	
d)				$X = (4|-1) + t\cdot(3|-2)$
e)	$3x + 2y = 25$			
f)		$y = \frac{1}{3}x + 2$		
g)			$\binom{-1}{5}\cdot X = 3$	
h)				$X = (-3|2) + t\cdot(1|4)$

GK **993** Welche Gleichungen (1) bis (12) beschreiben jeweils dieselbe Gerade?

(1) $X = (3|-2) + t_1\cdot(-5|6)$
(2) $X = (-2|4) + t_2\cdot(-2|1)$
(3) $X = (6|0) + t_3\cdot(4|-2)$
(4) $X = (8|-9) + t_4\cdot(-5|6)$
(5) $X = (-2|4) + t_5\cdot(-5|6)$
(6) $X = (-2|3) + t_6\cdot(5|-6)$
(7) $y = -1{,}2x + 0{,}6$
(8) $6x + 5y = 8$
(9) $y = -0{,}75x + 1{,}6$
(10) $x + 2y = 6$
(11) $6x + 5y = 3$
(12) $y = -0{,}5x + 3$

GK 994 a) Gegeben ist die grafische Darstellung der Geraden g.
Kreuze die für diese Gerade g zutreffende(n) Aussage(n) an.

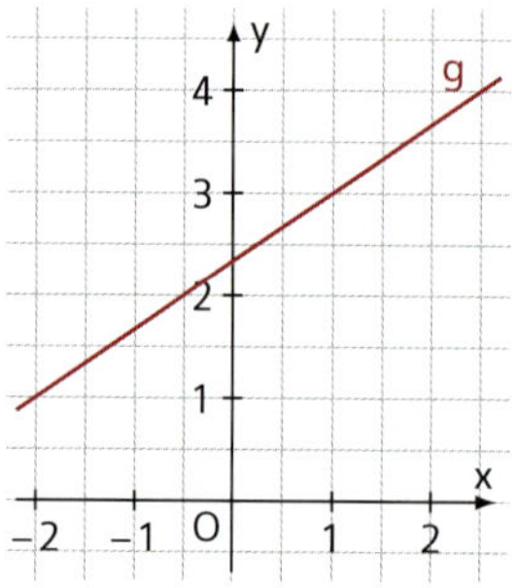

- ☐ (3|2) ist ein Richtungsvektor der Geraden g.
- ☐ Die Parameterform $X = (1|3) + s \cdot (-2|-3)$ beschreibt die Gerade g.
- ☐ Die Normalvektorform $\begin{pmatrix} 2 \\ -3 \end{pmatrix} \cdot X = -7$ beschreibt die Gerade g.
- ☐ Die Parameterform $X = (2|1) + s \cdot (3|2)$ beschreibt die Gerade g.
- ☐ (−2|3) ist ein Normalvektor der Geraden g.

b) Gegeben ist die grafische Darstellung der Geraden g.
Kreuze die für diese Gerade g zutreffende(n) Aussage(n) an.

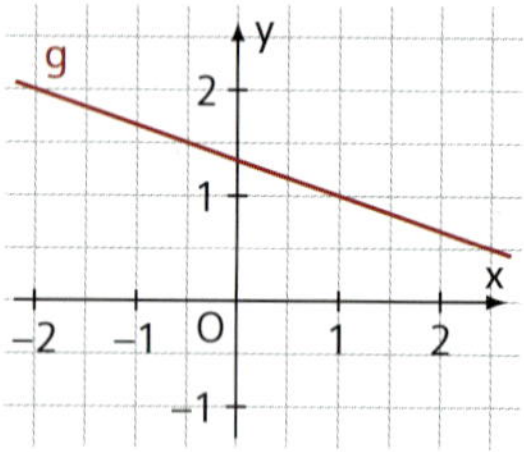

- ☐ (1|3) ist ein Richtungsvektor der Geraden g.
- ☐ (−3|1) ist ein Richtungsvektor der Geraden g.
- ☐ Die Normalvektorform $\begin{pmatrix} 1 \\ 3 \end{pmatrix} \cdot X = 4$ beschreibt die Gerade g.
- ☐ Die Parameterform $X = (1|1) + s \cdot (3|-1)$ beschreibt die Gerade g.
- ☐ (−1|−3) ist ein Normalvektor der Geraden g.

c) Gegeben ist die grafische Darstellung der Geraden g.
Kreuze die für diese Gerade g zutreffende(n) Aussage(n) an.

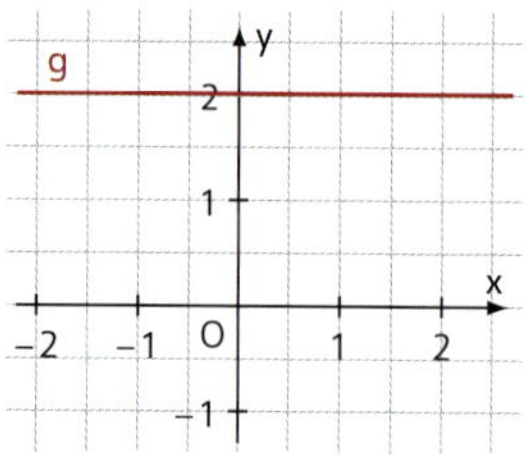

- ☐ (2|0) ist ein Richtungsvektor der Geraden g.
- ☐ (−2|0) ist ein Richtungsvektor der Geraden g.
- ☐ Die Parameterform $X = (-3|2) + s \cdot (1|0)$ beschreibt die Gerade g.
- ☐ Die Normalvektorform $\begin{pmatrix} 0 \\ 1 \end{pmatrix} \cdot X = 2$ beschreibt die Gerade g.
- ☐ (2|0) ist ein Normalvektor der Geraden g.

10 Lagebeziehungen

In diesem Abschnitt erfährst du,
- wie du rechnerisch feststellen kannst, ob ein Punkt auf einer Geraden liegt,
- wie parallele und normale Geraden der Ebene in Parameterform beschrieben werden,
- wie Schnittpunkt und Schnittwinkel zweier Geraden der Ebene berechnet werden.

Du erwirbst folgende Grundkompetenz:
GK Lagebeziehungen in $\mathbb{R}^2$ (zwischen Geraden und zwischen Punkt und Gerade) analysieren, Schnittpunkte ermitteln (AG-R 3.4)

Vorwissen

GK **995** Formuliere: Wann stehen zwei vom Nullvektor verschiedene Vektoren aufeinander normal?

GK **996** Welche der vier Vektoren sind orthogonal zueinander? Begründe deine Behauptung.
$\vec{a} = (12|3)$, $\vec{b} = (-6|24)$, $\vec{c} = (1{,}5|-6)$, $\vec{d} = (-12|-3)$

GK **997** Entscheide und begründe, ob das Gleichungssystem keine, eine oder unendlich viele Lösungen hat, und ermittle danach die Lösung.

a) I: $3x - 2y = 6$
II: $x + 2y = 10$

b) I: $x - 2y = -1$
II: $-4x + 8y = -2$

c) I: $x + y = 5$
II: $2x + 2y = 10$

Neues Wissen

Lagebeziehung eines Punktes und einer Geraden in Parameterform

Beispiel:
Liegen die Punkte $A(24|11)$ und $B(2|7)$ auf der Geraden $g: X = (-4|3) + t\cdot(7|2)$?

Lösung:
Die Koordinaten von A werden in der Parameterform von g anstelle von X eingesetzt.
Der Parameterwert t in der ersten Gleichung muss gleich dem Parameterwert t in der zweiten Gleichung sein, wenn A auf g liegen soll.
Die Parameterwerte **beider Gleichungen** werden berechnet.

$$g: \begin{cases} 24 = -4 + 7t \\ 11 = 3 + 2t \end{cases} \Rightarrow \begin{matrix} 28 = 7t \\ 8 = 2t \end{matrix} \Rightarrow \begin{matrix} t = 4 \\ t = 4 \end{matrix}$$

Da die beiden Parameterwerte gleich sind, liegt der Punkt A auf der Geraden g.
Die Koordinaten von B werden in der Parameterform von g anstelle von X eingesetzt und die Parameterwerte beider Gleichungen berechnet.

$$g: \begin{cases} 2 = -4 + 7t \\ 7 = 3 + 2t \end{cases} \Rightarrow \begin{matrix} 6 = 7t \\ 7 = 2t \end{matrix} \Rightarrow \begin{matrix} \frac{6}{7} = 4 \\ 2 = 4 \end{matrix}$$

Da die beiden Parameterwerte nicht gleich sind, liegt der Punkt B nicht auf der Geraden g.

Zusammenfassung

Um rechnerisch zu überprüfen, ob ein vorgegebener Punkt $A(x_A|y_A)$ auf der Geraden $g: X = P + t \cdot \vec{r}$ $(t \in \mathbb{R})$ liegt, wird dieser in X eingesetzt und der Parameterwert t berechnet. Gibt es einen Parameterwert t, der diese Vektorgleichung erfüllt, so liegt A auf g.

GK **998** Überprüfe rechnerisch und grafisch, ob die Punkte $R(4|-8)$ und $S(2|-3)$ auf der Geraden $g: X = \binom{1}{-3} + t\binom{3}{-5}$ liegen.

Parallele und normale Geraden in Parameterform

Beispiel:

Gegeben ist eine Gerade $g: X = (1|2) + t \cdot (1|1)$. Gib eine Gerade h an, die durch den Punkt $A(2|0)$ geht und (1) zu g parallel ist, (2) auf g normal steht.

Lösung:

(1) Der Richtungsvektor $\vec{r_h}$ der gesuchten Geraden h muss parallel zum Richtungsvektor $\vec{r_g}$ von g sein, d.h. es muss gelten: $\vec{r_h} = s \cdot \vec{r_g}$ (mit $s \in \mathbb{R}$). Wählst du $s = 1$, so gilt: $\vec{r_h} = \vec{r_g}$.
Da h den Punkt $A(2|0)$ enthalten soll, kannst du h in der Parameterform $h: X = (2|0) + t \cdot (1|1)$ angeben.

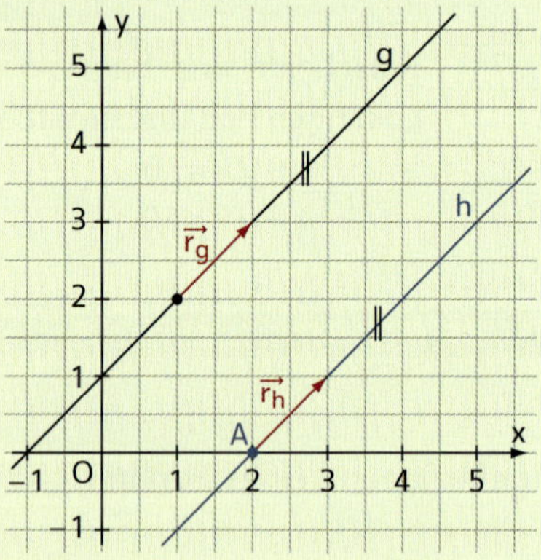

(2) Der Richtungsvektor $\vec{r_h}$ der gesuchten Geraden h muss normal auf den Richtungsvektor $\vec{r_g}$ von g stehen. Wähle z.B. $\vec{r_h} = (-1|1)$.
Da h den Punkt $A(2|0)$ enthalten soll, kannst du h in der Parameterform $h: X = (2|0) + t \cdot (-1|1)$ angeben.

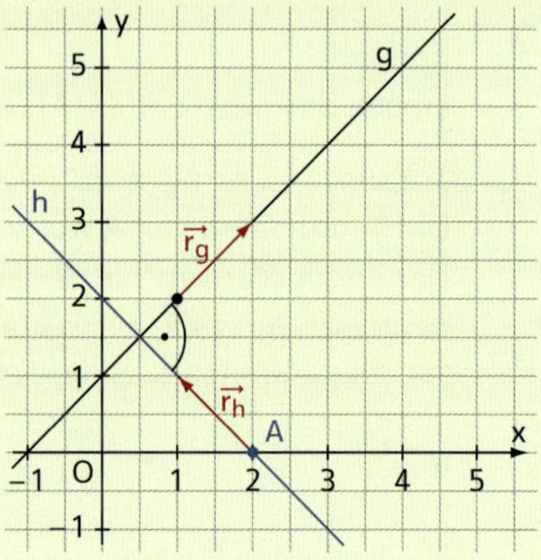

GK **999** (1) Gib eine Gerade h an, die zu $g: X(t) = (3|3) + t \cdot (4|-1)$ **parallel** ist und durch den Punkt $R(9|6)$ geht. Zeichne beide Geraden.

(2) Gib eine Gerade h an, die auf $g: X(t) = (5|-2) + t \cdot (6|-3)$ **normal** steht und durch den Punkt $R(8|0{,}5)$ geht. Zeichne beide Geraden.

GK **1000** Überprüft in Partnerarbeit abwechselnd folgende Aussagen und entscheidet, ob es sich um wahre oder falsche Behauptungen handelt. Versucht, durch Argumentation und geeignete Veranschaulichung eure Partnerin/euren Partner von eurer Meinung zu überzeugen.

Aussage 1:
„In der Parameterform darf der Richtungsvektor vereinfacht werden, indem man ein geeignetes Vielfaches nimmt. Die Gerade wird dadurch nicht verändert."

Aussage 2:
„In der Parameterform dürfen die Koordinaten des festen Punktes P vereinfacht werden, indem man ein geeignetes Vielfaches nimmt. Die Gerade wird dadurch nicht verändert."

Aussage 3:
„Geraden in Parameterform sind genau dann parallel, wenn ihre Richtungsvektoren parallel sind."

Aussage 4:
„Zwei Geraden in Parameterform stehen genau dann aufeinander normal, wenn das Skalarprodukt der Richtungsvektoren null ergibt."

Aussage 5:
„Zwei Geraden $g: X = P + t \cdot \vec{r}$ und $h: X = Q + t \cdot \vec{r_1}$ sind genau dann identisch, wenn der Punkt P gleich dem Punkt Q ist und die beiden Richtungsvektoren $\vec{r}$ und $\vec{r_1}$ parallel sind."

Zusammenfassung

Geraden in Parameterform sind genau dann **parallel**, wenn ihre **Richtungsvektoren parallel** sind.

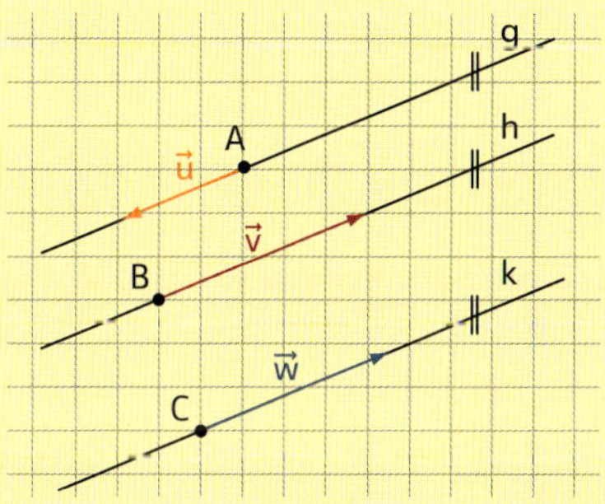

Geraden sind genau dann **identisch**, wenn ihre **Richtungsvektoren parallel** sind und beide Geraden **einen Punkt gemeinsam** haben.

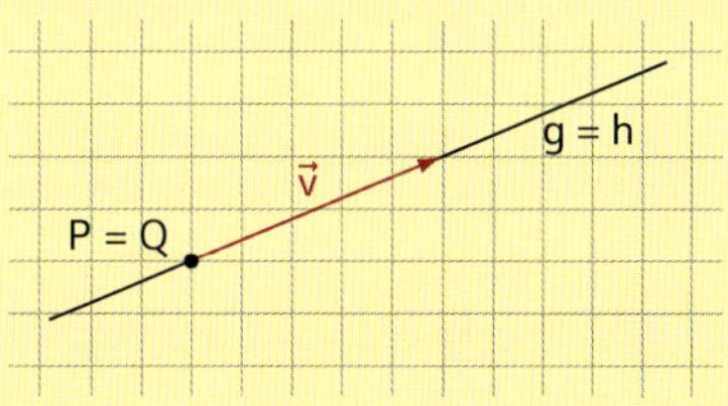

Geraden in Parameterform stehen aufeinander **normal**, wenn ihre **Richtungsvektoren aufeinander normal** stehen, das heißt, wenn das Skalarprodukt der Richtungsvektoren null ist.

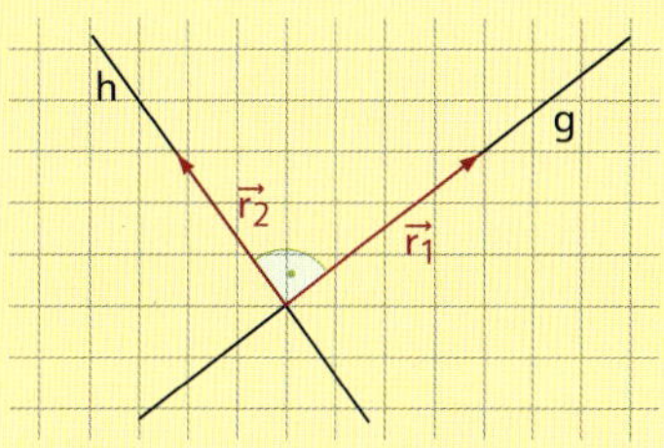

GK 1001 Ordne den Geraden jeweils den passenden Richtungsvektor zu.

g: $y = \frac{a}{b} \cdot x + d$	
g: $a \cdot x + b \cdot y = c$	
g: $\begin{pmatrix} -b \\ a \end{pmatrix} \cdot X = \begin{pmatrix} -b \\ a \end{pmatrix} \cdot P$	
g: $X = P + t \cdot \begin{pmatrix} -a \\ b \end{pmatrix}$	

A	$\vec{r} = \begin{pmatrix} b \\ a \end{pmatrix}$
B	$\vec{r} = \begin{pmatrix} 0 \\ b \end{pmatrix}$
C	$\vec{r} = \begin{pmatrix} -b \\ a \end{pmatrix}$
D	$\vec{r} = \begin{pmatrix} a \\ 0 \end{pmatrix}$
E	$\vec{r} = \begin{pmatrix} a \\ b \end{pmatrix}$
F	$\vec{r} = \begin{pmatrix} -a \\ b \end{pmatrix}$

Schnitt zweier Geraden in Parameterform

Beispiel:
Bestimme den Schnittpunkt S der Geraden g und h.

g: $X = \begin{pmatrix} -4 \\ 2 \end{pmatrix} + t \cdot \begin{pmatrix} 1 \\ -1 \end{pmatrix}$ h: $X = \begin{pmatrix} 0 \\ 4 \end{pmatrix} + s \cdot \begin{pmatrix} 3 \\ 3 \end{pmatrix}$

Lösung:
S liegt genau dann auf g und auf h, wenn es einen Parameterwert t und einen Parameterwert s gibt, sodass gilt: $\begin{pmatrix} -4 \\ 2 \end{pmatrix} + t \cdot \begin{pmatrix} 1 \\ -1 \end{pmatrix} = \begin{pmatrix} 0 \\ 4 \end{pmatrix} + s \cdot \begin{pmatrix} 3 \\ 3 \end{pmatrix}$. Diese Gleichung wird in Komponentenform angeschrieben. Das Gleichungssystem wird gelöst.

$$\begin{array}{l} \text{I: } -4 + t = 0 + 3s \\ \text{II: } 2 - t = 4 + 3s \\ \hline \text{I + II: } -2 = 4 + 6s \\ \quad s = -1 \end{array} \quad \Big| + \qquad \text{oder} \qquad \begin{array}{l} \text{I: } -4 + t = 0 + 3s \\ \text{II: } 2 - t = 4 + 3s \\ \hline \text{I − II: } -6 + 2t = -4 \\ \quad t = 1 \end{array} \quad \Big| -$$

h: $X = \begin{pmatrix} 0 \\ 4 \end{pmatrix} + s \cdot \begin{pmatrix} 3 \\ 3 \end{pmatrix} \Rightarrow S = \begin{pmatrix} 0 \\ 4 \end{pmatrix} + (-1) \cdot \begin{pmatrix} 3 \\ 3 \end{pmatrix} = \begin{pmatrix} -3 \\ 1 \end{pmatrix}$ oder

g: $X = \begin{pmatrix} -4 \\ 2 \end{pmatrix} + t \cdot \begin{pmatrix} 1 \\ -1 \end{pmatrix} \Rightarrow S = \begin{pmatrix} -4 \\ 2 \end{pmatrix} + 1 \cdot \begin{pmatrix} 1 \\ -1 \end{pmatrix} = \begin{pmatrix} -3 \\ 1 \end{pmatrix}$

Die beiden Geraden g und h schneiden einander in $S(-3|1)$.

GK 1002 Zeige, dass die Geraden g und h einander schneiden und bestimme den Schnittpunkt.

g: $X = \begin{pmatrix} 6 \\ 5 \end{pmatrix} + t \cdot \begin{pmatrix} 6 \\ 1 \end{pmatrix}$ h: $X = \begin{pmatrix} 1 \\ -3 \end{pmatrix} + s \cdot \begin{pmatrix} 1 \\ -7 \end{pmatrix}$

Schnittwinkel zweier Geraden in Parameterform

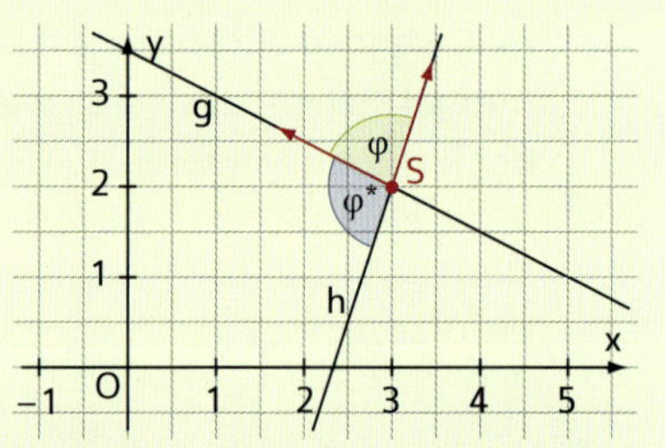

Beispiel:
Berechne den Schnittwinkel der beiden Geraden.

g: $X = \begin{pmatrix} -1 \\ 4 \end{pmatrix} + t \cdot \begin{pmatrix} -2 \\ 1 \end{pmatrix}$ h: $X = \begin{pmatrix} 2 \\ -1 \end{pmatrix} + s \cdot \begin{pmatrix} 1 \\ 3 \end{pmatrix}$

Lösung:
Der Schnittwinkel der beiden Geraden entspricht dem Winkel zwischen den Richtungsvektoren.

$$\cos\varphi = \frac{\begin{pmatrix} -2 \\ 1 \end{pmatrix} \cdot \begin{pmatrix} 1 \\ 3 \end{pmatrix}}{\sqrt{5} \cdot \sqrt{10}} = \frac{1}{\sqrt{50}} \approx 0{,}1414 \Rightarrow \varphi \approx 81{,}87° \quad (\varphi^* = 180° - \varphi)$$

1003 Berechne den Schnittwinkel der beiden Geraden.
$g: X = \begin{pmatrix} -1 \\ -2 \end{pmatrix} + t \cdot \begin{pmatrix} -3 \\ 1 \end{pmatrix}$ $\quad h: X = \begin{pmatrix} 3 \\ 0 \end{pmatrix} + s \cdot \begin{pmatrix} 1 \\ -4 \end{pmatrix}$

Aufstellen von Winkelsymmetralen in Parameterform

Beispiel:
Bestimme eine Winkelsymmetrale w_α, die den Winkel α zwischen den Geraden
$g: X = \begin{pmatrix} 0 \\ 2 \end{pmatrix} + s \cdot \begin{pmatrix} -2 \\ 3 \end{pmatrix}$ und $h: X = \begin{pmatrix} 0 \\ 2 \end{pmatrix} + t \cdot \begin{pmatrix} 1 \\ 1 \end{pmatrix}$ halbiert.

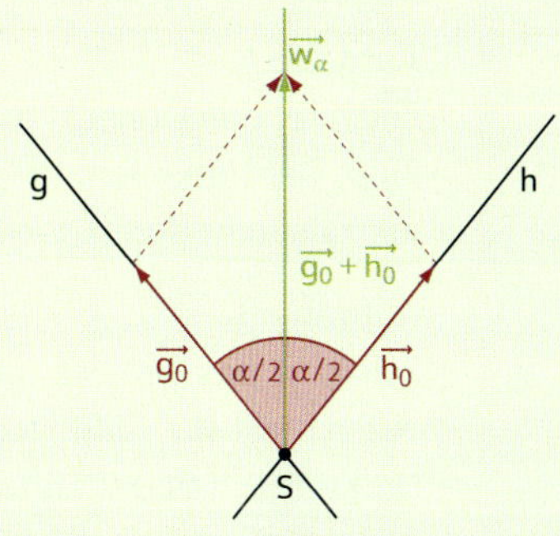

Lösungsidee:
Du weißt bereits, dass die Seiten einer Raute gleich lang sind und dass die Diagonalen einer Raute deren Winkel halbieren.

Die zu den Richtungsvektoren der Geraden g und h gehörenden Einheitsvektoren $\overrightarrow{g_0}$ und $\overrightarrow{h_0}$ haben beide die Länge 1. Das aufgespannte Vektorparallelogramm ist daher eine Raute. Ist S der Schnittpunkt von g und h, dann ist die Richtung der in S ansetzenden Diagonalen der aufgespannten Raute durch die Summe $\overrightarrow{g_0} + \overrightarrow{h_0}$ bestimmt,

Der Vektor $\overrightarrow{g_0} + \overrightarrow{h_0}$ gibt daher die Richtung der Winkelsymmetralen des Winkels α zwischen g und h an.
Für die Parameterdarstellung der gesuchten Winkelsymmetrale kannst du den Schnittpunkt S der beiden Geraden g und h verwenden, der in dieser Aufgabe aus den Geradengleichungen abgelesen werden kann.

Lösung:
$\vec{g} = \begin{pmatrix} -2 \\ 3 \end{pmatrix} \rightarrow \overrightarrow{g_0} = \frac{1}{\sqrt{13}} \cdot \begin{pmatrix} -2 \\ 3 \end{pmatrix} = \begin{pmatrix} -0{,}55 \\ 0{,}83 \end{pmatrix}$, $\vec{h} = \begin{pmatrix} 1 \\ 1 \end{pmatrix} \rightarrow \overrightarrow{h_0} = \frac{1}{\sqrt{2}} \cdot \begin{pmatrix} 1 \\ 1 \end{pmatrix} = \begin{pmatrix} 0{,}71 \\ 0{,}71 \end{pmatrix}$

$\overrightarrow{g_0} + \overrightarrow{h_0} = \begin{pmatrix} -0{,}55 + 0{,}71 \\ 0{,}83 + 0{,}71 \end{pmatrix} = \begin{pmatrix} 0{,}16 \\ 1{,}54 \end{pmatrix}$

Entnimm den Schnittpunkt der Geraden g und h aus der Angabe: S(0|2)
Die Winkelsymmetrale hat die Parameterform $w_\alpha: X = \begin{pmatrix} 0 \\ 2 \end{pmatrix} + u \cdot \begin{pmatrix} 0{,}86 \\ 2{,}25 \end{pmatrix}$.

Winkelsymmetrale in Parameterform

Sind $\overrightarrow{g_0}$ und $\overrightarrow{h_0}$ die normierten Richtungsvektoren zweier Geraden g und h und ist S der Schnittpunkt der beiden Geraden, dann lässt sich eine Winkelsymmetrale des von g und h eingeschlossenen Winkels α in der Parameterform $w_\alpha: X = S + t \cdot \left(\overrightarrow{g_0} + \overrightarrow{h_0}\right)$ angeben.

1004 Gib eine Winkelsymmetrale des von den Geraden g und h eingeschlossenen Winkels α an.

a) $g: X = \begin{pmatrix} -3 \\ 1 \end{pmatrix} + s \cdot \begin{pmatrix} 2 \\ 1 \end{pmatrix}$ $\quad h: X = \begin{pmatrix} -2 \\ 1 \end{pmatrix} + t \cdot \begin{pmatrix} -1 \\ 4 \end{pmatrix}$

b) $g: X = \begin{pmatrix} -5 \\ 3 \end{pmatrix} + s \cdot \begin{pmatrix} 4 \\ -1 \end{pmatrix}$ $\quad h: X = \begin{pmatrix} -2 \\ 6 \end{pmatrix} + t \cdot \begin{pmatrix} 2 \\ 2 \end{pmatrix}$

1005 **Arbeit nach der Lernmethode Gruppenrallye** – **Besondere Punkte eines Dreiecks**

Die folgenden Aufgaben A bis C könnt ihr in Form einer Gruppenrallye bearbeiten.
Die Anleitung und eine Lösungsfolie mit Punkteverteilung findet ihr unter
www Lernmethode Gruppenrallye und www Besondere Punkte eines Dreiecks.

Gegeben ist ein Dreieck ABC mit $A(-1|1)$, $B(-1|15)$ und $C(11|6)$.

Aufgabe A

Zeichnet das Dreieck, berechnet Umkreismittelpunkt und Umkreisradius des Dreiecks.
Tipp: Der Umkreismittelpunkt ist der Schnittpunkt der Seitensymmetralen. Eine Seitensymmetrale geht durch den Halbierungspunkt einer Seite und steht auf sie normal.

Aufgabe B

Zeichnet das Dreieck, berechnet den Höhenschnittpunkt und den Schwerpunkt des Dreiecks. Stellt die Euler'sche Gerade, das ist jene Gerade, die durch den Schwerpunkt, den Umkreismittelpunkt und den Höhenschnittpunkt geht, in Parameterform dar.

Aufgabe C

Zeichnet das Dreieck, berechnet den Inkreismittelpunkt des Dreiecks.
Tipp: Der Inkreismittelpunkt ist der Schnittpunkt der Winkelsymmetralen.

Aufgaben

GK 1006 Überprüfe grafisch und rechnerisch, ob die Punkte Q, R und S auf der Geraden g liegen. Kreuze die richtigen Aussagen an.

a) $g: X = (1|2) + t \cdot (3|5)$ ☐ $Q(-2|6) \in g$ ☐ $R(-1 \in 3) \in g$ ☐ $S \in 4|-3) \in g$

b) $g: X = (-3|5) + t \cdot (-1|1)$ ☐ $Q(-5|-7 \in g$ ☐ $R(-4|\in) \in g$ ☐ $S(-3{,}5|5{,}5) \in g$

GK 1007 Stelle die Gerade g[P, Q] durch die Punkte P und Q in Parameterform auf und zeichne die Gerade. Überprüfe rechnerisch und grafisch, ob die Punkte R und S auf der Geraden liegen.

a) $P(2|-1)$, $Q(5|3)$, $R(-1|-5)$, $S(8|10)$
b) $P(2|3)$, $Q(1|5)$, $R(3|7)$, $S(4|-1)$

GK 1008 Überprüfe grafisch und rechnerisch, ob die Punkte Q, R und S auf einer Geraden liegen.

a) $Q(4|-2)$, $R(3|4)$, $S(-1|2)$
b) $Q(2|-1)$, $R(4|2)$, $S(6|5)$
c) $Q(8|-4)$, $R(-4|4)$, $S(-1|2)$
d) $Q(5|2)$, $R(1|5)$, $S(0|6)$

GK 1009 Erstelle zur Geraden g[P, Q] eine **parallele Gerade** h durch den Punkt H in Parameterform.

a) $P(1|-5)$, $Q(-1|0)$, $H(2|2)$
b) $P(-5|-4)$, $Q(6|-2)$, $H(2|7)$
c) $P(7|-3)$, $Q(5|5)$, $H(1|0)$
d) $P(-7|1)$, $Q(4|2)$, $H(-1|3)$

GK 1010 Erstelle zur Geraden g[P, Q] eine **normale Gerade** n durch den Punkt H in Parameterform.

a) $P(1|-5)$, $Q(-1|0)$, $H(2|2)$
b) $P(-5|-4)$, $Q(6|2)$, $H(2|7)$
c) $P(7|-3)$, $Q(5|5)$, $H(1|0)$
d) $P(-7|1)$, $Q(4|2)$, $H(-1|3)$

GK 1011 Gegeben ist die Gerade $g: X = (3|0) + t \cdot (2|3)$. Kreuze die zutreffende(n) Aussage(n) an.

☐ Die Gerade $h: X = (5|3) + s \cdot (-3|2)$ steht normal auf die Gerade g.
☐ Die Gerade $h: X = (5|3) + s \cdot (2|3)$ und die Gerade g sind identisch.
☐ Die Gerade $h: X = (3|0) + s \cdot (-3|-2)$ und die Gerade g sind identisch.
☐ Die Gerade $h: X = (0|3) + s \cdot (-2|-3)$ steht normal auf die Gerade g.
☐ Die Gerade $h: X = (0|3) + s \cdot (4|6)$ ist zur Geraden g parallel.

GK **1012** Ordne den gegebenen Geraden die richtigen Aussagen zu und begründe. Überprüfe mit einer Zeichnung.

sind parallel	
sind identisch	
schneiden einander	
stehen normal aufeinander	

A	$g: X = \binom{1}{2} + t \cdot \binom{4}{-3}$ und $h: X = \binom{2}{4} + s \cdot \binom{4}{-3}$
B	$g: X = \binom{-1}{2} + t \cdot \binom{4}{-3}$ und $h: X = \binom{3}{-1} + s \cdot \binom{8}{-6}$
C	$g: X = \binom{-1}{2} + t \cdot \binom{4}{-3}$ und $h: X = \binom{3}{-1} + s \cdot \binom{3}{-6}$
D	$g: X = \binom{1}{2} + t \cdot \binom{4}{-3}$ und $h: X = \binom{2}{4} + s \cdot \binom{1{,}5}{2}$

GK **1013** Gegeben sind zwei Geraden g und h durch folgende Gleichungen:
$g: X = (2|1) + t \cdot (2|5)$ $h: X = (3|5) + t \cdot (1|2{,}5)$
(1) Begründe, dass g und h zueinander parallel sind.
(2) Begründe, dass g und h nicht identisch sind.

GK **1014** Gegeben sind zwei Geraden g und h durch folgende Gleichungen:
$g: X = (3|2) + t \cdot (1|5)$ $h: y = k \cdot x + 6$
(1) Bestimme den Wert von k so, dass g parallel zu h ist.
(2) Bestimme den Wert von k so, dass g und h aufeinander normal stehen.

GK **1015** Gegeben sind zwei Geraden g und h durch folgende Gleichungen:
$g: X = (-2|5) + t \cdot \vec{r}$ $h: 4x + 3y = -2$
(1) Bestimme einen Richtungsvektor $\vec{r}$ so, dass g und h parallel sind.
(2) Bestimme einen Richtungsvektor $\vec{r}$ so, dass g und h aufeinander normal stehen.

GK **1016** Bestimme die Gleichung der Geraden g in Parameterform, die durch den Punkt $P(5|6)$ geht und zur Geraden $h: 3x - y = 6$ parallel ist.

GK **1017** Bestimme die Gleichung der Geraden g in Parameterform, die durch den Punkt $P(5|6)$ geht und auf die Gerade $h: 3x - y = 6$ normal steht.

GK **1018** Berechne den Schnittpunkt und den Schnittwinkel der beiden Geraden g und h.

a) $g: X = (0|3{,}5) + t \cdot (-2|3)$ $h: X = (-13{,}5|0) + s \cdot (5|2)$
b) $g: X = (1|1) + t \cdot (3|3)$ $h: X = (6|-2) + s \cdot (-2|6)$
c) $g: X = (-1|4) + t \cdot (7|-2)$ $h: X = (9|-3) + s \cdot (4|3)$
d) $g: X = (4|2) + t \cdot (1|-1)$ $h: X = (-2|1) + s \cdot (2|-1)$
e) $g: X = (8|-4) + t \cdot (-5|4)$ $h: X = (0|-4) + s \cdot (3|4)$

1019 Die vier Geraden a, b, c und d sind die Trägergeraden der Seiten eines Vierecks. Ermittle grafisch und rechnerisch die Koordinaten der Eckpunkte, den Umfang, alle Winkel und den Typ des Vierecks.

a) $a: X = (0|4) + s \cdot (1|2)$ $b: X = (7|-2) + t \cdot (2|-1)$
$c: X = (7|3) + u \cdot (1|2)$ $d: X = (-7|0) + u \cdot (-2|1)$
b) $a: X = (-1|-2) + s \cdot (-3|1)$ $b: X = (3|0) + t \cdot (1|3)$
$c: X = (0|3) + u \cdot (4|0)$ $d: X = (2|7) + u \cdot (6|8)$
c) $a: X = (1|1) + s \cdot (3|1)$ $b: X = (5|-1) + t \cdot (-1|3)$
$c: X = (6|6) + u \cdot (6|2)$ $d: X = (-1|-3) + u \cdot (-2|6)$

1020 Ermittle grafisch und rechnerisch den Vektor, der die Richtung der Winkelsymmetrale angibt.

a) $\vec{a} = \overrightarrow{AB}$, $\vec{b} = \overrightarrow{AC}$, A(1|1), B(0|4), C(5|4)   b) $\vec{a} = \overrightarrow{AB}$, $\vec{b} = \overrightarrow{AC}$, A(−2|3), B(0|5), C(−1|1)

1021 Zeichne das Dreieck ABC und berechne jenen Vektor, der die Richtung der Winkelsymmetrale bei α, β und γ angibt.

a) A(−6|3), B(−2|−2), C(2|5)   b) A(−3|4), B(7|1), C(−2|4)

GK **1022** Ein Schatz wurde genau an der Stelle vergraben, die von der Ruine Merkenstein (2|4), von der Vöslauer Hütte (13|2) und vom Sooßer Lindkogel (12,5|8,5) in Luftlinie gleich weit entfernt ist. Wo liegt der Schatz vergraben? Löse grafisch und rechnerisch.
www Schatzsuche (dynamisches Arbeitsblatt für die grafische Schatzsuche).

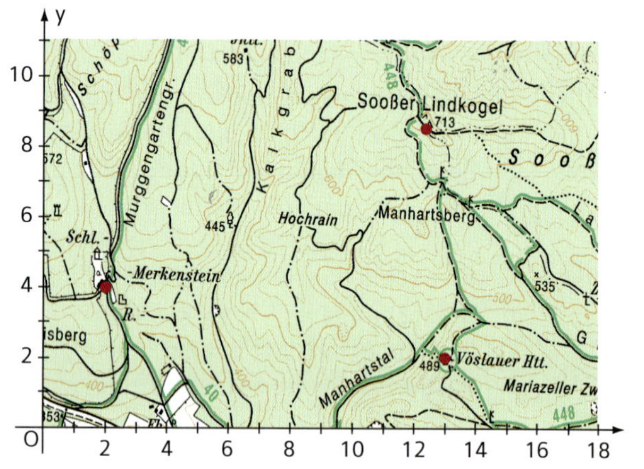

GK **1023** Gegeben ist das Dreieck ABC. Bestimme grafisch und rechnerisch den Umkreismittelpunkt und den Umkreisradius.

a) A(5|2), B(1|5), C(3|−4)   b) A(−5|2), B(5|4), C(3|−2)
c) A(−14|−4), B(10|−2), C(1|10)   d) A(−7|5), B(8|8), C(0|16)

GK **1024** Gegeben ist das Dreieck ABC. Bestimme grafisch und rechnerisch den Höhenschnittpunkt.

a) A(5|2), B(1|5), C(3|−4)   b) A(−5|2), B(5|4), C(3|−2)
c) A(−14|−4), B(10|−2), C(1|10)   d) A(−7|5), B(8|8), C(0|16)

1025 Gegeben ist das Dreieck ABC. Bestimme grafisch und rechnerisch den Inkreismittelpunkt.

a) A(5|2), B(1|5), C(3|−4)   b) A(−5|2), B(5|4), C(3|−2)
c) A(−14|−4), B(10|−2), C(1|10)   d) A(−7|5), B(8|8), C(0|16)

11 Abstand eines Punktes von einer Geraden

In diesem Abschnitt erfährst du,
- was man unter der Normalprojektion eines Vektors auf einen anderen Vektor versteht,
- wie man den Betrag der Normalprojektion berechnen kann.

Diese Grundlagen brauchst du, um den Abstand eines Punktes von einer Geraden zu berechnen.

Vorwissen

Zur Herleitung der Normalprojektion eines Vektors auf einen anderen werden trigonometrische Formeln benötigt, die du in den folgenden Beispielen wiederholst.

GK **1026** Miss den eingezeichneten Winkel ab. Zeichne den Cosinus des Winkels ein und lies seinen Wert ab. Welches Vorzeichen hat er?

a)

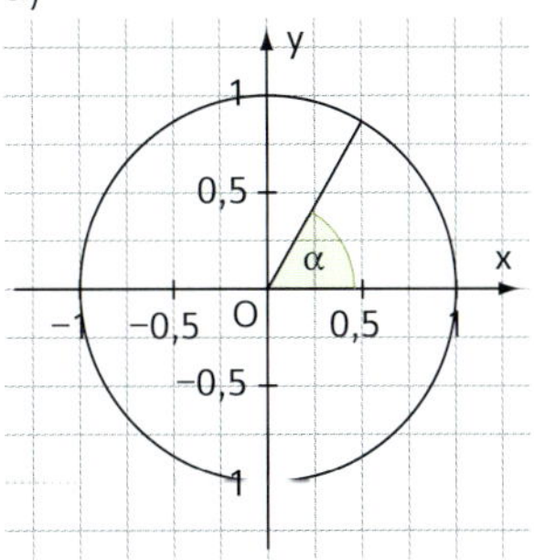

b)

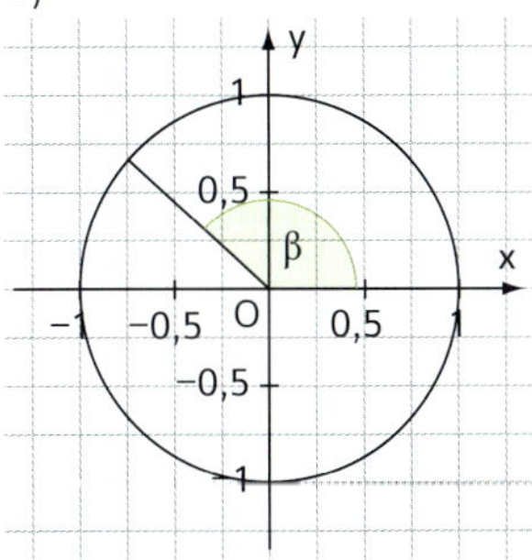

c)

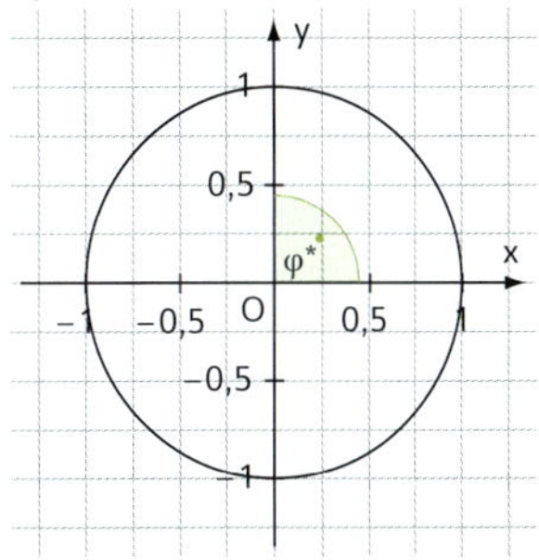

1027 Berechne die Winkel im Dreieck ABC mit $A(-3|0)$, $B(3|1)$, $C(0|5)$.

GK **1028** Ordne die Bilder und Quotienten der rechten Spalte den Begriffen der linken Spalte zu.

Ankathete bezüglich α		A	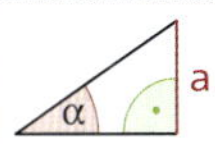
Gegenkathete bezüglich α		B	$\frac{\text{Gegenkathete}}{\text{Hypotenuse}}$
Hypotenuse bezüglich α		C	$\frac{\text{Gegenkathete}}{\text{Ankathete}}$
cos α		D	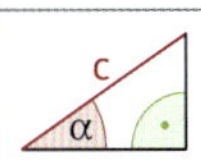
sin α		E	$\frac{\text{Ankathete}}{\text{Hypotenuse}}$
tan α		F	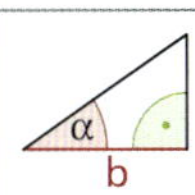

Neues Wissen

Normalprojektion von $\vec{b}$ auf $\vec{a}$

Ein Pfeil $\vec{b}$ schließt mit dem horizontalen Pfeil $\vec{a}$ den Winkel φ ein. Scheint die Sonne senkrecht auf diesen Pfeil $\vec{b}$, so wirft der Pfeil $\vec{b}$ einen Schatten der Länge $\overline{SF} = |b_a|$.

1. Fall: $0° < \varphi < 90°$ und $b_a = b_a$

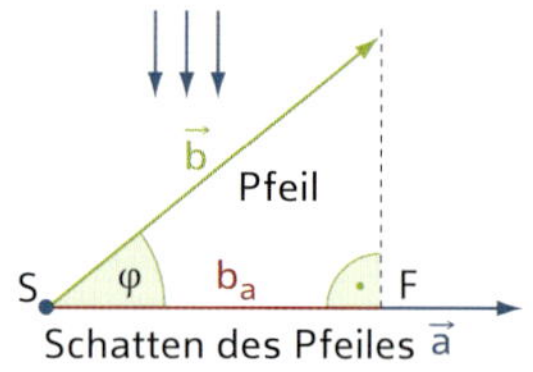

Es kann unmittelbar der Cosinus im rechtwinkligen Dreieck angewendet werden.

$\cos\varphi = \frac{b_a}{|\vec{b}|}$

Daraus folgt: $b_a = |\vec{b}| \cdot \cos\varphi$

Es muss gelten: $b_a > 0$, da für spitze Winkel $\cos\varphi > 0$

2. Fall: $\varphi = 90°$ und $|b_a| = 0$

Wegen $\cos 90° = 0$, ergibt sich aus $b_a = |\vec{b}| \cdot \cos\varphi$, dass $b_a = 0$ ist.

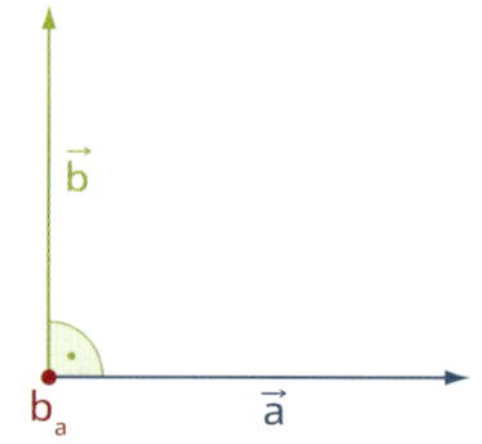

3. Fall: $90° < \varphi < 180°$ und $|-b_a| = b_a$

Anwenden der Formel $b_a = |\vec{b}| \cdot \cos\varphi$ ergibt: $b_a < 0$, da für stumpfe Winkel $\cos\varphi < 0$ ist.

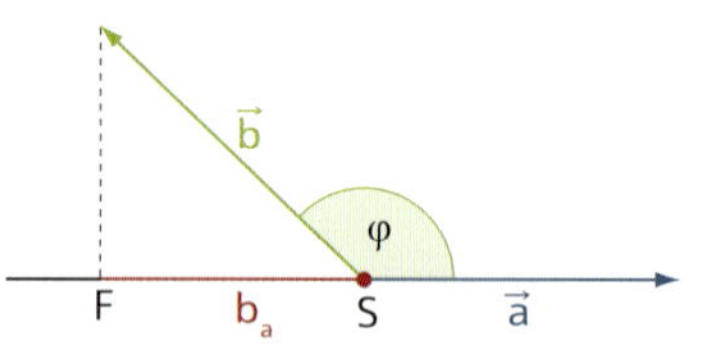

Der Wert der Normalprojektion b_a erhält daher je nach Winkel und Orientierung ein entsprechendes Vorzeichen und wird für $0° \le \varphi \le 180°$ mit $b_a = |\vec{b}| \cdot \cos\varphi$ berechnet.

Die folgende Umformung zeigt, dass der Wert b_a der **Normalprojektion von $\vec{b}$ auf $\vec{a}$** auch dann berechnet werden kann, wenn der Winkel φ nicht bekannt ist.

Aus $\cos\varphi = \frac{\vec{a} \cdot \vec{b}}{|\vec{a}| \cdot |\vec{b}|}$ folgt $|\vec{a}| \cdot |\vec{b}| \cdot \cos\varphi = \vec{a} \cdot \vec{b}$. Wegen $b_a = |\vec{b}| \cdot \cos\varphi$ gilt: $|\vec{a}| \cdot b_a = \vec{a} \cdot \vec{b}$

Aus $\frac{\vec{a}}{|\vec{a}|} = \vec{a_0}$ folgt: $b_a = \vec{b} \cdot \vec{a_0}$

Zusammenfassung

Der Vektor $\overrightarrow{SF}$ wird **Normalprojektion** des Vektors $\vec{b}$ auf den Vektor $\vec{a}$ genannt.

Für den Wert der Normalprojektion b_a gilt:

$\mathbf{b_a = |\vec{b}| \cdot \cos\varphi}$

$\mathbf{b_a = \vec{b} \cdot \vec{a_0}}$ **für $0° \le \varphi \le 180°$**

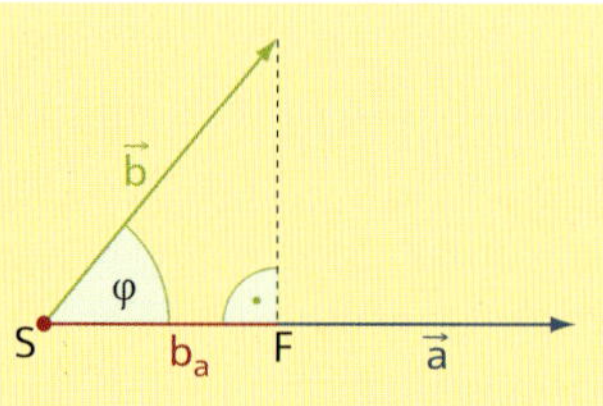

▷ *Beispiel:*
Berechne den Wert der Normalprojektion b_a des Vektors $\vec{b}$ auf den Vektor $\vec{a}$ mit der Formel $b_a = \vec{b} \cdot \vec{a_0}$ und gib an, welche Art von Winkel (spitz oder stumpf) die beiden Vektoren einschließen.
Überprüfe dein Ergebnis mit einer Zeichnung.

(1) $\vec{a} = \begin{pmatrix} 3 \\ 1 \end{pmatrix}$, $\vec{b} = \begin{pmatrix} 1 \\ 2 \end{pmatrix}$ (2) $\vec{a} = \begin{pmatrix} 2 \\ 1 \end{pmatrix}$, $\vec{b} = \begin{pmatrix} -2 \\ 1 \end{pmatrix}$

Lösung:

(1) $b_a = \vec{b} \cdot \vec{a_0} = \begin{pmatrix} 1 \\ 2 \end{pmatrix} \cdot \begin{pmatrix} 3 \\ 1 \end{pmatrix} \cdot \frac{1}{\sqrt{10}} = \frac{5}{\sqrt{10}} \approx 1{,}58$

$b_a > 0 \Rightarrow \varphi$ ist ein spitzer Winkel.

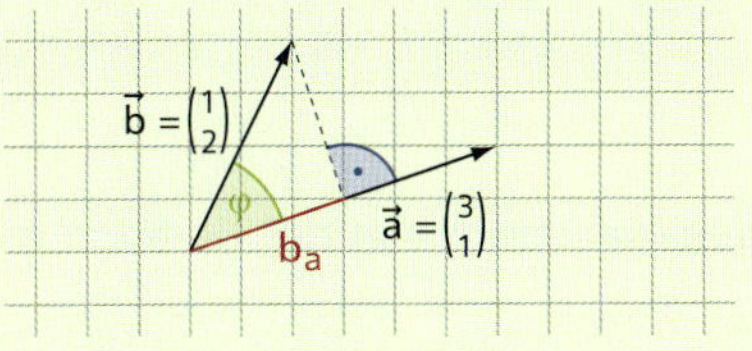

(2) $b_a = \vec{b} \cdot \vec{a_0} = \begin{pmatrix} -2 \\ 1 \end{pmatrix} \cdot \begin{pmatrix} 2 \\ 1 \end{pmatrix} \cdot \frac{1}{\sqrt{5}} = \frac{-3}{\sqrt{5}} \approx -1{,}34$

$b_a < 0 \Rightarrow \varphi$ ist ein stumpfer Winkel.

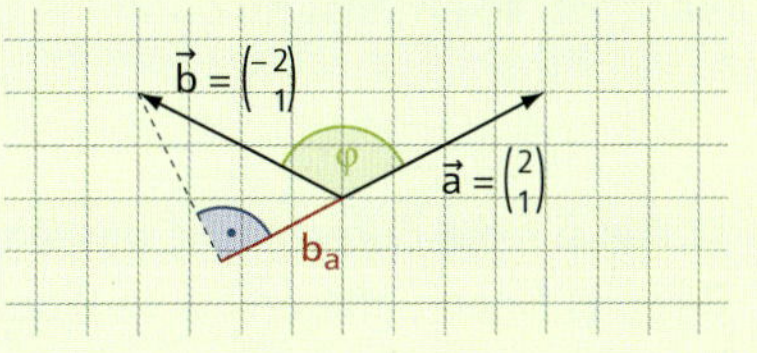

1029 Berechne den Wert der Normalprojektion b_a des Vektors $\vec{b}$ auf $\vec{a}$ mit der Formel $b_a = \vec{b} \cdot \vec{a_0}$ und gib an, welche Art von Winkel (spitz oder stumpf) die beiden Vektoren einschließen. Überprüfe dein Ergebnis mit einer Zeichnung.

a) $\vec{a} = \begin{pmatrix} 5 \\ 12 \end{pmatrix}$, $\vec{b} = \begin{pmatrix} -6 \\ 8 \end{pmatrix}$ b) $\vec{a} = \begin{pmatrix} -3 \\ 8 \end{pmatrix}$, $\vec{b} = \begin{pmatrix} 5 \\ -9 \end{pmatrix}$

Dieses Wissen um die Normalprojektion eines Vektors auf einen anderen Vektor ermöglicht dir, den Abstand eines Punktes von einer Geraden zu berechnen.

Der Normalabstand d des Punktes A von der Geraden g entspricht genau dem Wert der Normalprojektion des Vektors $\overrightarrow{AP}$ auf den Normalvektor $\vec{n}$ der Geraden g: $d = \left|\overrightarrow{AP} \cdot \vec{n_0}\right|$

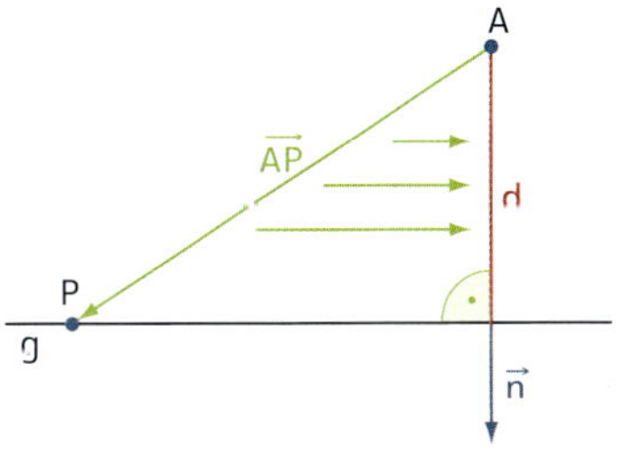

Da der Normalabstand d eines Punktes von einer Geraden stets eine positive Größe ist, musst du bei der Berechnung den Betrag des Skalarprodukts bilden.

▷ **Zusammenfassung**

Die Idee der Normalprojektion wird bei der Berechnung des **Abstandes**[1] **eines Punktes A von einer Geraden g** angewendet.
Der Abstand wird mit der **Hesse'schen**[2] **Abstandsformel** berechnet: $d(A, g) = \left|\overrightarrow{AP} \cdot \vec{n_0}\right|$.

Im dynamischen Arbeitsblatt www Abstand eines Punktes von einer Geraden wird die Idee der Normalprojektion mit der Hesse'schen Abstandsformel veranschaulicht.

1 Mit *Abstand* ist immer der Normalabstand gemeint.
2 Otto Ludwig Hesse (1811–1874), deutscher Mathematiker. Er lieferte unter anderem wichtige Beiträge zur analytischen Geometrie.

▷ *Beispiel:*
Berechne den Abstand des Punktes A(3|4) von der Geraden g: $x + 2y = 6$.

Lösung:
Wähle einen beliebigen Punkt P, der auf der Geraden g liegt: z. B. $y = 1 \Rightarrow P(4|1)$

$\overrightarrow{AP} = P - A = \begin{pmatrix} 4 \\ 1 \end{pmatrix} - \begin{pmatrix} 3 \\ 4 \end{pmatrix} = \begin{pmatrix} 1 \\ -3 \end{pmatrix}$ $\quad \vec{n} = \begin{pmatrix} 1 \\ 2 \end{pmatrix}$; $\vec{n_0} = \begin{pmatrix} 1 \\ 2 \end{pmatrix} \cdot \frac{1}{\sqrt{5}}$

$d(A, g) = \left|\overrightarrow{AP} \cdot \vec{n_0}\right| = \left|\begin{pmatrix} 1 \\ -3 \end{pmatrix} \cdot \begin{pmatrix} 1 \\ 2 \end{pmatrix}\right| \cdot \frac{1}{\sqrt{5}} = \frac{|-5|}{\sqrt{5}} \approx 2{,}24$

Der Abstand des Punktes A von der Geraden g beträgt rund 2,24.
Verwendest du für die Berechnung anstelle des Punktes P(4|1) einen anderen Punkt der Geraden g, so erhältst du dasselbe Ergebnis.

1030 Wähle für die Berechnung des Abstands d des Punktes A von der Geraden g im vorigen Beispiel einen anderen Punkt P der Geraden g.
Zeige, dass die Berechnung des Normalabstands d denselben Wert ergibt.

1031 Berechne den Abstand des Punktes A von der Geraden g.
a) $A = (5|-2)$, g: $5x - 12y = 10$ b) $A = (3|2)$, g: $\begin{pmatrix} 8 \\ 15 \end{pmatrix} \cdot X = \begin{pmatrix} 8 \\ 15 \end{pmatrix} \cdot \begin{pmatrix} 4 \\ -8 \end{pmatrix}$

1032 Bestimmt den Abstand d der beiden parallelen Geraden g und h.
g: $5x - 12y = -3$
h: $5x - 12y = 5$

Tipp: Die Punkte A und P kannst du auf den Geraden h bzw. g frei wählen.

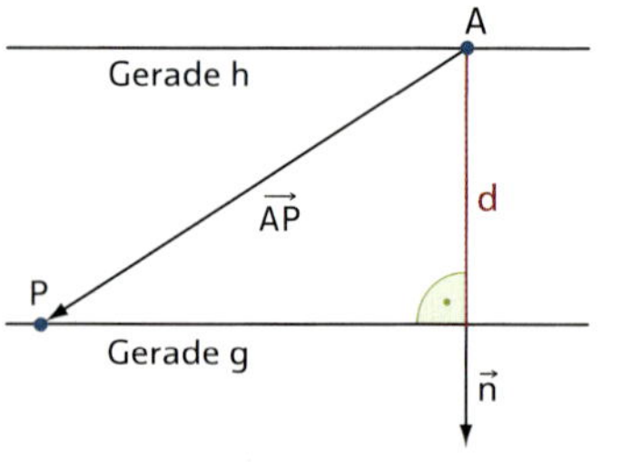

Berechnung der Höhe eines Dreiecks

Mithilfe der Hesse'schen Abstandsformel kannst du die Höhe in einem Dreieck berechnen.
Die Höhe h_a im Dreieck ABC entspricht dem Abstand des Punktes A von der Geraden g, die durch die Punkte B und C geht.

$$h_a = \left|\overrightarrow{AB} \cdot \vec{n_0}\right|$$

Ebenso gilt: $$h_a = \left|\overrightarrow{AC} \cdot \vec{n_0}\right|$$

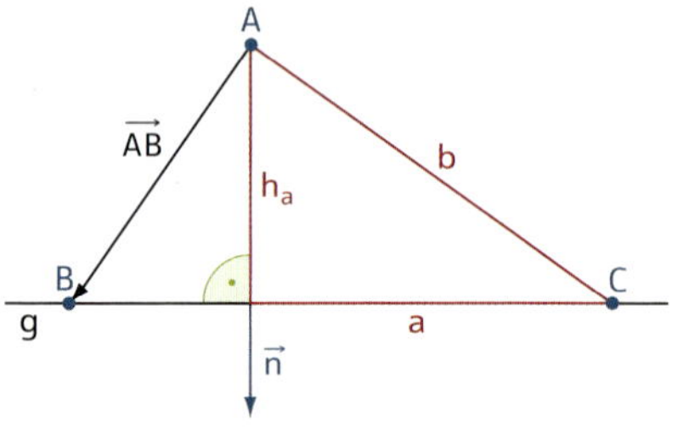

Berechnung des Normalabstands ohne Hesse'sche Abstandsformel

▷ *Beispiel:*
Berechne den Abstand des Punktes $A(3|4)$ von der Geraden $g: x + 2y = 6$ ohne Hesse'sche Abstandsformel.

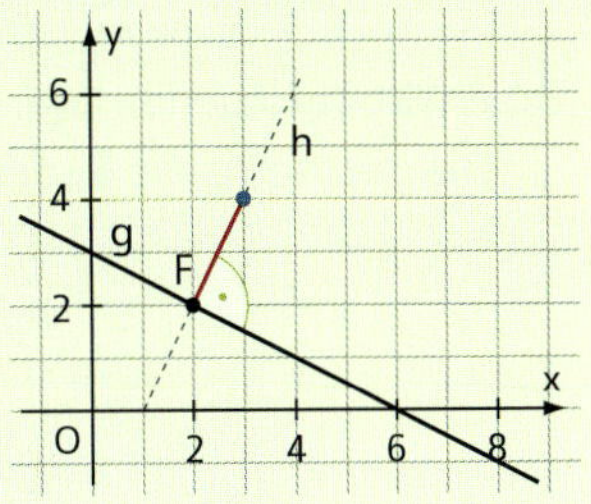

Lösung:
Normalvektor $\vec{n}$ der Geraden $g: \vec{n} = \begin{pmatrix}1\\2\end{pmatrix}$

Normale Gerade h durch A: $X = A + t \cdot \vec{n} = \begin{pmatrix}3\\4\end{pmatrix} + t \cdot \begin{pmatrix}1\\2\end{pmatrix}$

Schnittpunkt F (Fußpunkt) von g und h:
$(3 + t) + 2 \cdot (4 + 2t) = 6$
$t = -1$

$\Rightarrow F = \begin{pmatrix}3\\4\end{pmatrix} + (-1) \cdot \begin{pmatrix}1\\2\end{pmatrix} = \begin{pmatrix}2\\2\end{pmatrix}$ $\overrightarrow{FA} = \begin{pmatrix}1\\2\end{pmatrix} \Rightarrow d = |\overrightarrow{FA}| = \sqrt{1^2 + 2^2} = \sqrt{5} \approx 2{,}24$

Technologie-Tipp: Hesse´sche Abstandsformel

Aufgaben

1033 Berechne den Wert der Normalprojektion b_a des Vektors $\vec{b}$ auf $\vec{a}$. Gib an, ob die Vektoren $\vec{a}$ und $\vec{b}$ einen spitzen, normalen oder stumpfen Winkel einschließen.
a) $\vec{a} = (3|-2)$, $\vec{b} = (-5|6)$ b) $\vec{a} = (-14|5)$, $\vec{b} = (-7|4)$
c) $\vec{a} = (320|-200)$, $\vec{b} = (-525|618)$

1034 Berechne den Wert der Normalprojektion des Vektors $\vec{b}$ auf $\vec{a}$ und den Wert der Normalprojektion des Vektors $\vec{a}$ auf $\vec{b}$.
a) $\vec{a} = (1|3)$, $\vec{b} = (3|1)$ b) $\vec{a} = (2|3)$, $\vec{b} = (0|4)$ c) $\vec{a} = (4|5)$, $\vec{b} = (5|4)$
In welcher Beziehung stehen zwei Vektoren $\vec{a}$ und $\vec{b}$ zueinander, wenn gilt $b_a = a_b$?

1035 Berechne den Abstand des Punktes A von der Geraden g.
a) $A = (1|-2)$, $g: 3x + y = -8$ b) $A = (7|2)$, $g: 15x + 8y = 10$
c) $A = (1{,}5|-0{,}5)$, $g: \begin{pmatrix}0{,}75\\-2\end{pmatrix} \cdot X = \begin{pmatrix}0{,}75\\-2\end{pmatrix} \cdot \begin{pmatrix}0\\4\end{pmatrix}$ d) $A = (3|0)$, $g: \begin{pmatrix}-15\\-8\end{pmatrix} \cdot X = \begin{pmatrix}-15\\-8\end{pmatrix} \cdot \begin{pmatrix}-2\\2\end{pmatrix}$

1036 Bestimmt den Abstand d der beiden parallelen Geraden g und h.
a) $g: 2x - 6y = 7$, $h: 2x - 6y = 10$ b) $g: 23x - 25y = 0$, $h: 23x - 25y = 100$
c) $g: (6|-1) \cdot X = 2$, $h: (6|-1) \cdot X = 8$ d) $g: (3|4) \cdot X = 23$, $h: (3|4) \cdot X = 22$

1037 Gegeben ist das Dreieck $A(-6|-4)$, $B(10|-3)$, $C(8|10)$.
a) Berechne die Längen der Höhen h_a, h_b und h_c.
b) Berechne den Flächeninhalt des Dreiecks.
c) Berechne den Schwerpunkt des Dreiecks.
d) Wie weit ist der Schwerpunkt von den Seiten des Dreiecks entfernt?

12 Geometrische Deutung des Skalarprodukts

Das Skalarprodukt zweier beliebiger Vektoren kann geometrisch gedeutet werden.

- Der Winkel zwischen zwei Vektoren hängt mit dem Vorzeichen des Skalarprodukts zusammen.
- Das Skalarprodukt kann durch eine Rechtecksfläche veranschaulicht werden.

Du erwirbst folgende Grundkompetenz:

○ Die geometrische Bedeutung des Skalarprodukts kennen (AG-L 3.6)

Vorwissen

1038 Wiederhole die wichtigsten Vorstellungen zur Normalprojektion b_a eines Vektors $\vec{b}$ auf einen Vektor $\vec{a}$. Die beiden Vektoren schließen einen Winkel φ ein.
Zeichne jeweils die Normalprojektion b_a in den Abbildungen ein und ordne anschließend die Aussagen richtig zu.

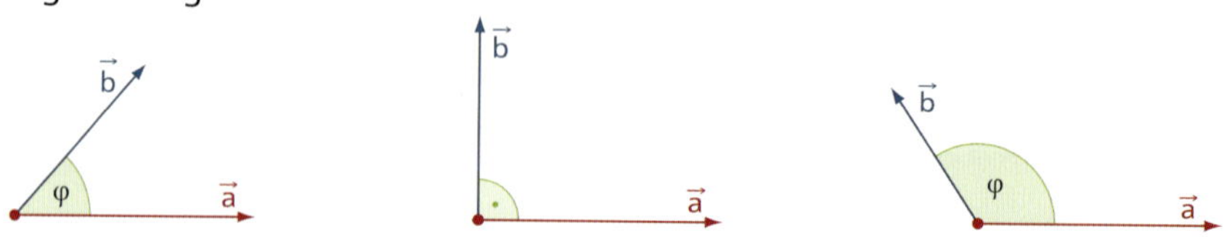

Der Wert von b_a ist positiv, wenn ...	
Der Wert von b_a ist negativ, wenn ...	
Der Wert von b_a ist null, wenn ...	

A	... $0° < \varphi < 90°$
B	... $\varphi = 90°$
C	... $90° < \varphi < 180°$
D	... die Projektion auf $\vec{a}$ liegt.
E	... die Projektion auf $-\vec{a}$ liegt.
F	... die Projektion verschwindet.

Neues Wissen

Mit dem Wissen der Normalprojektion kann das Skalarprodukt mithilfe von b_a und der Länge von $\vec{a}$ geometrisch gedeutet werden. Dazu werden die Zusammenhänge

(1) $\cos\varphi = \frac{\vec{a} \cdot \vec{b}}{|\vec{a}| \cdot |\vec{b}|}$ und (2) $b_a = |\vec{b}| \cdot \cos\varphi$ verwendet.

Drücke (1) das Skalarprodukt aus: $\vec{a} \cdot \vec{b} = |\vec{a}| \cdot |\vec{b}| \cdot \cos\varphi$

Ersetze in dieser Gleichung den entsprechenden Teilausdruck mithilfe von (2): $\vec{a} \cdot \vec{b} = |\vec{a}| \cdot b_a$

Der Zusammenhang $\vec{a} \cdot \vec{b} = |\vec{a}| \cdot b_a$ kann in Worten auf folgende Weise beschrieben werden:
Das Skalarprodukt zweier Vektoren ist gleich dem Produkt aus der Länge des einen Vektors und dem Wert der Normalprojektion des anderen Vektors.
Mithilfe dieser Formel kann erklärt werden, wie der Winkel zwischen den beiden Vektoren und das **Vorzeichen des Skalarprodukts** zusammenhängen.

Da der Vektor $\vec{a}$ vom Nullvektor verschieden ist, ist der Betrag $|\vec{a}|$ des Vektors stets von null verschieden. Daher hängt das Vorzeichen des Skalarprodukts allein vom Vorzeichen von b_a, also vom Winkel φ zwischen den Vektoren ab.

- **spitzer Winkel** zwischen $\vec{a}$ und $\vec{b}$ $\Leftrightarrow$ b_a liegt auf $\vec{a}$
  $\Leftrightarrow$ b_a hat positives Vorzeichen $\Leftrightarrow$ $\vec{a} \cdot \vec{b} > 0$
- **rechter Winkel** zwischen $\vec{a}$ und $\vec{b}$ $\Leftrightarrow$ b_a verschwindet
  $\Leftrightarrow$ $b_a = 0$ $\Leftrightarrow$ $\vec{a} \cdot \vec{b} = 0$
- **stumpfer Winkel** zwischen $\vec{a}$ und $\vec{b}$ $\Leftrightarrow$ b_a liegt auf $-\vec{a}$
  $\Leftrightarrow$ b_a hat negatives Vorzeichen $\Leftrightarrow$ $\vec{a} \cdot \vec{b} < 0$

Der **Wert des Skalarprodukts** lässt sich als **Flächeninhalt eines Rechtecks mit $|\vec{a}|$ und b_a als Seiten** veranschaulichen, wobei die Lage von b_a durch das entsprechende Vorzeichen ausgedrückt wird.

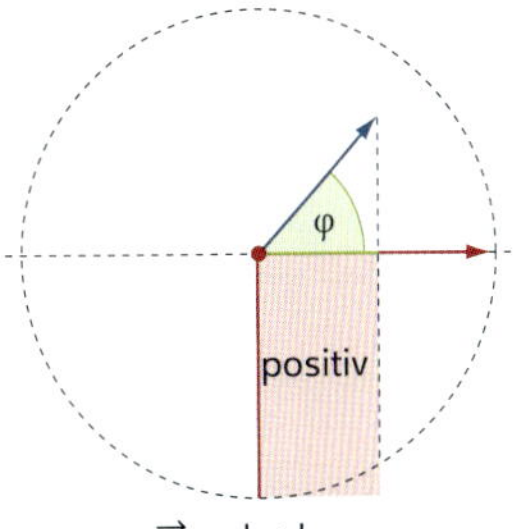

$\vec{a} \cdot \vec{b} = |\vec{a}| \cdot b_a > 0$

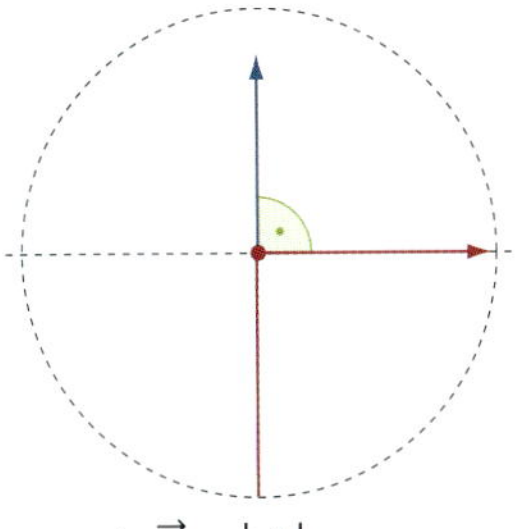

$\vec{a} \cdot \vec{b} = |\vec{a}| \cdot b_a = 0$

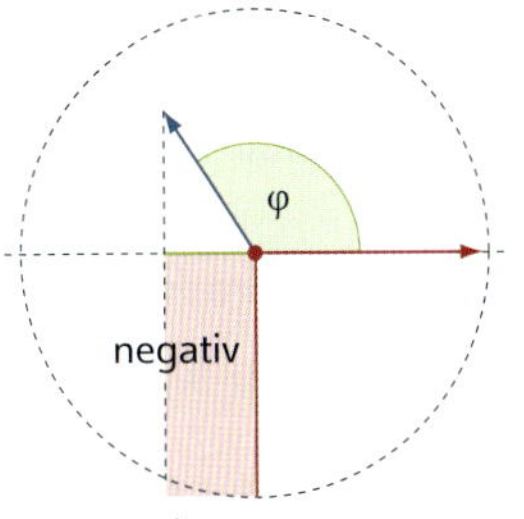

$\vec{a} \cdot \vec{b} = |\vec{a}| \cdot b_a < 0$

1039 Stellt das Skalarprodukt der beiden Vektoren zeichnerisch dar und berechnet seinen Wert, indem ihr die benötigten Längen abmesst. Achtet auf das richtige Vorzeichen.
Berechnet zur Kontrolle das Skalarprodukt mithilfe der beiden Vektoren.

a) $\vec{a} = \begin{pmatrix} 5 \\ 0 \end{pmatrix}$, $\vec{b} = \begin{pmatrix} 2 \\ 3 \end{pmatrix}$ b) $\vec{a} = \begin{pmatrix} -3 \\ 2 \end{pmatrix}$, $\vec{b} = \begin{pmatrix} 4 \\ 2 \end{pmatrix}$

1040 Öffnet das dynamische Arbeitsblatt www Geometrische Deutung des Skalarprodukts und untersucht entsprechend der Anleitung folgende Fragen:
Wie muss ein Vektor $\vec{b}$ (bei gleichbleibender Länge) zu einem vorgegebenen Vektor $\vec{a}$ gewählt werden, damit das Skalarprodukt

a) null ergibt, b) positiv ist, c) negativ ist,
d) so groß wie möglich ist, e) so klein wie möglich ist?

Zusammenfassung

Für zwei Vektoren $\vec{a}$ und $\vec{b}$, die vom Nullvektor verschieden sind, gilt:
Das **Skalarprodukt** der beiden Vektoren entspricht dem **Produkt aus der Länge des Vektors $\vec{a}$ und dem Wert der Normalprojektion b_a.**

$\vec{a} \cdot \vec{b} = |\vec{a}| \cdot b_a$

Analog gilt: $\vec{a} \cdot \vec{b} = |\vec{b}| \cdot a_b$

Aufgaben

1041 Stelle das Skalarprodukt der beiden Vektoren zeichnerisch dar und berechne seinen Wert, indem du die benötigten Längen abmisst. Achte auf das richtige Vorzeichen. Berechne zur Kontrolle das Skalarprodukt mithilfe der beiden Vektoren.

a) $\vec{a} = \begin{pmatrix} -7 \\ 4 \end{pmatrix}$, $\vec{b} = \begin{pmatrix} 1 \\ 5 \end{pmatrix}$ b) $\vec{a} = \begin{pmatrix} -3{,}5 \\ 1{,}5 \end{pmatrix}$, $\vec{b} = \begin{pmatrix} 6 \\ 6 \end{pmatrix}$

1042 Wie muss ein Vektor $\vec{b}$ (bei gleichbleibender Länge) zu einem vorgegebenen Vektor $\vec{a}$ gewählt werden, damit das Skalarprodukt

(1) null ergibt, (2) positiv ist, (3) negativ ist,
(4) so groß wie möglich ist, (5) so klein wie möglich ist?

Stelle die Lösungen zeichnerisch dar und beschreibe sie in Worten.

a) $\vec{a} = \begin{pmatrix} 5 \\ 7 \end{pmatrix}$, $|\vec{b}| = 5$ b) $\vec{a} = \begin{pmatrix} 6 \\ -4 \end{pmatrix}$, $|\vec{b}| = 8$

1043 Zeichne das Skalarprodukt der Vektoren (1) durch Normalprojektion des Vektors $\vec{b}$ auf den Vektor $\vec{a}$, (2) durch Normalprojektion des Vektors $\vec{a}$ auf den Vektor $\vec{b}$. Zeige, dass der Wert der Skalarprodukte übereinstimmt, indem du die Flächeninhalte der Rechtecke vergleichst.

a) $\vec{a} = \begin{pmatrix} 4 \\ 0 \end{pmatrix}$, $\vec{b} = \begin{pmatrix} 3 \\ 2 \end{pmatrix}$ b) $\vec{a} = \begin{pmatrix} 3 \\ 0 \end{pmatrix}$, $\vec{b} = \begin{pmatrix} -2 \\ 2 \end{pmatrix}$ c) $\vec{a} = \begin{pmatrix} 5 \\ 1 \end{pmatrix}$, $\vec{b} = \begin{pmatrix} 2 \\ 3 \end{pmatrix}$ d) $\vec{a} = \begin{pmatrix} 3 \\ 2 \end{pmatrix}$, $\vec{b} = \begin{pmatrix} 7 \\ -1 \end{pmatrix}$

1044 Stelle mithilfe des Skalarprodukts rechnerisch fest, ob die beiden Vektoren einen spitzen, rechten oder stumpfen Winkel einschließen.

a) $\vec{a} = \begin{pmatrix} -5 \\ 8 \end{pmatrix}$, $\vec{b} = \begin{pmatrix} -2 \\ -10 \end{pmatrix}$ b) $\vec{a} = \begin{pmatrix} -1 \\ 3 \end{pmatrix}$, $\vec{b} = \begin{pmatrix} -4 \\ 0 \end{pmatrix}$ c) $\vec{a} = \begin{pmatrix} 112 \\ -49 \end{pmatrix}$, $\vec{b} = \begin{pmatrix} 7 \\ 16 \end{pmatrix}$

d) $\vec{a} = \begin{pmatrix} -2 \\ 5 \end{pmatrix}$, $\vec{b} = \begin{pmatrix} -17 \\ -6 \end{pmatrix}$ e) $\vec{a} = \begin{pmatrix} 56 \\ 96 \end{pmatrix}$, $\vec{b} = \begin{pmatrix} -12 \\ 6{,}5 \end{pmatrix}$ f) $\vec{a} = \begin{pmatrix} 13 \\ 42 \end{pmatrix}$, $\vec{b} = \begin{pmatrix} 67{,}2 \\ -20{,}8 \end{pmatrix}$

1045 Ordne richtig zu.

$\vec{a} \cdot \vec{b} > 0$	
$\vec{a} \cdot \vec{b} = 0$	
$\vec{a} \cdot \vec{b} < 0$	

A	b_a hat negatives Vorzeichen.
B	$\vec{a} \perp \vec{b}$
C	$0° \leq \sphericalangle(\vec{a}, \vec{b}) < 90°$
D	b_a verschwindet.
E	b_a liegt auf $\vec{a}$.
F	$90° < \sphericalangle(\vec{a}, \vec{b}) \leq 180°$

1046 Welche Aussagen sind richtig?

- ☐ $\vec{a} \cdot \vec{b} > 0 \Leftrightarrow 0° \leq \sphericalangle(\vec{a}, \vec{b}) < 90°$
- ☐ Der Winkel zwischen zwei Vektoren muss nicht immer 90° betragen, wenn das Skalarprodukt der beiden Vektoren null ergibt.
- ☐ Das Skalarprodukt zweier Vektoren ist am kleinsten, wenn sie normal zueinander sind.
- ☐ $90° < \sphericalangle(\vec{a}, \vec{b}) \leq 180° \Leftrightarrow \vec{a} \cdot \vec{b} < 0$
- ☐ Das Skalarprodukt zweier Vektoren ist am größten, wenn die Vektoren parallel und gleich orientiert sind.

Kompetenzcheck

1 Ordne den abgebildeten Vektoren die passende Koordinatendarstellung zu.

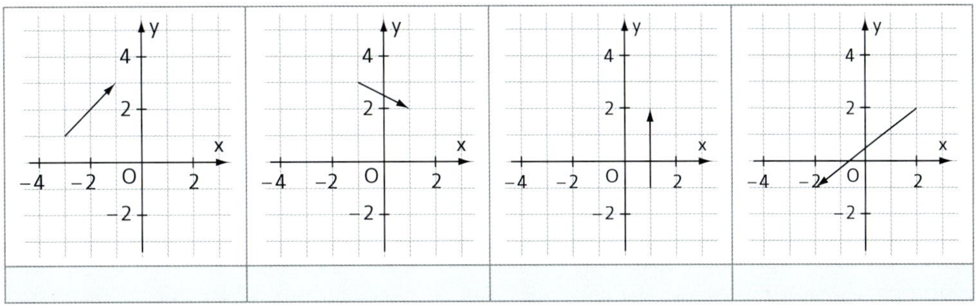

A	B	C	D
$\begin{pmatrix}-4\\-3\end{pmatrix}$	$\begin{pmatrix}2\\2\end{pmatrix}$	$\begin{pmatrix}2\\-1\end{pmatrix}$	$\begin{pmatrix}0\\3\end{pmatrix}$

2 Kreuze die richtigen Aussagen an.

- ☐ Ein Geschwindigkeitsvektor fasst die Informationen über die Geschwindigkeit und die Richtung einer Bewegung zusammen.
- ☐ Punkte des Koordinatensystems müssen immer in Zeilenform angeschrieben werden.
- ☐ Ein Vektor bezeichnet die Menge aller Pfeile der Zeichenebene, die gleich lang, parallel und gleich orientiert sind.
- ☐ Der Betrag eines Geschwindigkeitsvektors gibt Auskunft über die Richtung der Bewegung.
- ☐ Vektoren können mehr als zwei Komponenten haben.

3 Verschiebe den Punkt A(−1|3) um die Summe der Vektoren $\vec{v}$ und $\vec{w}$ mit $\vec{v} = \frac{1}{4} \cdot \begin{pmatrix}8\\4\end{pmatrix}$ und $\vec{w} = \begin{pmatrix}-3\\1\end{pmatrix}$. Ermittle das Ergebnis grafisch und rechnerisch.

4 Kreuze die zutreffende(n) Aussage(n) an.

a) Der abgebildete Vektor $\vec{v}$ beschreibt näherungsweise die konstante Geschwindigkeit eines Ballons (in m/s) beim Steigen.

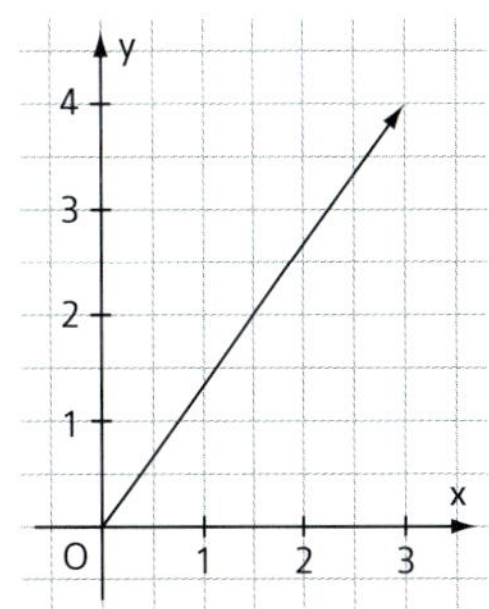

- ☐ Der Vektor $\vec{v}$ beschreibt neben der Geschwindigkeit des Ballons beim Steigen auch den pro Sekunde zurückgelegten Weg.
- ☐ Die Richtung, in der sich der Ballon bewegt, wird durch den Vektor $\vec{v} = (3|4)$ beschrieben.
- ☐ Der Betrag des Vektors $\vec{v}$ beschreibt die Streckenlänge der Ballonfahrt während der ersten beiden Sekunden.
- ☐ Die Geschwindigkeit des Ballons beträgt 5 m/s.
- ☐ Der Ballon steigt in einem Winkel von rund 53,1°.

b) Auf einer Straße mit einer Steigung von 1% wird ein Wagen über eine horizontale Entfernung von 100 Metern gezogen. Dabei wird die Kraft in Richtung der ansteigenden Straße ausgeübt.‘

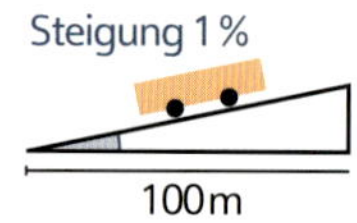

- ☐ Der Vektor $\vec{F} = \begin{pmatrix} 1 \\ 100 \end{pmatrix}$ beschreibt die Richtung, in die der Kraftvektor für das Ziehen des Wagens zeigt.
- ☐ Die Straße hat einen Steigungswinkel von rund 0,6°.
- ☐ Die Größe der Kraft zum Ziehen des Wagens ist aus der Richtung der Kraft nicht allein ersichtlich.
- ☐ Der Vektor $\vec{F} = \begin{pmatrix} 100 \\ 1 \end{pmatrix}$ beschreibt die Richtung, in die der Kraftvektor für das Ziehen des Wagens zeigt.
- ☐ Die Straße hat einen Steigungswinkel von 10°.

5 Vervollständige die Lücken so, dass eine mathematisch korrekte Aussage entsteht.
Wird ein Vektor $\vec{a}$ mit einem Skalar ___❶___ multipliziert, so ___❷___ $\vec{a}$.

❶	
$k < 0$	☐
$k < -1$	☐
$0 < k < 1$	☐

❷	
hat $k \cdot \vec{a}$ die gleiche Orientierung wie	☐
steht $k \cdot \vec{a}$ normal auf	☐
ist $k \cdot \vec{a}$ länger als	☐

6 Welche der folgenden Aussagen treffen auf das abgebildete rechtwinklige Dreieck zu? Kreuze an.

- ☐ $\overrightarrow{DE} \cdot \overrightarrow{DC} = 0$
- ☐ $\left|\overrightarrow{DE}\right| = 6$
- ☐ $\overrightarrow{DC} = \frac{1}{2} \cdot \overrightarrow{DE}$
- ☐ $\overrightarrow{EC} = \begin{pmatrix} 3 \\ -6 \end{pmatrix}$
- ☐ $\left|\overrightarrow{EC}\right| = \left|\overrightarrow{DC}\right| + \left|\overrightarrow{DE}\right|$

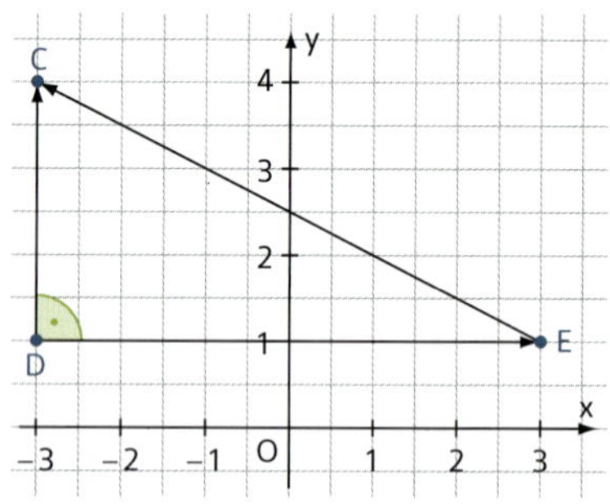

7 A, B, C und D sind die Eckpunkte des abgebildeten Deltoids, M ist der Schnittpunkt der Diagonalen e und f. Kreuze die zutreffende(n) Aussage(n) an.

- ☐ $\left|\overrightarrow{AM}\right| = \left|\overrightarrow{MD}\right| + \left|\overrightarrow{MA}\right|$
- ☐ $M = \frac{A + B}{2}$
- ☐ $\overrightarrow{MA} \cdot \overrightarrow{MC} = 0$
- ☐ $D = M + 2 \cdot \overrightarrow{CM}$
- ☐ $D = C + 2 \cdot \overrightarrow{CM}$

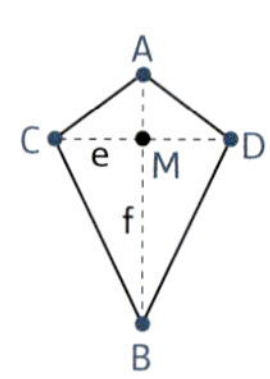

8 Für ein Lauftraining halten zwei Schülerinnen die Längen ihrer einzelnen Laufstrecken (in km) in den Vektoren $\vec{s_1} = \begin{pmatrix} 22 \\ 17{,}5 \end{pmatrix}$ und $\vec{s_2} = \begin{pmatrix} 15{,}8 \\ 21{,}3 \end{pmatrix}$ fest. Der Vektor $\vec{e}$ enthält nur Einser: $\vec{e} = \begin{pmatrix} 1 \\ 1 \end{pmatrix}$. Gib an, welche Bedeutung der Term $\frac{1}{2} \cdot \left((\vec{s}_1 + \vec{s_2}) \cdot \vec{e} \right)$ im Zusammenhang mit dem Lauftraining hat.

9 Berechne den Einheitsvektor von $\vec{a} = \begin{pmatrix} 4 \\ 3 \end{pmatrix}$ und $\vec{b} = \begin{pmatrix} -3 \\ 4 \end{pmatrix}$.

10 Gib an, welchen Wert das Skalarprodukt zweier Vektoren $\vec{a}$ und $\vec{b}$ annimmt, wenn diese beiden Vektoren normal aufeinander stehen.

11 Vervollständige die Lücken so, dass eine mathematisch korrekte Aussage entsteht.

Der Vektor $\begin{pmatrix} a_x \\ a_y \end{pmatrix}$ ist ______❶______, weil ________❷________.

❶	
zu $\begin{pmatrix} -a_y \\ a_x \end{pmatrix}$ parallel	☐
ein Vielfaches von $\begin{pmatrix} -a_y \\ a_x \end{pmatrix}$	☐
zu $\begin{pmatrix} -a_y \\ a_x \end{pmatrix}$ normal	☐

❷	
$\begin{pmatrix} a_x \\ a_y \end{pmatrix} \cdot \begin{pmatrix} -a_y \\ a_x \end{pmatrix} = 0$	☐
$\begin{pmatrix} a_x \\ a_y \end{pmatrix} = (-1) \cdot \begin{pmatrix} -a_y \\ -a_x \end{pmatrix}$	☐
$\left|\begin{pmatrix} a_x \\ a_y \end{pmatrix}\right| = \left|\begin{pmatrix} -a_y \\ a_x \end{pmatrix}\right|$	☐

12 Zwei Wanderer A und B gehen auf annähernd geradlinigen Wegen mit gleichmäßiger Geschwindigkeit. Beide starten um 8 Uhr Früh. A beginnt im Punkt $P(10|14)$ und ist nach einer Stunde in $Q(7|10)$. B startet in $C(-5|10)$ und ist um 9 Uhr im Punkt $D(-2|6)$. Die Komponenten sind in km gegeben.

a) Mit welcher Geschwindigkeit gehen die beiden?

b) Berechne den Schnittpunkt der beiden geradlinigen Wege.

c) Treffen die beiden einander in diesem Schnittpunkt?

13 Zeichne die Gerade $g: X = (-1|3) + t \cdot (2|-1)$ im vorgegebenen Koordinatensystem ein und gib die Gleichung von g in Normalvektorform an.
Zeichne eine dazu parallele Gerade h ein, die durch den Punkt $(0|0)$ geht und gib die explizite Form an.

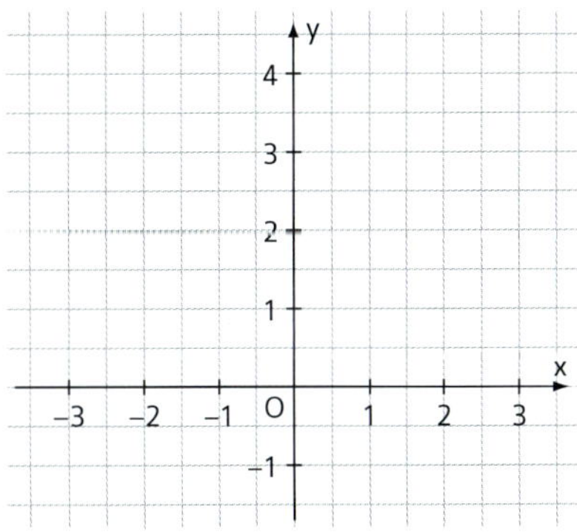

14 Überprüfe rechnerisch, ob der Punkt $P(4|-1)$ auf der Geraden $a: x - 3y = 6$ bzw. auf der Geraden $b: X = \begin{pmatrix} -6 \\ 5 \end{pmatrix} + t \cdot \begin{pmatrix} 5 \\ -3 \end{pmatrix}$ liegt.

15 Gegeben ist die Gerade $m: X = (0|3) + t \cdot (4|1)$.
Verändere einen Vektor in der Geradengleichung so, dass du

(1) eine zu m parallele Gerade p, aber keine identische Gerade erhältst,

(2) eine zu m normale Gerade n, die durch den Punkt $(1|1)$ geht, erhältst bzw.

(3) eine Gerade s erhältst, die die Gerade m im Punkt $(0|3)$ schneidet, aber nicht normal auf m steht.

16 Ordne den dargestellten Geraden die zutreffende Geradengleichung zu.

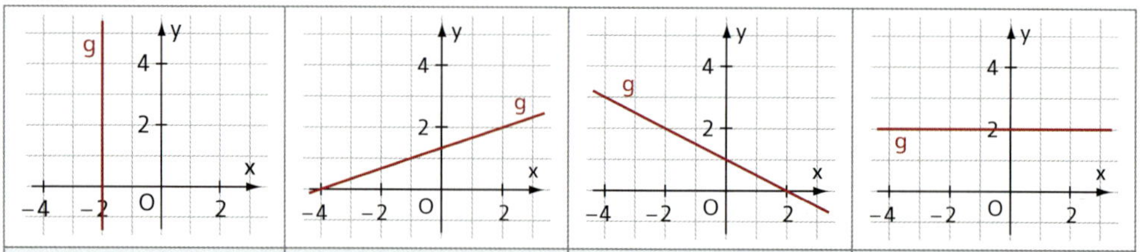

A	B	C	D	E	F
$y = -0{,}5x + 1$	$x - 3y = -1{,}2$	$\binom{1}{-3} \cdot X = -4$	$g\colon X = \binom{-2}{3} + \lambda \cdot \binom{0}{-1}$	$y = -2$	$g\colon \binom{0}{1} \cdot X = 2$

17 Gegeben ist die Gerade g. Kreuze die zutreffende(n) Aussage(n) an.

a) $g\colon 4x - 3y = -5$
- ☐ $(4|3)$ ist ein Normalvektor der Geraden g.
- ☐ $(-3|-4)$ ist ein Richtungsvektor der Geraden g.
- ☐ $(4|-3)$ ist ein Richtungsvektor der Geraden g.
- ☐ $(-2|-1)$ ist ein Punkt der Geraden g.
- ☐ $(4|-3)$ ist ein Normalvektor der Geraden g.

b) $g\colon X = (2|2) + t \cdot (4|-1)$
- ☐ $(4|-1)$ ist ein Punkt der Geraden g.
- ☐ $(4|-1)$ ist ein Richtungsvektor der Geraden g.
- ☐ $(8|-2)$ ist ein Richtungsvektor der Geraden g.
- ☐ $(-2|3)$ ist ein Punkt der Geraden g.
- ☐ $k = -\frac{1}{4}$ beschreibt die Steigung der Geraden g.

18 Gegeben sind zwei Geradengleichungen:

$g_1\colon X = \binom{3}{5} + t_1 \cdot \binom{2}{3}$ und $g_2\colon X = \binom{13}{k} + t_2 \cdot \binom{-4}{-6}$.

(1) Können sich die beiden Geraden g_1 und g_2 schneiden? Begründe deine Antwort! Wenn ja, bestimme die fehlende Koordinate k so, dass die Geraden einander schneiden!

(2) Kann es sich bei den beiden Geraden um identische Geraden handeln? Begründe deine Antwort! Wenn ja, bestimme die fehlende Koordinate k so, dass die Geraden identisch sind.

(3) Kann es sich bei den beiden Geraden um parallele Geraden handeln? Begründe deine Antwort! Wenn ja, bestimme die fehlende Koordinate k so, dass die Geraden parallel, aber nicht identisch sind.

19 Ermittle den Schnittpunkt der Geraden $g\colon X = (-5|0) + \vec{u} \cdot (6|1)$ und $h\colon X = (1|5) + \vec{v} \cdot (2|-1)$.

20 Ein Dreieck hat die Eckpunkte $A(1|-1)$, $B(6|3)$ und $C(-3|1)$. Ermittle die Gleichung der Trägergeraden,

(1) auf der die Höhe der Seite c liegt,

(2) auf der die Schwerlinie der Seite b liegt,

(3) auf der die Seitensymmetrale der Seite b liegt.

Typ-2-Aufgaben

GK **1047** **Seilbahn**

Die Abbildung zeigt modellhaft die Verhältnisse bei einer Seilbahn. Die Gondel hängt dabei auf einem Tragseil t, das Zugseil z verläuft darunter. Auf das obere Tragseil wirken die Kräfte $\vec{F_1}$ und $\vec{F_2}$, die durch das Gewicht der Gondel verursacht werden.

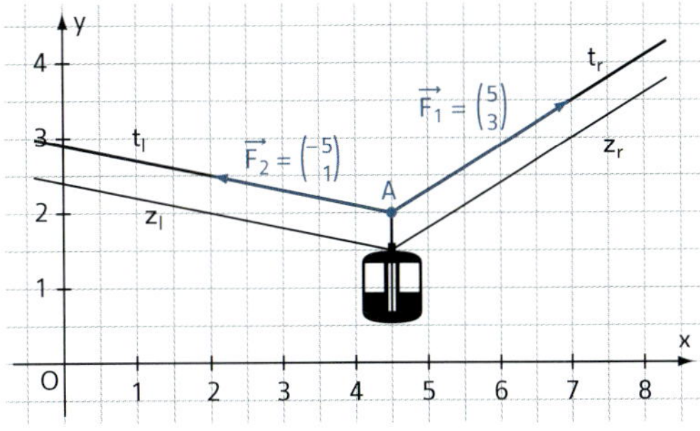

a) Die beiden Kräfte $\vec{F_1}$ und $\vec{F_2}$ lassen sich durch eine am selben Punkt angreifende Kraft $\vec{F}$ ersetzen. Diese resultierende Kraft ist die Summe der Kräfte $\vec{F_1}$ und $\vec{F_2}$ und übt allein dieselbe Wirkung aus wie $\vec{F_1}$ und $\vec{F_2}$ zusammen. Zeige rechnerisch und grafisch, dass die resultierende Kraft $\vec{F}$ in senkrechter Richtung wirkt.

b) Stelle eine Geradengleichung in Parameterform auf, die die Lage des unteren rechten Zugseils z_r beschreibt.

c) Liegt der Punkt P(10|4) auf der Geraden für das obere rechte Tragseil t_r? Begründe deine Antwort.

d) Berechne den Abstand des rechten Tragseils t_r zum rechten Zugseil z_r.

GK **1048** **Talfahrt**

Ein Schifahrer fährt auf einem gleichmäßig abfallenden Hang ins Tal. Sein Gewicht von 500 N wirkt senkrecht nach unten (in der Abbildung wird die Kraft in Einheiten von 100 N angegeben). Entnimm der Abbildung alle notwendigen Größen.

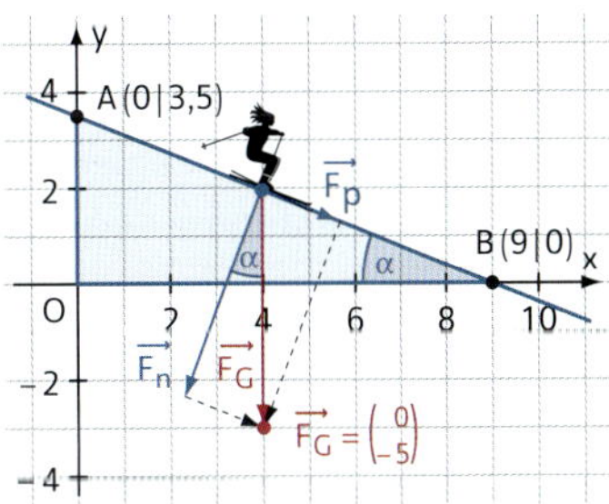

a) Stelle eine Gleichung der Geraden, die den Verlauf des Hanges beschreibt, in Parameterform auf. Welchen Steigungswinkel α weist dieser Hang auf?

b) Berechne die parallel zum Hang wirkende Kraft $\vec{F_P}$. Gib einen Einheitsvektor an, der normal auf den abfallenden Hang steht.

c) Der Vektor $\vec{v} = 2 \cdot \overrightarrow{AB}$ beschreibt die Bewegung eines Rennläufers pro Sekunde auf diesem Hang (in Meter). Welche Distanz (in Meter) legt der Rennläufer pro Sekunde zurück? Wie groß ist seine Geschwindigkeit in $\frac{km}{h}$?
Welche Bedeutung hat in diesem Zusammenhang der Vektor $3 \cdot \vec{v}$?
Wie verändern sich Geschwindigkeit und Hangneigung, wenn die Bewegung pro Sekunde anschließend durch den Vektor $\vec{v_2} = \begin{pmatrix} 18 \\ -8 \end{pmatrix}$ beschrieben wird? Begründe.

GK **1049** **Verkaufszahlen**

Am Schafflerhof in Tirol, einer Werkstatt für junge Menschen mit Behinderungen, werden fünf verschiedene kunsthandwerkliche Produkte hergestellt. Die Tabelle stellt die Verkaufszahlen in den Monaten Oktober bis Dezember eines Jahres dar.

	Verkaufte Stück		
	Oktober	November	Dezember
Holzschneidebretter	8	18	40
Schafwollpölster	5	10	15
Kräuterkissen	7	12	30
Schafwollkränze	4	3	10
Gestecke	0	55	10

Die verkauften Stück pro Produkt in einem bestimmten Monat können in einem Spaltenvektor dargestellt werden. Zwei Produkte werden herausgegriffen: Schafwollpölster und Kräuterkissen.

Vektor $\vec{a}$ gibt die Verkaufszahlen für die beiden Produkte im Oktober an, Vektor $\vec{b}$ die Verkaufszahlen im November und $\vec{c}$ die Verkaufszahlen im Dezember.

a) Ermittle $\vec{g} = \vec{a} + \vec{b} + \vec{c}$. Welche Bedeutung hat das Ergebnis?
   Berechne $\begin{pmatrix} 1 \\ 1 \end{pmatrix} \cdot \vec{g}$. Was wird damit im vorliegenden Zusammenhang berechnet?
b) Für Jänner ergibt sich folgender Zusammenhang: $\vec{d} = 2 \cdot \vec{a}$. Was bedeutet dies für die Verkaufszahlen im Jänner?
c) Bestimme den Vektor $\vec{z} = \frac{1}{3} \cdot (\vec{a} + \vec{b} + \vec{c})$. Interpretiere das Ergebnis im Kontext.

GK **1050** **Lagebeziehungen von Geraden**

Zwei Geraden im $\mathbb{R}^2$ sind entweder schneidend oder parallel oder identisch.

Gegeben sind die Gerade $g\colon X = \begin{pmatrix} -1 \\ 3 \end{pmatrix} + t \cdot \begin{pmatrix} 2 \\ -1 \end{pmatrix}$ und der Punkt $A(2|4)$.

a) Zeige rechnerisch, dass A nicht auf der Geraden g liegt. Stelle die Gerade g und den Punkt A in einem Koordinatensystem dar.
b) Gib eine Gleichung der Geraden p an, die durch A geht und zu g parallel (aber nicht identisch) ist.
   Begründe, warum es keine Gerade gibt, die durch A geht und mit g identisch ist.
c) Gib eine Gleichung einer Geraden s an, die durch A geht und die Gerade g schneidet. Begründe deine Vorgangsweise.
d) Gib eine Gleichung der Geraden n an, die durch A geht und normal auf g steht. Berechne die Koordinaten des Schnittpunktes.
   Wie kann rechnerisch überprüft werden, ob zwei Vektoren normal zueinander sind?

Primzahlen

1 Teiler – Factors

Kompetenzbereich: Mengen, Zahlen und Rechengesetze (AG)

Neues Wissen

Vocabulary	
column	Spalte
digit	Ziffer
divide	teilen, dividieren
divisibility	Teilbarkeit
divisible	teilbar
factor	Teiler
natural number	natürliche Zahl
prime number	Primzahl
property	Eigenschaft
row	Zeile
rules for divisibility	Teilbarkeitsregeln
sum of the digits	Ziffernsumme, Quersumme
set of natural numbers	Menge der natürlichen Zahlen ohne null $\mathbb{N}^*$
set of whole numbers[1]	Menge der natürlichen Zahlen in $\mathbb{N}$
theorem	mathematischer Lehrsatz
zero	null

If a and b are natural numbers, we say *a divides b*, if there is a natural number c such that $b = a \cdot c$.
$a|b$ means a divides b.
$a \nmid b$ means a does not divide b.
The natural numbers that divide b are called the **factors of b**.

Basic properties and theorems which hold for all natural numbers a, b, c and d.

(1) $a|0$, $1|a$ and $a|a$
For example: 3 divides 0, 1 divides 3 and 3 divides 3.

(2) If a divides b and b divides c then a divides c.
$a|b$ and $b|c \Rightarrow a|c$
For example: 5 divides 25 and 25 divides 250 ⇒ 5 divides 250.

(3) $a|b \Rightarrow a|b \cdot c$

(4) $a|b$ and $a|c \Rightarrow a|b+c$

(5) $a|b$ and $a|c \Rightarrow a|b-c$, if $b > c$
For example: 3 divides 18 and 3 divides 33 ⇒ 3 divides 51 (= 18 + 33)

1051 Find one example which confirms theorem (3).

[1] Some authors use the term "natural number" to exclude zero and "whole number" to include it; others use "whole number" in a way that excludes zero, or in a way that includes both zero and the negative integers.
Quelle: http://en.wikipedia.org/wiki/Natural_number

1052 Translate theorem (3) into German.

1053 Find one example which confirms theorem (4).

1054 Translate theorem (4) into German.

1055 Find one example which confirms theorem (5).

1056 Translate theorem (5) into German.

Rules for divisibility

(1) A number is divisible by 2 if its last digit is 0, 2, 4, 6 or 8.
(2) A number is divisible by 3 if the sum of the digits is divisible by 3.
(3) A number is divisible by 4 if the number formed by the last two digits is divisible by 4.
(4) A number is divisible by 5 if its last digit is 0 or 5.
(5) A number is divisible by 6 if it is divisible by 2 **and** by 3.
(6) A number is divisible by 9 if the sum of the digits is divisible by 9.
(7) A number is divisible by 10 if its last digit is 0.

1057 Find an example for each of the rules.

1058 Find a rule for the divisibility by a) 12, b) 15, c) 18.

1059 Tick the box if the number in the first column is divisible by the number in the first row.

	2	3	4	5	6	9	10	12	15	18
34 860										
29 160										
25 550										
12 345										

1060 There is a number of six digits, which is divisible by 9.
The sum of the digits is 36.
Start on the left: The first digit is divisible by 4.
The number formed by the first two digits is divisible by 7.
The number formed by the first three digits is divisible by 3.
The number formed by the first four digits is divisible by 6.
The number formed by the first five digits is divisible by 5.
The last digit is 4.
Which number is this? (There are two solutions.)

2 Primzahlen

Primzahlen spielen eine große Rolle bei der Entwicklung moderner Verschlüsselungsverfahren. Viele Verfahren, z. B. bei sicheren Internetverbindungen für Homebanking, benötigen Zahlen, die aus wenigen, jedoch sehr großen Primfaktoren zusammengesetzt sind. Die Verschlüsselung ist sicher, weil die Primfaktorzerlegung der Code-Zahlen unbekannt und aufgrund der Größe der Zahlen nur mit sehr hohem Aufwand zu berechnen ist.

Neues Wissen

Eine **Primzahl** p ist eine natürliche Zahl größer als 1, die nur durch 1 und sich selbst teilbar ist. Eine Primzahl p besitzt also genau zwei Teiler: 1 und p

Jede natürliche Zahl größer als 1 ist entweder selbst eine Primzahl oder lässt sich auf eindeutige Weise als Produkt von Primzahlen schreiben. Diese Faktoren werden **Primfaktoren** genannt.

Eine natürliche Zahl größer 1, die keine Primzahl ist, heißt **zusammengesetzte Zahl**.

1061 Unter den folgenden sechs Zahlen sind zwei Primzahlen. Finde sie.

	Primzahl	Keine Primzahl
97		
98		
99		
100		
101		
102		

1062 Zerlege in Primfaktoren.
a) 1176 b) 1635 c) 2926 d) 3452 e) 993 f) 6716

1063 Wie lautet die kleinste zusammengesetzte Zahl, die nicht die Primteiler 2, 3, 5 oder 7, aber den Primteiler 11 hat?

Der griechische Mathematiker **Eratosthenes** (ca. 275–194 v. Chr.) beschrieb ein Verfahren, um alle Primzahlen bis zu einer natürlichen Zahl m als Grenze zu finden, das heute als das **Sieb des Eratosthenes** bekannt ist. Dieses funktioniert nach folgendem Prinzip:
a) Schreibe eine Liste aller natürlichen Zahlen auf, die du überprüfen willst.
b) Streiche zuerst die Zahl 1 weg, da es sich bei 1 um keine Primzahl handelt.
c) Markiere 2 als Primzahl und streiche alle weiteren durch 2 teilbaren Zahlen, weil sie keine Primzahlen sind.
d) Markiere 3 als Primzahl und streiche dann alle durch 3 teilbaren Zahlen.
e) Setze fort, indem du entweder eine Zahl als Primzahl markierst oder sie als zusammengesetzte Zahl streichst.

Beachte, dass nur bis zu jener Zahl geprüft werden muss, die größer oder gleich der Wurzel der größten Zahl m im zu überprüfenden Bereich ist.

1064 Recherchiere im Internet über das Leben von Eratosthenes. Finde eine interaktive Übung zum Sieb des Eratosthenes. Finde alle Primzahlen, die kleiner 150 sind.

Bis heute ist noch keine Formel (Funktion) bekannt, mit der man alle Primzahlen berechnen kann. **Leonhard Euler** (1707–1783) stellte aber fest, dass die Polynomfunktion $euler(n) = n^2 - n + 41$ zumindest sehr viele Primzahlen liefert.

1065 Setze in das **Euler'sche Primzahlenpolynom** $euler(n) = n^2 - n + 41$ für n der Reihe nach die Werte 1, 2, 3, ..., 20 ein und überprüfe, welche der erhaltenen Zahlen Primzahlen sind.

Technologie-Tipp: Primfaktorenzerlegung

Bereits **Euklid** (um 300 v. Chr.) bewies, dass es unendlich viele Primzahlen gibt.
Euklid führte dazu einen indirekten Beweis und nahm vorerst an, dass es endlich viele Primzahlen $p_1, p_2, p_3, ..., p_k$ gibt. Ihre Anzahl sei k, wobei p_k die größte der k Primzahlen ist.
Sei n die natürliche Zahl, die aus dem Produkt aller Primzahlen $p_1, p_2, p_3, ..., p_k$ plus 1 gebildet wird, also: $n = p_1 \cdot p_2 \cdot p_3 \cdot \ldots \cdot p_k + 1$
Was lässt sich über n aussagen?
(1) Die Zahl n lässt sich nicht durch p_1, p_2 ... oder p_k teilen, du erhältst stets den Rest 1.
(2) Die Zahl n muss mindestens einen Primfaktor p als Teiler besitzen, also gilt:

$$n = p \cdot x$$
$$p_1 \cdot p_2 \cdot p_3 \ldots p_k + 1 = p \cdot x$$
$$1 = p \cdot x - p_1 \cdot p_2 \cdot p_3 \ldots p_k$$

Die Primzahl p kann nicht identisch sein mit einer der Primzahlen $p_1, p_2, p_3, \ldots, p_k$, denn sonst müsste 1 durch p teilbar sein. Es gibt also noch eine Primzahl p, die in der ursprünglich angeführten Liste aller k Primzahlen nicht vorkommt. Das steht im Widerspruch zur Annahme, dass $p_1, p_2, p_3, \ldots, p_k$ alle Primzahlen sind.
Es muss daher unendlich viele Primzahlen geben.

1066 Überprüfe die Überlegungen zum Beweis von Euklid anhand der gegebenen Liste von Primzahlen. Nimm jeweils an, diese Liste enthalte alle möglichen Primzahlen. Zeige den Widerspruch, indem du $n = p_1 \cdot p_2 \cdot p_3 \cdot \ldots \cdot p_k + 1$ berechnest. In den meisten Fällen ist n selbst eine Primzahl. In zwei Fällen ist n das Produkt von Primzahlen, die nicht in der gegebenen Liste enthalten sind.

a) 2, 3 b) 2, 3, 5 c) 2, 3, 5, 7
d) 2, 3, 5, 7, 11 e) 2, 3, 5, 7, 11, 13 f) 5, 7, 31

Die **Verteilung der Primzahlen** ist unregelmäßig. Sie treten bei großen Zahlen seltener auf. Der kleinstmögliche Abstand zwischen Primzahlen ist zwei. Primzahlen mit dem Abstand zwei heißen **Primzahlzwillinge**. Hier sind einige Zwillingspaare: (3, 5), (5, 7), (11, 13) ... Es ist noch ungeklärt, ob es unendlich viele Primzahlzwillinge gibt.

1067 Wie viele Primzahlzwillinge gibt es unter den Zahlen von 1 bis 150?

3 Sätze, Vermutungen und Geheimnisse über Primzahlen

Neues Wissen

1) Mit Ausnahme der Zahl 2 sind **alle Primzahlen ungerade**. Damit hat jede Primzahl außer 2 die Form $\mathbf{p = 2 \cdot k + 1}$, mit einer natürlichen Zahl k.

Beispiele: $131 = 2 \cdot 65 + 1$ $2081 = 2 \cdot 1040 + 1$

1068 Gib zwei weitere Zahlenbeispiele an.

2) **Kleiner Satz von Pierre de Fermat** (1601–1665)

Beispiel: Denke dir eine Primzahl p aus.	$p = 5$
Wähle eine natürliche Zahl n, die kein Vielfaches von p ist.	$n = 4$
Bilde n^{p-1}.	$4^{5-1} = 4^4 = 256$
Subtrahiere 1.	$256 - 1 = 255$
Zeige, dass das Ergebnis ein Vielfaches von p ist.	$255 = 5 \cdot 51 = 51 \cdot p$
Oder anders formuliert:	
Wird n^{p-1} durch p dividiert, so bleibt 1 Rest.	$256 : 5 = 51$ mit Rest 1.

In mathematischer Sprache lautet der **Kleine Satz von Fermat:**
Wenn p eine Primzahl ist und n eine natürliche Zahl, die kein Vielfaches von p ist, dann ist n^{p-1} stets um 1 größer als das nächstkleinere Vielfache von p.
n^{p-1} hat also bei der Division durch p den Rest 1, d.h. $n^{p-1} - 1$ ist durch p teilbar.

1069 Gib ein weiteres Beispiel für den Kleinen Satz von Fermat an.

3) Jede Primzahl p der Form $p = 4 \cdot k + 1$ mit $k \in \mathbb{N}$ kann eindeutig als Summe zweier ganzzahliger Quadrate dargestellt werden.

Beispiel: $233 = 4 \cdot 58 + 1$ $233 = 8^2 + 13^2$

1070 Gib ein weiteres Beispiel an.

4) Der Mathematiker **Christian Goldbach** stellte im Jahr 1742 in einem Brief an seinen Kollegen **Leonhard Euler** eine Vermutung auf, die heute in zeitgemäßer Formulierung lautet: Jede gerade Zahl, die größer als 2 ist, lässt sich als Summe von zwei Primzahlen ausdrücken.
Kaum ein/e Mathematiker/in zweifelt daran, dass Goldbach recht hat. Trotzdem konnte die **Goldbach'sche Vermutung** bis heute durch keinen Beweis bestätigt werden.

Beispiele: $20 = 13 + 7$, $34 = 17 + 17$, $36 = 17 + 19$, $40 = 17 + 23$

1071 Gib fünf weitere Beispiele für die Goldbach'sche Vermutung an.

5) Zwischen zwei Quadratzahlen findet man mindestens eine Primzahl. Wenn dies für alle benachbarten Quadratzahlen gilt, gibt es für jede natürliche Zahl n mindestens eine Primzahl p mit $n^2 < p < (n+1)^2$. Auch das ist eine Vermutung, die noch nicht bewiesen wurde.

Beispiele: Zwischen 16 und 25 liegen die Primzahlen 17, 19 und 23.
Zwischen 144 und 169 liegen die Primzahlen 149, 151, 157, 163, 167.

1072 Finde alle Primzahlen, die zwischen 14^2 und 15^2 liegen.

6) **Fermat'sche Primzahlen:** Die Primzahlen 3, 5, 17, 257, 65537 folgen unmittelbar auf eine Zweierpotenz. Dabei ist der Exponent selbst auch eine Zweierpotenz.

Beispiele: $3 = 2^{2^0} + 1$ $5 = 2^{2^1} + 1$ $17 = 2^{2^2} + 1$

Außer den oben angegebenen fünf Fermat'schen Primzahlen 3, 5, 17, 257, 65537 hat man keine weiteren gefunden. Man vermutet, dass es keine weiteren gibt, kann das aber bis heute nicht beweisen.

1073 Stelle die Primzahl 257 in der Form $257 = 2^{2^k} + 1$ dar.

7) **Mersenne'sche Primzahlen**

Die Primzahlen 3, 7, 31, 127 stehen unmittelbar vor einer Zweierpotenz. Dabei ist der Exponent selbst eine Primzahl.

Primzahlen der Form $2^p - 1$ werden nach dem Mathematiker **Marin Mersenne** (1588–1648) benannt.

2013 wird mithilfe der Software Gimps auf dem Computer von **Dr. Curtis Cooper**, Mathematiker an der Central Missouri State University, die 48. Mersenne-Primzahl entdeckt: $2^{57\,885\,161} - 1$. Sie hat 17425170 Ziffern und ist die bisher größte bekannte Primzahl. Die Suche nach noch größeren Primzahlen geht weiter. Unter http://primes.utm.edu/largest.html findest du immer den aktuellen Stand.

1074 Es sei $n = 1 \cdot 2 \cdot 3 \cdot 4 \cdot \ldots \cdot 99 \cdot 100$.
Begründe, dass die Zahlen $n + 2$, $n + 3 \ldots n + 100$ keine Primzahlen sind.

Verschlüsselungen von Nachrichten mithilfe von Primzahlen

Die Zerlegung einer großen natürlichen Zahl in Primfaktoren kann auch Computern Schwierigkeiten bereiten. Davon wird bei Verschlüsselungen von Nachrichten Gebrauch gemacht. Es werden zwei sehr große Primzahlen (jede etwa 100-stellig) multipliziert. Die Rückzerlegung des Produkts in die beiden anfänglichen Primzahlen lässt sich kaum durchführen. Die **RSA-Verschlüsselung** (benannt nach ihren Erfindern Ronald **R**ivest, Adi **S**hamir und Leonard **A**dleman) ist das heute am häufigsten verwendete Verfahren zur Sicherung von Daten und Nachrichten.

Formelsammlung

Aussagen: Beziehungen und Verknüpfungen

$A \Rightarrow B$ Aus A folgt B. (wenn – dann)
$A \Leftrightarrow B$ A ist äquivalent zu B. (genau dann – wenn)
$A \wedge B$ A und B
$A \vee B$ A oder B

Mengen: Beziehungen und Verknüpfungen

$A \subseteq B$ A Teilmenge von B
$A \subset B$ A echte Teilmenge von B
$A \cup B$ A Vereinigung B
$A \cap B$ A Durchschnitt B
$A \setminus B$ A ohne B

Zahlenbereiche

$\mathbb{N} = \{0, 1, 2, 3, 4, 5, \ldots\}$ $\mathbb{N}^* = \{1, 2, 3, 4, 5, \ldots\}$ $\mathbb{Z} = \{\ldots, -4, -3, -2, -1, 0, 1, 2, 3, 4, \ldots\}$
$\mathbb{Q}$ rationale Zahlen $\mathbb{R}$ reelle Zahlen; $\mathbb{R}^* = \mathbb{R} \setminus \{0\}$

Rechnen mit Zehnerpotenzen

$10^n = 10 \cdot 10 \cdot 10 \cdot \ldots \cdot 10$, wobei der Faktor 10 n-mal auftritt
$10^{-n} = \frac{1}{10^n}$, $10^0 = 1$ $10^a \cdot 10^b = 10^{a+b}$ $\frac{10^a}{10^b} = 10^{a-b}$ für $a > b$

Binomische Formeln

$(a+b)^2 = a^2 + 2ab + b^2$
$(a-b)^2 = a^2 - 2ab + b^2$
$(a-b)(a+b) = (a+b)(a-b) = a^2 - b^2$
$(a+b)^3 = a^3 + 3a^2b + 3ab^2 + b^3$
$(a-b)^3 = a^3 - 3a^2b + 3ab^2 - b^3$

Funktionen

Lineare Funktion: $f(x) = k \cdot x + d$ $(k, d \in \mathbb{R})$, Steigung k, Achsenabschnitt d

Differenzenquotient: $\frac{f(x_1) - f(x)}{x_1 - x} = k$ $k = \frac{\Delta y}{\Delta x} = \frac{y_B - y_A}{x_B - x_A} = \frac{\text{Differenz der y-Werte}}{\text{Differenz der x-Werte}} = \tan\alpha$

Quadratische Gleichungen

$x^2 + px + q = 0;\ x_{1,2} = -\frac{p}{2} \pm \sqrt{\left(\frac{p}{2}\right)^2 - q}$ $ax^2 + bx + c = 0;\ x_{1,2} = \frac{-b \pm \sqrt{b^2 - 4ac}}{2a}$

Satz von Vieta: (1) $x_1 + x_2 = -p$ (2) $x_1 \cdot x_2 = q$ (3) $(x - x_1)(x - x_2) = x^2 + px + q$

Trigonometrie

$\sin\alpha = \frac{\text{Gegenkathete}}{\text{Hypotenuse}}$ $\cos\alpha = \frac{\text{Ankathete}}{\text{Hypotenuse}}$ $\tan\alpha = \frac{\sin\alpha}{\cos\alpha} = \frac{\text{Gegenkathete}}{\text{Ankathete}}$ $\sin^2\alpha + \cos^2\alpha = 1$

Sinussatz: $\frac{a}{\sin\alpha} = \frac{b}{\sin\beta} = \frac{c}{\sin\gamma} = 2R$ R ... Umkreisradius

Cosinussatz: $a^2 = b^2 + c^2 - 2bc \cdot \cos\alpha$
$b^2 = c^2 + a^2 - 2ca \cdot \cos\beta$
$c^2 = a^2 + b^2 - 2ab \cdot \cos\gamma$

Trigonometrische Flächeninhaltsformel: $A = \frac{ab}{2} \cdot \sin\gamma = \frac{ac}{2} \cdot \sin\beta = \frac{bc}{2} \cdot \sin\alpha$

Polarkoordinaten (r; φ) des Punktes P(x|y): $r = \sqrt{x^2 + y^2}$ $\qquad x = r \cdot \cos\varphi$

$\tan\varphi = \frac{y}{x} \ (x \neq 0)$ $\qquad y = r \cdot \sin\varphi$

Vektorrechnung und analytische Geometrie

Vektor zwischen zwei Punkten: $\overrightarrow{AB} = B - A$

Länge (Betrag) eines Vektors: $d(\vec{v}) = |\vec{v}| = \sqrt{v_x^2 + v_y^2}$

Einheitsvektor: $\vec{v_0} = \frac{1}{|\vec{v}|} \cdot \vec{v}$

Skalarprodukt: $\vec{a} \cdot \vec{b} = \begin{pmatrix} x_a \\ y_a \end{pmatrix} \cdot \begin{pmatrix} x_b \\ y_b \end{pmatrix} = x_a \cdot x_b + y_a \cdot y_b$

Winkel zwischen zwei Vektoren: $\cos\varphi = \frac{\vec{a} \cdot \vec{b}}{|\vec{a}| \cdot |\vec{b}|}$

Normalprojektion b_a des Vektors $\vec{b}$ auf den Vektor $\vec{a}$: $b_a = \vec{b} \cdot \vec{a_0} = |\vec{b}| \cdot \cos\varphi$

Mittelpunkt der Strecke AB: $M = \frac{1}{2} \cdot (A + B)$

Schwerpunkt des Dreiecks ABC: $S = \frac{1}{3} \cdot (A + B + C)$

Beschreibung von Geraden: $X = P + t \cdot \vec{r}$ *Parameterform*

$\vec{n} \cdot X = \vec{n} \cdot P$ oder $\vec{n} \cdot X = c$ *Normalvektorform*

Hesse'sche Abstandsformel: $d(A, g) = |\overrightarrow{AP} \cdot \vec{n_0}|$ mit $A \in g$

Griechische Kleinbuchstaben

α alpha	ε epsilon	ι jota	ν ny	ρ rho	φ phi
β beta	ζ zeta	κ kappa	ξ xi	σ sigma	χ chi
γ gamma	η eta	λ lambda	ο omikron	τ tau	ψ psi
δ delta	θ theta	μ my	π pi	υ ypsilon	ω omega

Lösungen der Kompetenzchecks

Kapitel 1: Zahlen und Rechengesetze

1 B; C; A; F

2 a) ❶ 3, ❷ 1 b) ❶ 2, ❷ 1

3 1, 3, 4, 5

4 a)

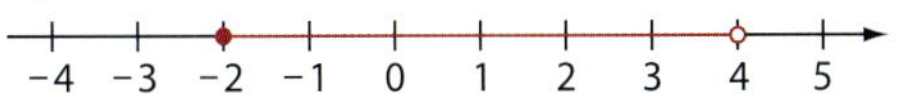

b)

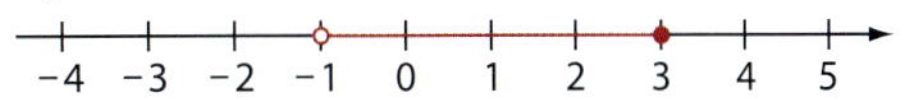

c)

d)

5 1, 2, 4

6 a) F; A; E; B b) E; A; C; D

7 (1) ℚ, ℝ (2) ℝ (3) ℚ, ℝ (4) ℕ, ℤ, ℚ, ℝ
(5) ℚ, ℝ (6) ℕ, ℤ, ℚ, ℝ (7) ℕ, ℤ, ℚ, ℝ (8) ℤ, ℚ, ℝ

Kapitel 2: Terme und Formeln

1 $V = \frac{f_{ob}}{f_{ok}}$

2 (1) $b = \frac{1}{4}a$ (2) $a = 3h_a$ (3) $f = e$ (4) $b = 5a$

3 C; E; D; A

4 a) $a + a^2$ b) $\frac{1}{z} + z$ c) $b \cdot (x + y)$ d) $\frac{P}{R - S}$

5 C; D; B; A

6 a) 126 b) 123

7 a) $x = -1$ b) $x = -1$ c) $y = 1$

Kapitel 3: Funktionen

1
a) 1160000, 1270000;
b) Schuljahr 1980/81;
c) 1969/70 und 1983/84;
d) z. B. 1930 bis 1940, 1960 bis 1970, 1970 bis 1980

2
Abb. A, Abb. B, Abb. E und Abb. F sind Graphen von Funktionen.

3
$D = \mathbb{R} \setminus \{0\}$; $Z = \mathbb{R}$; $f(10) = 2{,}4$; $f(2) = \frac{1}{4} \cdot 2 - \frac{1}{2} = \frac{1}{2} - \frac{1}{2} = 0$ und
$f(-2) = \frac{1}{4} \cdot (-2) - \frac{1}{-2} = -\frac{1}{2} + \frac{1}{2} = 0$; Nullstelle

4
a) Sarah, da ihre Geschwindigkeit bis 50 m nach dem Start stets am größten ist.
b) Phillip ist am schnellsten, da der Funktionswert (die Geschwindigkeit) im Ziel am höchsten ist. Sarah ist am langsamsten, da der Funktionswert (die Geschwindigkeit) im Ziel am kleinsten ist.
c) Phillip gewinnt, da er immer schneller als Lukas läuft und gegenüber Sarah nur auf den ersten 60 bis 70 m langsamer ist.

5
Fahrzeug 2 fährt mit konstanter Geschwindigkeit, da es in gleichen Zeitabschnitten (10 min) stets die gleiche Strecke (18 km) zurücklegt.

6
a)

x	f(x)
−3	6,5
−2	5
0	2
1	0,5
2	−1

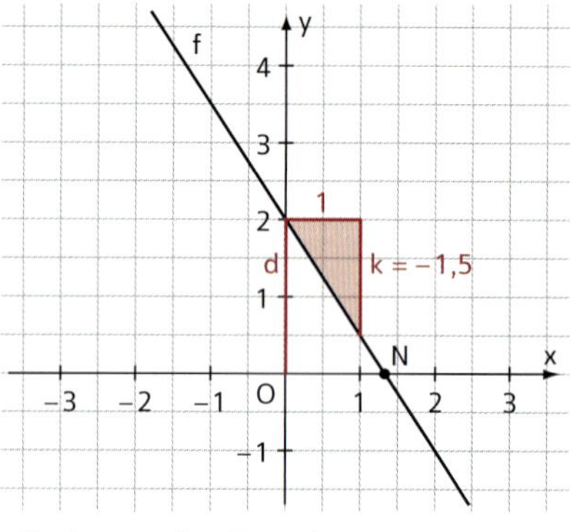

b) $d = 2$ ist der Abschnitt auf der y-Achse, $k = -1{,}5$ die Steigung der Geraden.
c) Nullstelle $x = \frac{4}{3}$;
d) Die Funktion fällt in ihrem gesamten Bereich, da die Steigung $k < 0$ ist.
e) $\frac{f(2) - f(-1)}{2 - (-1)} = \frac{-1 - 3{,}5}{3} = -1{,}5$

7
B; C; F; A

8
1. Zeile: nein – nein – nein
2. Zeile: nein – ja – nein

9
a) ja, $P(x) = p \cdot x$
b) ja, $K(x) = G + s \cdot x$
c) ja, $u(a) = 4a$
d) nein, $O(a) = 6a^2$
e) nein, $V(a) = a^3$
f) nein, $A(b) = \frac{G}{b}$

10
a) f_5
b) f_2

11 (1) B: $f(c)$ ist eine quadratische Funktion durch $(0|0)$.
(2) F: Der Graph von $f(d)$ ist symmetrisch zur y-Achse und hat die y-Achse als Asymptote.
(3) A: $f(b)$ ist eine lineare Funktion durch $(0|0)$.

12 E; F; A; B

13 (B), (C) und (E) sind richtig.

14 D; E; A

15 a) richtig – falsch – falsch – richtig – falsch;
b) richtig – richtig – falsch – richtig – richtig

Kapitel 4: Gleichungen

1 D; E; B; C

2 (1) 30: monatlicher Mitgliedsbeitrag m in €; 10: Platzmiete p pro Stunde in €; 130: Gesamtkosten im Juli in €; t: Anzahl der Stunden im Juli;
(2) $D = \mathbb{N}$, da der Platz für 0, 1, 2 usw. Stunden gemietet werden kann;
(3) $t = 10$. Sarah hat im Juli den Platz für insgesamt 10 Stunden gemietet.
(4) Eine leere Lösungsmenge ergibt sich bei allen Werten, die kleiner als 30 oder nicht durch 10 teilbar sind.

3 a) $x^2 - 8x + 15 = 0$ b) $x^2 - 49 = 0$ c) $x^2 - 2x = 0$
d) $x^2 - 2x + 1 = 0$ e) z.B. $x^2 + 1 = 0$ f) $x^2 - 7x + 6 = 0$
Für a) bis d) sind auch alle Gleichungen richtig, die durch Multiplikation mit einer reellen Zahl aus der gegebenen Gleichung entstehen.

4 (A): $D > 0$; (B): $D < 0$; (C): $D - 0$; (D): $D - 0$; (E): $D > 0$

5 A; C; A; B; D

6 a) $L = \{-8; 1\}$; b) $L = \{0,5; 4,5\}$; c) $L = \{-5\}$; d) $L = \{\ \}$;
e) $L = \{-10; 0\}$; f) $L = \{10; -10\}$

7 (A) $x_1 = -1$, $x_2 = 2$, $f(x) = x^2 - x - 2$, geometrische Deutung der Lösungen: Nullstellen bei $x_1 = -1$ und $x_2 = 2$
(B) $x_1 = 1$, $x_2 = x_1$, $f(x) = x^2 - 2x + 1$, geometrische Deutung der Lösung: Nullstelle bei $x_1 = 1$

(A)

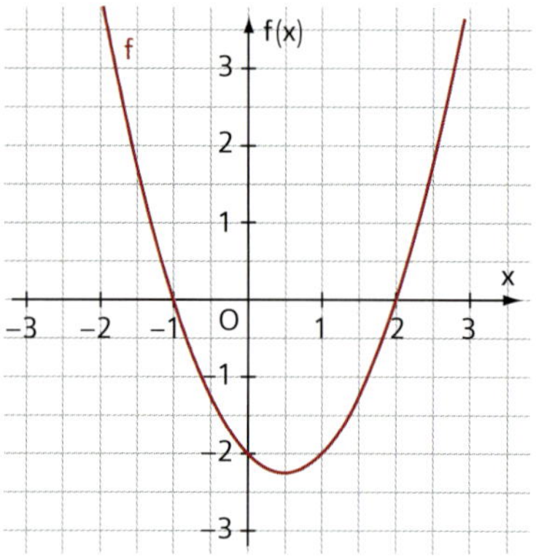

(B)

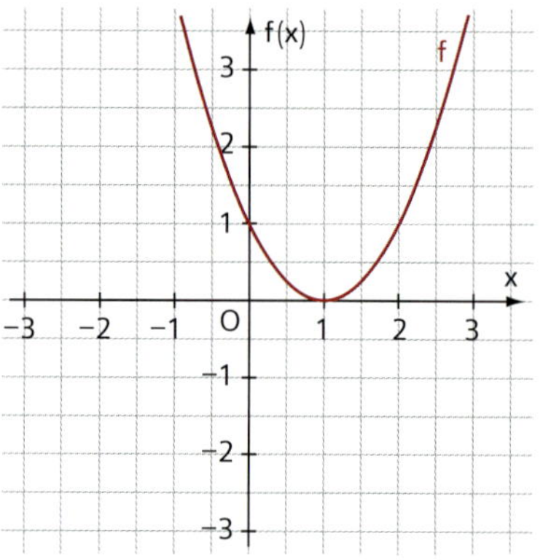

8 $x_{1,2} = t \pm \sqrt{t^2 - \frac{u}{2}}$

a) $16t^2 - 8u > 0$ oder $t^2 - \frac{u}{2} > 0$;

b) $16t^2 - 8u = 0$ oder $t^2 - \frac{u}{2} = 0$;

c) $16t^2 - 8u < 0$ oder $t^2 - \frac{u}{2} < 0$

9 $p = -0{,}5$ und $x_2 = 2$

10 z. B. $x^2 + 3{,}5x - 2 = 0$ und $2x^2 + 7x - 4 = 0$

Kapitel 5: Lineare Gleichungssysteme mit zwei Variablen

1 a) $L = \{(1{,}75|0{,}5)\}$; zwei Geraden schneiden einander in dem Schnittpunkt $(1{,}75|0{,}5)$.
b) $L = \{\ \}$; zwei parallele Geraden schneiden einander nicht.
c) $L = \{(-1|2)\}$; zwei Geraden schneiden einander in dem Schnittpunkt $(-1|\mathbb{R}2)$.

2 a) $b = -6$ b) $a = -1$ c) $a = 0{,}3$

3 (1) $c \in \mathbb{R} \setminus \left\{\frac{4}{3}\right\}$ (2) unmöglich; es gibt keinen Wert für c.
(3) $c = \frac{4}{3}$

4 C; B; E; F; A; B und C

Kapitel 6: Trigonometrie

1 D_1: $\sin\delta$, D_2: $\sin\alpha$, D_3: $\cos\gamma$, D_4: $\tan\beta$

2 a) (1) sin(45°), sin(135°) (2) cos(135°), cos(225°) (3) cos(180°)
(4) sin(90°) (5) sin(225°), sin(315°) (6) cos(45°), cos(315°)
(7) tan(45°), tan(225°) (8) sin(270°)

b) (1) positiv, (2) negativ, (3) negativ, (4) positiv,
(5) negativ, (6) positiv, (7) positiv, (8) negativ.

c) (1) $\sin\alpha = \sin(180° - \alpha)$, $0° < \alpha < 90°$, 2 Winkel,
(2) $\cos\alpha = \cos(360° - \alpha)$, $90° < \alpha < 180°$, 2 Winkel,
(3) $\cos(180°) = -1$, 1 Winkel,
(4) $\sin(90°) = 1$, 1 Winkel,
(5) $\sin\alpha = \sin(180° - \alpha)$, $180° < \alpha < 270°$, 2 Winkel,
(6) $\cos\alpha = \cos(360° - \alpha)$, $0° < \alpha < 90°$, 2 Winkel,
(7) $\tan\alpha = \tan(\alpha + 180°)$, 2 Winkel,
(8) $\sin(270°) = -1$, 1 Winkel

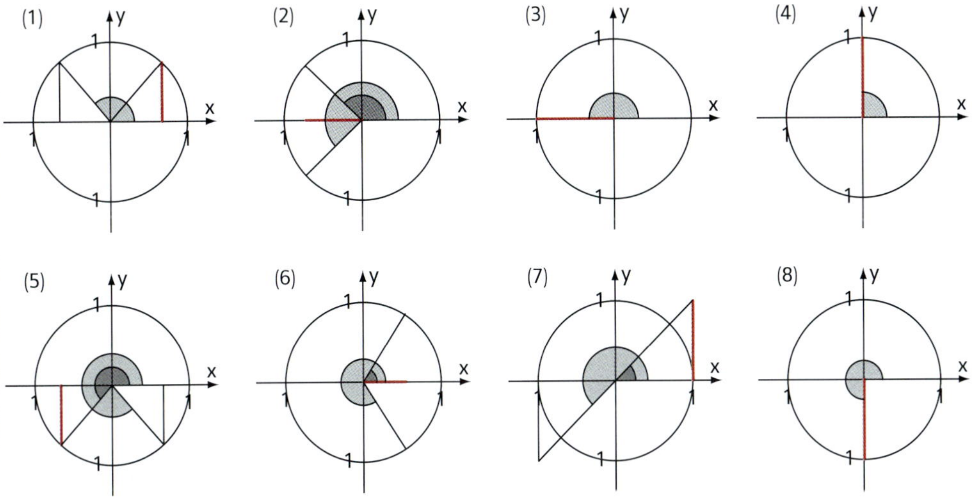

3 (1) Höhendifferenz zwischen Anfang und Ende der Straße,
(2) waagrechte Entfernung,
(3) Steigung der Straße.

4 Die Steigung beträgt 10,9 %, das entspricht einem Winkel von 6,24°.

Kapitel 7: Vektorrechnung und analytische Geometrie

1 B; C; D; A

2 richtig – falsch – richtig – falsch – richtig

3 $A' = A + \vec{v} + \vec{w} = \begin{pmatrix}-1\\3\end{pmatrix} + \frac{1}{4}\cdot\begin{pmatrix}8\\4\end{pmatrix} + \begin{pmatrix}-3\\1\end{pmatrix} = \begin{pmatrix}-1\\3\end{pmatrix} + \begin{pmatrix}2\\1\end{pmatrix} + \begin{pmatrix}-3\\1\end{pmatrix} = \begin{pmatrix}1\\4\end{pmatrix} + \begin{pmatrix}-3\\1\end{pmatrix} = \begin{pmatrix}-2\\5\end{pmatrix}$

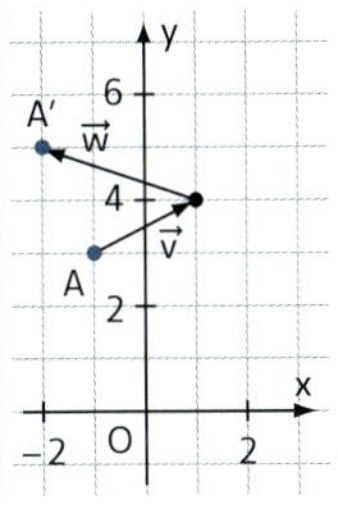

4 a) richtig – richtig – falsch – richtig – richtig;
b) falsch – richtig – richtig – richtig – falsch

5 Wird ein Vektor $\vec{a}$ mit einem Skalar $k < -1$ multipliziert, so ist $k \cdot \vec{a}$ länger als $\vec{a}$. Oder: Wird ein Vektor $\vec{a}$ mit einem Skalar $0 < k < 1$ multipliziert, so hat $k \cdot \vec{a}$ die gleiche Orientierung wie $\vec{a}$.

6 richtig – richtig – falsch – falsch– falsch

7 falsch – falsch – richtig – falsch – richtig

8 Der Term gibt das arithmetische Mittel der gelaufenen Strecken an.

9 $\vec{a_0} = \begin{pmatrix} 0{,}8 \\ 0{,}6 \end{pmatrix}$, $\vec{b_0} = \begin{pmatrix} -0{,}6 \\ 0{,}8 \end{pmatrix}$

10 Den Wert 0.

11 Der Vektor $\begin{pmatrix} a_x \\ a_y \end{pmatrix}$ ist zu $\begin{pmatrix} -a_y \\ a_x \end{pmatrix}$ normal, weil $\begin{pmatrix} a_x \\ a_y \end{pmatrix} \cdot \begin{pmatrix} -a_y \\ a_x \end{pmatrix} = 0$.

12 a) beide 5 km/h b) $S(1|2)$
c) Ziemlich sicher nicht, weil A um 11 Uhr, B aber schon um 10 Uhr in S ist.

13 g: $\begin{pmatrix} 1 \\ 2 \end{pmatrix} \cdot X = 5$, h: $y = -\frac{1}{2}x$

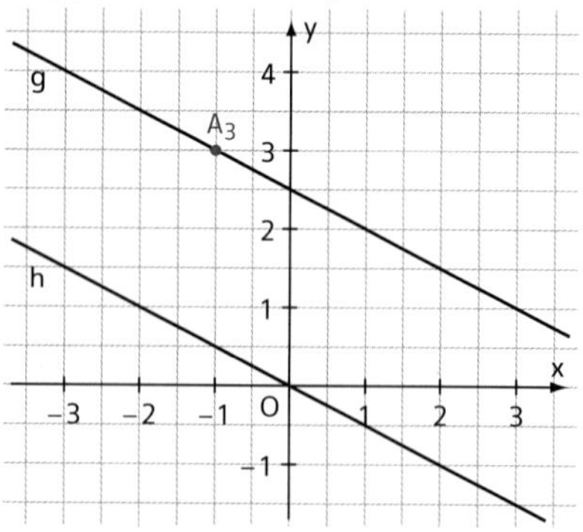

14 P liegt nicht auf a. P liegt auf b.

15 Beispiele:
(1) p: $X = (1|3) + t \cdot (4|1)$; (2) n: $X = (1|1) + t \cdot (1|-4)$; (3) s: $X = (0|3) + t \cdot (4|0)$

16 D; C; A; F

17 a) falsch – richtig – falsch – richtig – richtig
b) falsch – richtig – richtig – richtig – richtig

18 (1) Nein, da die Richtungsvektoren parallel sind.
(2) Ja, da die Richtungsvektoren parallel sind. $k = 20$
(3) Ja, da die Richtungsvektoren parallel sind. $k \neq 20$.

19 $S(7|2)$

20 (1) $5x + 4y = -11$ (2) $3x - 7y = -3$ (3) $-2x + y = 2$

Stichwortverzeichnis

W

Z

Bildquellenverzeichnis

01THEONE: 38.1; 123RF.com, Hong Kong: 260.1 (sergeiminsk); alamy images, Abingdon/Oxfordshire: 264.1 (Peter Bowater); Bildagentur Huber, Garmisch-Partenkirchen: 257.3 (Römmelt); Bundesamt für Eich- und Vermessungswesen (BEV), Wien: 267.1; Corbis, Berlin: 16.1 (Bettmann), 131.1 (Cultura), 190.1 (Bettmann), 305.1 (Stefano Bianchetti); DIGITALstock, Wangen: 103.2, 198.1; F1online digitale Bildagentur GmbH, Frankfurt/M.: 184.1 (PBY); fotolia.com, New York: 70.1 (ILYA AKINSHIN), 196.1 (Rebecca Fisher), 197.1 (INFINITY), 218.1 (tandemich); IBBA Gemeinnützige GmbH: 338 (alle: Georg Moser); INTERFOTO, München: 236.1 (Sammlung Rauch); iStockphoto.com, Calgary: 103.1 (Elnur Amikishiyev), 119.1 (Christine Balderas/DNY59), 275.1 (Aleksei Vasleika); Kaar, Marcus, Wien: 36.1; Lindenberg, Judith, Pottenstein: 258 (beide); Rowohlt Verlag GmbH, Reinbek: 206.1 (Kehlmann, Daniel: Die Vermessung der Welt); Shutterstock.com, New York: 71.1 (Pavel L Photo and Video), 72.1 (Tom Gowanlock); ullstein bild, Berlin: 305.2 (picturedesk.com).

Mit Bescheid des Bundesministeriums für Bildung, GZ BMBF-5.091/0030 – IT/3/2016 vom 12. 10. 2016, als für den Unterrichtsgebrauch für die 5. Klasse an allgemein bildenden höheren Schulen – Oberstufe im Unterrichtsgegenstand Mathematik geeignet erklärt.

Zusätzliche Aufgaben und Übungsmaterial unter www.dorner-verlag.at/dimensionen

Lösungen zum SchülerInnenband sind in jeder Buchhandlung
oder über den Verlag erhältlich:
ISBN 978-3-7055-**2499**-6

1. Auflage, 2017
Alle Drucke sind im Unterricht parallel verwendbar.

Umschlag: Manuela Tippl, Wien
Illustrationen: Juliane Wenzl, Leipzig
Satz, Grafik: imprint, Zusmarshausen
Druck: Westermann Druck Zwickau GmbH

Buch-Nr. 180 860
Bleier, Lindenberg, Lindner, Süss-Stepancik **Dimensionen, Mathematik 5 – Neuer Lehrplan**
© 2017 Verlag E. DORNER GmbH, Hainburger Straße 33, 1030 Wien Tel. 01 533 56 36, Fax: 01 533 56 36-15 E-Mail: office@dorner-verlag.at www.dorner-verlag.at
ISBN 978-3-7055-**2491**-0

Buch-Nr. 181 778
Bleier, Lindenberg, Lindner, Süss-Stepancik **Dimensionen, Mathematik 5 – Neuer Lehrplan + E-Book**
© 2017 Verlag E. DORNER GmbH, Hainburger Straße 33, 1030 Wien Tel. 01 533 56 36, Fax: 01 533 56 36-15 E-Mail: office@dorner-verlag.at www.dorner-verlag.at
ISBN 978-3-7055-**2520**-7